Index des groupes d'espèce

Guides Nature Broquet

OISEAUX :

L'alimentation des oiseaux
Familles d'oiseaux
Guide des oiseaux (Robbins)
Guide d'identification des oiseaux (NGS)
Les oiseaux de l'Est de l'Amérique du Nord (Peterson)
Les oiseaux de l'Est de l'Amérique du Nord (Stokes)
Mangeoires d'oiseaux (Stokes)
Nichoirs d'oiseaux (Stokes)
Les oiseaux du Canada (Godfrey)
Les oiseaux de mer (Harrison)
L'observation des oiseaux
Petits Peterson, Oiseaux

HORTICULTURE :

Bonsaï Penjing
L'art du bonsaï
Les plus beaux bonsaïs du monde
Calendrier horticole
La culture hydroponique
Fruits et petits fruits
Guide des végétaux d'ornement
Passion de cactus
Pelouses et jardins sans produits chimiques
Taille des arbres fruitiers

ARBRES ET FLEURS SAUVAGES :

Guide des arbres de l'Amérique du Nord
Guide d'identification des arbres du Canada
Guide des fleurs sauvages (Newcomb)
Petits Peterson, Fleurs sauvages

AUTRES :

Champignons vénéneux et nocifs
Dictionnaire des sciences de l'environnement
Guide des insectes (Peterson)
Guide des mammifères (Peterson)
Guide des traces d'animaux (Peterson)
Initiation aux champignons
Les insectes nuisibles
Les insectes nuisibles des forêts
Petits Peterson, Insectes
Petits Peterson, Mammifères
Le Québec forestier
Les saisons de la baleine
La nature aux abois

Lucie 4 juin 1998

Guide d'identification des oiseaux

de l'est de l'Amérique du Nord

Donald et Lillian Stokes

418, chemin des Frênes, L'Acadie, Qc, CAN. J2Y 1J1
Tél.: (514) 357-9626 / Télécopieur : (514) 357-9625
Internet: http://www.stjeannet.ca/broquet
Courrier électronique : broquet@stjeannet.ca

Données de catalogage avant publication (Canada)

Stokes, Donald W

Guide des oiseaux de l'est de l'Amérique du Nord

(guide d'identification)
Traduction de : Stokes field guide to birds. Eastern region.
Comprend des références bibliographiques et un index.

ISBN 2-89000-443-0

1. Oiseaux - Amérique du Nord (Est) - Identification. 2. Oiseaux - Habitat - Amérique du Nord (Est). 3. Oiseaux - Moeurs et comportement - Amérique du Nord (Est). I. Stokes, Lillian Q. II. Titre. III. Collection: Guides d'identification (L'Acadie, Québec).

QL681.S7614 1997 598.297 C96-941530-3

La version française de cet ouvrage est publiée
en hommage à Françoise Labelle-Broquet (1932-1996)

Traduction : Jean-Pierre Artigau

Correction : Francine Labelle

Révision scientifique : Michel Bertrand

Adaptation de la mise en page : Antoine Broquet

Titre original:
Stokes field guide to Birds /Eastern region.
Publié par Little, Brown and Company, Boston.

Dépôt légal — Bibliothèque nationale du Québec
1er trimestre 1997

ISBN 2-89000-443-0

Table des matières

Un guide des oiseaux pour le XXIe siècle

Jamais les observateurs d'oiseaux n'ont été aussi nombreux qu'aujourd'hui. Ils s'attendent à ce que cette activité, en plus d'être un loisir, soit enrichissante et qu'elle leur apporte une connaissance intime du monde des oiseaux; c'est pour les aider à réaliser ce souhait que nous avons rédigé le Guide des oiseaux de l'est de l'Amérique du Nord. Nous avons entrepris ce projet parce que nous voulions surpasser les guides existants et créer un outil qui aiderait les ornithologues amateurs à devenir de meilleurs observateurs tout en apprenant à mieux apprécier et comprendre les oiseaux. C'est dans ce but que, dans le présent ouvrage, nous avons prévu un accès rapide et facile aux descriptions des oiseaux que vous voudrez observer, mais aussi des renseignements importants sur la biologie de la nidification, les vocalisations et la protection des espèces. Nous croyons en effet que ces données s'avéreront plus précieuses que jamais au cours des prochaines années et qu'elles seront un complément intéressant aux connaissances ornithologiques que vous acquerrez.

LES TROIS VOLETS DE L'ORNITHOLOGIE: IDENTIFICATION, COMPORTEMENT ET PROTECTION

La protection de l'environnement repose sur ceux qui l'aiment, l'observent et le connaissent. Au cours du prochain siècle, les ornithologues seront amenés à jouer un rôle crucial parce qu'ils sont de ceux qui se consacrent à l'observation attentive du milieu naturel. Ils sont les premiers à remarquer les modifications qui affectent les populations d'oiseaux sur leur propriété, dans leur état ou province et même à l'échelle nationale.

Au XXIe siècle, on aura besoin d'observateurs qui pourront identifier un oiseau avec précision, qui sauront ce dont il a besoin pour survivre et se reproduire et qui seront conscients du statut de sa population.

Ces éléments constituent ce que nous appelons les trois volets de l'ornithologie, c'est-à-dire l'identification, le comportement et la protection des espèces. Pour pouvoir prendre des décisions éclairées en vue de protéger les populations d'oiseaux, le public devra avoir une connaissance de chacun de ces trois aspects. Les populations d'oiseaux sont un excellent indicateur de la santé générale de notre environnement naturel et, en les protégeant, nous agirons aussi pour le bien de notre milieu en général.

Nous espérons que le présent guide amènera un plus grand nombre de personnes à savoir identifier les oiseaux et à connaître les besoins en habitat des espèces qu'ils observeront ainsi que leur statut. Nous souhaitons également que tous les observateurs de l'avifaune deviennent des adeptes de l'ornithologie à trois volets, c'est-à-dire des amateurs enthousiastes et bien informés ainsi que des défenseurs de l'environnement.

COMMENT S'IMPLIQUER DAVANTAGE

Il incombe à ceux d'entre nous qui savent l'importance du milieu naturel d'intervenir pour le protéger. Grâce à l'ornithologie, cette action peut prendre la forme d'un véritable plaisir et d'une expérience enrichissante. Voici plusieurs gestes que nous pouvez poser pour vous engager dans la protection des oiseaux:

• Apprenez à identifier un plus grand nombre d'oiseaux.

• Par vos lectures et vos observations personnelles, apprenez à mieux connaître la biologie des espèces que vous observez.

• Sachez quelles sont les tendances des populations des oiseaux que vous voyez.

• Notez vos observations dans un cahier ou sur des feuillets pour garder la trace de ce que vous avez appris et remettez une copie de vos données pour saisie dans la banque ÉPOQ.

• Faites partager aux autres, jeunes ou vieux, votre amour et votre connaissance des oiseaux.

• Participez à des relevés et à des recensements d'oiseaux.

• Inscrivez-vous à des organismes et à des clubs d'ornithologie dans votre région.

• Devenez membre d'organismes locaux, nationaux et internationaux de protection de la nature.

• Sur votre propriété, installez des mangeoires et des nichoirs et placez des plantes qui attirent les oiseaux pour créer un habitat favorable.

• Aidez l'office de protection de la nature de votre localité à acquérir et à gérer les terres publiques pour qu'elles puissent héberger un plus grand nombre d'oiseaux.

Le monde de l'ornithologie doit s'engager en intervenant dans chacun de ces domaines; c'est aussi ce qui résume l'ornithologie à trois volets.

Remerciements

Il serait impossible d'entreprendre une tâche aussi monumentale que la rédaction d'un guide d'identification des oiseaux de l'Amérique du Nord sans l'aide et le travail acharné d'un grand nombre de personnes. Nous remercions ceux et celles qui ont joué un rôle dans la rédaction et la production de ce guide.

Premièrement, nous adressons nos remerciements aux photographes qui ont consacré tant de temps et d'énergie à mettre ces oiseaux sur pellicule; leurs noms figurent dans la liste intitulée Provenance des photographies.

En second lieu, nous remercions les divers experts qui ont pris connaissance des premières ébauches, nous permettant ainsi de les améliorer. Quatre personnes ont lu tout le manuscrit et ont fourni de nombreux commentaires; il s'agit de Wayne Petersen, David Wolf, Paul Roberts et Allen Baldridge. Nous avons également demandé à d'autres de relire certaines parties, à savoir Debra Shearwater (oiseaux de mer), Bill Clark (urubus, buses, éperviers, aigles et faucons), Claudia Wilds (mouettes, goélands et sternes), Joseph Jehl Jr. (oiseaux de rivage) et Trevor Lloyd-Evans (parulines). Bien entendu, nous prenons l'entière responsabilité des imprécisions qui auraient pu se glisser dans la version finale.

Nous souhaitons également remercier Paul Roberts pour les intéressants commentaires sur la portée et le format de nos guides qu'il nous a fournis verbalement au début de notre travail. Wayne Petersen pour ses remarques sur les pages d'introduction aux différents groupes et son examen attentif de toutes les diapositives, ainsi que notre fils, Justin Brown, qui a fouillé certains des rapports sur la nidification et le comportement.

Nous avons puisé les données sur la protection des espèces à de nombreuses sources. Nous remercions tout spécialement Bruce Peterjohn et Sam Droege qui nous ont aidés à obtenir les données du «Relevé des oiseaux nicheurs» et du «Recensement des oiseaux de Noël» ainsi que John Sauer qui nous a conseillés dans l'interprétation de ces données. Le Network of Natural Heritage Programs (réseau des programmes de données sur le patrimoine naturel), les Conservation Data Centers (centres de données sur la protection de la nature) et la Nature Conservancy (société pour la protection de la nature) nous ont permis d'utiliser leur remarquable base de données sur la protection des oiseaux d'Amérique du Nord.

L'équipe de production de Little, Brown and Company a fait un travail remarquable; nous avons été amenés à collaborer étroitement avec elle à tous les stades de la production pour faire en sorte que nos guides soient aussi parfaits que possible. Nous remercions tout particulièrement Donna Peterson qui s'est occupée de la production, Barbara Werden qui a travaillé à la conception et Peggy Leith Anderson qui s'est chargée de la révision et qui, à part nous, connaît chaque détail du livre mieux que quiconque. Nous remercions également John Kramer qui nous a aidés à programmer nos ordinateurs Power MacIntosh de telle sorte que la composition de nos textes se faisait quasiment au fur et à mesure de la frappe, nous permettant de dessiner nos cartes de distribution sans perdre de temps. Nous remercions également Merlin, notre disque dur, qui ne nous a jamais trahis.

Nous avons aussi beaucoup apprécié l'aide de nos éditeurs Jordan Pavlin et surtout Bill Phillips, le rédacteur en chef, vice-président et éditeur associé de Little, Brown and Company, qui nous a procuré amitié et soutien dans notre travail de rédaction, depuis le tout premier livre jusqu'à ces guides.

Présentation générale du guide

Région couverte par ce guide

PARTIES DE L'OUVRAGE

Le présent guide offre un certain nombre d'outils destinés aux ornithologues, quel que soit leur niveau d'intérêt ou de connaissance. Il vous suffit de passer quelques minutes à vous familiariser avec les caractéristiques de l'ouvrage pour en profiter pleinement lorsque vous l'utiliserez chez vous ou sur le terrain.

Index alphabétique abrégé

À l'intérieur des couvertures avant et arrière, vous trouverez un index abrégé des noms d'oiseaux. Il vous permettra de trouver rapidement l'espèce que vous cherchez si vous savez de quel type d'oiseau il s'agit.

Index par onglets de couleur

Face aux couvertures avant et arrière, nous avons placé un **Index des groupes d'espèces par onglets de couleur** donnant accès, par exemple, aux échassiers, aux oiseaux de rivage, aux pics, aux bruants, etc. Grâce aux onglets de couleur, on peut trouver instantanément la partie du guide que l'on cherche. De plus, dans cet index, comme dans la partie consacrée à la description des espèces, on a suivi l'ordre phylogénétique, c'est-à-dire qu'on a reproduit les relations évolutives qui, selon les connaissances actuelles, existent entre ces groupes; cette disposition permettra à tous les lecteurs de se familiariser avec la seule séquence d'espèces qui est généralement reconnue par les scientifiques et les ornithologues d'Amérique du Nord.

Planches pour l'identification rapide des oiseaux les plus communs

Ces planches, placées juste avant la partie consacrée à la description des espèces, sont spécialement conçues pour les débutants. Nous avons illustré les oiseaux les plus communs aux mangeoires et près des habitations; le format que nous avons adopté doit permettre une identification rapide et faciliter les comparaisons.

Ces pages permettront aux débutants de reconnaître les oiseaux communs avant d'apprendre à identifier les autres. À côté de chaque illustration, apparaît le numéro de la page où figure la description détaillée de l'oiseau en question.

Pages d'introduction

Les pages d'introduction sont réparties tout au long de la partie consacrée à la description des espèces. L'ornithologue débutant ou intermédiaire y trouvera les informations essentielles sur les groupes les plus complexes et les plus difficiles que sont les rapaces diurnes, les oiseaux de rivage, les mouettes et les goélands, les moucherolles, les parulines et les bruants.

Les pages d'introduction relatives à chaque groupe précèdent immédiatement la partie où sont illustrés les oiseaux concernés . Elles permettront au lecteur de s'initier à l'identification de ces espèces et d'ordonner les notions et les astuces propres à chaque ensemble; les oiseaux les plus communs de chaque groupe y sont illustrés.

DESCRIPTION DES ESPÈCES

La partie principale de ce guide d'identification est consacrée à la description des espèces. Les photographies, le texte, la carte de distribution et les autres renseignements pertinents à chaque espèce sont regroupés sur une même page.

Espèces, noms, ordre

L'ordre dans lequel les espèces apparaissent et leurs noms scientifiques sont ceux de l'A. O. U. Checklist of North American Birds, 6e édition. Les noms français sont ceux établis en 1992 par la commission internationale des noms français des oiseaux. L'éditeur a jugé bon d'inscrire entre parenthèse les noms français utilisés au Canada depuis 1983 et qui diffèrent de cette nouvelle nomenclature.

Dans quelques cas, lorsque deux espèces se suivent dans l'ordre phylogénétique et qu'elles se ressemblent beaucoup, elles sont regroupées sur la même page pour faciliter les compa-raisons.

Symboles de mangeoire et nichoir

À côté des noms des espèces utilisant les mangeoires et les nichoirs, nous avons ajouté les symboles correspondants.

Ainsi il vous sera plus facile de reconnaître les oiseaux qui font usage de ces structures et cela vous encouragera peut-être à leur offrir les aliments et les abris dont ils ont besoin. Dans le paragraphe intitulé **Alimentation**, nous avons énuméré les aliments préférés de ces espèces lorsqu'elles viennent aux mangeoires. Les symboles ont une signification générale et ils ne représentent nullement le type de mangeoire ou de nichoir que l'espèce fréquente.

Mangeoire

Nichoir

Cartes de distribution

Des cartes de distribution récentes indiquent si un oiseau est susceptible d'être observé dans une région donnée. Elles comportent de 1 à 3 couleurs: le bleu représente la distribution hivernale, le jaune la distribution estivale et comprend tant l'aire de nidification que les régions fréquentées pendant l'été après la nidification; le vert couvre les régions où l'espèce se retrouve toute l'année.

Lorsqu'on regarde une carte de distribution, il ne faut pas oublier certains points. La distribution de toute espèce d'oiseaux évolue constamment en fonction du milieu et de l'importance de la population concernée. À la limite d'une aire de distribution, on n'observera pas l'espèce en grand nombre mais il y aura toujours quelques individus à l'extérieur de cette zone, ce qui a pour effet d'étendre la distribution de l'espèce. De plus, même si la carte montre une distribution continue, il est possible que les oiseaux ne se trouvent qu'à certains endroits dans cette zone; cela s'applique tout particulièrement aux espèces qui vivent dans des habitats spécialisés.

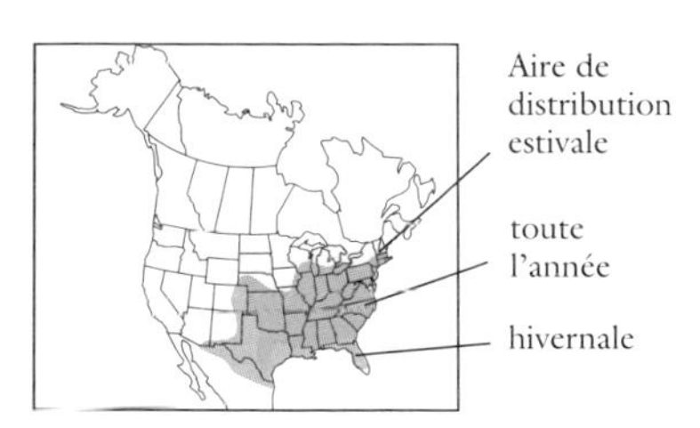

Photographies

Nous avons soigneusement sélectionné des centaines de photographies en couleurs pour illustrer les plumages des mâles, des femelles et des immatures ainsi que les plumages saisonniers. Pour les espèces chez lesquelles le mâle et la femelle sont quasiment identiques, nous n'avons montré qu'un seul sexe. Dans de nombreux cas, comme pour les rapaces diurnes, les mouettes et goélands et les sternes, nous avons également montré les oiseaux en vol, puisque c'est ainsi qu'on les observe le plus souvent. Pour les espèces gardant leur plumage d'adulte tout au long de l'année, les photos n'ont pas de titre. Toutes les autres ont un titre identifiant clairement l'âge, le sexe et la saison correspondant au plumage montré.

Identification

Le premier renseignement que vous trouverez est la longueur moyenne de l'espèce, en centimètres, de la pointe du bec à l'extrémité de la queue; on peut ainsi comparer grossièrement les tailles de différentes espèces.

Certains des critères d'identification des oiseaux adultes sont imprimés en **caractères gras**. Il s'agit des principaux indices qui, dans la majorité des cas, permettent à eux seuls de distinguer cette espèce de toutes celles qui sont présentes dans la région concernée. Les autres caractères distinctifs qui peuvent être utiles sont imprimés en caractères normaux.

Tous les plumages décrits sont ceux d'oiseaux adultes, à moins d'indication contraire. Lorsque les plumages des deux sexes sont différents, leur description est intitulée **Mâle** ou **Femelle.** Si ces mentions ne figurent pas dans la description, alors les deux sexes de l'espèce sont semblables.

La description de chaque plumage saisonnier commence par le titre **Été** ou **Hiver**. L'été signifie plus ou moins du mois de mars au mois d'août et inclut la période de nidification. L'hiver s'étend environ de septembre à février et coïncide avec la période au cours de laquelle les oiseaux ne nichent pas. Nous ne nous sommes écartés de ces lignes générales que pour les parulines parce que dans leur cas, traditionnellement, on parle de plumage de printemps ou d'automne pour désigner respectivement le plumage d'été et celui d'hiver.

Lors de la rédaction de ce guide, nous avons dû choisir une terminologie pour décrire les divers plumages. De façon générale, la nomenclature proposée à cet effet par Humphrey et Parkes en 1959 est acceptée par la communauté scientifique; cependant elle n'est pas utilisée dans les guides d'identification parce qu'elle est trop complexe pour un public de non-spécialistes et trop détaillée pour pouvoir être utile à la plupart des ornithologues amateurs.

Pour comprendre ces notions, il faut avoir une connaissance générale des changements de plumage qui surviennent chez les oiseaux et savoir quand ils se produisent. À l'éclosion, le poussin est couvert de fines plumes qu'on nomme **duvet**; elles sont remplacées peu de temps après par un plumage complet, le **plumage juvénile**. En Amérique du Nord, la plupart des jeunes oiseaux muent à la fin de l'été et le nouveau plumage qui apparaît alors peut être soit identique à celui de l'adulte, soit différent. Lorsqu'il n'est pas comme celui de l'adulte, nous parlerons de **plumage immature**, et ce jusqu'à l'apparition du plumage adulte.

En résumé, nous qualifions d'**immature** tout plumage existant entre celui du juvénile et celui de l'adulte.

Il ne faut pas oublier non plus que la maturité sexuelle ne correspond pas toujours à l'apparition du plumage adulte. Certains oiseaux peuvent nicher alors qu'ils revêtent encore un plumage immature, et d'autres peuvent avoir un plumage d'adulte sans avoir atteint la maturité sexuelle.

Dans ce guide, nous n'avons pas décrit les plumages juvéniles qui n'apparaissent qu'en été parce qu'ils sont très éphémères. De plus, en été, les parents s'occupent encore des juvéniles et on peut donc identifier ces derniers grâce aux adultes.

Ce guide montre tous les plumages juvéniles qui persistent une partie de l'automne ainsi que tous les plumages immatures. Dans la plupart des cas, nous avons indiqué la durée du plumage immature (par exemple: *garde son plumage imm. jusqu'au printemps, ou bien garde son plumage imm. un an*). Les durées sont indiquées à partir du premier automne de la vie de l'oiseau.

Chez quelques espèces comme les oiseaux de rivage, le plumage juvénile disparaît au cours de l'automne et on voit la mue se dérouler au fur et à mesure que les individus migrent vers le sud. Dans ce cas, nous avons ajouté le titre JUV. AUT..

Nous avons dérogé à ces lignes générales pour les rapaces diurnes. En automne, techniquement, les non-adultes de ce groupe revêtent encore leur plumage juvénile. Nous les avons nommés immatures parce qu'il existe une tradition bien ancrée voulant qu'on les appelle ainsi.

Alimentation

Ce paragraphe explique où l'oiseau se nourrit, ce qu'il mange et comment il le trouve. Nous avons nommé les types de nourriture qui forment la plus grande partie de son régime alimentaire. Chez la plupart des oiseaux, de nombreuses substances sont consommées occasionnellement et leur liste complète serait trop longue à donner ici. Pour les espèces qui fréquentent les mangeoires, nous avons indiqué les aliments qu'elles préfèrent.

Nidification

Le paragraphe consacré à la nidification et à la reproduction commence par une description du nid et des matériaux dont il est fait ainsi que de son emplacement. Souvent, les oiseaux utilisent une grande variété de matériaux et nous n'avons énuméré que les principaux.

Sous le titre **Oeufs**, nous avons mentionné le nombre minimal et le nombre maximal d'oeufs dans une couvée. Chez la plupart des individus, la taille de la couvée est la moyenne de ces chiffres. La période d'incubation (désignée par la lettre **I**) est l'intervalle de temps entre la ponte du dernier oeuf et l'éclosion du premier. Le temps avant l'envol (indiqué par la lettre **E**) est le temps qui s'écoule entre l'éclosion et la date où l'oiseau s'envole pour la première fois (pour les espèces nidifuges) ou entre l'éclosion et le moment où l'oiseau quitte le nid (pour les espèces nidicoles).

Ensuite, nous avons ajouté la mention **nidicole** ou **nidifuge**. Ces termes désignent le type de développement du jeune oiseau. À leur éclosion, les poussins nidicoles ne savent pas se déplacer et ils sont généralement nus; ils ont donc besoin de la nourriture et de la chaleur que leur fournissent leurs parents et ils restent au nid. Quant aux oiseaux nidifuges, ils sont pourvus de plumes et peuvent généralement se nourrir eux-mêmes dès leur éclosion; ils quittent habituellement le nid moins d'un ou deux jours après leur naissance. À la fin du paragraphe consacré à la nidification et à la reproduction, nous avons indiqué le nombre de couvées produites par un oiseau pendant une même saison, qui est désigné par un **C**. Il s'agit du nombre de couvées fructueuses que l'espèce pourra avoir pendant une saison normale; cela n'inclut pas les tentatives qui sont faites suite à l'échec d'une couvée précédente.

Un point d'interrogation figure à la place de ces renseignements lorsque, au mieux de notre connaissance, un certain aspect de la reproduction de l'espèce n'est pas connu et devrait faire l'objet d'études plus poussées.

Autres comportements

Dans ce paragraphe, on a décrit les comportements que vous avez de bonnes chances d'observer ou qui sont particulièrement intéressants (parades aériennes, parades nuptiales, établissement d'un territoire et migration) ainsi que les autres habitudes remarquables de l'espèce. Nous espérons que vous prendrez le temps d'observer et d'apprécier cet aspect de la vie des oiseaux.

Habitat

Ce paragraphe décrit brièvement les principaux habitats fréquentés par l'espèce aux États-Unis ou au Canada.

Voix

Sous ce titre, on trouvera une description des principales vocalisations de l'espèce. Le terme **chant** désigne des vocalisations partiellement apprises et généralement complexes. L'**appel** est une vocalisation instinctive et de courte durée.

Protection

Dans ce paragraphe, nous résumons les connaissances actuelles sur l'état des populations d'oiseaux et leur protection en Amérique du Nord.

Pour ce faire, on peut signaler si l'espèce est classée comme menacée par le gouvernement des États-Unis, celui du Canada ou les deux. Les espèces ou les sous-espèces qui sont dans cette catégorie sont en danger d'extinction dans toute leur aire de distribution ou dans une partie de celle-ci. Dans ce cas, le Fish and Wildlife Service des États-Unis peut faire octroyer des fonds ou faire élaborer une législation en vue de protéger les populations concernées et faciliter leur rétablissement.

BBS: E ↑ C ⇓ CBC: ↑

BBS est l'abréviation désignant le Relevé des oiseaux nicheurs (Breeding Bird Survey, voir texte). **E** et **C** désignent les régions est et centre du continent

CBC est l'abréviation désignant le Relevé des oiseaux de Noël (Christmas Bird Count, voir texte).

Les flèches indiquent si les populations augmentent (vers le haut) ou diminuent (vers le bas). Une flèche simple (↑) signifie un changement peu important et une flèche double (⇓) un grand changement. La flèche horizontale (→) indique que la population est stable.

Nous avons également indiqué les tendances générales (augmentation ou diminution des populations) ainsi que d'autres renseignements pertinents. Vous trouverez ci-dessous un exemple et une courte explication des symboles employés.

La mention TENDANCE INCONNUE signifie que les données sur les populations sont insuffisantes et ne permettent pas de dégager une tendance générale.

Comme ces renseignements sont des composantes essentielles de ce que nous appelons l'ornithologie à trois volets, nous allons les expliquer en détail.

EXPLICATION DÉTAILLÉE DES DONNÉES SUR LA PROTECTION DES ESPÈCES

En Amérique du Nord, il existe deux principaux programmes dont l'objet est de déterminer les tendances suivies par les populations d'oiseaux: le Relevé des oiseaux nicheurs et le Relevé des oiseaux de Noël.

Le **Relevé des oiseaux nicheurs** (BBS, Breeding Bird Survey) a débuté en 1966 aux États-Unis et au Canada, sous la direction du Fish and Wildlife Service des États-Unis et du Service canadien de la faune; aujourd'hui, ce sont le National Biological Survey et le Service canadien de la faune qui l'administrent. Le décompte est effectué par des bénévoles qui suivent en auto un itinéraire de 40 km en s'arrêtant tous les 800 m pour noter toutes les espèces vues ou entendues. Le trajet est déterminé à l'avance et il n'est parcouru qu'une seule fois pendant la période la plus intense de la saison de nidification. Il existe plus de 3 000 itinéraires dans l'ensemble des États-Unis et du Canada. En 1993, on a commencé à effectuer des itinéraires au Mexique. Les données provenant de ce relevé sont réparties selon les trois grandes régions du continent: l'Ouest (à l'ouest des montagnes Rocheuses), le Centre (des Rocheuses au fleuve Mississippi) et l'Est (à l'est du Mississippi). Dans ce guide, on n'a cité que les données relatives aux régions du Centre et de l'Est.

Le **Relevé des oiseaux de Noël** (CBC, Christmas Bird Count) a débuté en 1900 et est administré par la National Audubon Society. C'est le plus important relevé d'oiseaux du monde et 45 000 bénévoles y prennent part. Il y a plus de 1 500 régions de recensement désignées aux États-Unis et au Canada, chacune étant un cercle de 15 milles (24 km) de diamètre. Au cours de la semaine ou des deux semaines qui précèdent Noël, pendant une journée, les participants effectuent le décompte de chaque région désignée en cherchant et en dénombrant tous les oiseaux qui s'y trouvent. Les données du Relevé des oiseaux de Noël n'ont pas été ventilées par région; elles reflètent les tendances des populations dans l'ensemble du Canada et des États-Unis et ne concernent pas les oiseaux qui quittent les États-Unis pour aller hiverner plus au sud.

Autres relevés

De nombreuses espèces d'oiseaux ne sont bien couvertes ni par le Relevé des oiseaux nicheurs ni par le Relevé des oiseaux de Noël. Pour rassembler des données sur les tendances suivies par ces populations, nous nous sommes servis d'études et de renseignements qui, selon nous, étaient les meilleurs dont nous pouvions disposer. Dans le texte, ces sources sont désignées par des initiales que nous énumérons et dont nous expliquons la signification ci-dessous:

SCF Service canadien de la faune. Le Service canadien de la faune (Ottawa, Ont., K1A OH3) publie régulièrement un rapport intitulé Tendances chez les oiseaux. Nous avons largement puisé dans ses données sur les oiseaux de rivage.

HWI Hawkwatch International, communication personnelle de Steve Hoffmann, Hawkwatch International, Salt Lake City, est un organisme à but non lucratif qui se consacre à la protection des rapaces.

ICN Ian C. T. Nisbet, manuscrit non publié.

Signification des flèches

Les flèches qui figurent dans la partie relative à la protection des espèces permettent de connaître les changements qui affectent les populations: les flèches vers le haut signifient une augmentation, celles vers le bas une diminution et les flèches horizontales indiquent une population stable. Elles montrent égale-ment l'importance de la variation an-nuelle moyenne qui a été calculée pour l'espèce concernée pendant la période couverte par les données. Les flèches simples (↓) indiquent une fluctuation de moins de 2 % par an et les flèches doubles (⇊) une variation d'au moins 2 % par an. Les données du Relevé des oiseaux nicheurs portent sur les années 1966 à 1993, celles du Relevé des oiseaux de Noël vont de 1965 à 1989 et celles du SCF de 1974 à 1991; les autres données couvrent approximativement les 25 dernières années.

Nous avons utilisé des doubles flèches pour souligner les espèces dont les populations ont subi d'importantes fluctuations au cours des 2 ou 3 dernières décennies.

Si aucune flèche n'apparaît, l'oiseau ne niche pas dans la région concernée ou il n'existe pas assez de données pour qu'on puisse dégager une tendance.

Interprétation des données

Les données produites par le Relevé des oiseaux nicheurs et le Relevé des oiseaux de Noël sont des outils irremplaçables si l'on veut suivre l'évolution des populations d'oiseaux des États-Unis et du Canada. Dans le domaine, ce sont les deux études de plus grande envergure en Amérique du Nord; ce sont aussi les sources les plus consultées par ceux qui sont à la recherche de données sur les populations.

Cependant elles ne sont pas parfaites. Il existe des problèmes inhérents à toute cueillette ou analyse de données. Par exemple, les habitats présents sur les itinéraires de relevé peuvent changer au cours du temps, ce qui a une influence sur le nombre d'individus et d'espèces observés. Grâce à l'augmentation du nombre d'itinéraires, de zones de recensement et de bénévoles, la couverture a été améliorée; de plus, les observateurs deviennent de plus en plus compétents et ils observent un plus grand nombre d'oiseaux. Les régions de recensement du Relevé des oiseaux de Noël ne sont pas réparties de façon égale sur l'ensemble du continent; en outre, à court terme, les conditions météorologiques (tempêtes, jours ensoleillés, ...) peuvent aussi avoir un effet sur les décomptes.

D'autres facteurs influencent l'analyse des données. Si on remarque une tendance pour l'ensemble d'un pays, il est possible qu'elle masque les variations qui se produisent dans une ou plusieurs régions plus limitées. Nous avons indiqué les tendances régionales pour les données du Relevé des oiseaux nicheurs et les fluctuations à l'échelle continentale pour celles du Relevé des oiseaux de Noël de sorte que vous pouvez les comparer.

Le nombre d'années qui est couvert par les données est un autre facteur critique. Nous avons choisi d'examiner les variations à long terme survenues pendant toute la période pour laquelle une analyse satisfaisante a été effectuée. Si nous nous étions limités à une période récente de 5 ou 10 ans, les données auraient peut-être semblé très différentes.

La meilleure information disponible sur les populations d'oiseaux est présentée dans ce guide et elle n'a pas encore été rendue facilement accessible aux ornithologues et au public. Il est essentiel que nous connaissions l'état de nos populations d'oiseaux, et de nombreux organismes s'efforcent de recueillir des données à cet effet. Nous espérons qu'à l'avenir des méthodes de décompte et de suivi plus nombreuses et plus efficaces seront mises au point et que vous serez nombreux à participer à la collecte de ces données.

Autres renseignements

Vous pouvez obtenir des informations complémentaires sur les données du Relevé des oiseaux nicheurs en écrivant à :

BBS Coordinator
Patuxent Environmental Science Center
12100 Beech Forest Road
Laurel, MD 20708
États-Unis

Vous pouvez également obtenir d'autres renseignements sur les données du Relevé des oiseaux de Noël en écrivant à :

National Audubon Society
Christmas Bird Count
700 Broadway
New York, NY 10003
États-Unis

Morphologie de l'oiseau

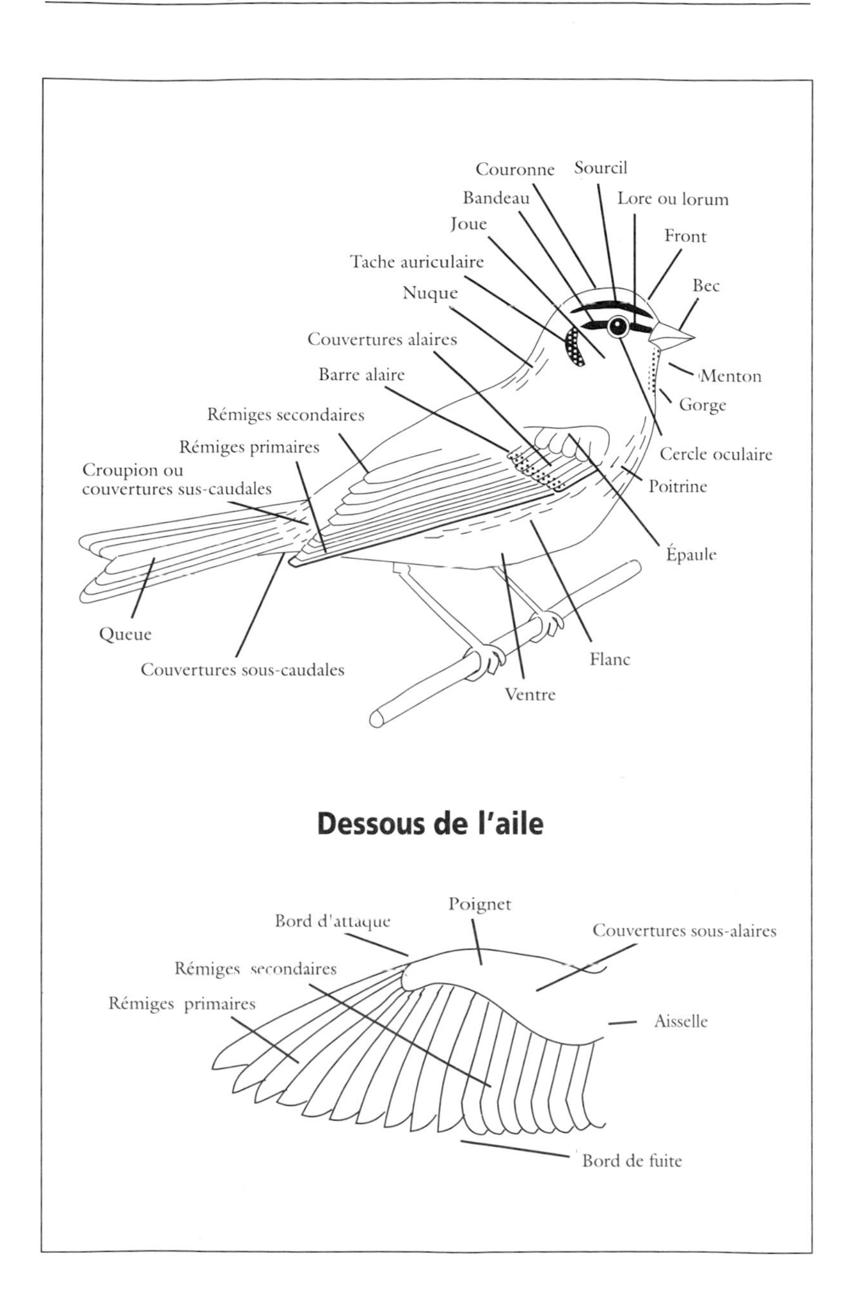

Planches d'identification rapide des oiseaux les plus communs

Oiseaux de mangeoire et fréquentant les abords des habitations, regroupés par couleur

Cherchez sur ces planches l'oiseau que vous avez observé, puis allez à la page indiquée pour avoir des renseignements complémentaires. Si vous ne le trouvez pas ici mais que vous avez une idée du type d'oiseau dont il s'agit, parcourez l'index par onglets de couleur ou l'index alphabétique abrégé pour trouver le groupe d'oiseaux qui ressemble le plus à celui que vous avez vu, puis regardez les photos des pages correspondantes

Cardinal rouge,
p. 393
Mâle
Femelle
Merle d'Amérique,
p. 340
Mâle
Colibri
à gorge rubis,
p. 251
Mâle
Roselin pourpré, p. 452
Mâle
Femelle
Roselin familier,
p. 453
Mâle
Femelle

Bruant familier,
p. 410
Tarin des pins,
p. 456
Bruant à gorge blanche,
p. 427
Forme blanche
Bruant chanteur,
p. 424
Forme à raies ocre
Troglodyte familier,
p. 324
Moineau domestique,
p. 460
Mâle
Troglodyte de Caroline,
p. 326
Femelle

Carouge à épaulettes,
p. 437
Mâle
Femelle
Mâle
Femelle
Tohi à flancs roux,
p. 403
Vacher à tête brune,
p. 446
Mâle
Femelle

Étourneau sansonnet, p. 349
Été
Hiver
Quiscale bronzé, p. 444
Mâle (femelle semblable)
Quiscale des marais,
p. 443
Femelle
Mâle

Corneille d'Amérique, p. 302

Junco ardoisé, p. 430

Mésange à tête noire, p. 312

Mésange bicolore, p. 314

Mésange de Caroline, p. 312

Sittelle à poitrine rousse, p. 317

Geai bleu, p. 299

Sittelle à poitrine blanche, p. 318

Mâle
Pic flamboyant,
p. 264
Mâle
Pic mineur,
p. 261
Moqueur chat,
p. 341
Femelle
Pic chevelu,
p. 261
Moqueur
polyglotte,
p. 342
Mâle
Pic à ventre roux,
p. 258
Pigeon biset,
p. 221
Tourterelle triste,
p. 224

DESCRIPTION DES ESPÈCES

Plongeon catmarin

(Huart à gorge rousse)

Gavia stellata

Red-throated Loon

Été

Hiver

Identification : 64 cm. ÉTÉ : **face grise, gorge roux foncé;** nuque rayée de lignes blanches et noires. HIVER : remarquer **le passage graduel entre l'avant blanc et l'arrière gris du cou.** (La limite entre les parties claire et foncée est rectiligne, sans l'encoche blanche triangulaire du P. huard.) **Bec fin** semblant retroussé; on peut voir les petites taches blanches sur le dos. IMM. : ressemble à l'adulte en hiver, mais mouchetures grisâtres sur la joue. Garde son plumage imm. 1 an.

Alimentation : se nourrit en plongeant sous l'eau à la poursuite de poissons. En hiver, on l'observe parfois qui se nourrit en petites troupes.

Nidification : nid, plate-forme d'herbes, de rameaux et de boue, garnie de matériaux plus fins, près de l'eau. Oeufs : 1 à 3, brun-olive à taches foncées; I : 24 à 29 j.; E : 48 à 50 j., nidifuge; C : 1.

Autres comportements : la plupart des plongeons doivent courir environ 20 m sur l'eau pour s'envoler. Cette espèce peut décoller sur une distance plus courte; c'est le seul plongeon qui peut s'envoler de la terre ferme. Pendant la migration, s'assemble parfois par centaines sur les Grands Lacs pour se nourrir. Migration en troupes éparses pendant le jour.

Habitat : été, lacs de la toundra et côtes de l'Arctique; hiver, le long des côtes et sur les Grands Lacs.

Voix : au début et à la fin de l'hiver, émet une courte plainte; sinon, silencieux. Divers cris sur les sites de nidification.

Protection :
CBC : ↓

Plongeon du Pacifique

(Huart du Pacifique)

Gavia pacifica

Pacific Loon

Été

Hiver

Identification : 66 cm. **ÉTÉ : calotte et nuque gris pâle;** dos à damier noir et blanc; la zone irisée de la gorge peut paraître violette, verte ou noire; **HIVER : limite droite et nette entre les parties claires et sombres du cou;** bec fin et foncé, tenu à l'horizontale; oeil situé dans la partie sombre de la tête. Chez certains individus, ligne foncée étroite sous le menton. **IMM. :** ressemble à l'adulte en hiver, mais avec un motif écailleux blanchâtre sur le dos. Garde son plumage imm. 1 an. ➤Le Plongeon arctique (*Gavia arctica*), rare, lui ressemble mais il est plus gros et niche dans l'Alaska occidental.

Alimentation : s'alimente en plongeant sous l'eau à la poursuite de proies telles que poissons, crustacés et grenouilles.

Nidification : nid, plate-forme faite de tiges, de racines et de boue, près de l'eau. Oeufs : 1 ou 2, bruns à taches foncées; I : 23 à 25 j.; E : 60 à 65 j., nidifuge; C : 1.

Autres comportements : l'un des plongeons les plus nombreux au large de la côte du Pacifique, se nourrit souvent en troupes de centaines ou de milliers d'individus le long des côtes. Dans l'Ouest, le plongeon le plus souvent observé en hiver lors de voyages pélagiques. Rare mais régulier au large de la côte est.

Habitat : été, lacs de la toundra; hiver, le long de la côte.

Voix : l'hiver, généralement silencieux; en été, un *kwaow* aigu et une plainte montante.

Protection :
CBC : ⇑

Plongeon huard

(Huart à collier)

Gavia immer

Common Loon

Été

Hiver

Identification : 81 cm. Le plongeon le plus souvent aperçu. **ÉTÉ : tête et bec noirs;** collier traversé de lignes noires et blanches; dos en damier. **HIVER : limite irrégulière entre l'avant blanc et l'arrière noir du cou, avec une encoche blanche triangulaire à mi-longueur. Bec épais** tenu à l'horizontale. **AU VOL :** les pattes dépassent derrière la queue et sont plus grandes que chez les autres plongeons. **IMM. :** ressemble à l'adulte en hiver. Garde son plumage imm. 1 an. Les immatures passent un an le long de la côte.

Alimentation : se nourrit en plongeant sous l'eau à la poursuite de poissons. Pour s'alimenter, reste sous l'eau environ 45 secondes à la fois en moyenne.

Nidification : nid, plate-forme faite de végétation aquatique, au sol, sur une île ou près de l'eau. Oeufs : 2, brun-olive; I : 29 j.; E : 2 à 3 mois, nidifuge; C : 1.

Autres comportements : on peut connaître le comportement des plongeons en écoutant leurs cris. La tyrolienne sert à marquer et défendre le territoire; le trémolo est un cri d'alarme et la plainte sert souvent à maintenir le contact au sein d'un couple. Les plongeons peuvent plonger pour échapper au danger et rester sous l'eau jusqu'à 3 minutes.

Habitat : été, sur les lacs; hiver, surtout sur la côte.

Voix : plainte: une plainte prolongée; trémolo: cri court et chevrotant. Tyrolienne : plainte suivie d'un long cri ondulant.

Protection :
BBS: E ⇑ C ⇑ CBC : ↑
Sur les lacs, les embarcations peuvent déranger les individus nicheurs.

Grèbe minime

Tachybaptus dominicus — Least Grebe

Été

Identification : 25 cm. Limité au sud du Texas, le plus petit des grèbes. ÉTÉ: **tête et corps gris foncé; bec fin et foncé; oeil jaune orangé.** HIVER: seule différence avec le plumage d'été, **menton blanc.** Toute l'année, plumes blanches ébouriffées à l'arrière du corps, peuvent être visibles ou cachées.

Alimentation : mange surtout des insectes aquatiques qu'il attrape à la surface ou sous l'eau en plongeant.

Nidification : nid, plate-forme faite de roseaux et d'autres plantes aquatiques, attachée à la végétation, en eau peu profonde. Oeufs : 4 à 6, blanchâtres; I : 21 j.; E : ?, nidifuge; C : 2 à 3.

Autres comportements : peut nicher pendant n'importe quel mois de l'année si les conditions le permettent et si le niveau de l'eau est élevé. Reste souvent caché parmi les roseaux en bordure des petits étangs, et le fait d'exposer les plumes blanches de l'arrière du corps constitue peut-être un signal visuel.

Habitat : étangs peu profonds.

Voix : mal connue. On a déjà remarqué un cri d'alarme (*tîîk*) et un trille court, parfois émis en duo.

Protection :
CBC : ↑

Grèbe à bec bigarré

Podilymbus podiceps Pied-billed Grebe

Été

Hiver

Identification : 30 cm. **Petit grèbe trapu, brun, à bec court et épais. ÉTÉ : anneau noir très visible autour du bec blanc;** menton noir. **HIVER : anneau autour du bec flou ou absent,** menton clair.

Alimentation : s'alimente en plongeant sous l'eau, où il attrape des poissons, insectes aquatiques, grenouilles et écrevisses.

Nidification : nid, plate-forme faite de végétation en décomposition, attachée à la végétation en place, dans l'eau peu profonde. Oeufs : 4 à 7, vert-bleuâtre; I : 23 j.; E : ?, nidifuge; C : 1 ou 2.

Autres comportements : l'un des grèbes qui migrent le plus tôt, arrive souvent aux étangs avant la fonte complète des glaces. Lors des disputes territoriales, les mâles se rapprochent et lèvent la tête en poussant des cris. Lorsque les jeunes sont en danger, les parents peuvent faire diversion en faisant claquer leurs ailes entre des plongeons. En cas d'alerte, les plumes postérieures blanches peuvent être exposées.

Habitat : été, lacs et étangs; hiver, aussi dans les baies marines abritées.

Voix : pendant la nidification, *keou, keou, keou, keou, keou*, un *kek kek* fort (cri d'alarme) et un *coc coc coc* moins fort. Généralement silencieux en hiver.

Protection :
BBS : E ↑ C ↓ CBC: ↑

Grèbe esclavon

(Grèbe cornu)

Podiceps auritus

Horned Grebe

Été

Hiver

Identification : 36 cm. **Été : aigrettes jaune d'or; cou brun-roussâtre. Hiver : la tache blanche de la joue atteint le niveau de l'oeil et s'étend presque tout autour de l'arrière de la tête.** Aussi, avant du cou blanc et rayures blanchâtres sur les flancs.

Alimentation : s'alimente en plongeant sous l'eau, mange de petits poissons, des écrevisses, crevettes et insectes aquatiques. Mange également des insectes terrestres, grenouilles et salamandres.

Nidification : nid, plate-forme flottante faite de plantes et de boue, ancrée à la végétation. Oeufs : 3 à 7, blanc-bleuâtre; I: 22 à 25 j.; E : 44 à 60 j., nidifuge; C : 1.

Autres comportements : comme les autres grèbes, cet oiseau peut s'enfoncer dans l'eau lorsqu'il nage et ne laisser dépasser que la tête; à d'autres moments, flotte haut sur l'eau. En hiver, on l'aperçoit souvent seul ou en petites troupes juste au-delà des vagues déferlantes, où il se nourrit. A tendance à faire un saut vers l'avant avant de plonger.

Habitat : été, étangs et lacs marécageux; hiver, surtout le long de la côte et sur certains lacs de l'intérieur.

Voix : sur les sites de nidification, divers croassements forts, jacassements et cris aigus de forte intensité; sinon silencieux.

Protection :
BBS : E C ⇓ CBC: ↓
Sensible aux déversements d'hydrocarbures.

Grèbe jougris

Podiceps grisegena Red-nedked Grebe

Été

Hiver

Identification : 48 cm. **Été : grand grèbe; long cou roussâtre à l'avant; joue et menton blancs; calotte noire. Hiver : grand et sombre, plumage sans contrastes marqués.** En hiver, le **long bec jaunâtre** permet de le distinguer des G. esclavon et à cou noir, qui lui ressemblent. Le **blanc du menton s'étend à l'arrière de la joue grisâtre. Imm. :** ressemble à l'adulte en hiver, mais sans tache blanche derrière la joue. Garde son plumage imm. au moins tout l'hiver.

Alimentation : se nourrit en plongeant sous l'eau, mange des poissons, insectes aquatiques, vers marins, crustacés et mollusques ainsi que des insectes terrestres et quelques plantes.

Nidification : nid, plate-forme flottante faite de roseaux, d'herbes et de joncs frais et décomposés, ancrée aux plantes voisines. Oeufs : 2 à 6, blanc bleuté; I : 22 ou 23 j.; E : 50 à 70 j., nidifuge; C : 1.

Autres comportements : les adultes avalent les plumes tombées provenant de leur propre mue et les donnent même à manger à leurs poussins, comme le font certains autres grèbes. Tous les grèbes fuient le danger en plongeant sous l'eau. Les adultes peuvent plonger en portant des jeunes sur leur dos (ceux-ci s'accrochent tout simplement).

Habitat : été, lacs, étangs; hiver, surtout le long de la côte.

Voix : longues plaintes, courtes plaintes chevrotantes et trilles irréguliers. En hiver, généralement silencieux.

Protection :
BBS : E C ⇓ CBC : ↑
Les pesticides peuvent rendre les oeufs stériles et amincir les coquilles.

Grèbe à cou noir

Podiceps nigricollis

Eared Grebe

Été

Hiver

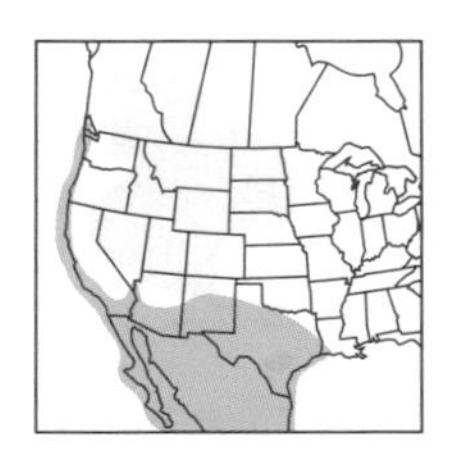

Identification : 30 cm. **ÉTÉ : aigrettes dorées sur les côtés de la tête** et **cou noir. HIVER : petit bec fin qui semble retroussé; cou et joues grisâtres,** tache blanchâtre sur l'oreille; **tête rendue triangulaire** par la huppe saillante. La joue est parfois blanchâtre. Sur l'eau, habituellement, l'arrière du corps est plus haut que l'avant.

Alimentation : se nourrit en plongeant sous l'eau, mange de petits poissons, des crustacés, mollusques et oeufs de sangsue.

Nidification : nid, plate-forme flottante de végétation fraîche ou décomposée, ancrée aux plantes voisines. Oeufs : 3 à 9, blanc bleuté terne; I : 20 à 22 j.; E : 20 à 21 j., nidifuge; C : 1.

Autres comportements : le grèbe à cou noir peut nicher seul ou en colonies de plusieurs centaines de couples. Reste aussi en troupes sur les sites d'hivernage. Sur les sites de nidification, on l'entend crier au crépuscule. Jusqu'à un million d'individus séjournent au lac Mono, en Californie, où ils muent; d'autres font de même sur d'autres lacs salés des régions arides de l'Ouest, mais en moins grand nombre. Ces grands rassemblements sur des superficies réduites les rendent vulnérables aux changements écologiques.

Habitat : été, lacs et marais; hiver, sur la côte et sur certains lacs de l'intérieur.

Voix : pendant la nidification, un *pouîp* doux et un *hicaricop hicaricop* plus fort. Généralement silencieux en hiver.

Protection :
BBS : E C ⇑ CBC : ↓

Grèbe élégant

Aechmophorus occidentaliis — Western Grebe

Grèbe à face blanche

Aechmophorus clarkii — Clark's Grebe

Élégant

À face blanche

Identification : 64 cm. Grands grèbes à long cou, fort contraste entre le noir du dessus et le blanc du dessous. ÉLÉGANT : **la calotte noire s'étend au-dessous de l'oeil; bec jaune-verdâtre.** À FACE BLANCHE : **la calotte noire s'arrête au-dessus de l'oeil; bec jaune orangé;** en hiver, il peut y avoir un peu de gris pâle derrière l'oeil et au-dessus.

Pour les 2 espèces

Alimentation : se nourrissent en plongeant sous l'eau, mangent des poissons, mollusques, crustacés et insectes aquatiques.

Nidification : peuvent nicher en colonies de centaines de couples; nid, plate-forme flottante de plantes décomposées et fraîches, sur l'eau peu profonde. Oeufs : 2 à 7, blanc-bleu pâle; I : 23 j.; E : 62 à 75 j., nidifuge; C : 1.

Autres comportements : comme tous les grèbes, ces espèces n'ont pas de longue queue et se dirigent sous l'eau et en vol à l'aide de leurs pattes lobées. Pendant la saison de nidification, les parents peuvent porter les jeunes sur leur dos tout en nageant. Des parades nuptiales spectaculaires se déroulent sur l'eau; les deux individus courent alors sur la surface et s'offrent mutuellement des plantes aquatiques. Les 2 espèces hivernent en grandes troupes. Leurs distributions se recoupent et sont mal connues. Le G. à face blanche est le moins commun des deux.

Habitat : Été, lacs et marais; hiver, eaux côtières et certains lacs de l'intérieur.

Voix : G. élégant : *crîîc-crîîc* en deux parties. G. à face blanche : un *crîîc* ascendant.

Protection : G. élégant : BBS : E C ⇑
G. à face blanche : TENDANCE INCONNUE. Affecté par les déversements d'hydrocarbures.

Fulmar boréal

Fulmarus glacialis — Northern Fulmar

Forme claire

Forme claire

Forme foncée

Identification : 48 cm. Grand oiseau ressemblant à un goéland et qu'on n'observe généralement qu'en mer. **Cou épais; bec jaune massif; front saillant arrondi;** «fenêtre» claire visible sur le dessus de la partie distale de l'aile. Coloration variable, pouvant aller du gris fumée foncé uni (surtout dans l'océan Pacifique) à un corps blanc avec des sus-alaires grises (surtout dans l'océan Atlantique). **AU VOL : alternance de battements d'ailes et de planés sur des ailes raides.**

Alimentation : se nourrit à la surface de l'eau, mange des poissons, méduses, crevettes et d'autres matières animales. Occasionnellement, plonge jusqu'à 1,80 m sous l'eau à la poursuite de proies.

Nidification : niche en colonies. Nid en forme de soucoupe, sur une corniche de falaise ou creusé dans le sol, habituellement garni de matériaux fins, près du niveau de l'océan ou au-dessus; peut également nicher dans des creux ou des terriers. Oeufs : 1, blanc à taches foncées; I : 50 à 60 j ; E : 46 à 51 j., nidicole; C : 1.

Autres comportements : souvent aperçu près des bateaux de pêche ou d'observation des oiseaux de mer. Pendant la saison de nidification, se nourrit surtout la nuit. Pour se défendre, les jeunes et les adultes peuvent régurgiter une substance huileuse sur leurs prédateurs.

Habitat : haute mer; niche sur les côtes du Grand Nord. Parfois poussé sur les côtes par le vent ou observé dans les ports.

Voix : en mer, habituellement silencieux, mais, lorsqu'il dispute de la nourriture, peut émettre un fort cri semblable à un *couac* grave de canard.

Protection :
ICN: ↑ CBC: ⇓

Pétrel diablotin

(Diablotin errant)

Pterodroma hasitata

Black-capped Petrel

Identification : 41 cm. **Couronne noire; front blanc; collier blanc; bande blanche à la base de la queue.** Ressemble au Puffin majeur sauf le front blanc, la silhouette et le vol. **AU VOL : s'élève rapidement avec des battements d'ailes vifs, puis descend en planant,** comme sur des montagnes russes.

Alimentation : se nourrit en saisissant dans son bec les calmars et les petits poissons à la surface de l'eau.

Nidification : niche en colonies. Nid peu profond de terre nue dans une crevasse de rocher ou sur une corniche de falaise, jusqu'à 450 m au-dessus de l'eau. Oeufs : 1, blanc; I : 51 à 54 j.; E: 90 à 100 j., nidicole; C : ?

Autres comportements : niche sur les falaises abruptes d'Hispaniola de novembre à mai, puis, pendant notre été, va vers le nord en suivant le Golf Stream.

Habitat : haute mer.

Voix : en mer, généralement silencieux.

Protection : TENDANCE INCONNUE. On le croyait disparu, mais on l'observe régulièrement au large de la côte atlantique. Les sites de nidification sont peu nombreux et sujets au dérangement par les humains.

Puffin cendré

Calonectris diomedea — Cory's Shearwater

Identification : 51 cm. Le plus gros puffin de l'Est. **Dessous blanc; dessus brun-grisâtre; bec jaunâtre.** AU VOL : battements d'ailes accentués et lents, ailes coudées au poignet, de sorte qu'elles ont l'air arquées si on les voit de devant. Plane près de l'eau mais peut virer assez haut par temps venteux.

Alimentation : se nourrit à la surface de l'océan ou en plongeant à faible profondeur; mange de gros calmars, des poissons et des crustacés.

Nidification : niche en colonies. Nid en soucoupe dans un terrier ou une crevasse de la roche. Oeufs : 1, blanc; I : ?; E : ?, nidicole; C : ?

Autres comportements : les P. cendrés nichent dans l'hémisphère nord, sur les îles de la mer Méditerranée et de l'est de l'océan Atlantique. Après la nidification (mai-août), on les voit sur les côtes de l'Atlantique et du golfe du Mexique de la fin de l'été à l'automne. En mer, ils suivent rarement les navires et peuvent former de grandes troupes.

Habitat : haute mer.

Voix : en haute mer, généralement silencieux.

Protection :
TENDANCE INCONNUE.
Sites de nidification sur des îles, menacés par les prédateurs introduits et par le dérangement dû aux humains.

Puffin majeur

Puffinus gravis Greater Shearwater

Identification : 51 cm. L'un des 2 grands puffins «à ventre blanc» de l'Est. Rare dans l'Ouest. **Dessous blanc; dessus gris d'apparence écailleuse; calotte noire; collier blanc;** tache grise au centre du ventre; couvertures alaires mouchetées; bande blanche étroite à la racine de la queue. **AU VOL :** plane plus et bat des ailes plus lentement que les autres puffins de l'Est. Plane face au vent pour prendre de la hauteur, puis se tourne dos au vent.

Alimentation : se nourrit à la surface de l'eau et également en plongeant et en nageant sous l'eau; mange de petits poissons, des calmars et des crustacés.

Nidification : niche en colonies. Nid peu profond fait d'herbes, au fond d'un terrier. Oeufs : 1, blanc; I : 55 j.; E : 84 j., nidicole; C : 1.

Autres comportements : peut manger des déchets laissés par les navires, surtout si on jette par-dessus bord des morceaux de poisson huileux.

Habitat : haute mer.

Voix : sons grinçants lorsqu'il dispute de la nourriture en mer.

Protection : TENDANCE INCONNUE. Ne niche que sur quelques îles de l'Atlantique Sud. Vulnérable aux prédateurs introduits comme les chats et les rats.

Puffin fuligineux

Puffinus griseus Sooty Shearwater

Identification : 43 cm. Le seul puffin «à ventre noir» de l'Est. **Foncé dans l'ensemble; bec et pattes foncés; couvertures sous-alaires argentées,** ressemblant à un éclair blanc lorsque l'oiseau en vol lève les ailes. **AU VOL :** battements d'ailes rapides, plane un peu.

Alimentation : se nourrit à la surface de l'eau, mange des poissons et des calmars. Posé sur l'eau, il immerge parfois la tête pour chercher de la nourriture. Peut plonger pour se nourrir et nager sous l'eau à l'aide de ses ailes.

Nidification : niche en colonies. Nid en soucoupe fait de feuilles mortes et de brindilles, au fond d'un terrier de 0,90 à 1,20 m. Oeufs : 1, blanc; I : 56 j.; E : 100 j., nidicole; C : ?

Autres comportements : en été, se rassemble en troupes de plusieurs milliers d'individus. Parfois observé depuis la terre ferme. Suit les bateaux d'observation des oiseaux.

Habitat : des eaux côtières à la haute mer.

Voix : en mer, peut émettre plusieurs sortes de bêlements lorsqu'il dispute de la nourriture.

Protection :
CBC: ⇑

Puffin des Anglais

Puffinus puffinus

Manx Shearwater

Identification : 36 cm. **Petit** puffin au **dessus noir, au dessous blanc brillant et aux couvertures sous-caudales blanches.** Le noir de la tête s'étend bien au-dessous de l'oeil. Ressemble beaucoup au P. d'Audubon. **AU VOL :** séries de battements d'ailes rapides suivies de longs glissés.

Alimentation : se nourrit à la surface de l'océan; plonge et nage également sous l'eau pour attraper de petits poissons, des crustacés et des calmars.

Nidification : niche en colonies sur des îles. Nid peu profond fait de feuilles et d'herbes sèches, au fond d'un terrier de 1,20 à 1,80 m, dans un sol rocailleux. Oeufs : 1, blanc; I : 50 à 54 j.; E : 70 à 75 j.; nidicole; C : 1.

Autres comportements : en général, ne suit pas les navires. Le seul puffin de l'Est qui niche en Amérique du Nord. Des observations récentes sur la côte Ouest permettent de penser qu'il pourrait y avoir une nouvelle colonie non découverte dans cette région.

Habitat : îles côtières et haute mer.

Voix : en haute mer, généralement silencieux.

Protection :
ICN: ⇑ CBC: ⇑

Puffin d'Audubon

Puffinus lherminieri — Audubon's Shearwater

Identification : 30 cm. Le plus petit puffin de l'Est. **Dessus brun foncé; ventre blanc; dessous des ailes blanc à large bordure foncée; couvertures sous-caudales foncées.** Le foncé de la tête s'étend à peine au-dessous de l'oeil. Ressemble beaucoup au P. des Anglais, plus rare. **AU VOL :** remarquer la longue queue et le battement d'ailes plus léger que chez le P. des Anglais, suivi de courts glissés.

Alimentation : se nourrit à la surface de l'océan et plonge également à faible profondeur; mange de petits poissons, des calmars et des crustacés.

Nidification : niche en colonies. Nid peu profond fait de brindilles ou d'herbes sèches, sous une végétation épaisse ou dans une crevasse du rocher. Oeufs : 1, blanc; I : 51 j.; E : 72 j., nidicole; C : ?

Autres comportements : habituellement, ce puffin ne suit pas les navires. Lorsqu'il plonge, il peut rester sous l'eau jusqu'à 20 secondes.

Habitat : haute mer, Golf Stream.

Voix : en mer, généralement silencieux

Protection : TENDANCE INCONNUE.

Océanite de Wilson

(Pétrel océanite)

Oceanites oceanicus

Wilson's Storm-Petrel

Identification : 18 cm. L'un des trois océanites régulièrement observés dans l'Est. **Petit; noirâtre; large tache en U sur le croupion; queue courte, carrée ou légèrement arrondie. AU VOL : vol rectiligne, battements d'ailes continus et légers, quelques glissés; ailes courtes et droites à extrémités arrondies.** ➤L'O. de Castro, *Oceanodroma castro*, ressemble à cette espèce mais il est plus grand, sa queue est carrée ou légèrement fourchue et il vole comme un puffin en faisant alterner les battements d'ailes et les glissés.

Alimentation : se nourrit à la surface de l'eau en volant sur place tout en saisissant du plancton, de petits poissons et des calmars dans son bec.

Nidification : niche en colonies. Nid peu profond fait de brindilles lâches, au fond d'un terrier, dans une crevasse de rocher ou sur une corniche jusqu'à plus de 90 m au-dessus de l'eau. Oeufs : 1, blanc à taches foncées. I : 39 à 48 j.; E : ?, nidicole; C : 1.

Autres comportements : lorsqu'il se nourrit, peut «trottiner» sur l'eau tout en volant sur place. En mer, suit les navires s'il y a de la nourriture. Niche à l'extrême sud de l'hémisphère Sud, dans des colonies de millions d'individus; peut-être l'une des espèces d'oiseaux les plus abondantes du monde. Rare mais annuel au large du centre de la Californie.

Habitat : haute mer, mais s'observe parfois à partir de la côte.

Voix : piaulement faible lorsqu'il se nourrit en mer.

Protection : TENDANCE INCONNUE.

Océanite cul-blanc

(Pétrel cul-blanc)

Oceanodroma leucorhoa

Leach's Storm-Petrel

Identification : 20 cm. **Tache triangulaire blanc cassé sur le croupion** (parfois avec une division étroite au milieu); **longue queue fourchue.** Au large du sud de la Californie, certains individus peuvent avoir un croupion foncé; leur comportement en vol permet alors de les distinguer des autres océanites foncés. **Au vol : vol distinctif en zigzag; fait alterner les battements d'ailes et les glissés; ailes étroites, pointues et courbées au poignet.**

Alimentation : se nourrit en volant sur place juste au-dessus de l'eau; mange du plancton, de petits poissons et des calmars.

Nidification : niche en colonies. Nid peu profond fait d'herbes sèches et de tiges, au fond d'un tunnel de 30 à 90 cm dans un champ ou parmi les pierres. Oeufs : 1, blanc; I : 38 à 46 j.; E : 63 à 70 j., nidicole; C : 1.

Autres comportements : habituellement, ne suit pas les navires et ne «trottine» pas souvent sur l'eau lorsqu'il se nourrit. Niche sur les îles côtières et effectue des allers et retours à partir du nid la nuit. Il s'agit peut-être d'une forme de protection contre les goélands, qui se reposent la nuit. Se nourrit plus loin au large que les autres océanites. Pour nourrir leurs poussins, les parents régurgitent une huile qui provient de leur estomac, ce que font tous les autres océanites. Les chats et les rats introduits sur les îles menacent les colonies.

Habitat : sur les îles côtières et loin au large; parfois près des côtes pendant les tempêtes.

Voix : sur les sites de nidification, la nuit, ronronnements et gloussements aigus; en mer, généralement silencieux.

Protection :
ICN: ↓

Fou masqué

Sula dactylatra — Masked Booby

Immature

Adultes

Identification : 81 cm. **Grand oiseau de mer blanc; masque foncé autour des yeux et du menton; bec jaunâtre. AU VOL :** remarquer la **queue noire** et la **moitié arrière de l'aile noire. IMM. :** la partie foncée de la tête et du cou est séparée de celle du dos par une zone ou un collier de couleur blanche; ventre blanc. Garde son plumage imm. 2 ans.

Alimentation : plonge verticalement d'une hauteur maximale de 12 m au-dessus de l'eau; mange des poissons et des calmars.

Nidification : niche en colonies. Nid : excavation peu profonde dans le sable, entre le niveau de la mer et une hauteur de 150 m. Oeufs : 2, bleu clair; I : 42 j.; E : 115 j., nidicole; C : 1

Autres comportements : peut tenter d'attraper des poissons volants qu'il a vu bondir hors de l'eau. En vol, peut être harcelé par les Frégates superbes qui essaient de lui faire régurgiter ses proies. La plupart des observations de Fous masqués proviennent du golfe du Mexique. Depuis les années 1970, résident autour des Dry Tortugas, où il niche depuis 1984. Égaré au large de la Californie.

Habitat : haute mer.

Voix : en mer, généralement silencieux.

Protection : TENDANCE INCONNUE.

Fou brun

Sula leucogaster

Brown Booby

Adulte

Immature

Identification : 76 cm. Nettement plus petit que ses cousins le Fou de Bassan et le Fou masqué. **Brun foncé sauf le ventre et les sous-alaires, qui sont blanc vif; bec et pieds jaunâtres. IMM. :** brun foncé, ventre et sous-alaires brun plus clair. Garde son plumage imm. 2 ans ou plus.

Alimentation : plonge dans l'eau d'une hauteur de 9 à 15 m pour attraper des poissons, souvent des poissons volants. Peut rester sous l'eau plus de 30 secondes.

Nidification : niche en colonies. Nid : une dépression creusée dans le sable, près de l'eau ou beaucoup plus haut. Oeufs : 1 à 3, bleu pâle; I : 40 à 43 j.; E : 105 j., nidicole; C : 1.

Autres comportements : a tendance à se nourrir près du rivage et plonge à angle aigu pour saisir ses proies. Habituellement observé en petits groupes, mais peut former de grandes troupes lorsque la nourriture est abondante. En vol, les individus forment habituellement une ligne mal définie à faible hauteur au-dessus de l'eau. Aperçu le plus souvent au large de la côte sud-est, surtout dans le golfe du Mexique et aux Dry Tortugas.

Habitat : haute mer.

Voix : en haute mer, généralement silencieux.

Protection : TENDANCE INCONNUE.

Fou de Bassan

Morus bassanus Northern Gannet

Adulte

Immature

Identification : 94 cm. **Gros** oiseau de mer **tout blanc, sauf les pointes des ailes noires et une teinte dorée sur la tête.** Queue et ailes longues et pointues. **Imm. :** au début, les ailes et le dessus du corps sont entièrement foncés, le ventre et le menton plus clairs, quelquefois séparés par une bande noire sur la poitrine. Pendant les 2 années suivantes, la tête et le ventre blanchissent, suivis par le dos, les ailes et la queue. Garde son plumage imm. jusqu'à 3 ans.

Alimentation : se nourrit en plongeant d'une hauteur pouvant aller jusqu'à 30 m pour manger les poissons qui se déplacent en bancs comme les maquereaux et les harengs.

Nidification : niche en colonies. Nid peu profond, fait d'algues et d'herbes, sur le sol ou au bord d'une falaise. Oeufs : 1, bleu pâle; I : 42 à 44 j.; E : 95 à 107 j., nidicole; C : 1.

Autres comportements : pendant les migrations printanière et automnale, s'observe en grandes troupes volant souvent en ligne. Pendant les tempêtes, parfois aperçu près des côtes. Sur les sites de nidification, les individus s'éloignent de leur nid pour atteindre un endroit dégagé, avec les ailes relevées et le bec pointé vers le haut, peut-être pour passer près des autres nids sans provoquer une attaque. Ils s'envolent des falaises en courant et en battant des ailes sur une courte distance.

Habitat : été, sur les falaises de bord de mer et les îles; hiver, en mer.

Voix : en mer, généralement silencieux; sur les sites de nidification, émet des *kerok kerok* forts.

Protection :
ICN: ↑ CBC: ⇑
La pêche excessive pourrait affecter les stocks de nourriture ainsi que les populations.

Pélican d'Amérique

(Pélican blanc d'Amérique)

Pelecanus erythrorhynchos

American White Pelican

Adulte

Adulte

Identification : 1,55 m. **Grand oiseau blanc; grand bec jaune orangé; sac gulaire jaune orangé.** Pendant la nidification, il apparaît une excroissance en forme de quille à mi-longueur de l'arête supérieure du bec. **AU VOL :** la moitié postérieure des ailes est noire; vol plané gracieux. **IMM. :** ressemble à l'adulte, mais bec et sac gulaire gris; les zones foncées des ailes sont brunes. Garde son plumage imm. 3 ou 4 ans.

Alimentation : se nourrit tout en nageant, immerge le bec pour attraper des poissons dans sa poche. Se nourrit habituellement en petits groupes qui peuvent collaborer pour rabattre les poissons vers l'eau peu profonde où il est plus facile de les attraper.

Nidification : niche en colonies sur les grands lacs de l'intérieur. Nid : légère dépression sur le sol nu, ou peut aussi être plus élaboré : tas de terre, de tiges et de débris. Oeufs : 1 à 3, blancs; I : 29 à 36 j.; E : 21 à 28 j.; C : 1.

Autres comportements : l'un des plus gros oiseaux d'Amérique du Nord; peut planer sur de longues distances et vole souvent en formation (en ligne ou en V). Au-dessus des sites de nidification, peut effectuer des manoeuvres bizarres comme des vols planés et des plongeons.

Habitat : été, grands lacs de l'intérieur; hiver, sur la côte.

Voix : gén. silencieux hors des sites de nidification; les jeunes au nid peuvent émettre des plaintes ou des grognements bruyants.

Protection :
BBS: E ⇈ C ⇈ CBC: ⇈
Les populations de certains lacs de l'intérieur sont sensibles aux sécheresses locales.

Pélican brun

Pelecanus occidentalis Brown Pelican

Adulte

Immature

Adulte non nicheur (g.), adulte nicheur (dr.)

Identification : 1,22 m. **Grand oiseau côtier; corps et ailes brun-gris; grand bec foncé; poche gulaire foncée.** Cou entièrement blanc chez l'ad. non nicheur; nuque brune chez l'ad. nicheur. **IMM. :** entièrement foncé avec de plus en plus de blanc sur la tête. Garde son plumage imm. 3 ou 4 ans.

Alimentation : se nourrit en plongeant du haut des airs et en attrapant des poissons dans sa poche gulaire; cela permet de le reconnaître du P. d'Amérique qui se nourrit en nageant sur l'eau. Les P. bruns imm. se nourrissent parfois de cette façon.

Nidification : niche en colonies sur les îles côtières. Nid : cercle de terre et de débris haut de 10 à 25 cm, sur le sol, ou bien en forme de soucoupe et fait de branches, d'herbes et de roseaux, au sommet d'un palétuvier. Oeufs : 2 à 4, blancs; I : 28 à 30 j.; E : 71 à 88 j., nidicole; C : 1.

Autres comportements : niche, se repose et se nourrit en troupes. Vole souvent en formations linéaires à haute altitude ou juste au-dessus de l'eau. Pour pêcher, engouffre des poissons et de l'eau, puis fait surface et vide l'eau qui se trouve dans sa poche avant d'avaler ses proies.

Habitat : côtier.

Voix : ad. habituellement silencieux; au nid, *tchèc tchèc* faible. Les jeunes au nid peuvent émettre de forts jappements et des cris aigus lorsqu'ils se disputent la nourriture.

Protection :
BBS: E ⥣ C CBC: ⥣
Les pertes d'habitats sur les îles côtières peuvent menacer les populations. Dans l'Ouest, le gouv. des É.-U. le considère en danger.

Grand Cormoran

Phalacrocorax carbo — Great Cormorant

Adulte

Immature

Identification : 91 cm. Le plus grand cormoran d'Amérique du Nord. Le plus souvent aperçu en hiver parce qu'il niche assez loin vers le nord. **Entièrement foncé; large bande de plumes blanches sur les joues et le menton.** À la fin de l'hiver, des zones blanches apparaissent au-dessus des pattes et elles persistent pendant toute la nidification. IMM. : entièrement foncé, gorge rayée, brun clair, ventre blanc. Garde son plumage imm. 2 ou 3 ans.

Alimentation : se nourrit en plongeant et en nageant sous l'eau pour attraper des poissons; peut rester submergé jusqu'à 70 secondes.

Nidification : niche en colonies sur les falaises et les îles côtières. Nid : plate-forme de branches et de brindilles garnie de matériaux plus fins, sur une corniche de la falaise. Oeufs : 5 ou 6, bleu-vert pâle; I : 29 à 31 j.; E : 50 j., nidicole; C : 1.

Autres comportements : sous l'eau, tous les cormorans se propulsent avec leurs pattes; en surface, ils peuvent s'enfoncer pour ne laisser émerger que leur cou et leur tête, ou bien flotter plus haut et laisser voir tout leur corps. Les oiseaux de cette espèce ont été domestiqués en Asie, où on leur faisait attraper du poisson qu'ils régurgitaient ensuite pour leur maître.

Habitat : côtier.

Voix : silencieux, sauf au nid, où il peut émettre divers croassements et grognements graves.

Protection : ICN: ⇑ CBC: ↑

Cormoran à aigrettes

Phalacrocorax auritus — Double-crested Cormorant

Adulte

Immature

Identification : 81 cm. Le cormoran le plus souvent observé dans l'Est et habituellement le seul qu'on aperçoit loin à l'intérieur des terres. **Entièrement noir, large poche gulaire orange.** Le nom de l'espèce vient des aigrettes qui apparaissent pendant la nidification, mais qui sont difficiles à voir. **Au vol : cou tordu** et non droit comme chez les autres cormorans. **Imm. :** brun foncé, ventre brun clair, gorge claire, poche gulaire orange. Garde son plumage imm. 2 ou 3 ans.

Alimentation : se nourrit en plongeant et en nageant sous l'eau; mange surtout des poissons.

Nidification : Niche en colonies. Nid : plate-forme de branches et d'algues, garnie de brindilles feuillues et d'herbes, dans un arbre ou au sol. Oeufs : 2 à 7, bleu pâle; I : 24 à 29 j.; E : 35 à 42 j., nidicole; C : 1.

Autres comportements : s'observe parfois qui plane à haute altitude, utilisant les ascendances thermiques pour s'élever, puis descendant par une longue glissade. Peut éprouver des difficultés à s'envoler du sol et de la surface de l'eau, souvent obligé de courir sur l'eau pour prendre de la vitesse. Après avoir pêché, se tient souvent les ailes ouvertes pour les faire sécher. Les troupes volent souvent en formation en V.

Habitat : côtes, lacs et rivières de l'intérieur.

Voix : silencieux, sauf au nid, où il peut émettre divers croassements et grognements graves.

Protection :
BBS: E ⇑ C ⇑ CBC: ⇑
Les populations se remettent rapidement d'un déclin dû aux pesticides.

Cormoran vigua

(Cormoran olivâtre)

Phalacrocorax brasilianus

Neotropic Cormorant

Adulte

Immature

Identification : 66 cm. Se distingue du C. à aigrettes par sa **taille plus petite, sa longue queue** et sa **poche gulaire étroite, pointue et jaunâtre, bordée de blanc.** IMM. : d'abord entièrement brun foncé, puis ventre et gorge plus clairs. Poche gulaire pointue comme chez l'adulte, mais sans bordure blanche. Garde son plumage imm. 2 ou 3 ans.

Alimentation : se nourrit en plongeant sous l'eau pour poursuivre les poissons. Parfois, se joint à d'autres membres de son espèce et bat l'eau de ses ailes, rabattant ainsi les poissons devant lui pour pouvoir les attraper plus facilement.

Nidification : niche en colonies. Nid : plate-forme de petites brindilles à la fourche d'une branche, à une hauteur de 0,90 à 6 m au-dessus de l'eau. Oeufs : 2 à 6, bleu pâle; I : ?; E : ?, nidicole; C : ?

Autres comportements : comme les autres cormorans, peut nager en surface en immergeant la tête pour chercher des poissons à pourchasser.

Habitat : marais et étangs d'eau douce, zones côtières.

Voix : vocalisations peu connues.

Protection :
BBS: E C ⇑ CBC: ⇑

Anhinga d'Amérique

Anhinga anhinga — Anhinga

Mâle

Femelle

Identification : 89 cm. **Gros oiseau aquatique noir; long cou fin; long bec jaune pointu; longue queue.** Rayures sur les ailes et taches sur les épaules de couleur argent, reflets verts sur le corps. **MÂLE :** cou entièrement foncé. **FEMELLE :** cou et poitrine brun clair. **IMM. :** comme la femelle, mais corps brun. Garde son plumage imm. 1 ou 2 ans.

Alimentation : se nourrit en plongeant à partir de la surface et en empalant les proies avec son bec pointu. Mange des poissons, insectes aquatiques et grenouilles ainsi que des alligators nouvellement éclos.

Nidification : niche en petites colonies, souvent avec des hérons. Nid : plate-forme de branches et de brindilles, garnie de matériaux plus fins, dans un arbre. Oeufs : 1 à 5, vert bleuté; I : 25 à 29 j.; E : ?, nidicole; C : 1.

Autres comportements : après avoir nagé, l'anhinga garde les ailes déployées pour les sécher comme le font les cormorans. Lorsqu'il nage, il ne laisse souvent dépasser que la tête et le cou au-dessus de l'eau; c'est une des raisons pour lesquelles on l'appelle aussi *snakebird*, ou «oiseau-serpent». Pour nicher, peut se servir des anciens nids de hérons. Le vol est une série de battements d'ailes suivie d'une glissade. Plane souvent à grande altitude et migre de jour en grandes troupes.

Habitat : marais et marécages d'eau douce, lacs et rivières.

Voix : généralement silencieux, mais pendant la nidification, les couples au sol peuvent pousser des cris et des grognements gutturaux; au vol, série de sifflements aigus (*îîîk îîîk îîk*).

Protection :
BBS: E ⇑ C ⇓ CBC: ↑

Frégate superbe

Fregata magnificens Magnificient Fregatebird

Immature (haut), mâle adulte (bas)

Mâle adulte

Identification : 104 cm. **Grand oiseau noir planeur à la silhouette très particulière; cou court; longues ailes étroites; queue très fourchue. MÂLE :** noir, poche gulaire rouge vif. **FEMELLE :** noire, large bande blanche en travers de la poitrine. **IMM. :** variable, plus de blanc que la femelle adulte, par ex. sur la tête, ou sur le ventre *et* la poitrine. Durée du plumage imm. inconnue, probablement 4 à 6 ans.

Alimentation : se nourrit en se laissant tomber pour saisir des poissons, méduses et crustacés à la surface de l'eau. Mange également des déchets de poisson et dérobe les oeufs et les poussins des oiseaux marins qui nichent en colonies.

Nidification : niche en colonies sur les îles océaniques. Nid peu profond fait de branches et de brindilles, garni d'herbes, au sommet d'un arbre bas. Oeufs : 1, blanc; I : 50 j.; E : ?, nidicole; C : 1; niche tous les deux ans.

Autres comportements : pendant la parade nuptiale, le mâle en présence de la femelle gonfle sa poche gulaire rouge et se balance d'un côté à l'autre. À l'origine, le mot *frégate* désigne un navire de guerre; cette espèce a été ainsi nommée parce qu'elle dérobe souvent les proies d'autres oiseaux comme les fous. Vol extrêmement gracieux, peut planer très longtemps et se laisser tomber tout droit pour saisir de la nourriture.

Habitat : océan, côtes.

Voix : en mer, généralement silencieuse.

Protection :
BBS: E ⇑ C CBC: ↓

Butor d'Amérique

Botaurus lentiginosus American Bittern

Identification : 64 cm. Oiseau trapu, **dessous rayé de brun,** quelquefois **trait noir** visible **partant de la base du bec et longeant le cou. AU VOL :** dos brun et partie distale des ailes foncée. **IMM. :** ressemble à l'adulte, mais sans trait noir. Garde son plumage imm. une partie de l'hiver.

Alimentation : se nourrit seul. Se tient immobile ou marche avec une lenteur extrême, puis frappe sa proie à la vitesse de l'éclair. Mange beaucoup de poissons, mais aussi des reptiles, amphibiens, insectes et petits mammifères.

Nidification : niche en solitaire, mais on a trouvé des nids éloignés de moins de 40 m l'un de l'autre. Nid : plate-forme faite de quenouilles, de branches et d'herbes, dans la végétation dense d'un marais à quelques centimètres au-dessus de l'eau. Oeufs : 2 à 7, brun-olive chamois; I : 28 ou 29 j.; E : quittent le nid à 14 j., moment du premier envol inconnu, nidicole; C : 1.

Autres comportements : lorsqu'ils sont immobiles ou inquiets, les butors étirent souvent le cou en pointant le bec vers le haut de sorte qu'ils se confondent avec la végétation environnante et qu'il est difficile de les voir. Ils se balancent parfois doucement tout en gardant cette position. Les mâles peuvent être polygames. Oiseaux discrets.

Habitat : marais d'eau douce ou saumâtre à végétation haute.

Voix : pendant la nidification, le mâle émet un *oum paklounk* retentissant comme celui d'une vieille pompe à main. Cri d'alarme : *coc coc coc.*

Protection :
BBS: E ↓ C ⇓ CBC: ↓
La disparition des zones humides entraîne un déclin des populations.

Petit Blongios

Ixobrychus exilis

(Petit Butor)

Least Bittern

Mâle

Identification : 33 cm. Notre plus petit héron. **Calotte et dos foncés; dessous chamois vif.** **MÂLE :** calotte et dos noirs. **FEMELLE :** calotte et dos brun vif. **AU VOL :** remarquer les **zones chamois sur la partie proximale de l'aile.** Vol faible et battements d'ailes rapides.

Alimentation : se déplace furtivement à travers la végétation en position accroupie ou reste immobile et balance parfois le cou. Mange de petits poissons, des grenouilles, des insectes, de petits mammifères et quelquefois des oeufs et des poussins d'oiseaux.

Nidification : nid, petite plate-forme de branches et de plantes vivantes ou mortes, dans les quenouilles, les scirpes ou les buissons, de 20 à 35 cm au-dessus de l'eau. Oeufs : 2 à 7, bleu pâle ou blanc-verdâtre; I : 19 ou 20 j.; E : jusqu'à 25 j., nidicole; C : 2.

Autres comportements : oiseau discret. Volette brièvement au-dessus de la végétation. Grimpe et court même dans les roseaux à 60 ou 90 cm au-dessus de l'eau. Position d'alerte : bec pointé vers le haut comme le B. d'Amérique. Pendant la parade nuptiale, les mâles émettent des roucoulements

Habitat : marais à végétation dense comme des quenouilles ou des carex; marais côtiers.

Voix : mâle, émet un *oh-oh-ou-ou-ou-ouah*; la femelle produit un cliquetis. Les deux font un *coc coc*.

Protection :
BBS: E ↓ C ⇓ CBC: ⇑
En déclin à cause de la disparition des zones humides.

Grand Héron

Ardea herodias — Great Blue Heron

Forme foncée

Forme blanche

Identification : 1,17 m. Le plus grand et le plus répandu de nos hérons. **Corps bleu-grisâtre; tête blanche; rayure blanche au-dessus de l'oeil. IMM. :** ressemble à l'adulte, mais la tête porte une couronne noire unie qui blanchit peu à peu. Garde son plumage imm. 2 ans. ➤La forme blanche du Grand Héron, qui est rare, est entièrement blanche avec des pattes et un bec jaune orangé et est restreinte au sud de la Floride.

Alimentation : se nourrit dans l'eau peu profonde en restant immobile ou en marchant lentement, puis en saisissant des petits poissons, grenouilles, oiseaux et insectes aquatiques dans son bec. Peut se nourrir en eau plus profonde en plongeant ou en nageant. Chasse également les petits mammifères sur terre. Plusieurs individus peuvent se regrouper sur un même territoire de chasse temporaire de plusieurs centaines de mètres de diamètre qu'ils défendent.

Nidification : niche généralement en petites colonies dans des endroits isolés, ou bien seul. Grande plate-forme de branches garnie de brindilles plus fines et de végétation, dans les arbres ou les buissons, à une hauteur allant de 9 à 20 m. Oeufs : 3 à 7, vert-bleuâtre; I : 28 j.; E : 55 à 60 j., nidicole; C : 1.

Autres comportements : parade nuptiale des mâles sur le site de nidification, cou recourbé au-dessus du dos, bec pointant vers le haut.

Habitat : marais, marécages, rivières et rives de lacs, zone intertidale, mangroves et autres endroits humides.

Voix : *crônc* rauque et guttural; *roc-roc* émis pendant les agressions. Les deux sexes claquent du bec.

Protection :
BBS: E ⇑ C ⇑ CBC: ⇑

Grande Aigrette

Ardea alba — Great Egret

Identification : 97 cm. **Grand héron blanc à bec jaune et pattes noires.** L'immature ressemble à l'adulte. Pendant la saison de nidification, de longues aigrettes blanches apparaissent sur le dos des deux sexes.

Alimentation : se nourrit surtout en marchant lentement, tête dressée, et en happant ses proies. Chasse les petits poissons et amphibiens en eau peu profonde, mais également les insectes, reptiles et petits mammifères sur terre. Peut se nourrir en solitaire et défendre ses territoires de chasse par des mimiques agressives en chassant les intrus. S'alimente aussi en grandes troupes lorsque les proies sont concentrées à un même endroit. On l'a observée subtilisant les poissons d'autres oiseaux.

Nidification : niche dans des colonies avec d'autres hérons, des ibis et des cormorans, ou bien isolément. Nid : plate-forme lâche faite de branches, brindilles et roseaux, dans un arbre ou un buisson, entre 2,50 et 12 m au-dessus de l'eau ou dans des quenouilles, entre 30 cm et 1,20 m au-dessus de l'eau. Oeufs : 1 à 6, vert-bleuâtre pâle; I : 23 à 26 j.; E : 42 à 49 j., nidicole; C : 1.

Autres comportements : comme chez d'autres hérons, les membres du couple se saluent en criant tout en étirant le cou vers le haut et au-dessus de leur dos et en pointant le bec à la verticale; ils claquent aussi du bec en ouvrant et refermant brusquement leurs mandibules.

Habitat : marais, marécages, bords de mer et de lacs.

Voix : croassement grave et tremblotant.

Protection :
BBS: E ↓ C ⥣ CBC: ↑
Au début du siècle, était chassée pour ses aigrettes. La population a augmenté depuis que la chasse a diminué et qu'on a interdit le DDT, qui avait entraîné un amincissement des coquilles d'oeufs.

Aigrette neigeuse

Egretta thula Snowy Egret

Adulte

Immature

Identification : 61 cm. **Corps blanc; bec noir, pattes noires et pieds jaune vif.** Pendant la nidification, les pieds et la peau de la face située devant l'oeil deviennent orange ou rouges. **IMM. :** comme l'adulte non nicheur, mais les pattes sont noires devant et jaunes derrière. La peau jaune vif de la racine du bec permet de le distinguer facilement de l'A. bleue imm., qui lui ressemble. Garde son plumage imm. 1 an.

Alimentation : très active, se nourrit souvent en troupes et avec d'autres espèces. Adopte diverses techniques de chasse : marche lentement, marche rapidement court ou saute; à l'aide de ses pattes, remue, ratisse et fouille le fond à la recherche de proies. Parfois, fait vibrer son bec dans l'eau pour attirer les poissons. Mange des crevettes, poissons, crabes, amphibiens, serpents et insectes.

Nidification : niche dans de grandes colonies de milliers d'individus, isolée ou en petites colonies avec d'autres hérons. Nid : plate-forme de branches et de brindilles, au sol, dans un arbre ou dans un buisson, à une hauteur allant de 1,50 a 3 m. Oeufs : 3 à 5, vert-bleuâtre pâle; I : 20 à 29 j.; E : 30 j., nidicole; C : 1.

Autres comportements : défend son nid et son territoire de chasse avec agressivité par des cris, en étalant son aigrette et en engageant le combat. Hors de la saison de nidification, dortoirs communautaires.

Habitat : zones côtières, marais, vallées de rivières, bords de lacs.

Voix : dans les colonies de nidification, *ouah- ouah-ouah*; pendant une attaque: *aah* rauque.

Protection :
BBS: E ⇓ C ⇑ CBC: ⇑
Autrefois, la chasse pour ses aigrettes a presque mené à son extermination à la fin du XIXe s. Protégée, elle est en augmentation.

Aigrette bleue

Egretta caerulea

Little Blue Heron

Immature (g.), adulte (dr.)

Identification : 65 cm. **entièrement sombre; tête violacée; corps et ailes gris-bleu; bec à deux teintes :** base gris-bleu et pointe plus foncée. **Imm. :** tout blanc, pattes jaune-verdâtre et bec à deux teintes comme chez l'adulte. La peau de la base du bec est grise, ce qui permet de la reconnaître de l'A. neigeuse imm., qui lui ressemble. Le plumage blanc se tache de gris-bleu au fur et à mesure que l'individu prend son plumage d'adulte. Garde son plumage imm. 1 an.

Alimentation : marche lentement dans l'eau peu profonde tout en cherchant des proies du regard. Mange des poissons, insectes et amphibiens. Parfois, suit d'autres oiseaux pour attraper les proies qu'ils ont délogées.

Nidification : niche en colonie, souvent avec d'autres espèces de hérons. Nid : branches et brindilles, dans un arbre ou un buisson, entre 3 et 4,60 m au-dessus de l'eau. Oeufs : 2 à 5, vert-bleuâtre pâle; I : 20 à 24 j.; E : 42 à 49 j., nidicole; C : 1.

Autres comportements : Les mâles peuvent s'accoupler avec des femelles situées sur des territoires voisins.

Habitat : marécages, marais de l'intérieur et zones côtières.

Voix : pendant la parade nuptiale, crépitement; pendant des interactions agressives, *aarh* grave.

Protection :
BBS: E ⇓ C ↓ CBC: ↓
À l'époque du commerce des aigrettes, a été épargnée parce qu'elle ne possède pas de longues aigrettes nuptiales.

Aigrette tricolore

Egretta tricolor — Tricolored Heron

Identification : 65 cm. **Héron bleu-gris foncé, sous-alaires et ventre blancs;** bande blanche sur l'avant du cou. Bec : dessus foncé, dessous jaune, base grise et pointe plus foncée. **IMM. :** ressemble à l'adulte, mais tacheté de brun sur le cou et les ailes. Garde son plumage imm. 1 an.

Alimentation : marche dans l'eau jusqu'au ventre. En plus de traquer ses proies en marchant, court et saute avec les ailes ouvertes. Mange des poissons, amphibiens et insectes.

Nidification : niche dans de grandes colonies, souvent avec d'autres hérons. Nid : plate-forme de branches et de brindilles garnie de matériaux végétaux plus fins. Dans un arbre ou un buisson, entre 1,80 et 4,60 m au-dessus du sol. Oeufs : 3 à 7, vert-bleuâtre pâle; I : 21 à 25 j.; E : 35 j., nidicole; C : 1.

Autres comportements : pendant la parade nuptiale, les individus volent en cercles, se poursuivent et hérissent les plumes de leur cou et de leur dos ainsi que leur huppe. Claquements de bec fréquents.

Habitat : marais, rivages, vasières et chenaux laissés par la marée.

Voix : pendant la parade nuptiale, *ônh* et *kâl kâl* gutturaux. Pendant une attaque, *aah* aigu.

Protection :
BBS: E ⇓ C ⇑ CBC: ↑
Épargnée par le commerce des aigrettes parce que la couleur des siennes n'était pas en vogue.

Aigrette roussâtre

Egretta rufescens Reddish Egret

Adulte, forme foncée

Adulte, forme blanche

Immature, forme foncée

Identification : 75 cm. 2 formes de couleur : une forme foncée commune et une forme blanche rare. Les deux formes se reconnaissent à leur **bec rose dont le bout semble avoir été trempé dans l'encre noire.** Forme foncée : **corps gris-bleu, cou et tête brun-roux;** la forme claire est entièrement blanche. Les pattes sont foncées chez les deux formes. **IMM. :** la forme foncée est grise avec une tête brunâtre et un bec entièrement foncé; la forme claire est blanche avec un bec entièrement foncé, et la peau de la base du bec est grise. Garde son plumage imm. 1 ou 2 ans.

Alimentation : l'un des hérons les plus actifs. Utilise de nombreuses méthodes pour se nourrir : court, saute, ouvre une aile ou les deux et les étend vers l'avant. Mange des poissons, grenouilles et crustacés.

Nidification : coloniale, sur des îles côtières. Nid de branches garni de brindilles, dans un arbre ou un buisson. Oeufs : 3 à 7, vert-bleu pâle; I : 25 ou 26 j.; E : 45 j., nidicole; C : 1.

Autres comportements : parade nuptiale semblable à celle des autres hérons. Secoue et agite la tête pendant les salutations. Voir A. tricolore.

Habitat : rivages, zones intertidales, mares peu profondes.

Voix : croassements gutturaux.

Protection :
BBS: E ↑ C CBC: ↓
Une autre victime du commerce des aigrettes. Les populations se sont partiellement rétablies, mais les aménagements côtiers menacent l'espèce.

Héron garde-boeufs

Bubulcus ibis — Cattle Egret

Identification : 50 cm. Petit héron commun. **Entièrement blanc; court, trapu, bec jaune orangé;** les pattes varient de l'orange au vert- jaune. Adulte nicheur : aigrettes orange-chamois sur la tête, le dos et la poitrine. IMM. : ressemble à l'adulte non nicheur, mais pattes gris foncé. Garde son plumage imm. jusqu'au printemps suivant.

Alimentation : habituellement observé loin de l'eau, se nourrissant dans les champs, sur les pelouses et le long des routes. Mange des insectes, amphibiens, reptiles et mollusques. Suit souvent les bovins ou les chevaux à la recherche des insectes qu'ils dérangent.

Nidification : forme des colonies avec d'autres individus de la même espèce ou avec d'autres hérons. Nid : plate-forme de branches, de brindilles et de roseaux, dans un buisson ou un arbre, de 1 à 9 m au-dessus du sol. Oeufs : 2 à 6, blanc-bleuâtre; I : 21 à 24 j.; E : 30 j., nidicole; C : 1.

Autres comportements : très probablement originaire d'Afrique, a beaucoup étendu son aire géographique. Il a d'abord survolé l'Atlantique pour atteindre l'Amérique du Sud en 1880. En 1942, on l'apercevait en Floride, où il a niché au début des années 1950. Le déboisement et l'agriculture ont contribué à lui fournir un habitat favorable. Aujourd'hui répandu dans l'ensemble des États-Unis.

Habitat : secteurs ouverts et secs, pelouses, champs, pâturages occupés par le bétail.

Voix : dans les colonies, *rick-rack*. Lorsqu'il est inquiet, émet un *kok*.

Protection :
BBS: E ↑ C ↑ CBC: ⇑
Sur les sites de nidification, peut déplacer certaines espèces de hérons indigènes.

Héron vert

Butorides virescens — Green Heron

Adulte

Immature

Identification : 48 cm. **Petit héron entièrement foncé; trapu; dos vert-bleu; cou et poitrine brun-roussâtre; pattes courtes, jaune vif à orange.** Son cou semble court parce qu'il garde la tête près du corps. IMM. : ressemble à l'adulte, mais avec des rayures brunes sur le cou et le ventre; les plumes des ailes peuvent avoir des taches chamois à leur extrémité. Se distingue des bihoreaux imm. par sa taille plus petite, son dos plus foncé et son bec plus long et pointu. Garde son plumage imm. 1 an.

Alimentation : attend les proies en se tenant accroupi dans les branches du rivage, ou bien marche lentement. Parfois, plonge ou saute également, ou bien remue le fond avec une patte. On a observé que cette espèce déposait un objet comme une brindille ou un insecte sur l'eau pour attirer les proies à la surface. Mange des poissons, insectes et crabes.

Nidification : niche isolé ou en petites colonies; nid fait de branches, dans un arbre ou sur un monticule herbeux. Oeufs : 3 à 6, vert-bleu pâle; I : 21 à 25 j.; E : 34 ou 35 j., nidicole; C : 1 ou 2.

Autres comportements : lorsqu'il est nerveux, lève sa huppe et hoche la queue. La parade nuptiale comporte des poursuites et des vols en cercles. Duos de *kiao* entre individus des deux sexes.

Habitat : rivages à végétation dense, marais littoraux, ruisseaux.

Voix : émet souvent un *kiao* lorsqu'on le dérange ou en vol. Cri exprimant agressivité : *raah*.

Protection :
BBS: E ↓ C ↑ CBC: ↑

Bihoreau gris

(Bihoreau à couronne noire)

Nycticorax nycticorax

Black-crowned Night-Heron

Adulte

Immature

Identification : 64 cm. **Héron trapu gris et blanc; couronne noire; dos noir.** Pattes courtes jaune pâle devenant rougeâtres pendant la saison de nidification. **Imm. :** brun, rayé de blanc dessous; grosses taches blanc chamois sur le dos et les ailes. Se reconnaît du B. violacé par la partie inférieure de son bec, qui est jaune-verdâtre (bec entièrement foncé chez le B. violacé). Le B. gris a aussi un bec plus long et plus fin. Garde son plumage imm. 2 ans.

Alimentation : bien que cette espèce puisse aussi se nourrir de jour, elle s'alimente surtout la nuit ou au crépuscule, soit sur des territoires de chasse individuels, soit en groupe. Aliments : poissons, amphibiens, insectes et petits mammifères. Mange les poussins des autres espèces d'oiseaux comme les sternes, les hérons et les ibis.

Nidification : en colonie ou isolé. Nid de brindilles et de roseaux grossiers ainsi que de matériaux plus fins, contre une touffe d'herbe, dans les roseaux, dans un buisson ou un arbre, jusqu'à une hauteur de 49 m. Oeufs : 3 à 5, vert-bleu pâle; I : 24 à 26 j.; E : 42 à 49 j., nidicole; C : 1.

Autres comportements : pendant les salutations, les individus étirent le cou horizontalement tout en hérissant les aigrettes nuptiales qu'ils ont sur la tête et ils se touchent le bec. Se repose dans les arbres pendant la journée.

Habitat : varié, ruisseaux d'eau douce, lacs, rizières, prairies sèches, marais côtiers.

Voix : *couac* grave et enroué, souvent entendu au crépuscule. Pendant la Nidification : *roc-roc*.

Protection :
BBS: E ⇓ C ⇓ CBC: ⇑

Bihoreau violacé

Nyctanassa violacea Yellow-crowned Night-Heron

Adulte

Immature

Identification : 61 cm. **Héron gris trapu; tête noire; couronne blanc chamois.** Tache blanche sur la joue, bec foncé, court et épais, pattes jaunes. **IMM. :** entièrement brun-grisâtre, fines rayures blanches sur la poitrine et petites taches blanches sur le dos et les ailes. Son gros bec court entièrement foncé est le meilleur critère pour le distinguer du B. gris imm. (dont la partie inférieure du bec est jaunâtre). Garde son plumage imm. 2 ans.

Alimentation : se nourrit surtout la nuit, mais parfois le jour. Mange un grand nombre de crustacés, surtout des crabes appelants et des écrevisses. Consomme également des poissons, insectes et mammifères ainsi que de petits oiseaux.

Nidification : isolé ou en petites colonies avec d'autres hérons. Volumineuse plate-forme de branches grossières, garnie de brindilles plus fines et de feuilles, au sol, dans un arbre ou dans un buisson, jusqu'à une hauteur de 12 m. Oeufs : 3 à 5, vert-bleuâtre pâle; I : 21 à 25 j.; E : 25 j., nidicole; C : 1.

Autres comportements : pendant les salutations, les individus hérissent leur huppe, crient et claquent du bec. Dans les colonies, nombreux vols de parade et poursuites. Se repose dans les grands arbres ou les buissons.

Habitat : côtier; aussi, étangs, marécages, rivières, forêt-parc.

Voix : divers cris; *couac* plus aigu et moins enroué que celui du B. gris. En vol, émet un *kaôp*; *woûp* pendant la parade au nid.

Protection :
BBS: E ⇈ C ↓ CBC: ↑

Ibis blanc

Eudocimus albus White Ibis

Adulte

Immature

Identification : 64 cm. **Gros oiseau blanc à longues pattes; long bec rougeâtre incurvé vers le bas.** Pendant la nidification, le bec, la peau de la face et les pattes deviennent rouge vif. **AU VOL :** du noir aux extrémités des ailes. **IMM. :** ventre et croupion blancs; tête et dos brunâtres; ailes foncées. Les parties foncées deviennent blanches peu à peu. Bec rose. Garde son plumage imm. 1 an.

Alimentation : se nourrit en groupes ou seul dans l'eau peu profonde, douce ou salée. Sonde le fond avec son bec. Mange des écrevisses, crabes de vase, grenouilles et insectes aquatiques.

Nidification : niche dans de grandes colonies de milliers d'individus. Nid lâche fait de branches et de brindilles, dans un arbre ou un buisson, parfois dans la végétation basse comme dans les cypéracées et les scirpes. Oeufs : 3 à 5, blanc-verdâtre à taches foncées; I : 21 à 23 j.; E : 28 à 35 j., nidicole; C : 1.

Autres comportements : vole avec le cou étendu. Au coucher du soleil, les groupes rejoignent les dortoirs en volant en formation linéaire ou en V. Peut aussi planer en cercles. Parfois, d'autres oiseaux comme les Aigrettes bleues ou les Grandes Aigrettes suivent les Ibis blancs qui s'alimentent pour saisir les proies qu'ils ont délogées.

Habitat : lacs d'eau douce et salée, marais, marécages, vasières intertidales, rivages.

Voix : le plus souvent silencieux. Cri d'alarme : *hônk hônk hônk* nasal.

Protection :
BBS: E ↓ C ⇑ CBC: ⇑

Ibis falcinelle

Plegadis falcinellus Glossy Ibis

Été

Hiver

Identification : 58 cm. **Gros oiseau foncé à longues pattes et à long bec incurvé vers le bas. ÉTÉ : tête et cou marron; autour du bec, la peau de la face forme une ligne bleu pâle qui rejoint l'oeil brun foncé sans l'entourer. HIVER : tête et cou brun-gris rayés; on peut voir des traces de la peau bleu pâle de la face. IMM. :** ressemble à l'adulte en hiver, mais plus terne. Impossible à distinguer de l'Ibis à face blanche imm. Garde son plumage imm. 1 an et demi.

Alimentation : se nourrit en sondant. Mange des écrevisses, sauterelles et autres insectes, serpents et vers de terre. On a observé des Quiscales des marais qui dérobaient la nourriture d'un Ibis falcinelle en s'agglutinant autour de lui jusqu'à ce qu'il laisse tomber l'écrevisse qu'il transportait.

Nidification : niche en colonies, souvent avec des hérons. Plate-forme faite de branches et de végétation aquatique, au sol, dans les quenouilles, dans un buisson ou dans un arbre comme un saule, un palétuvier ou un érable rouge. Oeufs : 3 ou 4, bleu-verdâtre; I : 21 j.; E : 28 à 30 j., nidicole; C : 1.

Autres comportements : on observe des voiliers qui décrivent des cercles à très haute altitude même en dehors de la saison de nidification.

Habitat : au bord des plans d'eau douce, saumâtre et salée.

Voix : grognement nasal ou suite de notes gutturales.

Protection :
BBS: E ⇑ C CBC: ⇑
Probablement arrivé en Amérique du Nord au XIXe s. Depuis 1940, a étendu son aire géographique vers le nord le long de la côte est jusqu'au Maine.

Ibis à face blanche

Plegadis chihi White-faced Ibis

Été

Hiver

Identification : 58 cm. **Gros oiseau foncé à longues pattes et à long bec courbé vers le bas. ÉTÉ : tête et cou marron, peau de la face rouge autour de la racine du bec; fine ligne de plumes blanches entourant l'arrière de l'oeil rougeâtre. HIVER : tête et cou brun-gris et rayés, oeil rougeâtre, peau de la face foncée. IMM. :** ressemble à l'adulte en hiver, mais plus terne. Impossible à distinguer de l'Ibis falcinelle imm. Garde son plumage imm. 1 an et demi.

Alimentation : se nourrit de préférence dans les marais d'eau douce. Marche et sonde dans l'eau peu profonde. Mange des écrevisses, crabes, grenouilles, insectes, escargots et poissons.

Nidification : en petites colonies, habituellement avec d'autres échassiers. Nid : soucoupe profonde de roseaux morts et de branches, garni d'herbes, sur un lit flottant de plantes mortes ou fixé à des scirpes ou à un buisson, à quelques mètres au-dessus de l'eau. Oeufs : 3 ou 4, vert-bleuâtre; I : 21 ou 22 jours; E : 28 jours, nidicole; C : 1.

Autres comportements : en vol, forme des lignes ou des groupes compacts. Vol rectiligne avec de courts planés. Parfois, décrit des cercles à haute altitude, puis se laisse rapidement plonger avec les pattes pendantes

Habitat : Marais d'eau douce ou saumâtre.

Voix : grognement nasal.

Protection :
BBS: E C ⇑ CBC: ⇑
La disparition des zones humides et l'utilisation des pesticides entraînent des baisses de population. Les populations se rétablissent en Oregon, en Californie et au Nevada.

Spatule rosée

Ajaia ajaja

Roseate Spoonbill

Identification : 80 cm. **Grand échassier rose à longues pattes; long bec en forme de cuiller;** tête nue vert clair, queue orange. **IMM. :** presque tout blanc ou rose très pâle, bec distinctif, comme celui de l'adulte. La première année, la tête est emplumée. Garde son plumage imm. 3 ans et prend peu à peu les couleurs de l'adulte pendant cet intervalle.

Alimentation : se nourrit en marchant dans l'eau peu profonde où elle décrit des allers et retours avec son bec partiellement ouvert qu'elle referme brusquement lorsqu'elle sent une proie vivante. Mange de petits poissons, des crustacés, des mollusques et des insectes aquatiques.

Nidification : niche dans des colonies avec d'autres échassiers, habituellement sur des îles. Nid : plate-forme en soucoupe profonde, fait de branches et de rameaux, garni de feuilles et d'écorce, dans un arbre bas ou un buisson, à une hauteur de 1,50 m à 4,50 m au-dessus de l'eau. Oeufs : 1 à 5, blancs tachés de foncé; I : 22 à 24 jours; E : 35 à 42 jours, nidicole; C : 1.

Autres comportements : habituellement en petites troupes. Pendant la nidification, effectue constamment des vols d'aller et retour entre le nid et la zone d'alimentation. Pendant la parade nuptiale, les oiseaux se frottent le bec et s'offrent mutuellement des branches.

Habitat : eau douce ou salée

Voix : cri d'alarme, un *heuh heuh heuh* grave et répétitif.

Protection :
BBS: E ⇑ C ⇑ CBC: ⇑
Au XIXe siècle, on la chassait pour ses ailes qui servaient d'éventails pour les dames. L'aire de distribution s'est étendue depuis 1940, mais l'assèchement des zones humides menace les zones d'alimentation.

Tantale d'Amérique

Mycteria americana Wood Stork

Adultes

Adulte

Identification : 1,02 m. **Très gros oiseau blanc à longues pattes et à tête et cou foncés déplumés;** bec épais modérément courbé vers le bas. **Au vol :** remarquer la queue noire et la large zone noire au bord de fuite des ailes. **Imm. :** ressemble à l'adulte, mais la tête porte des plumes grises et le bec est jaune terne.

Alimentation : se nourrit dans l'eau peu profonde, souvent boueuse, en marchant et en explorant le fond avec son bec. Mange de petits poissons et alligators, des grenouilles, serpents et autres animaux aquatiques.

Nidification : en colonies. Un grand nombre de nids peuvent se trouver dans le même arbre. Plate-forme lâche faite de branches et garnie de matériaux plus fins, dans un arbre, de préférence un grand cyprès ou palétuvier, à quelques mètres au-dessus de l'eau. Oeufs : 3 ou 4, blanc terne; I : 28 à 32 jours; E : 55 à 60 jours, nidicole; C : 1.

Autres comportements : le cycle de nidification peut être déclenché par la disponibilité de la nourriture. Lorsque les pluies deviennent plus rares et que les marais s'assèchent, les poissons se regroupent et les tantales peuvent les attraper plus facilement; c'est alors que la nidification commence. Lors de pluies abondantes, si les proies sont dispersées à eau haute, les tantales peuvent ne pas nicher ou abandonner leurs oeufs.

Habitat : marais, zones côtières peu profondes, étangs, pâturages inondés.

Voix : généralement silencieux. Jeunes : cri évoquant un troupeau d'oies.

Protection :
BBS: E ↓ C CBC: ↓
En danger aux É.U. Diminution due à la perte de sites de nidification et d'alimentation. Des efforts sont en cours en vue d'un rétablissement.

Urubu noir

Coragyps atratus Black Vulture

Adulte

Immature

Identification : 64 cm. **AU VOL :** en tous plumages, **grand oiseau noir, rémiges primaires blanchâtres, queue courte.** Plane avec les ailes légèrement relevées; ne se balance pas comme l'U. à tête rouge; de temps en temps, donne 3 ou 4 battements d'ailes rapides. **POSÉ - ADULTE : gros oiseau noir à tête grise, nue et plissée;** bec pâle. **IMM. :** ressemble à l'adulte, mais tête lisse, noire et recouverte de fin duvet; bec tout foncé. Garde son plumage imm. 1 an.

Alimentation : mange des charognes dans les régions sauvages ou urbanisées. Trouve sa nourriture uniquement grâce à sa vue, soit posé, soit en vol; vole plus haut que l'U. à tête rouge, qu'il observe pour le suivre jusqu'à ses proies.

Nidification : nid sur le sol nu, dans une anfractuosité de rocher, sur une corniche de falaise, dans une souche creuse ou sous la végétation. Oeufs : 1 à 3, blanc-verdâtre à taches foncées; I : 37 à 48 jours; E : 70 jours, nidicole; C : 1.

Autres comportements : se repose dans des dortoirs, quelquefois aux mêmes endroits que les U. à tête rouge. Lorsqu'il est posé, étend parfois les ailes au soleil comme le fait l'U. à tête rouge.

Habitat : zones découvertes, dépotoirs, régions urbanisées.

Voix : près du nid et lorsque les oiseaux se disputent de la nourriture, sifflements, grognements et grondements.

Protection :
BBS: E ⇑ C ↑ CBC: ↑

Urubu à tête rouge

Cathartes aura — Turkey Vulture

Adulte

Immature

Identification : 66 cm. AU VOL : en tous plumages, **grand oiseau entièrement foncé; moitié arrière des ailes argentée. Plane avec les ailes en V; se balance et donne peu de coups d'ailes.** Tête plus petite et queue plus longue que l'U. noir. POSÉ - ADULTE : **gros oiseau entièrement foncé, tête rouge et nue;** bec pâle. IMM. : comme l'adulte, mais petite tête grise; bec entièrement foncé au début, puis devient pâle avec le bout foncé. Garde son plumage imm. 1 an.

Alimentation : mange des charognes fraîches ou décomposées qu'il trouve en planant grâce à sa vue et à son odorat.

Nidification : nid, dépression creusée sur le sol nu, dans une souche creuse ou une anfractuosité de rocher, sur une corniche de falaise ou un vieux bâtiment. Oeufs : 1 à 3, blanc terne, parfois avec des taches foncées; I : 38 à 41 jours; E : 70 à 80 jours, nidicole; C : 1.

Autres comportements : on voit souvent les U. à tête rouge allant ou revenant de leurs dortoirs communautaires qui peuvent être situés sur de grands édifices ou des tours ou dans de grands arbres. En vol, les membres de cette espèce se servent des courants ascendants d'air chaud ou de ceux qui sont produits par les crêtes; obligés de battre des ailes parce que ces courants ascendants ont cessé, ils se posent.

Habitat : régions découvertes et dépotoirs, se reposent parfois dans les zones urbanisées.

Voix : au nid et lorsqu'ils se disputent de la nourriture, grognements et sifflements.

Protection :
BBS: E ⇑ C ↑ CBC: ⇑

Dendrocygne fauve

Dendrocygna bicolor — Fulvious Whistling-Duck

Identification : 51 cm. **Tête et corps chamois vif, dos et ailes foncés, bec foncé.** Les plumes blanches forment des lignes sur les flancs. **AU VOL :** remarquer le ventre chamois, les ailes noires et la zone claire sur le croupion. Vole avec la tête et les pattes plus bas que le corps, les pieds étendus bien au-delà de la queue, comme le D. à ventre noir.

Alimentation : se nourrit surtout la nuit dans les marais et les rizières. Mange des plantes aquatiques, des graines de mauvaises herbes et d'autres herbacées, de la luzerne et des graines échappées.

Nidification : nid de roseaux garni d'herbes, sur le sol, dans la végétation dense ou sur un monticule herbeux, rarement dans une cavité d'arbre. Oeufs : 12 à 14, blanc terne. I : 24 à 26 jours; E : 55 à 63 jours, nidifuge; C : 1

Autres comportements : très sociable. Habituellement observé en groupes. La femelle pond parfois dans le nid d'une autre femelle. Dans un nid, on a trouvé jusqu'à 100 oeufs pondus par plusieurs femelles. Abandonne souvent son nid. Ce comportement de nicheur parasite intraspécifique se retrouve chez de nombreuses espèces de canards.

Habitat : terres agricoles humides, étangs et marais.

Voix : en vol, *caouîî* sifflé et fort.

Protection :
BBS: E C ⇑ CBC:→
Baisse des populations dans une partie de l'aire de distribution, causée par la destruction de l'habitat et l'utilisation de pesticides.

Dendrocygne à ventre noir

Dendrocygna autumnalis

Black-bellied Whistling-Duck

Identification : 53 cm. **Tête grise, large anneau oculaire blanc, bec rouge vif;** corps brun-roussâtre foncé; sur les ailes, contraste chamois-blanc. **AU VOL :** large trait blanc le long du centre de la face supérieure de l'aile, ventre foncé. Vole avec la tête et les pattes plus bas que le corps. **IMM. :** ressemble à l'adulte, mais le bec est gris foncé et il y a du gris et du brun à la place des parties brun vif de l'adulte. Garde son plumage imm. jusqu'au printemps suivant.

Alimentation : broute beaucoup sur la terre ferme. Mange surtout des graines de sorgho et de chiendent pied-de-poule ainsi que d'autres substances végétales; rarement, des mollusques et insectes.

Nidification : nid de copeaux de bois pourris, dans une cavité à l'intérieur d'un arbre ou d'un nichoir, à une hauteur de 2,40 m à 9,00 m au-dessus du sol. Niche parfois sur le sol, dans la végétation. Oeufs : 12 à 14, blancs; I : 25 à 30 jours; E : 53 à 63 jours, nidifuge; C : 2.

Autres comportements : s'observe en grandes troupes. Si le nid est dans un arbre, il est au-dessus d'une zone herbeuse où les canetons peuvent atterrir en douceur lorsqu'ils sautent du nid à l'âge de un jour.

Habitat : étangs et marais dans les zones boisées.

Voix : série de 3 ou 4 sifflements, souvent émise en vol.

Protection :
BBS: E C ⇑ CBC: ⇑

Cygne siffleur

Cygnus columbianus Tundra Swan

Identification : 1,35 m. **Corps tout blanc, bec noir avec, devant l'oeil, un petit trait jaune** qui n'est pas toujours présent. La peau noire de la face forme une pointe avant de rejoindre l'oeil, qui semble donc plus isolé que chez le C. trompette. Sur les lacs nordiques, la tête et le cou peuvent prendre une couleur rouille lorsqu'ils sont salis par des substances ferrugineuses. **IMM. :** corps et cou tout blancs, tête brunâtre, bec rose à pointe et à narines noires. Garde son plumage imm. jusqu'au printemps suivant.

Alimentation : se nourrit de plantes aquatiques et de mollusques. En hiver, consomme également des céréales.

Nidification : nid, plate-forme faite d'herbes et de mousses, sur un monticule surélevé, sur une petite île. Oeufs : 2 à 7, blanc terne; I : 35 à 40 jours; E : 60 à 70 jours, nidifuge; C : 1.

Autres comportements : pour se nourrir ou se reposer, se rassemble en grandes troupes regroupant parfois des milliers d'individus.

Habitat : passe l'été dans la toundra, hiverne sur les lacs, les étangs et les marais ouverts.

Voix : *kow-wou* aigu et sifflé.

Protection :
CBC: ⥣

Cygne tuberculé

Cygnus olor Mute Swan

Adulte

Immature

Identification : 1,52 m. **Corps blanc; bec rose à orange, bosse noire près de la racine.** Nage dans une position caractéristique, le cou formant un S et souvent avec les ailes légèrement soulevées au-dessus du dos. IMM. : brunâtre clair, bec entièrement foncé. Garde son plumage imm. 1 an.

Alimentation : mange les parties feuillues des plantes d'eau douce ou salée, des algues et des grains échappés.

Nidification : nid, gros tas d'herbes garni de plumes, près de l'eau. Oeufs : 4 à 8, vert-grisâtre pâle; I : 35 à 38 jours; E : 115 à 155 jours, nidifuge; C : 1.

Autres comportements : habituellement observé dans les parcs urbains, mais aussi dans les régions sauvages. Originaire d'Europe, a été amené aux États-Unis au XIXe siècle et élevé sur les propriétés privées et dans les parcs. Les échappés ont formé la population sauvage. Parfois appelé *cygne muet* parce qu'il est habituellement silencieux. Ses organes de vocalisation n'ont pas la même structure que ceux de nos cygnes indigènes et il ne peut émettre que des sifflements et des ronflements. En vol, ses ailes produisent un bourdonnement répétitif alors que les battements d'ailes de nos autres cygnes ne font aucun bruit.

Habitat : lacs, parcs et baies côtières.

Voix : habituellement silencieux.

Protection :
BBS: E ⇑ C CBC: ⇑
Dans certaines régions côtières, tend actuellement à s'approprier la nourriture en exerçant une compétition agressive face aux espèces aquatiques indigènes.

Oie rieuse

Anser albifrons — Greater White-fronted Goose

Identification : 76 cm. **Oie à tête foncée et à bec rose ou orange.** Parfois appelée *oie à front blanc* à cause du cercle de plumes blanches situé à la racine du bec. Motif variable de barres noires sur le ventre brun clair; pattes orange. **AU VOL :** remarquer les taches noires du ventre et la teinte foncée sur le dessus des ailes. **IMM. :** tête foncée et bec rose. N'a pas de blanc sur la face ni de barres sur le ventre. Garde son plumage imm. jusqu'au printemps suivant.

Alimentation : se nourrit d'herbacées, de carex et de céréales comme le blé, le riz et l'orge ainsi que de jeunes pousses dans les prairies brûlées.

Nidification : niche dans la toundra dégagée et humide, sur des monticules ou dans des endroits surélevés. Nid fait de branches, d'herbes, de mousses et de duvet, dans une dépression creusée. Oeufs : 4 à 7, blanc crème; I : 22 à 28 jours; E : 42 à 49 jours, nidifuge; C : 1.

Autres comportements : les troupes peuvent compter des milliers d'individus. En migration et sur les sites d'hivernage, se mêle aux Bernaches du Canada et se nourrit avec elles dans les champs. On peut observer les comportements de parade et d'agressivité dans les troupes qui hivernent.

Habitat : passe l'été sur les lacs et rivières de la toundra; hiverne dans les zones humides, dans les champs et sur les terres agricoles.

Voix : *lîîk lîîk* aigu.

Protection :
CBC: ⇑
En diminution dans le corridor du Pacifique.

Oie des neiges

Chen caerulescens — Snow Goose

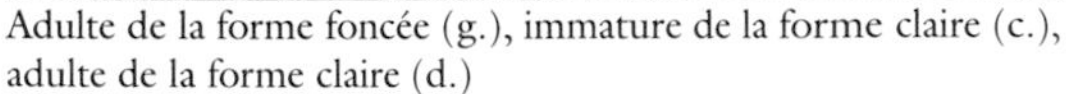

Adulte de la forme foncée (g.), immature de la forme claire (c.), adulte de la forme claire (d.)

Adultes

Identification : 71 cm. **Oie blanche à bec rose.** Ses proportions permettent de la distinguer de l'Oie de Ross, qui est beaucoup plus petite : elle a un **cou et un bec plus longs et une tête plus plate.** On observe souvent les deux espèces ensemble sur les sites d'hivernage. **AU VOL :** les pointes noires des ailes sont très visibles lorsque l'oiseau vole, moins lorsqu'il est posé. **IMM. :** la forme claire est gris clair avec des pattes et un bec foncés. La forme foncée est entièrement foncée. Garde son plumage imm. jusqu'au printemps suivant. ➤Forme foncée, parfois appelée *oie bleue* : bec rose, tête et haut du cou blancs, corps et ailes foncés. Forme de l'Est, plus grande (*grande oie blanche*), hiverne le long de la côte de l'Atlantique et a souvent la tête teintée d'orange (suite au salissage par des matières ferrugineuses).

Alimentation : déterre les racines et les tubercules des plantes aquatiques. Mange également les grains échappés et les pousses tendres des herbacées.

Nidification : très coloniale. Nid fait d'herbes et de duvet, près de l'eau. Oeufs : 3 à 5, blancs; I : 23 à 25 jours; E : 40 à 49 jours, nidifuge; C : 1.

Autres comportements : hiverne en grandes troupes qui peuvent atteindre des dizaines de milliers d'individus.

Habitat : passe l'été dans la toundra; hiverne sur les terres agricoles et dans les zones humides.

Voix : cacardage aigu.

Protection : CBC: ⇓

Oie de Ross

Chen rossii

Ross' Goose

Adultes de la forme claire

Identification : 58 cm. **Petite oie blanche à bec rose, court et épais.** Les proportions sont le caractère qui permet le mieux de la distinguer de l'Oie des neiges, qui est plus grande; Sa taille est inférieure du quart à celle de cette dernière, **bec et cou plus courts** et **tête plus ronde.** Forme *bleue*, très rare : bec rose, face et ventre blancs, corps et ailes foncés. **Au vol :** pointes noires des ailes très visibles lorsque l'oiseau vole, moins lorsqu'il est posé. **Imm. :** la forme claire ressemble à l'adulte, mais la tête a une teinte plus grise. Garde son plumage imm. jusqu'au printemps suivant.

Alimentation : mange des herbacées et des grains échappés.

Nidification : niche surtout sur les îles des lacs pour se protéger des mammifères prédateurs. Nids regroupés et distants de 4,50 m environ. Nid fait d'herbes et de mousse, caché sous la végétation. Oeufs : 3 à 5, blancs; I : 21 à 24 jours; E : 45 jours, nidifuge; C : 1.

Autres comportements : la plupart du temps, sur les sites d'hivernage, on observe quelques individus parmi des troupes d'Oies des neiges, qui sont plus nombreuses.

Habitat : passe l'été dans la toundra; hiverne sur les terres agricoles et dans les zones humides.

Voix : cacardage plus aigu que l'Oie des neiges.

Protection :
CBC: ⥣

Bernache cravant

Branta bernicla — Brant

Sous-espèce de l'Ouest *(B. b. nigricans)*

Sous-espèce de l'Est *(B. b. hrota)*

Identification : 64 cm. La **tête et le bec entièrement noirs** permettent de distinguer cette **petite bernache** de toutes les autres espèces. Cou, dos et ailes noirs, croupion blanc, flancs blancs barrés de gris, ventre blanc (dans l'Est) ou sombre (dans l'Ouest). Fines marques blanches de chaque côté du cou difficiles à voir de loin; chez la sous-espèce de l'Ouest, elles se rejoignent devant le cou. **AU VOL :** remarquer la tête, le cou et la poitrine noirs; grande tache blanche sur le croupion.

Alimentation : carex, herbacées, plantes arctiques, laitue de mer et autres algues et zostère marine.

Nidification : semi-coloniale. Niche sur les rives des étangs, ruisseaux ou petites îles. Nid fait d'algues, d'herbes et de duvet, dans la végétation basse. Oeufs : 3 à 5, blanc terne; I : 22 à 26 jours; E : 40 à 50 jours, nidifuge; C : 1.

Autres comportements : très sociable. Les voiliers passent à faible hauteur au-dessus de l'eau en longues files ondulantes. Parade nuptiale dans la région d'hivernage. Les orages du début du printemps peuvent provoquer l'abandon des nids et une baisse de la population parce que les femelles ne tentent pas de nicher de nouveau. Actuellement, les populations du Pacifique dépendent des plages mexicaines (Basse Californie) comme sites d'hivernage.

Habitat : passe l'été sur les côtes du haut Arctique; hiverne sur les eaux côtières.

Voix : *rok rok* doux.

Protection :
CBC: ⇓

Bernache du Canada

Branta canadensis — Canada Goose

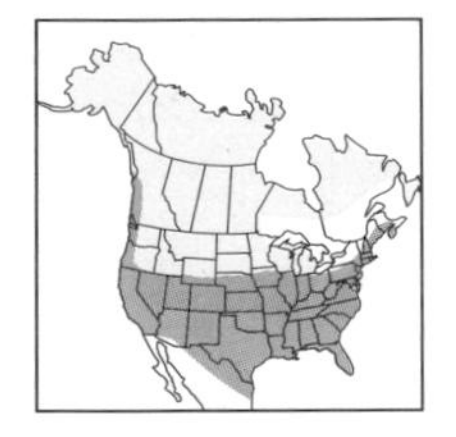

Identification : 64 cm à 1,14 m. La bernache la plus répandue et la plus souvent observée. Remarquer la **tête et le cou noirs** et la **mentonnière blanche.** Gris-brunâtre ailleurs sauf le croupion qui est blanc. Taille très variable, les formes les plus petites étant celles qui vivent le plus loin au nord. **AU VOL :** remarquer le cou noir et la mentonnière blanche.

Alimentation : se nourrit au sol et dans l'eau. Mange des plantes submergées, des herbacées, du blé d'hiver, du trèfle et des grains échappés, surtout du maïs.

Nidification : niche au bord des étangs, lacs ou marécages, sur des rochers ou des monticules herbeux situés sur le plan d'eau. Nid fait de branches, de mousses et d'herbes, garni de duvet. Oeufs : 4 à 7, blancs; I : 28 jours; E : 2 à 3 semaines, nidifuge; C : 1.

Autres comportements : l'aire de nidification s'est agrandie suite aux programmes de protection. Certains oiseaux qui étaient migrateurs passent maintenant l'année sur place parce que les gens leur offrent de la nourriture près des étangs de la région. Bien que cette activité soit agréable, elle cause de graves problèmes dans de nombreux parcs, sur les terrains de golf et les terres publiques où les bernaches salissent les pelouses, broutent l'herbe de façon excessive et deviennent parfois agressives pendant la nidification.

Habitat : passe l'été sur les lacs et dans les marais; hiverne sur les lacs, dans les baies, les champs et les parcs.

Voix : le mâle émet un *ahonk*, la femelle un *hink*.

Protection :
BBS: E ⇈ C ⇈ CBC: ↑
La sous-espèce des Aléoutiennes est en danger aux États-Unis. Toutes les autres populations sont en augmentation.

Canard branchu

Aix sponsa

Wood Duck

Mâle

Femelle

Identification : 46 cm. **MÂLE : tête colorée distinctive; gorge blanche, collier partiel et mentonnière** se rejoignant tous. Grande huppe verte, bec rose et oeil rouge. En plumage d'éclipse, le mâle ressemble à la femelle mais les marques faciales blanches sont encore esquissées. **FEMELLE : gris-brunâtre,** calotte plus foncée et **large cercle oculaire blanc** en pointe vers l'arrière. **AU VOL :** grosse tête, longue queue carrée, appel en vol caractéristique.

Alimentation : se nourrit à la surface de l'eau, mange surtout des plantes aquatiques comme les lentilles d'eau mais aussi insectes, petits poissons et grenouilles. S'alimente dans les endroits où pousse le riz sauvage.

Nidification : nid de copeaux de bois et de duvet, dans une cavité naturelle dans un arbre ou un nichoir, à une hauteur de 1,50 m à 15 m du sol ou de l'eau. Oeufs : 10 à 15, blanc terne; I : 27 à 30 jours; E : 56 à 70 jours, nidifuge; C : 1 ou 2.

Autres comportements : observer les parades nuptiales qui ont lieu au cours de l'automne et de l'hiver. Pour amorcer la parade, la femelle donne sans cesse de petits coups de bec par-dessus son épaule; elle fait ce geste près de son partenaire et dans le but d'éloigner les autres mâles qui s'approchent. Le mâle relève alors les ailes et la queue et lui montre l'arrière de sa tête; puis il s'éloigne en nageant et la femelle le suit.

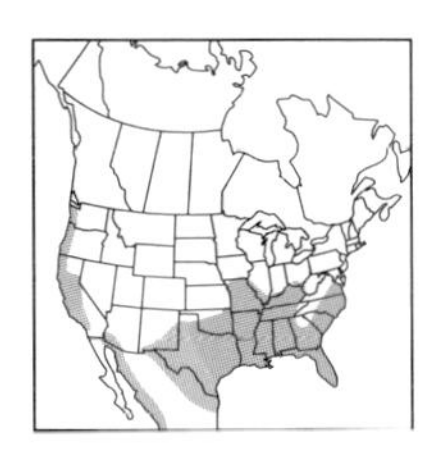

Habitat : marécages et rivières des régions boisées.

Voix : femelle en vol, *ouîîk.* Mâle dans les groupes en parade nuptiale : sifflement aigu.

Protection :
BBS: E ⇑ C ⇑ CBC: ↑
Vers 1900, avait presque disparu par la chasse et la destruction de l'habitat. Actuellement, se rétablit grâce à l'installation de nichoirs.

Sarcelle d'hiver

(Sarcelle à ailes vertes)

Anas crecca

Green-winged Teal

Mâle

Femelle

Identification : 36 cm. Notre plus petit canard barboteur. **MÂLE : corps gris, raie verticale blanche sur le flanc,** à la naissance de l'aile. **Tête brun roussâtre, tache verte irisée s'étendant derrière l'oeil.** En plumage d'éclipse, le mâle ressemble à la femelle. **FEMELLE : brun bigarré, raie brune passant par l'oeil, miroir vert habituellement visible, bec petit. AU VOL :** petit canard à ventre clair et miroir vert. ➤Si un mâle n'a pas la raie verticale blanche, il peut s'agir de la sous-espèce d'Eurasie *A. c. crecca.*

Alimentation : se nourrit en barbotant le long des rivages des étangs et des cours d'eau, mange les parties molles et les graines des plantes aquatiques. En automne, fréquente les champs de céréales où elle mange des graines, du maïs échappé, du blé, de l'avoine et du sarrasin.

Nidification : nid fait d'herbes et de duvet, dans une dépression du sol, caché dans l'herbe ou les broussailles. Peut être à plus d'un kilomètre et demi de l'eau. Oeufs : 7 à 15, chamois-olive pâle; I : 21 à 23 jours; E : 34 à 44 jours, nidifuge; C : 1.

Autres comportements : l'un des premiers canards à migrer au printemps. Parades nuptiales de l'hiver au printemps.

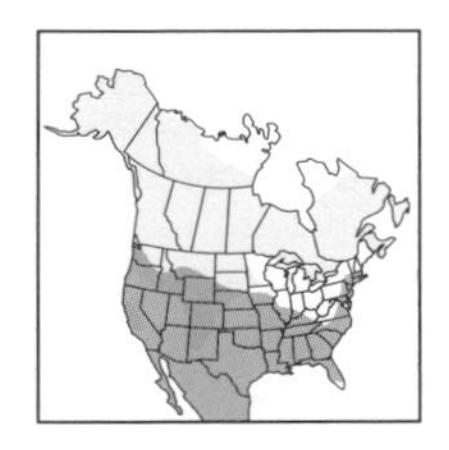

Habitat : passe l'été sur les lacs et les étangs d'eau douce; hiverne également sur les rivières et dans les marais côtiers abrités.

Voix : le mâle émet un *kriket* flûté. La femelle fait entendre une série d'environ 4 *couacs* aigus, *decrescendo.*

Protection :
BBS: E ⇓ C ↑ CBC: ↑

Canard noir

Anas rubripes

American Black Duck

Mâle

Femelles

Identification : 58 cm. **Gros canard brun foncé, tête et cou plus pâles;** miroir violet. Les individus des deux sexes se ressemblent. **MÂLE :** bec olive à jaunâtre, sans marques. En plumage d'éclipse, le mâle ne montre pratiquement aucun changement. **FEMELLE :** bec verdâtre tacheté de gris sur sa face supérieure. **AU VOL :** dessous des ailes blanchâtre contrastant fortement avec le corps foncé.

Alimentation : se nourrit en basculant le corps vers l'avant. Mange des plantes aquatiques, insectes, petites grenouilles, salamandres, escargots, graines, baies et céréales.

Nidification : nid fait de feuilles et d'herbes sèches, garni de duvet, dans une dépression du sol, près de l'eau. Oeufs : 6 à 12, crème ou chamois-verdâtre; I : 26 à 29 jours; E : 58 à 63 jours, nidifuge; C : 1.

Autres comportements : les parades sont identiques à celles du C. colvert. Autrefois, l'aire de nidification et l'aire d'hivernage étaient distinctes de celles du C. colvert. Au cours des dernières décennies, celui-ci a progressivement envahi cette région. Il en résulte que les C. noir et colvert s'hybrident fréquemment.

Habitat : passe l'été dans les marais d'eau douce et salée; hiverne sur la côte.

Voix : comme le C. colvert.

Protection :
BBS: E ↓ C CBC: ⇓
Les populations diminuent à cause des pertes d'habitats et de l'hybridation avec le C. colvert.

Canard brun

Anas fulvigula — Mottled Duck

Identification : 58 cm. Limité à la Floride et à la côte du golfe du Mexique. **Gros canard, corps brun tacheté; face et menton chamois clair, bec jaune vif sans taches.** Les deux sexes sont semblables. **AU VOL :** ressemble au C. noir; miroir verdâtre bordé de noir.

Alimentation : plus carnivore que le C. colvert. Mange des mollusques, insectes, écrevisses et petits poissons ainsi que des plantes aquatiques, des herbacées et des graines.

Nidification : nid fait de roseaux, de plantes aquatiques et d'herbes, garni de plumes, dans une dépression du sol, près de l'eau. Oeufs : 8 à 10, blanc-verdâtre pâle; I : 25 à 27 jours; E : 60 à 70 jours, nidifuge; C : 1.

Autres comportements : les parades ressemblent à celles du C. colvert. Les C. bruns sont relativement sédentaires. Les couples s'unissent et persistent toute l'année et la saison de nidification est prolongée.

Habitat : marais d'eau douce ou salée; surtout côtier.

Voix : comme celle du C. colvert.

Protection :
BBS: E ⇓ C ⇓ CBC: ↑

Canard colvert

Anas platyrhynchos Mallard

femelle (en bas à g.) mâles (en haut et à d.)

Identification : 58 cm. **MÂLE : tête verte irisée, bec jaune, poitrine marron.** Le collier blanc peut être caché ou visible. Plumage d'éclipse comme celui de la femelle mais bec jaunâtre sans taches et poitrine brun-roussâtre. **FEMELLE : rayée de brun, bec orange portant une large tache noire en son centre; rectrices blanchâtres. AU VOL :** miroir bleu foncé bordé de blanc; dessous des ailes et corps de la même couleur.

Alimentation : le mâle défend un petit territoire d'alimentation dans l'eau libre pendant que la femelle construit le nid. Mange surtout des plantes aquatiques mais aussi des céréales et des insectes.

Nidification : nid fait de roseaux et d'herbes, garni de duvet, sur le sol, près de l'eau. Oeufs : 8 à 10, blanc-verdâtre pâle; I : 26 à 30 jours; E : 50 à 60 jours, nidifuge; C : 1.

Autres comportements : les C. colverts et les autres canards du genre *Anas* ont des parades nuptiales complexes qui se ressemblent; celles-ci ont lieu de l'automne à la fin de l'hiver. Pour amorcer la parade, la femelle suit le mâle tout en lançant des coups de bec répétés au-dessus d'un côté du corps. Pendant une autre forme de parade, le mâle élève la tête, la pointe des ailes et la queue, puis les abaisse.

Habitat : lacs, rivières, baies et parcs.

Voix : mâle, pas de *couac*. Pendant une agression, *krêk krêk* et, lors de la parade nuptiale, sifflement court. Femelle, série de *couac* en *decrescendo* lorsqu'elle est inquiète ou séparée du mâle; pour amorcer la parade, fait entendre un *quegegege*.

Protection :
BBS: E ⇈ C ↑ CBC: ⇓

Canard pilet

Anas acuta Northern Pintail

Mâle

Femelle

Identification : 64 cm. Canard élancé à **long cou et longue queue pointue. MÂLE : tête brun foncé, poitrine et cou blancs, ailes et flancs gris.** Une fine ligne blanche remonte sur les côtés du cou. En plumage d'éclipse, le mâle ressemble à la femelle mais il a le dos plus foncé. **FEMELLE : long cou, queue pointue, tête et cou brun clair uni, bec gris. AU VOL :** long cou, longue queue fine, trait blanc sur le cou du mâle.

Alimentation : mange des graines, des racines, des pousses de plantes aquatiques, de petits crustacés, du maïs et d'autres céréales.

Nidification : nid caché fait de feuilles, d'herbes et de branches, garni de duvet, placé près de l'eau, parfois à une certaine distance. Oeufs : 6 à 12, chamois-verdâtre; I : 22 à 25 jours; E : 36 à 57 jours, nidifuge; C : 1.

Autres comportements : de grandes troupes d'hivernants fréquentent souvent les champs de maïs pour s'y nourrir. La formation des couples commence sur les sites d'hivernage en décembre et se poursuit jusqu'à la migration printanière. Les hochements de tête du couple précèdent la copulation.

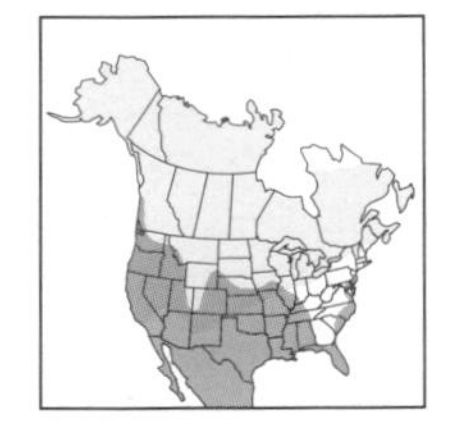

Habitat : passe l'été dans les marais ouverts et les étangs; hiverne dans les baies côtières, sur les lacs et dans les champs.

Voix : la femelle émet un *couac*. Le mâle fait entendre un sifflement flûté.

Protection :
BBS: E ⇑ C ⇓ CBC: ⇓

Sarcelle à ailes bleues

Anas discors — Blue-winged Teal

Mâle

Femelle

Identification : 38 cm. MÂLE : **tête grise, large croissant blanc devant l'oeil.** Garde son plumage d'éclipse de la fin de l'été au milieu de l'hiver; il ressemble beaucoup à celui de la femelle. FEMELLE : **petit canard brun à miroir vert.** Se reconnaît de la S. à ailes vertes femelle par la **tache blanche à la racine du bec, qui est relativement gros et foncé,** et au **bandeau foncé qui devient plus accentué derrière l'oeil.** AU VOL : zone bleu clair à l'avant de l'aile.

Alimentation : plonge rarement. Écume la surface de l'eau avec son bec ou étend la tête et le cou sous la surface. Mange des graines et les parties végétatives des plantes aquatiques.

Nidification : nid fait d'herbes et garni de duvet, sous un couvert herbeux et pas très loin de l'eau. Oeufs : 6 à 15, blanc terne. I : 23 à 27 jours; E : 35 à 44 jours, nidifuge; C : 1.

Autres comportements : la formation des couples a lieu du milieu de l'hiver au printemps. Les mâles s'adressent mutuellement des hochements de tête agressifs. Comme c'est le cas pour de nombreux canards de surface, c'est la femelle qui amorce la parade (pour la description, voir le C. colvert).

Habitat : passe l'été sur de petits lacs dans les prairies ouvertes; hiverne dans les marais et les zones côtières abritées.

Voix : la femelle émet un *couac* aigu. Le mâle fait entendre un *tsîî* aigu.

Protection :
BBS: E ↑ C ⇓ CBC: ⤊

Sarcelle cannelle

Anas cyanoptera — Cinnamon Teal

Mâle

Femelle

Identification : 41 cm. **MÂLE : tête, cou et corps cannelle foncé;** ailes et dos noirâtres. En plumage d'éclipse, le mâle ressemble à la femelle mais il a une teinte plus rouille et un iris jaune ou orange. **FEMELLE : miroir vert et tache claire à la racine du bec,** qui la font ressembler à la S. à ailes bleues femelle. Elle diffère de celle-ci par sa **tête plus foncée et plus unie, par son bandeau discret ou absent** (surtout derrière l'oeil) et par la **zone claire moins accentuée à la racine du bec.** **AU VOL :** zone bleu clair à l'avant de l'aile, comme chez la S. à ailes bleues.

Alimentation : préfère les eaux peu profondes entourées d'un couvert d'herbes ou de plantes herbacées. Mange des graines de plantes aquatiques.

Nidification : nid fait d'herbes et garni de duvet, sous un couvert d'herbes ou de plantes herbacées, parfois sur des îles. Oeufs : 7 a 12, chamois-rosâtre. I : 21 à 25 jours; E : 49 jours, nidifuge; C : 1.

Autres comportements : s'hybride avec la S. à ailes bleues. Acquiert son plumage nuptial relativement tard; la parade se poursuit pendant toute la migration printanière. À la nidification, la densité peut atteindre environ 40 couples/km².

Habitat : lacs peu profonds et ouverts, marais.

Voix : la femelle émet des sons semblables à ceux de la S. à ailes bleues femelle. Le mâle fait entendre une suite de *tchoc*.

Protection :
BBS: E C ⇈ CBC: ↑

Canard souchet

Anas clypeata Northern Shoveler

Femelle (g.), mâle (d.)

Identification : 48 cm. **Long bec à bout considérablement élargi. MÂLE : tête vert foncé, poitrine blanche, flancs brun-rougeâtre.** Le plumage d'éclipse ressemble à celui de la femelle mais le dos est plus foncé et la poitrine et les flancs sont plus brun-rougeâtre. **FEMELLE : canard rayé de brun, bec en forme de spatule, gris dessus et orange le long de l'ouverture. AU VOL :** grand bec, avant de l'aile bleu pâle, miroir vert.

Alimentation : se nourrit à la surface de l'eau en filtrant les petits organismes avec son grand bec dont la bordure ressemble à un peigne. Mange des insectes aquatiques et d'autres invertébrés. Consomme également des lentilles d'eau et des plantes aquatiques submergées.

Nidification : nid fait d'herbes et garni de duvet, caché dans une dépression du sol, parfois à plus de 100 m de l'eau. Oeufs : 6 à 14, chamois-verdâtre pâle; I : 21 à 28 jours; E : 36 à 60 jours, nidifuge; C : 1.

Autres comportements : s'observe habituellement en petites bandes ou en couples. Se montre très agressif lors des parades et pour la défense du territoire.

Habitat : passe l'été sur les lacs dégagés et peu profonds ainsi que dans les marais; hiverne également dans les régions côtières abritées.

Voix : les femelles émettent des *couacs* et une suite de 5 notes, *decrescendo*, la première étant la plus forte. Pendant la parade nuptiale, le mâle fait entendre un *touk-a* bas.

Protection :
BBS: E C ↑ CBC: ⇑

Canard chipeau

Anas strepera — Gadwall

Mâle

Femelle

Identification : 53 cm. MÂLE : **Canard grisâtre à tête brun clair anguleuse et queue noire.** Le miroir blanc est souvent visible. En plumage d'éclipse, ressemble à la femelle. FEMELLE : **brune, ventre blanc et miroir blanc; bec grisâtre avec de l'orange le long de l'ouverture.** AU VOL : remarquer le ventre et le miroir blancs.

Alimentation : se nourrit en basculant le corps vers l'avant ou en plongeant. Mange les graines et les parties végétatives de plantes aquatiques.

Nidification : niche souvent en colonies sur des îles qui présentent un habitat approprié. Nid fait de matières végétales et de duvet, bien caché sous un couvert herbacé dense. Oeufs : 7 à 13, blancs. I : 26 à 28 jours; E : 48 à 60 jours, nidifuge; C : 1.

Autres comportements : la parade nuptiale complexe ressemble à celle des autres espèces du genre *Anas*. La femelle amorce la parade et le mâle répond en lui montrant l'arrière de sa tête. Le mâle effectue divers types de parade; entre autres, il grogne et siffle en pointant le bec vers le bas, soulève l'arrière du cou et émet un sifflement aigu et court. Était essentiellement une espèce de l'Ouest jusqu'à ce qu'on l'introduise dans le Nord-Est dans les années 1950 et 1960.

Habitat : lacs dégagés et marais.

Voix : la femelle émet un *couac* et un *decrescendo* plus aigu que le C. colvert. Le mâle siffle et fait entendre un *rêb-rêb*.

Protection :
BBS: E C ⇑ CBC: ⇑

Canard siffleur

(Canard siffleur d'Europe)

Anas penelope

Eurasian Wigeon

Mâle

Femelle

Identification : 48 cm. Visiteur d'hiver rare mais régulier sur les deux côtes, s'observe parfois à l'intérieur du continent. **MÂLE :** observer la **tête brun-roussâtre** et la **calotte crème** ainsi que **les flancs et le dos gris.** Remarquer la zone blanche près du croupion foncé. **FEMELLE : brun uni, petite tête ronde, tache oculaire foncée, bec gris clair à pointe noire.** La femelle de la forme grise ressemble beaucoup au C. d'Amérique femelle.

Alimentation : se nourrit le long des rives des étangs et des cours d'eau, mange des plantes aquatiques comme les potamots et les zostères ainsi que des insectes.

Nidification : nid d'herbes caché sous des buissons bas. Oeufs : 7 à 10, blancs. I : 24 ou 25 jours; E : 40 à 45 jours, nidifuge; C : 1.

Autres comportements : niche en Islande, dans les îles Britanniques et dans tout le nord de l'Europe et de l'Asie. Hiverne dans ces régions ainsi qu'autour de la Méditerranée, en Chine, au Japon et en Afrique. Visiteur d'hiver régulier aux États-Unis. Comportement social identique à celui du C. d'Amérique.

Habitat : lacs, baies, estuaires.

Voix : la femelle émet une courte série de 1 à 3 notes, *decrescendo.* Les appels du mâle sont plus forts que ceux du C. d'Amérique et comportent 1 ou 2 notes.

Protection :
CBC: ⇑

Canard d'Amérique (Canard siffleur d'Amérique)

Anas americana American Wigeon

Femelle (g.), mâle (d.)

Identification : 48 cm. MÂLE : **calotte et front blancs, tête grise, zone verte irisée englobant l'oeil,** tache blanche devant la queue noire. En plumage d'éclipse, le mâle ressemble à la femelle. FEMELLE : **flancs brunâtres, tête et cou grisâtres, tache oculaire foncée et bec gris clair à bout noir.** AU VOL : avant de l'aile blanc, miroir vert, ventre clair.

Alimentation : se nourrit des tiges, des feuilles et des bourgeons de plantes aquatiques comme les potamots, myriophylles, ruppies, vallisnéries et zostères. Mange parfois les plantes soulevées par les canards plongeurs comme les Fuligules à dos blanc.

Nidification : nid d'herbes caché dans les joncs ou les carex ou sous une souche d'arbre, généralement assez loin de l'eau, dans une prairie. Oeufs : 6 à 12, blancs; I : 23 à 25 jours; E : 36 à 48 jours, nidifuge; C : 1.

Autres comportements : s'observe habituellement en petites bandes. La parade nuptiale commence dès l'arrivée dans l'aire d'hivernage dans le Sud et se poursuit jusqu'au mois de mars. À ce moment-là, la plupart des femelles sont appariées. Pendant la parade nuptiale, les mâles concurrents émettent des sifflements répétés et lèvent leurs ailes pliées presque à la verticale au-dessus de leur dos.

Habitat : passe l'été sur les lacs et dans les marais; hiverne dans les prairies humides, sur les lacs et dans les eaux côtières abritées.

Voix : femelle amorçant la parade, *que-gegege* doux et enroué. Elle émet également des *couacs.* Mâle, sifflement doux et descendant en 3 parties.

Protection :
BBS: E ⇑ C ⇑ CBC: ↓

Fuligule à dos blanc

(Morillon à dos blanc)

Aythya valisineria

Canvasback

Mâle

Femelle

Identification : 53 cm. **Canard à long bec et à front allongé et fuyant. MÂLE : tête brun-roussâtre, poitrine noire, corps blanc,** bec et queue noirs. En plumage d'éclipse, légèrement plus brun mais la tête reste brun-roussâtre et la poitrine noire. **FEMELLE : corps grisâtre, tête et cou bruns, long bec noir; front allongé et fuyant. AU VOL :** bec noir, front allongé et fuyant.

Alimentation : plonge jusqu'à une profondeur de plus de 9 m pour atteindre les racines, bourgeons et tubercules des plantes aquatiques, surtout des potamots et des vallisnéries. Mange également des insectes aquatiques, de petits poissons et des crustacés.

Nidification : nid en soucoupe, fait de roseaux et de carex et garni de duvet, attaché aux plantes environnantes ou placé sur une masse flottante de végétation. Oeufs : 7 à 12, olive-verdâtre; I : 24 à 29 jours; E : 56 à 77 jours, nidifuge; C : 1.

Autres comportements :se rassemble en grand nombre sur les haltes migratoires et sur les sites d'hivernage. La parade nuptiale se prolonge pendant la migration printanière et comporte des poursuites aériennes. Les mâles quittent les femelles pendant l'incubation et forment de grandes troupes avant de muer. Les femelles muent lorsque les jeunes prennent leur premier envol.

Habitat : l'été, lacs de prairie et marais; hiverne sur les lacs et dans les eaux côtières abritées.

Voix : la femelle émet un *crr-crr* doux. Pendant la parade nuptiale, le mâle émet un roucoulement.

Protection :
BBS: E C ↓ CBC: ↓
Déclin des populations dû au drainage des marais et des cuvettes des Prairies où ces canards nichent.

Fuligule à tête rouge

(Morillon à tête rouge)

Aythya americana

Redhead

Mâle

Femelle

Identification : 51 cm. Les deux sexes ont un **bec court bleuâtre à bout noir** et un **front arrondi et abrupt. MÂLE : tête roussâtre, poitrine noire, corps grisâtre.** En plumage d'éclipse, corps brun, mais la tête est encore roussâtre et la poitrine foncée. **FEMELLE : corps brun riche uni, dos et ailes plus foncés, calotte brun plus foncé; cercle oculaire chamois, bout du bec noir.** AU VOL : ventre blanc, ailes grises, petite tête arrondie.

Alimentation : se nourrit de végétation aquatique, ce qui inclut les racines, les tiges et les feuilles des plantes submergées. Consomme également des larves d'insectes, des mollusques et de petits crustacés.

Nidification : nid en forme de panier, fait de joncs, de roseaux et de quenouilles, garni de duvet et fixé aux plantes environnantes. Oeufs : 9 à 13, chamois pâle; I : 24 à 28 jours; E : 56 à 73 jours, nidifuge; C : 1.

Autres comportements : une bonne partie des femelles ne tentent pas de nicher. Au lieu de cela, elles «abandonnent» leurs oeufs dans le nid d'autres F. à tête rouge ou d'autres espèces de canards, notamment de F. à dos blanc. Le succès d'éclosion de ces oeufs parasites est faible parce que la femelle hôte abandonne souvent le nid et tente de nicher de nouveau.

Habitat : étangs, lacs et baies.

Voix : l'appel du mâle pendant la parade nuptiale évoque le cri d'un chat. La femelle émet un grognement doux.

Protection :
BBS: E C ⇈ CBC: ⇓

Fuligule à collier

Aythya collaris

(Morillon à collier)

Ring-necked Duck

Mâle

Femelle

Identification : 41 cm. Vue de profil, **la couronne se termine en pointe.** MÂLE : entièrement foncé sauf une **barre verticale blanche devant les flancs qui sont gris clair; une large bande blanche encercle le bec grisâtre** tout près de l'extrémité qui est noire; une bande moins large entoure la racine du bec. Sur le cou, le «collier» brunâtre est à peine visible. En plumage d'éclipse, le mâle ressemble à la femelle, mais son iris est jaune. FEMELLE : **brun-grisâtre avec un cercle oculaire blanc** et une faible ligne blanche derrière l'oeil; **anneau blanc entourant le bout du bec;** sur la face, zone claire mal définie à la racine du bec. AU VOL : ventre blanc et miroir gris.

Alimentation : plonge à la recherche des tubercules, feuilles et graines des plantes submergées. Mange également des mollusques et des insectes.

Nidification : nid fait d'herbe et de mousse, garni de duvet, près du bord de l'eau. Oeufs : 6 à 14, chamois-olive; I : 25 à 29 jours; E : 49 à 56 jours, nidifuge; C : 1.

Autres comportements : pendant la migration automnale, s'observe en petites bandes où on ne voit souvent que des individus de même sexe. La parade nuptiale arrive à son apogée pendant la migration printanière. Avant la copulation, trempe le bec dans l'eau.

Habitat : passe l'été sur les lacs dégagés et les marais; hiverne sur les lacs étendus et dans les régions côtières.

Voix : la femelle émet des *rrrr* doux. Pendant la parade nuptiale, le mâle émet un fort sifflement.

Protection :
BBS: E ↑ C ⇓ CBC: ↓
Dans l'Est, les populations se sont beaucoup accrues au cours des 50 dernières années.

Fuligule milouinan

(Grand Morillon)

Aythya marila

Greater Scaup

Mâle

Femelle

Identification : 46 cm. La forme de la tête et la taille du bec sont les caractères les plus utiles si l'on veut distinguer cette espèce du Petit Fuligule. Chez le F. milouinan, **la tête ressemble à un rectangle arrondi** et ne forme jamais une pointe en son milieu; **bec légèrement plus grand. MÂLE : tête et poitrine foncées, queue foncée,** les deux ensembles étant séparés par le dos gris et le **flanc blanc.** Lorsque la lumière est particulièrement favorable, remarquer le **lustre verdâtre de la tête. FEMELLE : brun foncé, grandes taches blanches de chaque côté de la racine du bec.** Se distingue du Petit F. femelle par la forme de la tête et la taille du bec. **AU VOL :** la longue bande blanche de la partie proximale de l'aile se prolonge jusqu'à la pointe de l'aile.

Alimentation : peut plonger pendant une minute et jusqu'à une profondeur de 7,50 m à la recherche de plantes submergées, de crustacés, de mollusques et d'escargots.

Nidification : souvent sur des îles. Le nid est fait de plantes, d'herbes et de duvet. Oeufs : 8 à 11, chamois-olive; I : 24 à 28 jours; E : 35 à 42 jours, nidifuge; C : 1.

Autres comportements : en automne et en hiver, fréquente les lacs profonds et les habitats d'eau salée plus souvent que le Petit Fuligule.

Habitat : passe l'été sur les lacs de la toundra, hiverne en eau salée et sur les étangs côtiers.

Voix : le mâle émet un *oua-hou* doux et un sifflement en trois parties. La femelle fait entendre un *arr* enroué.

Protection :
CBC: ⇓

Petit Fuligule

(Petit Morillon)

Aythya affinis

Lesser Scaup

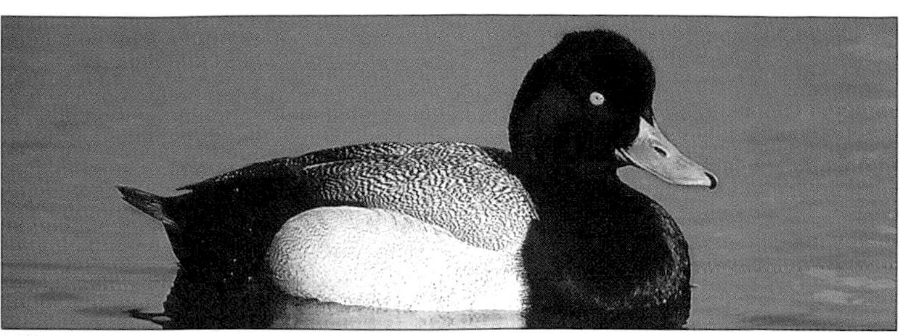

Mâle

Femelle

Identification : 43 cm. La forme de la tête et celle du bec sont les caractères les plus utiles si l'on veut distinguer cette espèce du F. milouinan, mais les différences sont minimes. Chez le Petit F., **il y a une pointe au sommet ou vers l'arrière de la tête, le bec est légèrement plus court et plus étroit. MÂLE : tête et poitrine foncées, queue foncée,** les deux ensembles étant séparés par le dos gris et le **flanc blanc.** Lorsque la lumière est particulièrement favorable, remarquer le **lustre violet de la tête. FEMELLE : brun foncé, petites taches blanches de chaque côté de la racine du bec.** Se reconnaît du F. milouinan femelle par la forme de la tête et du bec. **AU VOL :** habituellement, la longue bande blanche sur la partie proximale de l'aile ne s'étend pas à la partie distale.

Alimentation : plonge à la recherche de graines de plantes submergées, d'escargots, d'insectes et de crustacés.

Nidification : nid caché, fait d'herbes et garni de duvet, sur le sol, dans le couvert, à moins de 30 ou 60 m de l'eau. Niche parfois dans les colonies de sternes. Oeufs : 8 à 14, chamois-olive; I : 21 à 28 jours; E : 49 jours, nidifuge; C : 1.

Autres comportements : très sociable. Les troupes hivernantes forment des «radeaux» pouvant regrouper des milliers d'individus.

Habitat : passe l'été sur les lacs de prairie et les marais; hiverne sur les lacs, dans les zones côtières abritées et sur les étangs d'eau douce.

Voix : le mâle émet un *ouîî-hou* et un sifflement unique ainsi qu'un *couac*. La femelle fait entendre un *couah*.

Protection :
BBS: E C ⇑ CBC: ↓

Eider à duvet

Somateria mollissima — Common Eider

Mâle

Femelle

Mâle immature

Identification : 64 cm. Gros canard qu'on voit très souvent sur l'eau, en grandes troupes le long de la côte. MÂLE : **dos et flancs blancs** distinctifs, très visibles de loin. Profil allongé «aquilin». FEMELLE : **entièrement brune et même profil que le mâle.** IMM : la femelle ressemble beaucoup à l'adulte; mâle foncé, les zones blanches du plumage adulte apparaissant d'abord sur la poitrine, puis sur les autres parties. Garde son plumage imm. 3 ans.

Alimentation : en mer, plonge à une profondeur pouvant aller jusqu'à 20 m à la recherche de buccins, oursins, crustacés et mollusques, notamment de moules bleues.

Nidification : préfère les îles couvertes de grosses roches. Nid fait d'algues, d'herbes, de branches et de mousse, garni de duvet et placé sur le sol. Oeufs : 3 à 5, olive-verdâtre pâle; I : 25 à 30 jours; E : 56 à 70 jours, nidifuge; C : 1.

Autres comportements : en Islande, pendant l'incubation, on ramasse au nid le duvet qui fait l'objet d'un commerce; habituellement, la femelle n'abandonne pas le nid. Chez le mâle, la parade nuptiale est accompagnée de nombreux roucoulements. Les mâles hivernent souvent plus loin au nord que les femelles et les immatures.

Habitat : eaux côtières.

Voix : la femelle émet plusieurs types d'appels enroués. Le mâle fait entendre des roucoulements de tourterelle.

Protection :
BBS: E ⇑ C CBC: ↑
Sensible aux déversements d'hydrocarbures.

Eider à tête grise

Somateria spectabilis King Eider

Mâle

Femelle

Mâle immature

Identification : 58 cm. Reste plus loin au nord que l'E. à duvet et, par conséquent, n'est observé qu'occasionnellement. MÂLE : **plaque orange sur la racine du bec;** dos et flancs blancs, poitrine blanche. FEMELLE : **canard brun à profil aquilin** ressemblant à celui de l'E. à duvet, mais les **lobes frontaux du bec sont plus courts et plus arrondis;** sinon, la distinction est difficile. IMM : la femelle ressemble à l'adulte. Mâle foncé, d'abord sans plaque sur le bec; le blanc du plumage adulte apparaît sur la poitrine en premier, puis sur les autres parties. Garde son plumage imm. 2 ou 3 ans.

Alimentation : plonge à une profondeur pouvant atteindre 60 m à la recherche de mollusques, crustacés, oursins et étoiles de mer. Mange également des algues, zostères, carex et insectes aquatiques.

Nidification : nid fait de plumes et de duvet, sur le sol près de l'eau, mais se trouve parfois à quelque distance du rivage. Oeufs : 4 à 7, chamois-olive; I : 22 à 24 jours; E : jusqu'à 50 jours, nidifuge; C : 1.

Autres comportements : après l'éclosion, les nichées sont rassemblées en «garderies» pouvant atteindre 100 canetons et qui sont surveillées par plusieurs femelles. En hiver, forme de grandes troupes.

Habitat : passe l'été sur la toundra; hiverne le long des côtes subarctiques.

Voix : la femelle émet des notes qui sonnent creux. Le mâle roucoule.

Protection :
CBC: ↑

Arlequin plongeur

(Canard arlequin)

Histrionicus histrionicus

Harlequin Duck

Mâle

Femelle

Identification : 43 cm. **Petit canard de mer trapu à bec court. MÂLE : tête, poitrine et dos bleu ardoisé à motifs blancs voyants.** Aussi, flancs brun-roux. En plumage d'éclipse, ressemble à la femelle, mais avec du blanc sur les ailes. **FEMELLE : entièrement brun foncé, sans rayures; 3 taches blanches de chaque côté de la face. AU VOL :** ventre foncé, motifs blancs sur la face, longue queue, petit bec.

Alimentation : en été, se nourrit d'insectes trouvés dans les ruisseaux. En hiver, se rend sur la côte et plonge à la recherche de mollusques.

Nidification : nid caché fait d'herbes et garni de duvet. Oeufs : 4 à 8, chamois clair; I : 28 à 30 jours. E : 40 à 70 jours, nidifuge; C : 1.

Autres comportements : peut nager dans des torrents et des ruisseaux à fort courant où il chasse les insectes. Dans cet environnement, il est possible que la couleur du mâle et les taches blanches constituent un camouflage.

Habitat : passe l'été sur les rivières et les ruisseaux de montagne; hiverne sur les côtes rocheuses.

Voix : pépiements aigus.

Protection :
CBC: ↓
L'une des principales victimes des déversements d'hydrocarbures, population en forte décroissance.

Harelde kakawi

(Canard kakawi)

Clangula hyemalis

Oldsqaw

Mâle en été

Mâle en hiver

Femelle

Identification : 56 cm. Canard de mer qu'on reconnaît à son **plumage variable clair et foncé** et à sa **queue foncée.** Le plumage est variable parce que les adultes muent 3 fois par an et qu'il y a également un plumage immature. ÉTÉ - MÂLE **: tête et poitrine noires, grande tache blanche autour de l'oeil.** FEMELLE **: ailes foncées, tête et flancs clairs; grande tache foncée floue derrière la joue.** HIVER - MÂLE **: tête blanche, grande tache foncée de chaque côté du cou.** FEMELLE **: ressemble à la femelle en été, mais plumage plus clair.** AU VOL : chez les deux sexes, remarquer la tache claire sur l'oeil et, chez le mâle, la longue queue pointue. IMM. : ressemble à la femelle adulte, mais variable. Garde son plumage imm. 1 an.

Alimentation : peut plonger jusqu'à une profondeur de 60 m. Mange des crustacés, mollusques et larves d'insectes.

Nidification : nid d'herbes, caché. Oeufs : 5 à 11, chamois-jaunâtre; I : 24 à 35 jours; E : 35 à 40 jours, nidifuge; C : 1.

Autres comportements : très sociable. Beaucoup de parades nuptiales et de comportements territoriaux de l'hiver à l'été. Très bruyant toute l'année.

Habitat : en été, lacs de la toundra et bras de mer de la côte; hiverne sur la côte.

Voix : en hiver, le mâle émet une sorte de tyrolienne. Pendant la parade nuptiale, il émet un *ka-karli* tout en hochant le bec. Les femelles produisent des appels gutturaux en hochant le menton.

Protection : CBC:→ Affecté par les déversements d'hydrocarbures.

Macreuse noire

(Macreuse à bec jaune)

Melanitta nigra

Black Scoter

Mâles

Femelle

Identification : 48 cm. **MÂLE : entièrement noir, gros tubercule orange à la racine du bec. FEMELLE : brune, petit bec, joue nettement plus claire que la calotte et la nuque. AU VOL :** entièrement foncée, sous-alaires argentées; chez le mâle, tubercule orange sur le bec. **IMM. :** la femelle ressemble à la femelle adulte; le mâle ressemble à la femelle adulte, mais le tubercule sur le bec n'apparaît qu'au premier hiver. Garde son plumage imm. 1 an.

Alimentation : habituellement, se nourrit en eau peu profonde, juste au-delà de la zone des brisants. Fréquente parfois des eaux plus profondes. Mange des plantes aquatiques, crustacés et mollusques, surtout des moules et des patelles.

Nidification : nid caché fait d'herbes grossières, garni de duvet, sur le sol, près de l'eau. Oeufs : 5 à 8, chamois-rosâtre pâle; I : 27 à 31 jours; E : 45 à 50 jours, nidifuge; C : 1.

Autres comportements : la moins commune des macreuses. Ne niche qu'au deuxième printemps, lorsqu'elle atteint la maturité sexuelle.

Habitat : passe l'été sur les lacs de la toundra; hiverne le long de la côte.

Voix : la femelle émet des notes grinçantes. Pendant la parade nuptiale, le mâle fait entendre un sifflement mélodieux.

Protection :
CBC: ⇓

Macreuse à front blanc

Melanitta perspicillata — Surf Scoter

Mâle

Femelle

Identification : 51 cm. **MÂLE : noir; bec orange, jaune et blanc; zones blanches sur le front et la nuque. FEMELLE : brune, gros bec foncé, calotte foncée, 2 taches blanches de chaque côté de la face.** La tache antérieure est délimitée par une ligne verticale nette au bord du bec. Ce caractère peut permettre de la distinguer de la M. brune femelle, qui lui ressemble. **AU VOL :** ventre clair chez la femelle; le mâle a des zones blanches sur la tête. **IMM :** la femelle ressemble à la femelle adulte; le mâle a un bec coloré, mais n'a pas toutes les marques blanches de la tête. Garde son plumage imm. 1 an.

Alimentation : plonge sous l'eau et se nourrit surtout de moules et de crustacés. Mange également quelques insectes et des plantes.

Nidification : nid caché, fait d'herbes, à quelque distance de l'eau. Oeufs : 5 à 8, chamois pâle; I : ?; E : ?, nidifuge; C : 1.

Autres comportements : a pour habitude de plonger dans les brisants. Pendant la migration d'automne, les macreuses s'assemblent en immenses troupes le long de la côte. C'est aussi traditionnellement la saison où elles étaient chassées.

Habitat : passe l'été sur les rivières et les lacs des régions partiellement boisées de l'Arctique; hiverne sur la côte, observée très peu souvent à l'intérieur du continent.

Voix : note grave gutturale. À la saison de la pariade, le mâle émet un sifflement grave.

Protection :
CBC: ↓

Macreuse brune

Melanitta fusca

(Macreuse à ailes blanches)

White-fringed Scoter

Mâle

Femelle

Identification : 56 cm. Chez le mâle et la femelle, qui sont entièrement foncés, la **tache alaire blanche** constitue un bon caractère, mais elle n'est pas toujours visible lorsque les ailes sont repliées. **MÂLE : noir, petite marque blanche autour de l'oeil;** pointe du bec de plusieurs couleurs. **FEMELLE : brune, gros bec foncé; 2 taches blanchâtres de chaque côté de la face.** La tache antérieure est ovale; la forme de cette marque et la tache alaire blanche permettent de la distinguer de la M. à front blanc, qui lui ressemble. **AU VOL :** entièrement foncée, miroir blanc vif. **IMM. :** la femelle a parfois des marques faciales plus nettes que l'adulte; mâle plus foncé et sans la marque oculaire de l'adulte. Garde son plumage imm. au moins 1 an.

Alimentation : sur la côte, les individus se rassemblent dans les eaux d'une profondeur de moins de 6 m pour se nourrir de moules, de palourdes et de pétoncles.

Nidification : nid caché, fait de branches, de feuilles et de plumes, sur le sol, près de l'eau. Oeufs : 5 à 12, chamois-rose; I : 26 à 29 jours; E : 63 à 77 jours, nidifuge; C : 1.

Autres comportements : la macreuse la plus répandue. Migre en voiliers, souvent en longues formations linéaires.

Habitat : passe l'été sur les lacs et étangs, hiverne le long de la côte.

Voix : la femelle émet un sifflement grêle. Pendant la parade nuptiale, le mâle fait entendre un son de cloche.

Protection :
CBC: ↓

Garrot à oeil d'or

Bucephala clangula

Common Goldneye

Mâle

Femelle

Identification : 46 cm. MÂLE : **flancs blancs, tête foncée, tache blanche ronde devant et au-dessous de l'oeil.** Dans des conditions d'éclairage parfaites, la tête prend un lustre vert. FEMELLE : **grisâtre, collier blanc, tête brun foncé. Bec foncé avec une petite tache jaune près du bout.** Remarquer le **bec plus épais et le front plus incliné** que chez le G. d'Islande femelle, qui lui ressemble. AU VOL : grand miroir blanc, grande tache blanche sur la face du mâle. IMM. : au début, les deux sexes ressemblent à la femelle. Puis les motifs des ailes et de la face apparaissent graduellement chez le mâle. Garde son plumage imm. 1 an.

Alimentation : plonge sous l'eau pour se nourrir de crustacés et de mollusques. Mange également des insectes aquatiques.

Nidification : nid dans une cavité à l'intérieur d'un arbre ou dans un nichoir, garni de plumes provenant de la poitrine de la femelle. Oeufs : 5 à 15, olive à vert clair. I : 28 à 30 jours; E : 56 à 66 jours, nidifuge; C : 1.

Autres comportements : parade nuptiale spectaculaire et complexe aux comportements divers. Lorsque les sites de nidification sont rares, la femelle pond parfois ses oeufs dans le nid d'une autre femelle.

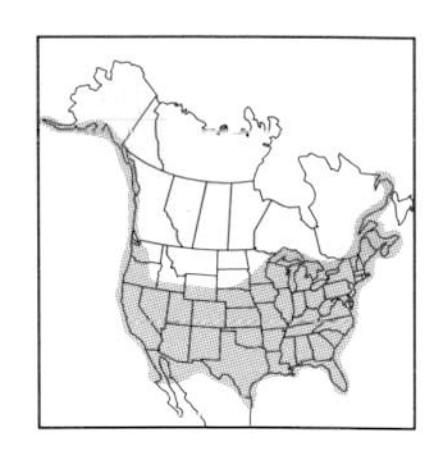

Habitat : passe l'été sur les lacs et les marais; hiverne sur les eaux continentales et côtières.

Voix : relativement silencieux; pendant la parade nuptiale, le mâle émet un *pîîk*. En vol, les ailes produisent un sifflement.

Protection :
BBS: E ⇓ C ⇑ CBC: ↓

Garrot d'Islande

Bucephala islandica

(Garrot de Barrow)

Barrow's Goldeneye

Mâle

Femelle

Identification : 48 cm. **Flancs blancs, dos et tête foncés, croissant blanc voyant devant l'oeil.** Dans des conditions d'éclairage parfaites, la tête prend un lustre violet. **FEMELLE : canard grisâtre à col blanc et tête brun foncé. Bec en grande partie orange-jaune** chez les individus de l'Ouest, foncé à pointe jaune chez ceux de l'Est. Remarquer le **bec plus fin, la tête plus foncée et le front plus vertical** que chez le G. à oeil d'or femelle, qui lui ressemble. **AU VOL :** grand miroir blanc coupé par une ligne foncée; remarquer le croissant facial chez le mâle. **IMM. :** au début, les deux sexes ressemblent à la femelle. Les motifs des ailes et de la face apparaissent graduellement chez le mâle. Garde son plumage imm. 1 an.

Alimentation : mange des mollusques, crustacés, poissons et insectes aquatiques.

Nidification : utilise les cavités des arbres ou les nichoirs mais peut également nicher dans une crevasse de rocher ou sur le sol. Oeufs : 8 à 10, vert olive; I : 30 à 32 jours; E : 56 jours, nidifuge; C : 1.

Autres comportements : les parades et les vocalisations du mâle différentes de celles du G. à oeil d'or. Hybridation avec le G. à oeil d'or rare.

Habitat : passe l'été sur les lacs et les rivières des régions boisées; hiverne sur les estuaires ou les lacs côtiers.

Voix : les mâles émettent des grognements et des cliquetis. Les femelles sont le plus souvent silencieuses.

Protection :
CBC: ⥣

Petit Garrot

Bucephala albeola

Bufflehead

Mâle

Femelle

Identification : 36 cm. Petit canard à grosse tête arrondie. **MÂLE :** remarquer le **triangle blanc très visible à l'arrière de la tête;** poitrine et flancs blancs. **FEMELLE : canard brun-gris, tête foncée, tache blanche allongée derrière l'oeil. IMM. :** la femelle ressemble à l'adulte; la tache blanche du mâle est plus grande que celle la femelle et devient graduellement un triangle complet. Garde son plumage imm. 1 an.

Alimentation : plonge sous l'eau et mange de petits mollusques, des poissons, des gastéropodes et des crustacés. Consomme également des insectes aquatiques.

Nidification : niche dans une cavité à l'intérieur d'un arbre, à une hauteur de 1,50 m à 15 m, ou dans un nichoir qu'il garnit de duvet. Oeufs : 8 à 10, ivoire à chamois; I : 28 à 33 jours; E : 49 à 56 jours, nidifuge;
C : 1.

Autres comportements : hiverne en petites bandes. Pendant la parade nuptiale, qui commence en janvier, se montre très agressif.

Habitat : passe l'été sur les lacs et les rivières des régions boisées; hiverne sur les lacs et les eaux côtières.

Voix : généralement silencieux; pendant la parade nuptiale, la femelle émet des sons gutturaux.

Protection :
CBC: ↑

Harle couronné

Lophodytes cucullatus

(Bec-scie couronné)
Hooded Merganser

Mâle

Femelle

Identification : 46 cm. Remarquer le **bec fin et court** et la **tête huppée** de cette espèce, qui est le plus petit harle. **MÂLE : tête noire, zone blanche en forme d'éventail à l'intérieur de la huppe** (lorsque celle-ci est dressée); flancs bruns, dos noir. Une ligne noire verticale coupe la poitrine blanche en diagonale au-devant des flancs. **FEMELLE :** brun uni à **dos plus foncé, huppe brun-roux, partie supérieure du bec foncée. AU VOL :** remarquer le bec fin, les sous-alaires grisâtres et les battements d'ailes rapides. **IMM. :** femelle comme la femelle adulte; mâle comme la femelle, mais avec du blanc dans la huppe. Garde son plumage imm. 1 an.

Alimentation : plonge sous l'eau. Mange de petits poissons, des grenouilles, crustacés, mollusques et insectes aquatiques.

Nidification : nid fait d'herbes et de duvet, dans une cavité à l'intérieur d'un arbre ou dans un nichoir. Oeufs : 6 à 18, blancs; I : 32 à 41 jours; E : 70 jours, nidifuge; C : 1.

Autres comportements : la parade nuptiale commence au milieu de l'hiver, habituellement dans des groupes mixtes de 3 à 10 individus. Les femelles hochent la tête et font un mouvement de piston. Pendant la plupart des comportements de parade, le mâle déplie sa huppe.

Habitat : passe l'été sur les lacs et rivières des régions boisées; hiverne dans des endroits semblables et occasionnellement sur la côte.

Voix : le mâle émet un cri qui rappelle celui d'une grenouille. La femelle fait entendre un *gak* enroué.

Protection :
BBS: E ⇑ C CBC: ⇑

Grand Harle

Mergus merganser

(Grand Bec-scie)

Common Merganser

Mâle

Femelle

Identification : 64 cm. Ce harle a un **long bec plus épais vers la base,** de sorte que son **front semble plus plat** que celui du H. huppé. **MÂLE : tête vert foncé, poitrine et flancs blanc crème, dos foncé,** bec rouge. **FEMELLE : grise, huppe rousse sur la tête, poitrine et menton blancs nettement délimités;** bec rouge. **AU VOL :** bec fin; poitrine blanche chez le mâle. Vol puissant et rectiligne. **IMM. :** la femelle ressemble à la femelle adulte; au début, le mâle ressemble à la femelle mais le plumage de mâle adulte commence à apparaître au premier printemps. Garde son plumage imm. 1 an.

Alimentation : nage sous l'eau et mange surtout des poissons, mais aussi des crustacés et des mollusques. Tous les harles ont un bec dentelé qui leur permet de retenir les proies glissantes comme les poissons.

Nidification : nid d'herbes et de racines garni de duvet, dans une cavité à l'intérieur d'un arbre, dans un nichoir, dans une crevasse de rocher ou sur le sol. Oeufs : 8 à 11, chamois; I : 28 à 35, jours; E : 70 à 84 jours, nidifuge; C; 1.

Autres comportements : la parade comporte de nombreuses poursuites sur l'eau et aériennes ainsi que des attaques sous l'eau.

Habitat : passe l'été sur les lacs des régions boisées et sur les rivières; hiverne sur les lacs étendus et dans les estuaires, habituellement en eau douce.

Voix : l'appel du mâle pendant la parade nuptiale rappelle le son d'une guitare. La femelle fait entendre un son aigre.

Protection :
BBS: E ⇑ C ⇓ CBC: ↑

Harle huppé

Mergus serrator

(Bec-scie à poitrine rousse)

Red-breasted Merganser

Mâle

Femelle

Identification : 58 cm. Ce harle a un **long bec qui reste fin près de la base** de sorte que le **front semble plus abrupt et vertical** que celui du Grand Harle. MÂLE : **tête vert foncé huppée, collier blanc, poitrine rouille;** bec rouge. FEMELLE : **canard brun, tête à huppe rousse, passage graduel au blanc de la poitrine;** bec rouge. AU VOL : bec fin, poitrine foncée chez le mâle. Vol rapide et rectiligne. IMM. : la femelle ressemble à l'adulte; au début, le mâle ressemble à la femelle, mais le plumage de mâle adulte commence à apparaître au premier printemps. Garde son plumage imm. 1 an.

Alimentation : plonge à la recherche de poissons, mollusques et crustacés.

Nidification : nid garni de plantes et de duvet, caché sous les buissons ou des troncs d'arbre. Oeufs : 5 à 11, chamois verdâtre; I : 29 à 35 jours; E : 59 à 65 jours, nidifuge; C : 1.

Autres comportements : la parade nuptiale commence en hiver. Le mâle adopte des postures compliquées et émet un cri distinct ressemblant à celui d'un chat.

Habitat : passe l'été sur les rivières et les lacs; hiverne sur les côtes abritées, de préférence en eau salée.

Voix : le mâle émet un *yiou yiou* rappelant le miaulement d'un chat. La femelle fait entendre une double note criarde.

Protection :
BBS: E ⇓ C CBC: ↑

Érismature rousse

(Canard roux)

Oxyura jamaicensis

Ruddy Duck

Mâle en été

Mâle en hiver

Femelle

Identification : 41 cm. **Petit canard trapu à bec large et à queue rigide qui est souvent tenue dressée vers le haut. ÉTÉ - MÂLE : corps brun-roux, tête noire, joue blanche,** bec bleu clair. **FEMELLE : brune, la tête semble avoir 2 teintes,** calotte foncée et joue plus claire traversée par une ligne. Garde le même plumage toute l'année. **HIVER - MÂLE :** ressemble à la femelle, mais sans ligne en travers de la joue. **IMM. :** comme la femelle adulte. Garde son plumage imm. 1 an.

Alimentation : plonge pour se nourrir de plantes aquatiques, crustacés et insectes aquatiques.

Nidification : nid bien caché fait de matières végétales, attaché aux plantes du marais. Oeufs : 6 à 10, blanc terne; I : 23 à 26 jours; E : 42 à 52 jours, nidifuge; C : 1 ou 2.

Autres comportements : en hiver, forme de grandes troupes. La parade nuptiale commence pendant la migration printanière. Comportement le plus évident chez le mâle : hochement de queue et gonflement du cou. Les femelles pondent leurs oeufs dans les nids d'autres femelles de la même espèce ou dans ceux d'autres canards comme les Fuligules à dos blanc et des F. à tête rouge.

Habitat : passe l'été sur les lacs dégagés; hiverne sur la côte.

Voix : généralement silencieux. Les mâles tambourinent en faisant claquer leur mandibule inférieure sur leur poitrine.

Protection :
BBS: E C ↓ CBC: ↓

Les *rapaces diurnes* sont des oiseaux qui appartiennent à des groupes étroitement apparentés (aigles, faucons, milans, balbuzard, etc.) aient une ascendance différente, on y joint souvent les urubus parce qu'ils leur ressemblent et qu'ils planent avec les buses.

Pour identifier les rapaces diurnes, sachez d'abord reconnaître la silhouette et le comportement en vol propres à chaque groupe et ensuite les espèces les plus communes. Les pages d'introduction vous aideront à franchir ces étapes pour les rapaces diurnes adultes; l'identification des immatures est plus difficile, mais leur taille, leur forme et leur comportement en vol sont essentiellement les mêmes que ceux des adultes. Dans ces pages, vous trouverez le nom des espèces illustrées, une brève description et l'intervalle de variation de l'envergure (E) allant du plus petit mâle à la plus grande femelle (cette différence entre les sexes est propre aux rapaces diurnes). Pour trouver des renseignements plus complets sur les adultes et les immatures, voyez la description de chaque espèce.

La plupart des rapaces diurnes ne sont pas aperçus fréquemment; nous avons énuméré ci-dessous ceux qui le sont. Le meilleur moment pour observer les autres est la migration d'automne; les jours de beau temps, lorsque le vent souffle du nord, un grand nombre d'entre eux effectuent alors leur migration vers le sud. On pourra les voir, entre-autres, à partir des crêtes ou le long des côtes.

Rapaces diurnes souvent observés: espèces et endroits

- **Perchés le long des routes :**
  La plupart des gros rapaces sont des Buses à queue rousse, p. 111.
  La plupart des petits rapaces sont des Crécerelles d'Amérique, p. 116.
- **Perchés ou planant près de l'eau :**
  La plupart sont des Balbuzards pêcheurs, p. 94.
  Parfois, Pygargues à tête blanche, p. 99.
- **Planant au-dessus de la terre ferme :**
  Urubu noir, p. 48, ou Urubu à tête rouge, p. 49.
  Busard Saint-Martin, p. 100.
  Buse à queue rousse, p. 111.
- **Perchés près des mangeoires ou attaquant les oiseaux qui s'y trouvent :**
  Épervier brun, p. 101.

Aigle et pygargue

Très grands, beaucoup de foncé, ailes très longues, planent sans arrêt.

Aigle royal : entièrement foncé, cou et nuque dorés. E : 1,83 m à 2,21 m, p. 114.

Pygargue à tête blanche : foncé, tête et queue blanches. E : 1,80 m à 2,26 m, p. 99.

Buses

Grands rapaces, ailes larges, queue courte, planent beaucoup, s'observent dans les endroits dégagés.

Buse à queue rousse :
queue rousse, ceinture, ligne foncée au bord d'attaque de l'aile.
E : 1,09 m à 1,32 m, p. 111

Petite buse : larges bandes noires et blanches à la queue, bordures noires nettes à la pointe et au bord de fuite de l'aile.
E : 81 cm à 1,07 m, p. 107

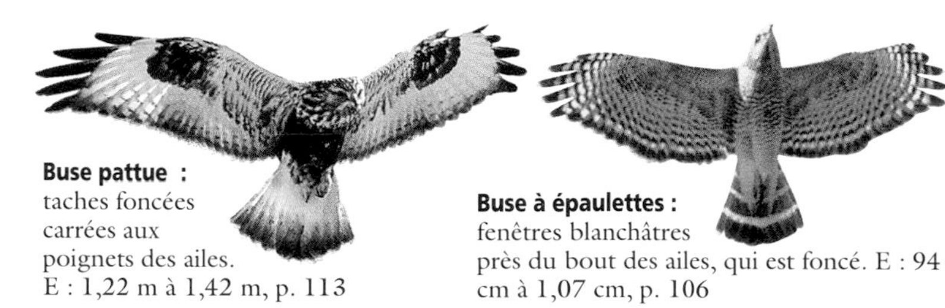

Buse pattue :
taches foncées carrées aux poignets des ailes.
E : 1,22 m à 1,42 m, p. 113

Buse à épaulettes :
fenêtres blanchâtres près du bout des ailes, qui est foncé. E : 94 cm à 1,07 cm, p. 106

Urubus

Grands oiseaux, presque tout noirs, planent sans arrêt, battent rarement des ailes.

Urubu à tête rouge :
presque tout noir, moitié arrière de l'aile gris pâle.
E : 1,60 à 1,80 m, p.49

Urubu noir : presque tout noir, primaires blanchâtre-pâle.
E : 1,40 m à 1,60 m, p. 48

Éperviers

Petits à gros rapaces diurnes, ailes généralement courtes et arrondies, queue moyenne à longue; en vol, font alterner des séries de battements d'ailes rapides avec des planés; attrapent d'autres oiseaux en plein vol.

Épervier brun : petit, queue à bout carré, se terminant par une bande grise; le cou semble court.
E : 51 cm à 66 cm, p.101

Épervier de Cooper : de la taille d'une corneille, longue queue à bout arrondi et à bande terminale blanchâtre; tête massive et long cou.
E : 71 cm à 86 cm, p. 102

Autour des palombes : de la taille d'une Buse à queue rousse, ailes longues, queue large, plane plus que les autres éperviers.
E : 97 cm à 1,14 m, p. 103

Busard Saint-Martin

Grand rapace, ailes longues et étroites tenues en V au-dessus du dos, queue longue et tache blanche sur le croupion; plane en vacillant d'un côté à l'autre. E : 97 cm à 1,22 m, p. 100

Balbuzard pêcheur

Grand rapace, foncé dessus, blanc dessous; lorsqu'il place, forme un M aplati; ailes courbées vers l'avant aux poignets et abaissées aux extrémités.
E : 1,50 m à 1,70 m, p. 94

Faucons

Petits à grands rapaces, ailes pointues, vol rectiligne avec peu de planés.

Crécerelle d'Amérique : petit faucon, ailes étroites à points clairs sur le bord de fuite. Vol sur place. E. 51 cm à 61 cm, p. 116

Faucon émerillon : faucon foncé de taille moyenne, plus massif que la crécerelle; angles prononcés dans les ailes; vol très rectiligne. E. 53 cm à 69 cm, p. 117

Faucon pèlerin : gros faucon, longues ailes, queue large, large barre foncée sur la joue, couvertures sous-alaires blanchâtres. E. 94 cm à 1,17 m, p. 118

Milans

Rapaces moyens, longues ailes minces, longues queues minces, vol léger et gracieux. Capturent des insectes au vol.

Milan à queue fourchue : longue queue noire très fourchue; tête, couvertures sous-alaires et corps blancs, le reste noir. E. 1,19 m à 1,37 m, p. 95

Milan du Missisipi : corps gris, tête blanchâtre, queue noire. E. 74 cm à 84 cm, p. 98

Élanion à queue blanche : dessus gris clair, dessous blanc, queue blanche. E. 94 cm à 1,02 m, p. 96

Balbuzard pêcheur

Pandion haliaetus

(Balbuzard)

Osprey

Femelle

Mâle

Identification : 61 cm. AU VOL : en tous plumages, **dessus foncé, dessous blanc, tête blanche; trait noir très visible passant par l'oeil.** Lorsqu'il plane, forme un **large M aplati,** les ailes étant courbées (les poignets pointent vers le haut et l'avant, le bout des ailes pointe vers le bas). Les femelles ont généralement la poitrine plus rayée que les mâles. POSÉ - ADULTE : **dos et queue noirs, tête blanche, trait noir passant par l'oeil.** IMM. : comme l'adulte, mais les plumes noires des ailes et du dos ont le bout pâle; calotte rayée. Garde son plumage imm. 2 ans.

Alimentation : mange surtout des poissons qu'il capture habituellement en volant sur place au-dessus de l'eau, puis en se laissant tomber pour les saisir dans ses serres. Lorsque l'oiseau s'envole, il tient le poisson la tête vers l'avant.

Nidification : nid, grande plate-forme de branches, garni de mousse et d'herbes, sur un arbre, une falaise ou une structure construite par les humains, à une hauteur de 1,50 à 60 m. Oeufs : 2 à 4, blanchâtres barbouillés de brun-rougeâtre; I : 34 à 40 jours; E : 49 à 56 jours, nidicole; C : 1.

Autres comportements : pendant la nidification, le mâle apporte à la femelle toute sa nourriture. Les oiseaux immatures restent 2 ans sur les sites d'hivernage avant de repartir vers le nord.

Habitat : lacs étendus, rivières, côte.

Voix : lorsqu'il est légèrement inquiet, stridulation descendante; pendant la parade aérienne, cri perçant ascendant.

Protection :
BBS: E ⇑ C CBC: ⇑
Les premières études menant à l'interdiction du DDT en 1972 portaient sur le B. pêcheur alors en déclin; l'espèce est maintenant rétablie.

Milan à queue fourchue

Elanoides forficatus Swallow-tailed Kite

Identification : 56 cm. AU VOL : en tous plumages, **très facilement identifiable. Longue queue fourchue, dessous blanc sauf la queue et les rémiges qui sont noires. POSÉ - ADULTE : tête, poitrine et ventre blancs; dos noir, longue queue fourchue noire. IMM. :** ressemble à l'adulte, mais queue plus courte et parfois fines rayures sur la poitrine et la tête. Garde son plumage imm. 1 an.

Alimentation : attrape de gros insectes dans ses serres et les mange tout en volant; se nourrit également de lézards, serpents, grenouilles et petits oiseaux. Plusieurs individus peuvent s'alimenter ensemble.

Nidification : nid, plate-forme de branches, de brindilles et d'aiguilles de pin, garni de «cheveux du roi» (*Tillandsia*) et de lichens, au sommet d'un arbre, à une hauteur de 18 à 40 m. Oeufs : 2 à 4, blancs à taches foncées; I : 28 jours; E : 36 à 42 jours, nidicole; C : 1.

Autres comportements : il est possible au printemps d'observer un couple qui plane au-dessus de son site de nidification, l'oiseau le plus haut se laissant tomber sur l'autre. Ramasse des brindilles pour son nid sans se poser, en les saisissant au passage dans ses serres pour les arracher de l'arbre. Lorsque les membres du même couple échangent leur place dans le nid, ils émettent parfois des *îîîp* ou des *kiaouîî*. Au milieu et à la fin de l'été, cette espèce se rassemble en grand nombre aux alentours du lac Okeechobee, en Floride.

Habitat : boisés près des marais ou des marécages.

Voix : lors d'interactions entre les membres du couple, *îîîp* ou *klîîklîîklîî*.

Protection :
BBS: E ⇑ C
Depuis 1900, diminution due à la perte des habitats boisés par l'exploitation forestière. N'occupe plus qu'une partie de son ancienne aire de distribution.

Élanion à queue blanche

Elanus leucurus White-tailed Kite

Immature

Adulte

Identification : 38 cm. AU VOL - ADULTE : **gris clair dessus, blanc dessous, épaules noires; ailes pointues et tache noire au poignet, sur la face inférieure de l'aile.** Se distingue du Milan du Mississippi par la queue qui est blanche et non noire. Chasse en volant sur place. IMM. : de dessous, ressemble à l'adulte, mais bande étroite et sombre près de l'extrémité de la queue. POSÉ - ADULTE : **dos noir, ventre blanc, épaules noires.** IMM. : ailes noires, dos brun, teinte de roux en travers de la poitrine, bande foncée sur la queue. Jusqu'à l'âge de 2 ou 3 mois, plumes du corps comme celles de l'adulte, mais la bande de la queue persiste 1 an.

Alimentation : se nourrit presque exclusivement de petits rongeurs qu'il capture en volant sur place au-dessus du sol et en se laissant tomber.

Nidification : nid, plate-forme de branches et de brindilles, garni d'herbes et de petites racines, dans un arbre à une hauteur de 1,50 à 18 m. Oeufs : 3 à 6, blancs à taches foncées; I : 30 jours; E : 33 à 37 jours, nidicole; C : 1 ou 2.

Autres comportements : grégaire, sites d'alimentation et de repos communautaires de l'automne au printemps; pendant la saison de nidification, les individus non nicheurs ont des sites de repos communautaires.

Habitat : prairies à arbres dispersés, près des marais, le long des routes.

Voix : *tchip tchip tchip* répétitif et court; lorsqu'il est légèrement inquiet, un *crîî-îîk* plus long.

Protection :
BBS: E C ⥣ CBC: ⥣
En 1900, avait disparu de son aire de distribution du Middle West; actuellement en augmentation et en expansion.

Milan des marais

Rostrhamus sociabilis Snail Kite

Femelle

Mâle

Identification : 43 cm. Limité au centre de la Floride. Au vol : en tous plumages, **long bec fin et crochu, large bande blanche à la naissance de la queue, qui est noire; plane avec les ailes courbées** (poignets vers le haut et pointe des ailes vers le bas). Mâle : corps et ailes gris foncé. Femelle et Imm. : dessous pommelé ou rayé de brun, joue et sourcil clairs et distinctifs. Posé - Mâle : **corps gris foncé, pattes et peau de la face rouges.** Femelle et Imm : **corps rayé de brun; pattes et peau de la face orange chez la femelle, jaunes chez l'imm.** Garde son plumage imm. 1 à 2 ans.

Alimentation : se nourrit presque exclusivement de *Pomacea* (gros gastéropodes d'eau douce). Vole sur place au-dessus de la végétation aquatique et saisit les gastéropodes dans ses serres; il les extrait ensuite de leur coquille à l'aide de son long bec crochu.

Nidification : nid, plate-forme de branches et de brindilles, garni de matériaux plus fins, dans un arbre bas, sur une butte ou un buisson. Oeufs : 2 à 4, blancs à taches foncées; I : 28 à 30 jours; E : 23 à 28 jours, nidicole; C : 1 ou 2.

Autres comportements : les individus se regroupent dans des dortoirs communautaires.

Habitat : marais d'eau douce.

Voix : généralement silencieux; près du nid, émet parfois un gloussement.

Protection : En danger aux États-Unis. Dans les années 1950, en Floride, le drainage des zones humides a entraîné une forte diminution. La gestion de ces habitats a permis à la population réduite de rester stable.

Milan du Mississippi

Ictinia mississippiensis — Mississippi Kite

Adulte

Immature

Adulte

Identification : 36 cm. EN VOL - ADULTE : **gris, queue noire et tête blanchâtre.** Vu de dessus, zone blanche distinctive sur le bord de fuite de la partie proximale des ailes. La queue blanche permet de le distinguer de l'Élanion à queue blanche, qui lui ressemble. IMM. : longues ailes brunes pointues; ventre grossièrement rayé de brun, devenant gris à petites marbrures blanches au printemps; queue noire avec 2 ou 3 fines bandes blanches. POSÉ - ADULTE : **tête blanchâtre, dessous et dos gris, queue noire.** IMM. : corps et queue comme ci-dessus. Garde son plumage imm. 1 an.

Alimentation : se nourrit surtout d'insectes qu'il capture dans ses serres et qu'il mange tout en volant.

Nidification : nid plat fait de brindilles et garni de feuilles vertes, dans un arbre, à une hauteur de 1,20 m à 40 m. Oeufs : 1 à 3, blanc-bleuâtre; I : 29 à 31 jours; E : 34 jours, nidicole; C : 1.

Autres comportements : réutilise souvent les nids des années précédentes. Les oiseaux âgés d'un an aident parfois les individus nicheurs au nid. Migre en troupes. S'égare de plus en plus souvent au nord de son aire de distribution, jusqu'au sud de la Nouvelle-Angleterre. Étend son aire de distribution vers l'ouest.

Habitat : régions boisées ouvertes, ruisseaux des régions boisées, marais.

Voix : généralement silencieux, mais émet des *kii kiou, kii kiou* lorsqu'on le dérange au nid.

Protection :
BBS: E ↑ C ↑

Pygargue à tête blanche

Haliaeetus leucocephalus Bald Eagle

Adulte

Immature

Immature

Identification : 79 cm. **AU VOL - ADULTE : très grand oiseau foncé, tête et queue blanches.** Tête et bec massifs, équivalant ensemble à au moins la moitié de la longueur de la queue. Plane avec les ailes sur le même plan. **IMM. : très grand oiseau foncé; aisselles blanches, sous-alaires marbrées de blanc; lorsque blanchâtres, les sous-caudales sont bordées de foncé; après la 1re année, quantité de blanc variable sur le ventre. POSÉ - ADULTE : tête et queue blanches. IMM. :** se reconnaît de l'Aigle royal par l'absence de teinte dorée sur la tête et la nuque, le bec plus long et la présence de blanc sur le ventre. Garde son plumage imm. 4 ans.

Alimentation : à l'intérieur du continent, mange surtout des poissons et, sur la côte, surtout des oiseaux; se nourrit aussi de charogne et de mammifères (lapins).

Nidification : nid, plate-forme massive de branches et de plantes, garni de mousse et d'herbe, sur une corniche de falaise ou dans la fourche d'un arbre, à une hauteur de 3 m à 55 m. Oeufs : 1 à 3, blanc-bleuâtre; I : 34 à 36 jours; E : 10 à 12 semaines, nidicole; C : 1.

Autres comportements : à la fin de l'hiver et au début du printemps, se rassemblent sur les sites d'alimentation. Lorsque des individus planent, observer les poursuites et les échanges de branches entre oiseaux; ces comportements semblent jouer un rôle dans la parade nuptiale.

Habitat : sur les côtes, les lacs et les grands fleuves.

Voix : cris perçants répétitifs échangés entre les membres du couple; au nid, suite rapide de pépiements.

Protection :
BBS: E ⇑ C CBC:→
Après avoir connu un déclin sérieux dû à l'utilisation du DDT, la plupart des populations se rétablissent actuellement

Busard Saint-Martin

Circus cyaneus Northern Harrier

Mâle

Immature

Femelle

Identification : 46 cm. AU VOL : en tous plumages, **longues ailes minces ouvertes en V; longue queue, tache blanche rectangulaire sur le croupion.** Lorsqu'il plane, **vacille parfois d'un côté à l'autre. POSÉ - MÂLE : gris dessus, blanc dessous. FEMELLE : plus grande que le mâle, brune dessus, rayée de brun dessous.** IMM : brun dessus, brun-roussâtre à brun crème dessous, des rayures sur la poitrine seulement. Garde son plumage imm. 1 an, le plumage adulte apparaissant graduellement.

Alimentation : lorsqu'il chasse, vole au ras du sol et se laisse tomber brusquement sur ses proies. Mange des souris, rats, oiseaux, serpents, grenouilles et autres petits animaux.

Nidification : nid, plate-forme faite de branches et d'herbes, garni de matériaux fins, sur le sol. Oeufs : 3 à 9, blanc bleuté, parfois tachés de foncé; I : 31 ou 32 jours; E : 30 à 35 jours, nidicole; C : 1.

Autres comportements : chasse souvent au crépuscule et détecte ses proies au son autant qu'à vue. Il est possible que le disque facial formé par les plumes et semblable à celui des hiboux permette de mieux localiser la provenance des sons. Les mâles sont polygames et peuvent s'accoupler avec 3 femelles. Forme parfois des dortoirs communautaires en hiver.

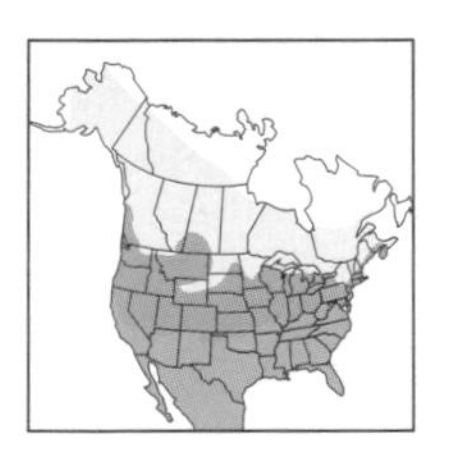

Habitat : champs dégagés, prairies et marais.

Voix : plusieurs cris d'alarme perçants lorsqu'on le dérange au nid, sinon silencieux.

Protection :
BBS: E ↑ C ⇓ CBC: ↓

Épervier brun

Accipiter striatus

Sharp-shinned Hawk

Adulte

Immature

Immature

Identification : 28 cm. **AU VOL :** en tous plumages, **petit, ailes courtes et arrondies, longue queue étroite.** Courtes séries de battements d'ailes entrecoupées de planés, souvent **ballotté par le vent.** Différences avec l'É. de Cooper : **queue à coins carrés,** parfois avec une encoche; **au bout de la queue, mince zone** blanc cassé. Le **cou semble court. IMM. :** les rayures grossières sur la poitrine *et* le ventre font qu'il semble plus foncé que l'É. de Cooper imm. **POSÉ - ADULTE : dessus gris-bleu,** dessous clair à **barres brun-roussâtre; queue comme ci-dessus, couleur de la calotte semblable à celle du dos. IMM. :** dessus brun foncé, dessous clair à rayures brunes grossières. Garde son plumage imm. 1 an.

Alimentation : capture de petits oiseaux en plein vol et les emporte pour les manger. Chasse parfois au voisinage des mangeoires.

Nidification : nid, plate-forme de branches, garni d'écorce, dans un arbre à une hauteur de 3 m à 27 m. Oeufs : 3 à 8, blanchâtres à taches foncées; I : 30 à 32 jours; E : 21 à 28 jours, nidicole; C : 1.

Autres comportements : les plus grands rassemblements s'observent pendant les migrations printanière et automnale, au-dessus des côtes et des crêtes.

Habitat : l'été, dans les boisés mixtes de conifères et de feuillus; l'hiver, dans les boisés et près des mangeoires.

Voix : lorsqu'il est inquiet, série rapide de *kek kek kek kek.*

Protection :
BBS: E ⇑ C CBC: ↑
Dans le Nord-Est, lors de décomptes récents effectués pendant la migration, on a remarqué des diminutions.

Épervier de Cooper

Accipiter cooperii

Cooper's Hawk

Adulte

Immature

Immature

Identification : 41 cm. AU VOL : en tous plumages, **de la taille d'une corneille, ailes relativement courtes et arrondies, queue très longue et étroite.** Courtes séries de battements d'ailes entrecoupées de planés, **reste stable dans le vent.** Différences avec l'É. brun : **queue plus longue à coins arrondis; souvent, large bande blanche près du bout; cou plus large et plus long.** IMM. : les fines rayures surtout concentrées sur la poitrine font que le ventre paraît plus clair que chez l'É. brun imm. POSÉ - ADULTE : **dessus gris-bleu;** dessous clair **barré de brun-roussâtre; calotte plus foncée que le dos;** queue comme ci-dessus. IMM. : dessus brun foncé, dessous clair rayé de brun. Garde son plumage imm. 1 an.

Alimentation : pendant la saison de nidification, effectue régulièrement les mêmes trajets pour chasser des oiseaux communs de taille moyenne tels que les Tourterelles tristes, les geais et les étourneaux.

Nidification : nid, plate-forme de branches, garni d'écorce, dans un arbre à une hauteur de 3 m à 21 m. Oeufs : 3 à 6, vert bleuté pâle à taches foncées; I : 32 à 36 jours; E : 27 à 34 jours, nidicole; C : 1.

Autres comportements : se montre parfois aux mangeoires, surtout en hiver alors qu'il effectue de plus grands déplacements pour se nourrir.

Habitat : forêts mixtes et bois clairs.

Voix : lorsqu'il est inquiet ou pendant les interactions entre membres du couple, *kek kek kek kek* fort, aigu et répétitif.

Protection :
BBS: E ⇑ C ⇓ CBC: ↑
Actuellement, il est possible que les populations se rétablissent lentement après le déclin des années 1940 et 1950 dû à l'utilisation du DDT.

Autour des palombes

Accipiter gentilis — Northern Goshawk

Immature

Adulte

Immature

Identification : 53 cm. **AU VOL :** en tous plumages, **gros oiseau; longues ailes paraissant «musclées», effilées vers la pointe; queue longue et large. Battements d'ailes accentués et puissants;** moins d'alternance entre les battements d'ailes et les planés que ce qu'on observe habituellement chez les Éperviers brun et de Cooper. **ADULTE : dessus gris foncé, dessous gris clair, calotte foncée, sourcil blanc. IMM. :** dessus brun foncé, dessous plus clair, rayures brunes épaisses sur la poitrine *et* le ventre faisant qu'il semble plus foncé que l'Épervier de Cooper imm. **POSÉ** : voir ci-dessus, description de l'adulte et de l'immature. Garde son plumage imm. 1 an.

Alimentation : chasse des oiseaux en plein vol et des mammifères qu'il attrape en piquant sur eux. Mange des oiseaux et des mammifères de taille moyenne (tétras, écureuils, etc.).

Nidification : nid, plate-forme de branches, garni d'écorce, dans la fourche d'un arbre, à une hauteur de 5,50 m à 23 m. Oeufs : 2 à 5, blanc-bleuâtre; I : 35 à 38 jours; E : 35 jours, nidicole; C : 1.

Autres comportements : effectue des parades aériennes au-dessus de son territoire, battements d'ailes lents et exagérés entrecoupés de planés; vol ondulant, l'oiseau montant en altitude et en piquant tour à tour. Près de son nid, peut se montrer agressif envers les humains.

Habitat : forêts isolées surtout conifériennes.

Voix : pendant les interactions entre membres du couple, un *kek kek kek kek* court, discordant et répétitif; lorsque le mâle apporte de la nourriture au nid, plainte descendante (*kîîaah*).

Protection :
BBS: E ⇓ C CBC: ↑

Buse noire

Buteogallus anthracinus Common Black-Hawk

Adulte

Immature

Adulte

Identification : 53 cm. **Au vol - Adulte : rapace noir, larges ailes arrondies; queue paraissant courte, traversée par une large bande blanche en son milieu** et par une fine bande blanche à son extrémité. Il peut y avoir de petites zones claires à la base des primaires distales. **Imm. :** dessous rayé de brun; queue courte et large à fines barres ondulées noires et blanches, la bande terminale noire étant plus large. **Posé - Adulte : noir,** queue comme ci-dessus, **pattes orange, peau de la face jaune orangé très visible et bout du bec noir. Imm. :** dos et ailes foncés, dessous rayé, sourcil chamois et longue rayure foncée à la racine du bec; queue comme ci-dessus. Garde son plumage imm. 1 an.

Alimentation : chasse les reptiles, amphibiens, crabes et insectes et se perchant au-dessus des endroits humides ou en se tenant sur les rivages ou les bancs de sable.

Nidification : nid fait de branches, garni d'herbes et de feuilles, dans un arbre, à une hauteur de 4,50 m à 30 m. Oeufs : 1 à 3, blancs à taches foncées. I : 34 à 37 jours; E : 43 à 50 jours, nidicole; C : 1.

Autres comportements : au-dessus du nid, effectue parfois des parades aériennes ondulantes et des piqués. On l'observe habituellement lorsqu'elle est posée.

Habitat : cours d'eau et rivières à rives boisées et marécages; canyons asséchés.

Voix : suite de sifflements discordants d'intensité croissante, puis décroissante.

Protection : HWI:→

Buse de Harris

Parabuteo unicinctus Harris' Hawk

Adulte

Immature

Adulte

Identification : 51 cm. AU VOL : en tous plumages, **rapace noir à épaules et sous-alaires brun-roussâtre; longue queue noire avec une large bande blanche près de la racine et une bande blanche à son extrémité.** ADULTE : **dessous foncé, rémiges foncées.** IMM. : rayures claires sur le ventre, rémiges blanchâtres. POSÉ - ADULTE : **buse brun foncé à épaules brun-roussâtre;** «cuissardes» brun-roussâtre, longue queue, sous-caudales blanches. IMM. : comme l'adulte, mais rayures blanchâtres sur la poitrine foncée.

Alimentation : chasse en piquant sur sa proie. Se nourrit de rats des bois, gaufres, lapins, écureuils, lézards, insectes et parfois d'oiseaux.

Nidification : nid, plate-forme de branches et d'herbes, garni d'herbes et de mesquite vert, dans un cactus, un mesquite ou un autre arbre, à une hauteur de 3 m à 9 m. Oeufs : 1 à 5, blanc-bleuâtre, tachés; I : 33 à 36 jours; E : 40 à 45 jours, nidicole; C : 1 ou 2.

Autres comportements : à la nidification, les oiseaux s'entraident, des adultes étrangers s'occupant souvent du nid d'un autre couple, nourrissant les jeunes et défendant le nid. Il peut y avoir jusqu'à 5 aides pour un même nid. Parfois polygame, un mâle s'accouplant avec plusieurs femelles ou une femelle avec plusieurs mâles.

Habitat : déserts de broussailles et forêts de mesquites.

Voix : cri prolongé, *kirrrrr*.

Protection :
BBS: E C ⇓ CBC: ↓

Buse à épaulettes

Buteo lineatus Red-shouldered Hawk

Adulte

Immature

Adulte

Identification : 48 cm. AU VOL : en tous plumages, rapace à **longue queue et longues ailes; fenêtre étroite en forme de croissant, parallèle à l'extrémité noire de l'aile.** Fait parfois alterner les battements d'ailes et les planés comme un épervier. ADULTE : sur la queue, 3 ou 4 fines bandes blanches entre de larges bandes noires. IMM. : de dessous, queue blanchâtre avec de nombreuses bandes étroites foncées d'égale largeur. POSÉ - ADULTE : **poitrine cannelle, épaules roussâtres, points blancs très visibles sur les ailes foncées.** Au sud de la Floride, il existe une forme pâle. IMM. : dessus brun, dessous rayé de brun et blanc; queue comme ci-dessus. Garde son plumage imm. 1 an. L'imm. de la forme de Californie ressemble à l'adulte.

Alimentation : repère ses proies du haut d'un perchoir. Mange de petits mammifères, serpents, lézards, grenouilles, insectes et quelques oiseaux.

Nidification : nid, plate-forme faite de branches, garni de matériaux plus fins, dans un arbre à une hauteur de 3 m à 37 m. Oeufs : 2 à 6, bleuâtres à taches foncées; I : 28 jours; E : 35 à 49 jours, nidicole; C : 1.

Autres comportements : revient dans la même région de nidification plusieurs années de suite; la parade comporte des vols en montagnes russes et des piqués.

Habitat : boisés et marécages.

Voix : cri aigu descendant, souvent émis en séries pendant les parades, près du nid.

Protection :
BBS: E ↑ C ⇈ CBC: ↑

Petite Buse

Buteo platypterus — Broad-winged Hawk

Adulte

Immature

Adulte

Identification : 38 cm. **AU VOL - ADULTE : larges bandes noires et blanches sur la queue;** ailes larges, tenues à l'horizontale pendant les planés; dessous des ailes blanc avec une **bordure noire très visible le long de l'extrémité et du bord de fuite. IMM. :** queue brun clair avec 4 ou 5 fines bandes foncées, la dernière étant plus large. **POSÉ - ADULTE : dessus brun foncé, barres brun-roussâtre dessous. IMM. :** dessus brun, rayures brunes dessous; queue comme ci-dessus. Garde son plumage imm. 1 an.

Alimentation : chasse en piquant sur sa proie à partir d'un perchoir. Mange des mammifères, oiseaux, reptiles et amphibiens.

Nidification : nid, plate-forme de branches, garni de végétation fraîche et d'écorce, dans un arbre, à une hauteur de 90 cm à 27 m. Oeufs : 1 à 4, blancs à taches foncées; I : 30 à 38 jours; E : 35 à 40 jours, nidicole; C : 1.

Autres comportements : les Petites B. sont surtout connues pour leurs migrations spectaculaires; elles se rassemblent alors par milliers, montent en altitude en se servant des ascendances thermiques, puis rejoignent la prochaine ascendance en planant. En automne, on peut observer ces migrations à partir de divers sites d'observation des rapaces. Pendant la migration printanière, les Petites B. sont plus dispersées sauf au sud-est du Texas et sur les rives sud des Grands Lacs.

Habitat : forêts sèches.

Voix : le cri le plus souvent entendu est un sifflement très aigu précédé d'une syllabe courte, *tipîîîî*.

Protection :
BBS: E ⇑ C ↓ CBC: ↓
Jusqu'aux années 1930, pour le plaisir, on abattait les rapaces diurnes en migration par milliers. Aujourd'hui, ils sont tous protégés par la loi.

Buse à queue courte

Buteo brachyurus — Short-tailed Hawk

Adulte, forme foncée

Immature, forme foncée

Identification : 41 cm. Petit rapace limité à la Floride; il existe deux formes de couleur. **AU VOL - ADULTE : forme foncée de couleur sombre dans l'ensemble, rémiges plus claires; la forme claire, rare, a un dessous blanc et un capuchon foncé.** Les deux formes ont une queue courte et grise à fines bandes foncées, la dernière étant plus large; ailes tenues à l'horizontale et recourbées vers le haut à l'extrémité. **IMM. :** ressemble à l'adulte, mais la queue a de fines bandes foncées et claires de même largeur. **POSÉ - ADULTE : forme foncée entièrement foncée à pattes jaunes; forme claire : dessous blanc, capuchon foncé et pattes jaunes.** **IMM. :** la forme foncée a le ventre tacheté; forme claire semblable à l'adulte; queue comme ci-dessus.

Alimentation : chasse du haut des airs; fait parfois du surplace dans le vent, puis pique sur sa proie; mange des rongeurs, oiseaux, amphibiens, reptiles et insectes.

Nidification : nid, plate-forme de brindilles, garni de matériaux fins, dans un arbre à une hauteur de 2,40 m à 30 m. Oeufs : 1 à 3, blanc terne, parfois avec des taches; I : 34 jours; E : ?, nidicole; C : 1.

Autres comportements : au-dessus du territoire de nidification, on peut observer un vol ondulant à haute altitude. On la voit rarement posée.

Habitat : marécages et boisés bordant des zones dégagées d'herbe ou d'eau.

Voix : cri d'alarme aigu et descendant.

Protection : CBC: ↑

Buse de Swainson

Buteo swainsoni Swainson's Hawk

Adulte, forme claire

Immature, forme claire

Adulte, forme foncée

Identification : 53 cm. **AU VOL :** en tous plumages, **longues ailes, longue queue, sous-alaires pâles, rémiges foncées.** Plane avec les ailes ouvertes en V, vacille souvent d'un côté à l'autre. Individus de la forme foncée, corps entièrement foncé, sous-alaires rousses et sous-caudales claires. **POSÉ - ADULTE : menton blanc, bavette noire s'étendant sur la poitrine claire.** Forme foncée entièrement foncée. **IMM. :** dessus brun foncé, dessous rayé; les rayures épaisses sur le haut de la poitrine rappellent la bavette de l'adulte. Forme foncée semblable, mais rayures plus prononcées sur le dessous. Garde son plumage imm. 2 ans.

Alimentation : chasse souvent les insectes comme les sauterelles et les grillons en sautillant sur le sol. Plane aussi pour attraper des souris, lapins, lézards, grenouilles et oiseaux.

Nidification : nid fait de branches et garni de plantes, dans un arbre, sur une falaise ou sur le sol. Oeufs : 2 à 4, blanc-bleuâtre à taches foncées; I : 28 à 35 jours; E : 30 jours, nidicole; C : 1.

Autres comportements : migre en groupes, prenant de l'altitude dans les ascendances thermiques et planant jusqu'à la prochaine ascendance. Comportement semblable à celui de la Petite B. dans l'Est, mais les voiliers sont moins nombreux, regroupant habituellement quelques centaines d'individus.

Habitat : prairie et zones arides dégagées.

Voix : long sifflement aigu.

Protection :
BBS: E C ↑ CBC: ↓
Important déclin dans le sud de la Californie, où les populations ont peut-être diminué de 90 % depuis les années 1940.

Buse à queue blanche

Buteo albicaudatus White-tailed Hawk

Adulte

Immature

Adulte

Identification : 58 cm. Limitée au sud du Texas. AU VOL - ADULTE : **longues ailes pointues, queue courte blanche à large bande noire près de l'extrémité.** Plane avec les ailes ouvertes en V. IMM. : 1re année, corps entièrement foncé sauf une tache blanchâtre sur la poitrine et les sous-caudales claires. 2e année, comme l'adulte mais barres foncées sur le ventre et sous-alaires foncées. POSÉ - ADULTE : **gris dessus, blanc dessous; épaules brun-roussâtre très visibles.** IMM. : comme ci-dessus. Garde son plumage imm. 2 ans.

Alimentation : se nourrit principalement de lapins, mais aussi de petits rongeurs, serpents, grenouilles et de quelques insectes. Chasse du haut des airs. Suit parfois les tracteurs comme la B. de Swainson pour capturer les proies délogées pendant les labours ou la récolte.

Nidification : nid, plate-forme de branches, garni d'herbes, de mesquite et de plumes provenant de la poitrine de l'oiseau, dans un petit arbre ou un buisson, à une hauteur de 60 cm à 12 m. Oeufs : 1 à 4, blanc-bleuâtre à taches foncées; I : 31 jours; E : 47 à 53 jours, nidicole; C : 1.

Autres comportements : les parents nourrissent parfois les jeunes jusqu'à sept mois après qu'ils aient quitté le nid. Chasse souvent en volant sur place; se place souvent à la limite des feux de prairie où elle capture les proies qui sont à découvert.

Habitat : prairie côtière.

Voix : cri d'alarme au nid, un *kek kek kek* fort.

Protection :
BBS: E C ⇑ CBC:↑
Menacée par la destruction de la prairie côtière du Texas.

Buse à queue rousse

Buteo jamaicensis — Red-tailed Hawk

Adulte

Immature

Adulte

Identification : 56 cm. Plumage extrêmement variable. AU VOL - ADULTE : **longues ailes larges tenues en V ouvert; dessus de la queue roussâtre; sous l'aile, marque foncée sur la partie proximale du bord d'attaque; poitrine blanche; habituellement, ceinture.** IMM. : dessus de l'aile distinctif, plus pâle sur la moitié distale; queue, fines bandes brun-gris; on peut parfois voir des fenêtres rectangulaires dans les ailes. POSÉ - ADULTE : **queue rousse, poitrine blanche; habituellement, ceinture;** dos tacheté de blanc. IMM : semblable, sauf la queue. Garde son plumage imm. 1 an.

FORMES : «Buse de Krider» (dans les plaines de l'Ouest) - comme ci-dessus, en plus pâle, parfois sans ceinture. «Buse de Harlan» (dans le Nord-Ouest et le Middle West) - corps, dessus des ailes et couvertures sous-alaires foncés et tachés de blanc; queue rayée de gris à bout foncé. Intermédiaires entre toutes ces formes.

Alimentation : pour chasser, se perche, vole sur place ou reste immobile face au vent. Mange de petits mammifères, oiseaux et reptiles.

Nidification : plate-forme de branches doublée d'écorce et de végétation fraîche, dans un arbre, à une hauteur de 4,50 m à 37 m. Oeufs : 1 à 5, blanc-bleuâtre à taches foncées; I : 28 à 35 jours; E : 44 à 46 jours, nidicole; C : 1.

Autres comportements : la plus souvent observée.

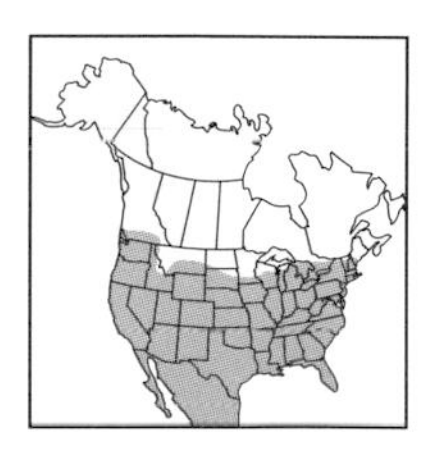

Habitat : divers habitats ouverts.

Voix : cri aigu descendant, *kiaarrr*, souvent à l'intention d'un intrus; les jeunes à l'envol et les adultes émettent un *klouîîk* discordant et montant; aussi, pendant la parade nuptiale et les rencontres territoriales, *chouirc* perçant.

Protection :
BBS: E ⇑ C ↑ CBC: ⇑

Buse rouilleuse

Buteo regalis Ferruginous Hawk

Adulte

Immature

Identification : 58 cm. Au vol - Adulte : **très grande, corps blanc, dessous des ailes blanc, du marron sur les sous-alaires; les pattes sont couvertes de plumes foncées qui dessinent un V sous l'oiseau.** De dessus, remarquer la tache rectangulaire claire sur la partie distale de l'aile et la tache claire à la racine de la queue. Plane en tenant les ailes en V ouvert; parfois, vole sur place ou se tient immobile face au vent. **Imm. :** semblable, mais sans le marron sur les couvertures sous-alaires et pattes recouvertes de plumes blanches. **Posé - Adulte : poitrine blanche, tête pâle, épaules roussâtres, pattes couvertes de plumes foncées.** Se pose souvent sur le sol. **Imm. :** dessus brun foncé, dessous clair, pattes couvertes de plumes blanches. Garde son plumage imm. 1 an.

Alimentation : chasse en piquant sur sa proie du haut des airs. Mange surtout des mammifères de taille moyenne, reptiles et insectes.

Nidification : nid, plate-forme de branches, d'os et de bouse de vache, garni d'herbes, sur le sol, sur une falaise ou dans un arbre à une hauteur de 1,80 m à 16,50 m. Oeufs : 2 à 6, blanc-bleuâtre à taches foncées; I : 28 à 33 jours; E : 44 à 48 jours, nidicole; C : 1.

Autres comportements : entretient jusqu'à 5 nids et n'en utilise qu'un. Dortoirs communautaires en Californie.

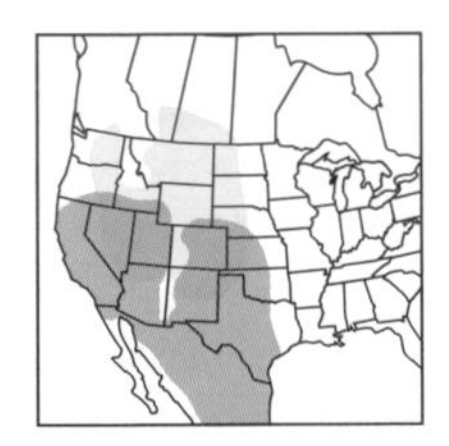

Habitat : prairies et paysages ouverts arides.

Voix : cri d'alarme près du nid, cri aigu descendant.

Protection :
BBS: E C ⇑ CBC: ⇑
Au cours des quelques dernières décennies, l'aire de nidification s'est réduite considérablement de 60 % dans certaines régions du Canada.

Buse pattue

Buteo lagopus Rough-legged Hawk

Immature, forme claire

Adulte, forme foncée

Adulte, forme claire

Identification : 53 cm. AU VOL - ADULTE : de dessous, **forme claire, taches rectangulaires noires distinctives sur les poignets; queue blanche, large bande foncée près du bout.** Mâle, poitrine plus foncée que le ventre; femelle, ventre plus foncé que la poitrine. **Forme foncée : corps et couvertures sous-alaires foncés; sur les rémiges, barres argentées et bord de fuite foncé.** Chez le mâle, queue noire avec 3 ou 4 bandes blanches étroites; la queue de la femelle est argentée avec une bande foncée près du bout. IMM. : dans les deux formes, ressemble à la femelle adulte, mais avec une bande terminale foncée sur la face inférieure de la queue. Le ventre de l'imm. de la forme claire est noir uni. POSÉ : corps et queue de chaque forme comme ci-dessus.

Alimentation : chasse souvent en volant sur place, mais aussi parfois d'un perchoir. Se nourrit surtout de campagnols et de lemmings.

Nidification : nid, plate-forme de branches et d'herbe, dans la toundra dégagée ou sur une falaise. Oeufs : 2 à 7, blancs à taches foncées; I : 28 à 31 jours; E : 39 à 45 jours, nidicole; C : 1.

Autres comportements : en hiver, les adultes et les immatures migrent vers le sud, et on peut alors observer les deux formes de coloration.

Habitat : passe l'été dans l'Arctique, à la limite des arbres; hiverne en terrain découvert.

Voix : généralement silencieuse sur les aires d'hivenage.

Protection :
CBC: ↓

Aigle royal

Aquila chrysaetos — Golden Eagle

Adulte

Immature

Adulte

Identification : 76 cm. AU VOL - ADULTE : **très grand, longues ailes larges; entièrement foncé. Plane en formant avec les ailes un V aplati;** la tête dépasse le devant des ailes de moins de la moitié de la longueur de la queue. IMM. : **foncé, zones blanches restreintes, sur les ailes, à la base des primaires et des secondaires** (le Pygargue à tête blanche imm. a du blanc aux aisselles) **et à la base de la queue.** POSÉ : **adulte et imm. foncés avec des plumes dorées sur la calotte et la nuque.** Garde son plumage imm. 4 ans.

Alimentation : chasse en planant et en piquant sur des proies telles que des lapins et rongeurs ainsi que quelques oiseaux. Dans l'Ouest, se nourrit de cerfs tués sur les routes.

Nidification : grande plate-forme de branches et de racines garnie de matériaux plus fins, sur une corniche de falaise, au sol ou dans un arbre, à une hauteur de 3 m à 30 m. Oeufs : 1 à 4, crème à taches foncées; I : 43 à 45 jours; E : 72 à 84 jours, nidicole; C : 1.

Autres comportements : la construction du nid commence n'importe quand hors de la saison de nidification, lorsqu'il n'y a plus de neige sur le site. Construit parfois son nid sur les pylônes des lignes à haute tension. Le succès de lareproduction est souvent lié à l'importance des populations des proies comme les lapins.

Habitat : montagnes, piémonts et prairies voisines.

Voix : généralement silencieux; lorsqu'il approche le nid avec de la nourriture, suite de pépiements.

Protection :
BBS: E C ↓ CBC: ↓
Depuis que le gouvernement fédéral des États-Unis protège cette espèce, elle est moins souvent empoisonnée et victime de chasseurs en avion.

Caracara huppé

Polyborus plancus Crested Caracara

Adulte

Immature

Identification : 58 cm. AU VOL : en tous plumages, **zones blanches en damier au bout des ailes, qui sont courbées et noires; long cou blanc; longue queue blanchâtre à large bande terminale foncée;** couronne noire, corps noir. Habituellement, vol bas et rectiligne, battements d'ailes accentués rappelant le mouvement d'un aviron. POSÉ - ADULTE : **calotte noire, racine du bec et face rouge orangé; tête et cou blancs.** IMM. : comme l'adulte, mais plus brun et rayé dessous. Garde son plumage imm. 3 ans.

Alimentation : se nourrit au sol, principalement de charognes, mais aussi de tortues, petits mammifères, poissons, crustacés et insectes.

Nidification : volumineuse plate-forme faite de branches et de lianes, garnie de matériaux plus fins, dans les branches d'un cactus, d'un chou palmiste ou d'un autre arbre, à une hauteur de 2,50 m à 24 m. Oeufs : 2 à 4, rosâtres à taches foncées; I : 28 jours; E : 30 à 60 jours, nidicole; C : 1.

Autres comportements : parfois, le matin, les caracaras survolent les routes principales pour chercher les animaux tués par les autos. Ils évincent souvent les Urubus à tête rouge d'une proie et les harcellent même jusqu'à ce qu'ils régurgitent ce qu'ils ont mangé. Au Texas, il est en augmentation et étend son aire de distribution.

Habitat : arbustaie sèche, prairie.

Voix : tôt le matin, émet parfois un caquetage, d'où le nom de l'oiseau.

Protection :
BBS: E ⇑ C ⇑ CBC: ⇑
Les populations diminuent, surtout en Floride, à cause des pertes d'habitat.

Crécerelle d'Amérique

Falco sparverius

American Kestrel

Mâle

Femelle

Mâle au nid

Identification : 27 cm. **AU VOL : Petit faucon coloré; longue queue, ailes étroites en forme de faux. MÂLE : ailes gris-bleu; queue brun-roussâtre, large zone noire au bout.** Le long du bord de fuite des ailes, on peut voir une ligne de points translucides **FEMELLE : ailes, dos et queue brun-roussâtre, fines barres brun foncé sur la queue.** Les points le long du bord de fuite des ailes sont moins visibles. **POSÉ : deux favoris noirs de chaque côté de la face.** Les ailes du mâle sont bleu-gris, celles de la femelle ont de légères barres brunes. Imm. presque identiques aux adultes.

Alimentation : chasse d'un perchoir ou en volant sur-place, puis en piquant pour capturer sa proie. Mange des campagnols et des souris, des oiseaux et des insectes.

Nidification : dans une cavité naturelle, un nichoir ou un trou de pic, dans un cactus, un arbre ou un recoin de falaise; pas de matériaux pour le nid. Oeufs : 3 à 7, rosâtres à taches foncées; I : 29 à 31 jours; E : 29 à 31 jours, nidicole; C : 1.

Autres comportements : à la saison de nidification, pendant 8 à 12 semaines, le mâle chasse seul et la femelle reste au nid. Les deux membres du couple effectuent un vol papillonnant lorsqu'ils échangent la nourriture que le mâle a apportée au nid.

Habitat : grande variété d'habitats ouverts, y compris les zones urbanisées.

Voix : l'appel le plus souvent entendu est une suite saccadée de notes aiguës (***kilîî kilîî kilîî***) émises quand on dérange l'oiseau au nid.

Protection :
BBS: E ↑ C ⇑ CBC: ↑

Faucon émerillon

Falco columbarius Merlin

Femelle

Immature

Identification : 31 cm. AU VOL : en tous plumages, **petit faucon foncé.** Plus massif qu'une crécerelle, **ailes anguleuses plus larges, vol puissant et rectiligne,** habituellement à faible hauteur au-dessus de la végétation; aussi, dessous des ailes plus foncé. Favoris indistincts. Souvent agressif face aux autres oiseaux en vol. POSÉ - **MÂLE : dessus gris-bleu; dessous, fines rayures brunes** donnant une teinte plus claire. FEMELLE **: dessus brun foncé, rayures brunes prononcées dessous** (un faucon «couleur chocolat»). IMM. **:** ressemble à la femelle adulte; garde son plumage imm. 1 an.

Alimentation : capture des oiseaux en plein vol, se nourrit occasionnellement de rongeurs, lézards, serpents et insectes.

Nidification : se sert du nid abandonné d'un autre oiseau, d'une cavité dans un arbre ou une falaise, ou bien niche sur le sol sans apporter de matériaux si ce n'est quelques brins de végétation fraîche. Oeufs : 2 à 7, blancs à taches foncées; I : 28 à 32 jours; E : 25 à 35 jours, nidicole; C : 1.

Autres comportements : lors de la parade nuptiale, grande variété d'appels et de manoeuvres compliquées en vol. En plein vol, le mâle remet parfois à la femelle la nourriture qu'il a trouvée.

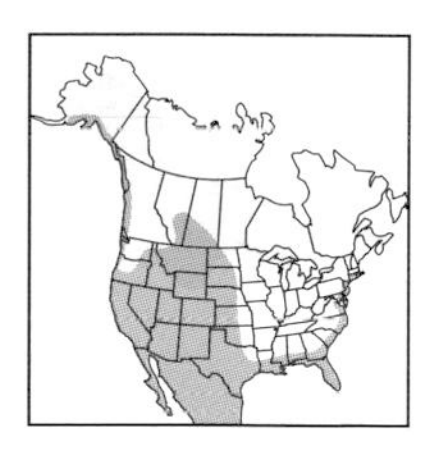

Habitat : passe l'été dans divers habitats dont les lisières de forêts, les terres agricoles et les zones urbanisées; hiverne sur les plaines côtières, dans les prairies et les marais.

Voix : cri d'alarme, un *kikikikiki* aigu.

Protection :
BBS: E ⇑ C ⇑ CBC: ↑

Faucon pèlerin

Falco peregrinus — Peregrine Falcon

Adulte

Immature

Adulte

Identification : 41 cm. AU VOL : en tous plumages, **gros faucon; ailes effilées relativement longues; longue queue large; calotte foncée; large favori sur la joue,** s'étendant au-dessous de l'oeil. Vol rectiligne et battements d'ailes réguliers, ailes étirées vers l'arrière. Les plumages vont de la forme de la toundra (gris bleuâtre dessus, poitrine blanche) à la forme de Peale (plus foncé dessus et grosses taches sur la poitrine). Comme chez la plupart des faucons, les femelles sont nettement plus grandes que les mâles. **POSÉ - ADULTE : dos gris-bleuâtre, ventre barré, bavette blanche, large favori foncé. IMM. :** dos brun, poitrine et ventre rayés de brun; favoris foncés. Garde son plumage imm. 1 an.

Alimentation : capture des oiseaux en plein vol, mange aussi quelques insectes.

Nidification : dépression creusée dans le sol sur une corniche de falaise, à une hauteur de 15 m à 60 m. Oeufs : 3 ou 4, blanc crème à taches foncées; I : 28 à 33 jours; E : 30 à 42 jours, nidicole; C : 1.

Autres comportements : vol spectaculaire et extrêmement rapide lorsqu'il poursuit d'autres oiseaux. Quelques individus ont été introduits dans les villes où ils nichent sur les édifices.

Habitat : secteurs dégagés près de falaises, zones urbanisées et côte.

Voix : cri d'alarme près du nid, suite d'appels discordants et aigus (*krikrikri-krikri*)

Protection :
BBS: E C ⥣ CBC:→
Était disparu dans l'Est, mais se rétablit lentement grâce à la protection des nids et aux réintroductions.

Faucon gerfaut

Falco rusticolus — Gyrfalcon

Adulte, forme grise

Immature, forme grise

Immature, forme grise

Identification : 56 cm. **AU VOL - ADULTE : gros faucon massif, longues ailes larges, longue queue large effilée vers le bout.** Forme blanche : entièrement blanche sauf le dos et la queue lesquels sont légèrement barrés. Forme grise : dessus gris, corps blanchâtre et taches grises sur la poitrine et le ventre. Forme foncée : foncée, rayures pâles sur la poitrine. De dessous, les formes grise et foncée ont les couvertures sous-alaires plus foncées que les rémiges. **IMM. :** ressemble aux adultes, mais plus brun, plus rayé dessous. **POSÉ - ADULTE : forme blanche, beaucoup de blanc; autres formes : dos gris ou brun et poitrine rayée. IMM. :** ressemble aux adultes, mais plus foncé et racine du bec bleuâtre au lieu de jaunâtre.

Alimentation : chasse les autres oiseaux qu'il attrape en plein vol, comme les lagopèdes et les tétras; mange aussi quelques petits mammifères.

Nidification : dépression creusée sur une corniche de falaise; utilise parfois un nid abandonné dans un arbre. Oeufs : 3 à 8, jaunâtre pâle à taches foncées; I : 28 à 36 jours; E : 49 à 56 jours, nidicole; C : 1.

Autres comportements : les F. gerfauts qui atteignent le sud du Canada et le nord des États-Unis en hiver sont habituellement des immatures.

Habitat : toundra arctique jusqu'à la ligne des arbres.

Voix : cri d'alarme, *kikikikiki* discordant.

Protection :
CBC: ↑
À l'échelle mondiale, une pression s'exerce sur ces oiseaux qu'on capture à l'état sauvage pour les vendre au prix fort à des fauconniers étrangers.

Faucon des Prairies

Falco mexicanus — Prairie Falcon

Identification : 41 cm. **AU VOL :** grand faucon, longues ailes pointues, longue queue. De dessous, remarquer les **sous-alaires et les aisselles foncées très visibles contrastant avec le corps clair et les rémiges claires et translucides.** Ces caractères permettent de le distinguer du F. pèlerin, qui lui ressemble. De dessus, dos et ailes foncés et queue plus claire. **POSÉ : dos brun et devant rayé de brun. La ligne sur la joue est plus fine que chez la plupart des F. pèlerins. IMM. :** ressemble à l'adulte, mais avec plus de rayures sur la poitrine et cire bleue à jaune (orange chez l'adulte).

Alimentation : capture des oiseaux en plein vol ou au sol ainsi que des mammifères après un piqué rapide.

Nidification : dépression creusée sur une corniche de falaise, à une hauteur de 6 m à 120 m. Oeufs : 2 à 7, blanc-rosâtre à taches foncées; I : 28 à 32 jours; E : 35 à 42 jours, nidicole; C : 1.

Autres comportements : fortement territorial pendant les premières étapes de la nidification, moins territorial plus tard.

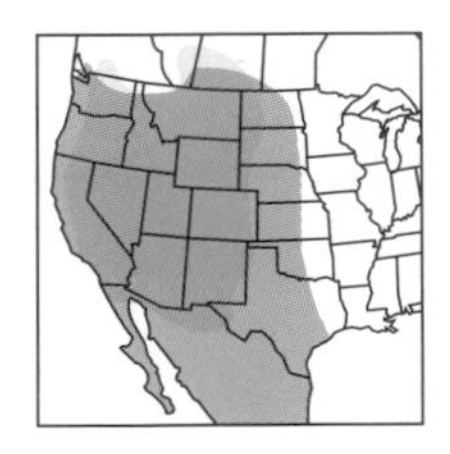

Habitat : plaines, prairies et autres paysages dégagés.

Voix : les cris d'alarme comprennent une suite discordante de notes courtes (*kikikikiki*).

Protection :
CBC: ↑
Comme elle ne chasse pas les mêmes proies que le F. pèlerin, cette espèce a été moins affectée que ce dernier par les résidus de pesticides.

Ortalide chacamel

(Ortalide gris-brun)

Ortalis vetula

Plain Chachalaca

Identification : 56 cm. Limité au sud du Texas. **Gros oiseau brun ressemblant à une poule, très longue queue à bout blanc.** Le mâle a sur la gorge une zone de peau qui devient rouge vif pendant la nidification et grise le reste de l'année.

Alimentation : dans les arbres et les buissons, recherche les baies, les pousses et les feuilles dont il se nourrit. Mange aussi des insectes. Fréquente parfois les mangeoires où on a répandu des graines sur le sol.

Nidification : nid fragile fait de branches et de feuilles, dans la fourche d'un arbre, un buisson ou une liane. Remet parfois à neuf le nid d'une autre espèce. Oeufs : 2 à 4, crème; I : 22 à 25 jours; E : jusqu'à 21 jours, nidifuges; C : 1.

Autres comportements : tôt de matin ou le soir, essayer d'entendre la cacophonie retentissante produite par les appels d'une troupe. Les membres des deux sexes y prennent part, les femelles ayant une voix plus aiguë que les mâles. Chaque individu émet un cri en trois parties (*tcha tcha lac*), mais lorsque l'ensemble du groupe vocalise, on entend un *tchatchalaca tchatchalaca* continu.

Habitat : forêts ouvertes et fourrés des régions tropicales.

Voix : un fort *tcha-tcha-lac.*

Protection : TENDANCE INCONNUE.

Perdrix grise

Perdix perdix Gray Partridge

Identification : 33 cm. **Face et gorge rouille, poitrine grise, barres brunes sur les flancs.** Mâle : grande tache brune sur le ventre blanchâtre; cette tache est absente chez la femelle. **AU VOL :** remarquer les rectrices marron.

Alimentation : mange des céréales, des mauvaises herbes et des graines de graminées sauvages; également des feuilles et des insectes.

Nidification : nid, dépression creusée garnie d'herbes et de plumes, près de rochers ou de plantes plus élevées. Oeufs : 15 à 17, olive; I : 23 à 25 jours; E : 13 à 15 jours, nidifuge; C : 1.

Autres comportements : originaire d'Europe et d'Asie, mais introduite et maintenant répandue en Amérique du Nord. En automne, forme des compagnies d'environ 10 à 30 individus qui restent ensemble tout l'hiver.

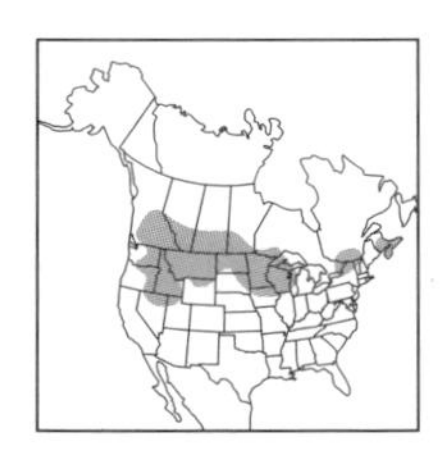

Habitat : terres agricoles dégagées et haies.

Voix : pour attirer les femelles, le mâle non apparié émet un *kîî-ock* évoquant l'ouverture d'un portail rouillé.

Protection :
BBS: E ⇓ C ⇑ CBC: ↓

Faisan de Colchide

Phasianus colchicus

(Faisan de chasse)
Ring-necked Pheasant

Mâle

Femelle

Identification : 84 cm. Gros oiseau ressemblant à une poule et à **longue queue pointue. MÂLE : collier blanc, tête verte, caroncules rouges.** Sur le corps, on trouve des teintes de **vert irisé, de brun et d'or.** On peut également observer deux autres formes : l'une avec du blanc sur les ailes et l'autre sans collier. **FEMELLE : brun vif, taches foncées sur les ailes et le dos.**

Alimentation : aux mangeoires, se nourrit au sol de maïs concassé et de graines mélangées. Dans la nature, mange des grains échappés, des graines de mauvaises herbes, des glands, des baies et des insectes.

Nidification : nid fait d'herbes et de feuilles, sur le sol, caché parmi les herbes et les buissons. Oeufs : 10 à 12, olive-brunâtre; I : 24 jours; E : 10 à 11 semaines, nidifuge; C : 1.

Autres comportements : le cri du mâle est l'une des manifestations les plus évidentes du comportement du F. de Colchide. C'est un *kok-kok* accompagné d'un bruissement d'ailes audible. Il s'agit d'une forme de défense du territoire qui se produit surtout au printemps, tôt le matin et à la fin de l'après-midi. Certains mâles n'ont qu'une femelle, mais 45 % d'entre eux ont un harem de femelles avec lesquelles ils s'accouplent.

Habitat : terres agricoles avec des lisières de boisés et des haies.

Voix : le mâle émet un *kok-kok* auquel la femelle répond par un *kia kia.*

Protection :
BBS: E ⇓ C ↓ CBC: ⇓
Introduit pour la première fois en Amérique du Nord en 1850. Aujourd'hui répandu.

Tétras du Canada

Dendragapus canadensis Spruce Grouse

Mâle

Femelle

Identification : 38 cm. **Menton et poitrine noirs, caroncules oculaires rouges. Queue noire à bout brun-roussâtre** sauf dans le Nord-Ouest, où la forme dite «de Franklin» a une queue entièrement noire. **FEMELLE : entièrement brunâtre, poitrine et ventre barrés de noir;** queue comme chez le mâle. Les femelles peuvent être de deux formes, l'une roussâtre et l'autre grisâtre.

Alimentation : se nourrit au sol et dans les arbres; mange des aiguilles et bourgeons de conifères ainsi que des baies sauvages, graines de graminées et insectes. En hiver, s'alimente exclusivement de conifères.

Nidification : nid d'herbes bien caché dans un buisson ou un fourré. Oeufs : 6 à 7, chamois à taches foncées; I : 23 jours; E : 10 jours, nidifuge; C : 1.

Autres comportements : lorsqu'ils font leur parade territoriale, les mâles exécutent des vols papillonnants presque verticaux, le battement rapide de leurs ailes produisant un tambourinage sourd. Chez la sous-espèce de l'Ouest (de Franklin), pendant cette parade, les mâles font claquer leurs ailes deux fois au-dessus de leur dos. Souvent très confiant.

Habitat : forêts denses de conifères ayant des clairières.

Voix : le mâle émet un sifflement lorsque la femelle se trouve à proximité. La femelle émet des cris d'avertissement bas à l'intention de ses poussins.

Protection :
BBS: E ⇓ C CBC: ⇑
Comme chez beaucoup d'espèces du groupe, les populations ont des variations cycliques.

Lagopède des saules

Lagopus lagopus Willow Ptarmigan

Mâle en été

Femelle en été

Identification : 38 cm. ÉTÉ - MÂLE : **tête et cou brun-roussâtre, corps brun, du blanc sur les ailes et le ventre.** FEMELLE : **tachetée de brun, queue noire;** bec plus massif que celui du L. alpin femelle. HIVER : **entièrement blanc sauf la queue noire.** Les L. des saules et alpin se ressemblent beaucoup. Il est **difficile de distinguer les femelles sur le terrain;** toutes deux sont tachetées de brun à queue noire en été et entièrement blanches à queue noire en hiver. **En toute saison, la queue noire** permet de les distinguer du L. à queue blanche qui leur ressemble par ailleurs.

Alimentation : bourgeons de plantes ligneuses, graines, insectes.

Nidification : nid, dépression peu profonde sur le sol, garni d'herbe, de mousse et de plumes, près d'un amas d'herbes ou au pied d'une souche. Oeufs : 6 ou 7, jaunâtres à taches plus foncées; I : 21 ou 22 jours; E : 9 ou 10 jours, nidifuge; C : 1.

Autres comportements : pendant les parades, les caroncules oculaires rouges des mâles sont gonflées. Les mâles chantent à la fin du vol de parade nuptiale. Pendant l'incubation, les femelles recouvrent le nid de végétation si elles s'absentent pour un court moment.

Habitat : passe l'été dans les zones alpines buissonneuses; hiverne à plus basse altitude.

Voix : appel, un *tôbacco tôbacco* fort.

Protection : TENDANCE INCONNUE.

Lagopède alpin

(Lagopède des rochers)

Lagopus mutus

Rock Ptarmigan

Femelle en été

Mâle en hiver

Mâle en été

Identification : 33 cm. **ÉTÉ - MÂLE : tête et cou brun-grisâtre, corps brun. FEMELLE : tachetée de brun, queue noire;** bec plus petit que le L. des saules femelle, qui lui ressemble. **HIVER - MÂLE : entièrement blanc sauf la queue noire et le bandeau noir sur l'oeil. FEMELLE : entièrement blanche, queue noire.** Les L. alpin et des saules se ressemblent beaucoup. Il est **difficile de distinguer les femelles sur le terrain;** les deux sont tachetées de brun à queue noire en été et entièrement blanches à queue noire en hiver. **En toutes saisons, la queue noire** permet de les distinguer du L. à queue blanche, qui leur ressemble par ailleurs.

Alimentation : bourgeons foliaires et floraux, chatons de plantes ligneuses, graines et insectes.

Nidification : nid, dépression peu profonde creusée dans le sol, garni d'herbe, de mousse et de plumes, dans un endroit rocailleux. Oeufs : 6 à 9, chamois à éclaboussures brun foncé; I : 21 à 24 jours; E : 12 à 14 jours, nidifuge; C :1 .

Autres comportements : niche dans les endroits dénudés. Au printemps, les caroncules oculaires rouges qui servent pendant les parades nuptiales apparaissent chez les mâles. Migre vers le sud lorsque la neige recouvre la nourriture.

Habitat : toundra et pentes rocailleuses dénudées.

Voix : appel, long ronflement.

Protection : TENDANCE INCONNUE.

Gélinotte huppée

Bonasa umbellus Ruffed Grouse

Mâle

Identification : 43 cm. **Remarquer la queue brune ou grise à bande subterminale foncée;** côtés du cou (collerette) noirs; ventre et menton clairs. Lorsqu'il est inquiet, l'oiseau dresse la huppe qu'il a sur la tête. **FEMELLE : plus brune et plus barrée dessous; intervalle brun au centre de la bande foncée de la queue;** la collerette noire est plus petite.

Alimentation : se nourrit de baies, feuilles, bourgeons, graines et insectes.

Nidification : nid garni de feuilles, de brindilles et de plumes, dans une dépression creusée, caché sous un buisson ou des broussailles. Oeufs : 6 à 15, chamois à taches claires; I : 21 à 28 jours; E : 10 à 12 jours, nidifuge; C : 1.

Autres comportements : le mâle fait connaître l'existence de son territoire à une femelle éventuelle en tambourinant dans un endroit choisi par lui, habituellement sur un tronc d'arbre tombé. Il produit ce son en appuyant la queue contre le tronc d'arbre et en donnant une suite de vigoureux battements d'ailes. Il se pavane aussi devant la femelle en étalant la queue et en hérissant sa collerette. La femelle se charge de la nichée. Pendant la couvaison, si on la dérange, elle fait semblant d'être blessée. Les G. huppées sont parfois très confiantes. Il arrive qu'elles s'approchent des humains et elles peuvent même se montrer agressives.

Habitat : forêts surtout peuplées de feuillus.

Voix : cri d'alarme, *couit couit* aigu. La femelle roucoule et caquette.

Protection :
BBS: E ↑ C ⇓ CBC: ↑

Tétras des prairies
Tympanuchus cupido

(Grande Poule-des-Prairies)
Greater Prairie-Chicken

Tétras pâle
Tympanuchus pallidicinctus

(Petite Poule-des-Prairies)
Lesser Prairie-Chicken

Tétras des prairies, mâle

Tétras pâle, mâle

Identification : T. des prairies, 43 cm; T. pâle : 41 cm. Les deux espèces; **barres foncées sur le dos brun, et sur la poitrine et le ventre blanchâtres;** queue foncée et arrondie. Le T. pâle est légèrement plus petit et plus clair. Les aires de distribution ne se recoupent pas. MÂLES : **caroncules oculaires charnues jaunes.** Lors de la parade, le T. pâle exhibe les sacs aériens rouge orangé sur les côtés de son cou. Le T. des prairies exhibe des sacs jaune orangé. FEMELLES : caroncule oculaire fine sans sacs aériens.

Alimentation : les deux espèces se nourrissent de sauterelles, de graines et de céréales.

Nidification : T. DES PRAIRIES, nid d'herbes dans une dépression. Oeufs 7 à 17, olive à taches foncées; I : 23 à 24 jours; E : 7 à 10 jours, nidifuge; C : 1. T. PÂLE : nid d'herbes dans une dépression. Oeufs : 11 à 13, jaunâtres à taches brunes; I : 22 à 24 jours; E : 7 à 10 jours, nidifuge; C : 1.

Autres comportements : les mâles exécutent leur parade en groupe, la queue dressée, les ailes pendantes, puis ils dégonflent leurs sacs remplis d'air, ce qui produit un mugissement chez le T. des prairies et un gloussement chez le T. pâle. Puis ils sautent et se poursuivent en gonflant leurs sacs aériens. Les femelles s'accouplent avec le mâle dominant et élèvent seules leur nichée.

des prairies

pâle

Habitat : T. des P., prairie à herbes hautes; T. pâle : prairie à herbes courtes.

Voix : mugissements et gloussements.

Protection :
Tétras des prairies :
BBS: E ⇑ C ↑ CBC: ↓
Tétras pâle :
POPULATION EN DÉCLIN.
La sous-espèce d'Atwater du T. des prairies est en danger aux É.-U.

Tétras à queue fine

(Gélinotte à queue fine)

Tympanuchus phasianellus

Sharp-tailed Grouse

Mâle

Identification : 46 cm. **Taches foncées sur le dos, qui est brun clair, ainsi que sur la poitrine et le ventre qui sont blanchâtres; queue pointue,** les plumes centrales carrées dépassant de beaucoup les autres. Lors de la parade, le mâle exhibe les sacs aériens violets qui sont de chaque côté de son cou. **Au vol :** remarquer les côtés de la queue qui sont blancs.

Alimentation : au sol, se nourrit de parties de végétaux, de baies, de céréales et d'insectes.

Nidification : nid, dépression creusée, garni d'herbes, de fougères et de feuilles, dans l'herbe ou sous un buisson. Oeufs : 5 à 17, brun clair à taches plus foncées; I : 21 à 24 jours; E : 7 à 10 jours, nidifuge, C : 1.

Autres comportements : comme c'est le cas pour d'autres espèces de ce groupe, les mâles exécutent leur parade en groupe sur un site traditionnel appelé arène. Ils déploient leur queue, abaissent leurs ailes et émettent une sorte de roucoulement en dégonflant les sacs aériens qu'ils ont dans la région du cou. Ils sautent également et se poursuivent mutuellement. Les femelles viennent s'accoupler avec le mâle dominant, qui occupe habituellement le centre du groupe. Les femelles s'éloignent pour nicher et élèvent seules leurs poussins.

Habitat : prairies, régions occupées par des arbrisseaux et forêt boréale partiellement déboisée.

Voix : les mâles émettent un roucoulement.

Protection :
BBS: E ⇑ C ⇑ CBC: ⇑
Dans une grande partie de son aire de distribution, diminution due à la transformation des prairies en régions agricoles.

Dindon sauvage

Meleagris gallopavo Wild Turkey

Femelle

Identification : 1,17 m à 1,24 m. La **grande taille** et la **silhouette bien connue du dindon** font qu'il est impossible de le confondre. Corps foncé et irisé; **tête nue.** **MÂLE :** plus grand et plus irisé que la femelle et touffe de plumes ressemblant à des poils sur la poitrine. **FEMELLE :** plus petite que le mâle, moins irisée, habituellement sans touffe de plumes sur la poitrine.

Alimentation : se nourrit au sol de noix, de glands et de graines. Mange également des céréales, plantes, insectes, grenouilles et lézards.

Nidification : nid dans une dépression naturelle ou creusée, garni de feuilles et d'herbes. Oeufs : 6 à 20, chamois-blanchâtre avec des taches; I : 27 ou 28 jours; E : 6 à 10 jours, nidifuge; C : 1.

Autres comportements : passe l'hiver en bandes d'individus de même sexe ou mixtes. Lors de la parade, le mâle se pavane et glousse en étalant sa queue. La femelle répond par un glapissement. Le mâle peut s'accoupler avec un grand nombre de femelles. La femelle élève les jeunes. Le dindon domestique appartient à une sous-espèce qui a été domestiquée et amenée du Mexique en Europe par les Espagnols au XVIe siècle. Les colons anglais ont ensuite ramené le dindon domestique en Amérique du Nord.

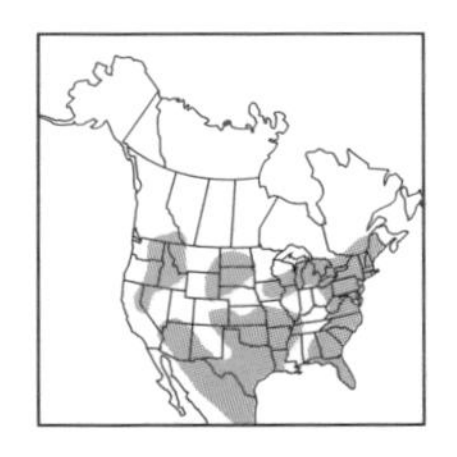

Habitat : forêts ouvertes, lisières de forêts, marécages boisés.

Voix : gloussements, glapissements et caquetages.

Protection :
BBS: E ⥣ C ⥣ CBC: ⥣
Autrefois, la perte d'habitats et la chasse avaient fait diminuer les populations. A été réintroduit dans une grande partie de son ancienne aire de distribution.

Colin de Virginie

Colinus virginianus

Northern Bobwhite

Femelle (g.), mâle (d.)

Identification : 25 cm. Chez les deux sexes, **sourcil et menton clairs,** large **trait foncé passant sur l'oeil.** Flancs rayés de brun-roussâtre et queue grise. **MÂLE : sourcil blanc,** menton blanc. **FEMELLE : sourcil** et menton **chamois.**

Alimentation : se nourrit de graines d'herbes, de céréales, de feuilles, de fruits, des parties tendres de plantes et d'insectes. Fréquente aussi les mangeoires pour manger les graines étendues sur le sol.

Nidification : nid, dépression creusée dans le sol, garni d'herbes, de mousse et d'aiguilles de pin, habituellement à moins de 15 m d'une clairière. Oeufs : 12 à 14, blancs; I : 23 jours; E : 14 jours, nidifuge; C : 1.

Autres comportements : l'appel «Bob-White» bien connu est l'indice de la présence de cet oiseau méfiant. Ce cri est poussé plus fort et plus souvent par les mâles non appariés, au printemps et au début de l'été, au voisinage des endroits où nichent des couples déjà formés. Après l'éclosion, la famille se nourrit et se déplace en groupe compact. En présence d'un prédateur, les parents émettent le cri d'alarme et exécutent parfois une parade de diversion. En hiver, plusieurs familles se regroupent en une compagnie de 12 à 16 individus environ qui se nourrissent et se reposent ensemble dans un territoire déterminé d'avance. Chaque nuit, la compagnie dort sur le sol en un cercle serré, les queues tournées vers l'intérieur.

Habitat : terres agricoles, champs buissonneux, boisés ouverts.

Voix : appels très divers, dont un cri d'alarme, *toui-ki*; à l'aube et au crépuscule, la compagnie émet un *koïlîî*; le mâle fait entendre un «Bob-White»

Protection :
BBS: E ⇓ C ↓ CBC: ⇓
Dans le Nord, ne survit pas aux hivers rigoureux.

Colin écaillé

Callipepla squamata Scaled Quail

Identification : 28 cm. **Huppe à bout blanc** distinctive. Sur la poitrine et le dos, les plumes grises se terminent par du noir, ce qui les fait ressembler à des écailles. Sexes semblables.

Alimentation : se nourrit au sol de graines d'herbes

Nidification : nid caché, garni d'herbes et de plumes, dans une dépression creusée, dans les herbes ou les buissons. Oeufs : 9 à 16, blanc crème, unis ou à taches claires; I : 21 à 23 jours; E : ?, nidifuge; C : 1.

Autres comportements : à la saison de nidification, les mâles non appariés lancent leur appel d'un perchoir bien exposé pour attirer les femelles. Parfois, celles-ci retardent la ponte jusqu'au début de la partie humide de l'été. En automne, les familles se regroupent en grandes compagnies de 50 individus ou plus qui se nourrissent et se reposent ensemble. S'hybride parfois avec le C. de Gambel.

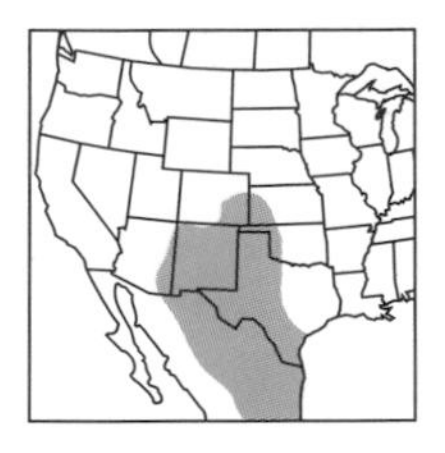

Habitat : prairie aride et broussailles.

Voix : *pik-toc*, appel émis par les individus des deux sexes pour signaler leur position lorsqu'ils sont séparés. Le mâle non apparié émet un ***kok***.

Protection :
BBS: E C ⇓ CBC: ⇓
Introduit dans les états de Washington et du Nevada.

Râle jaune

Coturnicops noveboracensis — Yellow Rail

Identification : 18 cm. Très discret; **entendu plus souvent que vu.** Crie surtout la nuit pendant la saison de nidification. **Très petit, brunâtre, ressemble à un poulet; sur le dos, larges rayures foncées traversées par de fines lignes blanches;** poitrine chamois. Le bec court peut aller du jaunâtre au foncé. **AU VOL :** remarquer la zone blanche sur le bord de fuite de l'aile.

Alimentation : se nourrit en eau peu profonde de gastéropodes, d'insectes ainsi que de quelques graines et herbes.

Nidification : nid fait d'herbes fines, en forme de soucoupe couverte, garni de matériaux plus fins, sur le sol ou dans les tiges environnantes, à quelques centimètres au-dessus de l'eau. Oeufs : 7 à 10, chamois-jaune à taches foncées; I : 16 à 18 jours; E : 35 jours, nidifuge; C : ?

Autres comportements : cet oiseau est tellement discret qu'il est difficile d'observer son comportement. Il émet occasionnellement son cri au milieu de la journée mais le plus souvent à la fin de la journée ou la nuit. Cela semble se produire surtout au début et au milieu du cycle de reproduction.

Habitat : l'été, prairies humides et marais; hiverne dans les prairies, les champs et les marais côtiers.

Voix : l'appel ressemble au son de deux cailloux qu'on frappe ensemble de façon régulière (un *tik tik, tik tik tik* répété).

Protection :
BBS: E C ⇑ CBC: ↑
Populations en diminution à cause des pertes d'habitats et des pesticides.

Râle noir

Laterallus jamaicensis Black Rail

Identification : 14 cm. Notre plus petit râle, presque aussi discret que le R. jaune. Chercher à entendre son appel nocturne. **Noir, fines taches blanches sur les ailes;** arrière du cou brun. A tendance à se faufiler dans la végétation du marais au lieu de s'envoler.

Alimentation : se nourrit en eau peu profonde et au sol d'insectes et de graines de plantes aquatiques.

Nidification : nid en forme de soucoupe, fait d'herbes douces et couvert d'herbes, sur le sol. Oeufs : 6 à 13, blancs à taches chamois; I : 16 à 20 jours; E : ? nidifuge; C : ?

Autres comportements : on voit rarement cette espèce mais on peut l'entendre, surtout la nuit. On connaît très peu les autres aspects de son comportement.

Habitat : marais d'eau douce ou salée, prairies humides.

Voix : *kikidou, kikidou, kikidou* répétitif.

Protection :
CBC: ↑

Râle gris

Rallus longirostris Clapper Rail

Râle élégant

Rallus elegans King Rail

Râle gris

Râle élégant

Identification : R. gris : 36 cm. R. élégant : 38 cm. Se ressemblent, **grands râles à long bec légèrement courbé vers le bas.** Remarquer les différences d'habitat et de distribution. R. GRIS : **plumes du dos à centre foncé et larges bordures grises** faisant paraître le dos grisâtre. La couleur de la poitrine varie selon les régions de gris à brun-roussâtre. R. ÉLÉGANT : **plumes du dos à centre foncé et larges bordures brun-roussâtre** faisant paraître le dos brun-roussâtre. La tête, le cou et la poitrine sont toujours brun-roussâtre et les rayures des flancs sont plus distinctes.

Alimentation : se nourrissent en eau peu profonde et sur les vasières; mangent des crabes, écrevisses, petits poissons et insectes ainsi que quelques plantes.

Nidification : nid du R. gris, plate-forme en soucoupe, fait d'herbes et de plantes aquatiques, sur le sol, Oeufs : 5 à 12, chamois à taches foncées; I : 20 à 23 jours; E : 63 à 70 jours, nidifuge; C : 2. Nid du R. élégant, plate-forme couverte, fait de plantes aquatiques sèches, sur un monticule à une hauteur de 15 à 20 cm au-dessus de l'eau. Oeufs : 6 à 15, chamois à taches foncées; I : 21 à 24 jours; E : 63 jours, nidifuge; C : 2

Autres comportements : occasionnellement, les deux espèces s'hybrident.

R. gris R. élégant

Habitat : R. gris, marais d'eau salée. R. élégant, marais d'eau douce ou saumâtre.

Voix : R. gris : suite de notes discordantes dont le rythme varie, ***kik kik kik, kik, kik - kik - kik.*** R. élégant : semblable, mais notes également espacées.

Protection :
R. gris,
BBS: E ⇑ C ↑ CBC: ↓
R. élégant :
BBS: E ⇓ C ↓ CBC: ↑

Râle de Virginie

Rallus limicola — Virginia Rail

Identification : 23 cm. **Petit râle à long bec;** coloration semblable à celle du R. élégant, qui est beaucoup plus gros. **Les plumes du dos ont le centre foncé et des bordures brun-roussâtre; face grise** et non chamois comme chez le R. élégant; le bec peut être rougeâtre, surtout à la racine.

Alimentation : se nourrit dans les vasières en sondant la boue avec son bec à la recherche de vers, gastéropodes et insectes aquatiques.

Nidification : nid lâche recouvert, en forme de soucoupe, fait d'herbes grossières, de roseaux et de carex, sur le sol, à quelques centimètres au-dessus de la boue ou de l'eau. Oeufs : 5 à 12, chamois à taches foncées; I : 18 à 20 jours; E : 25 jours, nidifuge; C : 1 ou 2.

Autres comportements : entendu plus souvent que vu. Émet son cri de préférence à l'aube ou au crépuscule, mais aussi occasionnellement à d'autres moments de la journée ou de la nuit. Pendant la parade nuptiale, les membres du couple se nourrissent et se lissent les plumes mutuellement.

Habitat : passe l'été dans des marais d'eau douce ou saumâtre; hiverne également dans les marais d'eau salée.

Voix : appel du mâle sur son territoire : ***kik kidic kidic kidic kidic*** métallique. Fait aussi entendre un ***kikikikîîrrr*** et une série de grognements descendants.

Protection :
BBS: E ⇓ C ⇓ CBC: ⇑

Marouette de Caroline

(Râle de Caroline)

Porzana carolina

Sora

Identification : 23 cm. **Petit oiseau brunâtre ressemblant à une poule; face noire** ainsi que le haut de la poitrine; **bec jaune vif.** Dos brun foncé à fines rayures blanches; ventre gris à barres foncées. En hiver, les bordures grises des plumes de la face et de la gorge cachent les parties noires à ces endroits.

Alimentation : se nourrit dans l'eau et au sol d'insectes aquatiques et de graines d'herbes.

Nidification : nid en forme de soucoupe, fait de feuilles mortes de quenouilles, de roseaux et de carex, attaché aux tiges des plantes voisines, à quelques centimètres au-dessus de l'eau. Oeufs : 6 à 18, chamois à taches foncées; I : 18 à 20 jours; E : 21 à 25 jours, nidifuge; C : 1 ou 2.

Autres comportements : le corps de la M. de Caroline, comme celui des autres râles, est comprimé latéralement, ce qui facilite ses déplacements dans les roseaux où elle vit. Les oiseaux émettent parfois leur appel dès qu'ils entendent un bruit soudain près de leur site de nidification. Généralement, ils quittent leur site de nidification dès la première gelée nocturne. Comme la plupart des râles, les M. de Caroline migrent de nuit.

Habitat : marais d'eau douce ou salée, prairies humides.

Voix : appel souvent entendu, un *puî puî* plaintif et ascendant. Émet aussi une sorte de hennissement descendant qui ralentit vers la fin.

Protection :
BBS: E ↓ C ⇓ CBC: ↑

Talève violacée

(Gallinule violacée)

Porphyrula martinica

Purple Gallinule

Adulte

Immature

Identification : 33 cm. **Ressemble à un canard; tête et dessous bleus, bec rouge à bout jaune.** Dos vert, pattes jaunes; zone bleu clair sur le front. Habituellement, on la voit marcher sur les feuilles de nénuphars ou les autres plantes du marais. IMM. : entièrement brunâtre, plus clair dessous; bec foncé à bout jaune. Se reconnaît de la Gallinule poule-d'eau imm., qui lui ressemble, par l'absence de ligne blanche sur le flanc. Garde son plumage imm. tout l'automne et parfois jusque vers la fin de l'hiver.

Alimentation : se nourrit en eau peu profonde de céréales (surtout de riz sauvage), graines d'herbes, grenouilles et insectes aquatiques. S'alimente souvent en marchant sur les feuilles de nénuphar.

Nidification : nid, plate-forme faite de carex, suspendue dans les tiges de plantes à une hauteur de 30 cm à 1,50 m ou posé sur une île de plantes flottantes. Oeufs : 5 à 10, chamois-rosâtre à taches foncées; I : 22 à 25 jours; E : 63 jours, nidifuge; C : 1 ou 2.

Autres comportements : les jeunes participent parfois aux soins et à la défense des jeunes des nichées suivantes. S'égare parfois très loin après avoir niché.

Habitat : marais d'eau douce.

Voix : sons très divers, ressemblant souvent à des gloussements de poulet; aussi grincements courts.

Protection :
BBS: E ⇓ C ⇓ CBC: ⇑

Gallinule poule-d'eau

(Poule-d'eau)

Gallinula chloropus

Common Moorhen

Adulte en hiver

Adulte en été

Immature

Identification : 36 cm. **ÉTÉ : foncée, ressemble à un canard, tête noire, bec rouge à bout jaune;** aussi, front rouge et ligne de plumes blanches sur les flancs. On la voit souvent nager. **HIVER :** comme en été, mais bec brunâtre à bout jaune et front brunâtre. **IMM. :** entièrement gris-brunâtre, gorge blanchâtre, bec foncé. La ligne blanche sur le flanc permet de le distinguer de la Talève pourprée imm., qui lui ressemble. La T. pourprée garde son plumage imm. jusqu'au milieu de l'hiver. Le front ne devient entièrement rouge que vers le milieu de l'été suivant.

Alimentation : se nourrit en marchant sur les plantes aquatiques ou en nageant et en plongeant. Mange des insectes, herbes, petits escargots et insectes aquatiques et terrestres.

Nidification : nid, plate-forme faite de tiges de quenouilles, garni d'herbes, sur le sol ou suspendu dans la végétation à une hauteur de 10 à 15 cm. Oeufs : 4 à 17, chamois-olive à taches foncées; I : 19 à 22 jours; E : 40 à 50 jours, nidifuge; C : 2 ou 3.

Autres comportements : parfois, pendant la parade nuptiale, baisse la tête, lève les ailes et exhibe ses sous-caudales blanches. Les jeunes de la première nichée aident parfois à nourrir ceux des nichées suivantes.

Habitat : marais d'eau douce, étangs, lacs.

Voix : sons très variés, ressemblant souvent à des gloussements de poulet; aussi, grincements courts.

Protection :
BBS: E ↓ C ⇓ CBC: ⇑

Foulque d'Amérique

Fulica americana American Coot

Adulte

Immature

Identification : 38 cm. **Ardoisée, ressemble à un canard, bec blanc;** anneau partiel autour de la pointe du bec. IMM. : entièrement grisâtre, menton et gorge blanchâtres, bec clair sans anneau partiel vers le bout. Le plumage imm. se transforme graduellement en plumage adulte au cours de l'hiver.

Alimentation : se nourrit sur l'eau en plongeant ou en basculant le corps comme un canard; mange des graines, feuilles, racines et petits animaux aquatiques. Se nourrit aussi à terre.

Nidification : nid, plate-forme faite de tiges, garni de matériaux plus fins, sur une masse de végétation flottante attachée aux tiges avoisinantes. Oeufs : 8 à 12, chamois-rose à taches foncées; I : 21 à 25 jours; E : 49 à 56 jours, nidifuge; C : 1 ou 2.

Autres comportements : nombreux comportements de parade faciles à observer. Les foulques défendent leur territoire de nidification et d'alimentation et fonçant sur les autres oiseaux et en courant dans l'eau. Pendant la parade nuptiale, le mâle poursuit parfois la femelle en battant des ailes ou en nageant; il tient alors la tête et le cou au ras de l'eau, lève la pointe des ailes ainsi que la queue pour exhiber les taches blanches de son plumage. Construit parfois jusqu'à 9 nids et en choisit un pour pondre. Il arrive que la femelle ponde dans le nid d'une autre.

Habitat : passe l'été sur les lacs marécageux; hiverne aussi le long de la côte.

Voix : appels très divers qui ressemblent souvent au son d'une petite trompette pour enfants.

Protection :
BBS: E ⇓ C ↓ CBC: ↓

Courlan brun

Aramus guarauna Limpkin

Identification : 66 cm. **Gros oiseau ressemblant à un héron, brun taché de blanc; bec long et légèrement courbé vers le bas.**

Alimentation : se nourrit en eau peu profonde de gastéropodes, de moules et d'autres petits animaux aquatiques.

Nidification : nid, plate-forme faite de roseaux et d'herbes, garni de matériaux plus fins, sur le sol ou dans un arbre ou buisson jusqu'à une hauteur de 13,50 m. Oeufs : 4 à 8, chamois à taches foncées; I : ?; E : ?, nidifuge; C : 2 ou 3.

Autres comportements : le bec est spécialement adapté pour ouvrir les coquilles dures et pour extraire les parties charnues des gastéropodes.

Habitat : marécages et marais d'eau douce.

Voix : suite de cris aigus prolongés, *kiaarr, kiaarr, kiaarr,* souvent la nuit.

Protection :
BBS: E ⇓ C CBC: ↑

Grue du Canada

Grus canadensis — Sandhill Crane

Identification : 1,04 m. **Grand oiseau ressemblant à un héron, tache rouge foncé sur le front;** bec noir. Certaines plumes du dos et des ailes sont de couleur rouille, peut-être parce que l'oiseau les salit lorsqu'il lisse son plumage et qu'il a de la boue ferrugineuse sur le bec. **Imm. :** grisâtre avec une coloration rouille plus étendue; pas de zone rouge foncé sur le front; bec orangé. Garde son plumage imm. 2 ans environ.

Alimentation : saisit la nourriture à la surface ou sonde avec son bec; mange des graines, des grains de céréales échappés sur les terres agricoles et de petits animaux.

Nidification : nid, amas de plantes de marais et d'herbes, sur le sol ou en eau peu profonde. Oeufs : 1 à 3, olive à taches foncées; I : 28 à 32 jours; E : 90 jours, nidifuge; C : 1.

Autres comportements : en hiver et en migration, ces oiseaux forment d'énormes troupes; ils se nourrissent alors surtout dans les champs et, la nuit, se reposent au milieu des lacs ou grands cours d'eau peu profonds. Pendant la migration, il est facile d'observer la parade nuptiale qui comporte des sauts gracieux faisant penser à une danse. La sous-espèce *G. c. pulla*, du Mississipi, est en danger.

Habitat : passe l'été dans les prairies et la toundra; en hiver, se repose en eau peu profonde et se nourrit dans les champs.

Voix : un *karouou karouou karouou* grave.

Protection : BBS: E ⇑ C ↑ CBC: ↑ Dans le Middle West, tributaire de haltes migratoires non protégées.

Grue blanche

(Grue blanche d'Amérique)

Grus americana

Whooping Crane

Identification : 1,32 m. **Grand oiseau blanc ressemblant à un héron, masque noir, calotte rouge foncé.** AU VOL : remarquer le bout des ailes noir. IMM. : blanc sauf la tête et la pointe des ailes, qui sont de couleur rouille; marques faciales de l'adulte absentes. Garde son plumage imm. 1 an.

Alimentation : se nourrit en eau peu profonde ou sur les vasières, de crabes, crevettes, palourdes et gastéropodes ainsi que d'amphibiens, de reptiles et de matière végétale.

Nidification : nid, amas d'herbes et de plantes de milieux humides, en eau peu profonde. Oeufs : 1 à 3, chamois-crème à taches foncées; I : 34 à 35 jours; E : 100 à 115 jours, nidifuge; C : 1.

Autres comportements : en hiver, les groupes familiaux composés de plusieurs individus défendent leur territoire d'alimentation. La parade nuptiale ressemble à celle de beaucoup d'autres espèces de grues; les deux membres du couple font de grands sauts tout en pointant le bec vers le haut ou vers le bas. Pour sauver cette espèce de l'extinction, on a placé des oeufs pondus par des oiseaux en captivité dans des nids de G. du Canada qui ont élevé les jeunes G. blanches.

Habitat : passe l'été dans les marais d'eau douce; hiverne dans les marais d'eau salée.

Voix : *kalouou kalîîouou* répétitif.

Protection : en danger de disparition aux États-Unis et au Canada. Il n'existe que 200 oiseaux vivants environ. Actuellement réintroduite en Floride.

La plupart des observateurs aperçoivent leurs premiers oiseaux de rivage vers le milieu ou la fin de l'été, pendant leurs vacances ou lorsqu'ils se trouvent près de la côte. À ce moment-là, un grand nombre d'oiseaux de rivage viennent de leurs sites de nidification dans l'Arctique et sont en migration vers le sud; comme au prin-temps, ils font escale sur les plages de sable et les vasières pour s'y alimenter. La grande majorité (80 ou 90 %) des oiseaux que vous verrez appartiennent à quelques espèces communes. Si vous apprenez d'abord à reconnaître ceux-là, il vous sera alors beaucoup plus facile d'identifier les autres.

La majorité de ces espèces communes effectuent leur migration autant à l'intérieur des terres que le long des côtes. Si vous vivez dans l'arrière-pays, cherchez les oiseaux de rivage sur les vasières et les rives peu profondes des ruisseaux, des rivières, des étangs et des lacs.

En automne, vous verrez des adultes et des jeunes. Les adultes sont souvent en transition entre leurs plumages d'été et d'hiver; les jeunes ont encore leur plumage juvénile et, à la fin de l'automne, ils peuvent muer pour prendre leur plumage d'hiver. Par conséquent il est possible que vous voyiez de fortes variations au sein d'une même espèce. Vous trouverez une description complète de ces oiseaux aux pages mentionnées.

OISEAUX DE RIVAGE LES PLUS COMMUNS SUR LES VASIÈRES

B. semipalmé

B. minuscule

Les bécasseaux de petite taille : parfois regroupés sous le nom de *petits bécasseaux*. Les plus petits oiseaux de rivage. Brunâtres, se nourrissent sur les vasières. En automne, le Bécasseau semipalmé (p. 170) est le plus commun dans le Nord-Est; le Bécasseau d'Alaska (p. 171) est commun dans la moitié sud de la côte de l'Atlantique et dans le Sud-Est; Le Bécasseau minuscule (p. 172) est commun partout.

Bécasseau Sanderling : petit, grisâtre, pattes noires, se nourrit en suivant le bord des vagues. p. 169.

Pluvier semipalmé : petit, bec court; dessus brun foncé; un seul collier foncé. p. 150.

Bécasseau variable : taille moyenne; long bec dont l'extrémité s'incurve légèrement; sur le ventre, il peut y avoir un peu de noir qui reste du plumage d'été. p. 177.

Tournepierre à collier : taille moyenne, bavette noire, pattes orange placées loin à l'arrière du corps. p. 167.

B. à long bec

Pluvier argenté : taille moyenne, bec court et épais; souvent, sur le ventre, il reste un peu de noir du plumage d'été; en vol, voir les aisselles noires. p. 146.

Bécassin roux et B. à long bec : taille moyenne, bec très long et droit; se nourrissent en sondant le sable par un mouvement rapide de machine à coudre. p. 181 et 182.

Petit C.

Grand et Petit Chevaliers : taille grande et moyenne; longues pattes jaunes à orange, long bec fin; oiseaux élancés et gracieux; dessus foncé à marques blanchâtres. p. 157 et 158.

Échasse d'Amérique : grande, dessus noir et dessous blanc; longues pattes roses. p. 155.

Chevalier semipalmé : grand, long bec épais, longues pattes grisâtres; en vol, ailes noires traversées en leur centre par une barre blanche très visible. p. 160.

Courlis corlieu : grand, long bec courbé vers le bas; deux rayures foncées sur la couronne, bandeau foncé. p. 163.

Pluvier argenté

Pluvialis squatarola

Black-bellied Plover

Été

Hiver

Transition avant l'hiver

Juvénile en automne

Identification : 30 cm. **ÉTÉ : couronne blanchâtre, noir de la face au ventre, sous-caudales blanches.** La femelle a des taches blanches dans les parties noires. **HIVER : entièrement grisâtre; plus foncé dessus que dessous; sourcil flou. Tête relativement plus grosse et bec plus long** que chez le P. bronzé, qui lui ressemble. **AU VOL :** en tous plumages, **aisselles noires** distinctives; **large bande alaire blanche; croupion blanc. JUV. AUT. :** comme l'adulte en hiver, mais ailes et dos plus foncés et tachés de jaune-blanchâtre pâle; dessous finement rayé. Ressemble parfois beaucoup au P. bronzé en hiver; remarquer les proportions du bec ainsi que les caractères en vol.

Alimentation : se nourrit de vers marins, insectes, crustacés et mollusques dans les marais d'eau salée et les grandes vasières de la zone intertidale. Mange aussi des sauterelles, des vers de terre et des graines.

Nidification : nid, dépression grattée, faite d'herbes et de mousse. Oeufs : 4, verdâtre pâle avec des taches; I : 26 ou 27 jours; E : 30 à 35 jours, nidifuge; C : 1.

Autres comportements : les P. argentés volent et se reposent souvent en troupes, mais se dispersent pour se nourrir.

Habitat : passe l'été dans la toundra arctique; hiverne sur les plages de sable, les vasières et les champs labourés près de la côte.

Voix : sifflement mélancolique distinctif en trois parties, la deuxième étant plus grave *tîuîît*.

Protection :
CWS: E ↓ C→ CBC: ↑

Pluvier bronzé

(Pluvier doré d'Amérique)

Pluvialis dominicus

American Golden Plover

Été

Juvénile en automne

Identification : 25 cm. ÉTÉ : **calotte foncée, face et dessous noirs y compris les sous-caudales.** Sur le cou, large bande blanche qui s'arrête à l'épaule. HIVER : **brun-grisâtre dessus, habituellement mouchetures dorées sur le dos; dessous grisâtre; sourcil tendant vers le blanc.** Tête et bec plus petits que chez le P. argenté, qui lui ressemble. Lorsque les ailes sont repliées, leurs extrémités dépassent nettement la queue. **AU VOL :** en tous plumages, **ailes foncées** (pas de bande alaire), **croupion foncé, aisselles grises.** JUV. AUT. : ressemble à l'adulte en hiver, mais davantage de doré sur la calotte, le dos et les ailes.

Alimentation : se nourrit d'insectes, de vers et de graines.

Nidification : nid, dépression creusée dans le sol. Oeufs : 4, teintés de vert à éclaboussures foncées; I : 26 ou 27 jours; E : 22 jours, nidifuge; C : 1.

Autres comportements : parmi nos migrateurs, l'un de ceux qui parcourent les plus grandes distances.

Habitat : passe l'été dans la toundra arctique; hiverne dans les champs labourés, les prés à herbe courte et les vasières.

Voix : un court *cuîîlo*.

Protection :
CWS: E→ C→ CBC: ↓

Pluvier à collier interrompu
(Gravelot à collier interrompu)

Charadrius alexandrinus

Snowy Plover

Mâle en été

Identification : 15 cm. En tous plumages, **dessus couleur sable pâle; collier partiel; bec noir, fin et pointu; pattes grises.** ÉTÉ : le mâle a une barre foncée en travers du front, une tache oculaire foncée et un collier partiel foncé. Toutes ces parties sont brun foncé chez la femelle. HIVER : les deux sexes ressemblent à la femelle en été. JUV. AUT. : comme la femelle en été, mais les pattes peuvent être gris pâle.

Alimentation : se nourrit en courant et en saisissant ses proies ou en sondant les plages à la limite des vagues. Mange des vers marins, de petits crustacés et, à l'intérieur des terres, des insectes.

Nidification : nid, dépression peu profonde sur une vasière d'eau salée ou sur une plage dégagée. Oeufs : 2 à 3, chamois à taches foncées; I : 25 à 30 jours; E : 31 jours, nidifuge; C : 1 ou 2.

Autres comportements : niche parfois en colonies lâches. Dans l'Est, ne produit qu'une couvée par an; dans l'Ouest, en produit parfois 2. En moins de 6 jours, la femelle confie les jeunes au mâle et niche de nouveau avec un autre mâle. Parfois, le mâle niche aussi une deuxième fois avec une autre femelle. Dans les années 1980, on a enregistré une diminution des populations de 70 à 80 % en Californie.

Habitat : plages de sable; dans l'Ouest, lacs alcalins.

Voix : en vol, sifflement grave, *curruît.*

Protection :
CBC: ⇓
Diminution de la population due à la perte d'habitat et à la destruction des nids sur les plages.

Pluvier de Wilson

Charadrius wilsonia Wilson's Plover

Mâle

Femelle

Identification : 20 cm. Dessus brun, dessous blanc; **un seul collier large; bec noir massif,** relativement long pour un pluvier. MÂLE : collier noir. FEMELLE : collier brun pouvant se réduire à une fine ligne au centre ou parfois incomplet en hiver. JUV. : comme la femelle adulte.

Alimentation : se nourrit sur la partie la plus élevée et la plus sèche des plages. Mange des mollusques, des vers marins, des insectes et surtout des crabes appelants et d'autres crabes terrestres.

Nidification : nid, dépression creusée, parfois garni de débris de pierre, de coquillages et de plantes, sur le sable ou le gravier, au-dessus de la ligne des marées. Oeufs : 4, chamois crème à taches foncées; I : 23 à 25 jours; E : 21 jours, nidifuge; C : 1.

Autres comportements : s'observe en petites bandes ou en compagnie d'autres espèces de pluviers et oiseaux de rivages. Pour protéger son nid ou sa couvée, la femelle (ou le mâle) fait une manoeuvre de diversion : elle s'éloigne du nid tout en agitant les ailes et en se penchant sur le côté. Le prédateur éventuel la suit alors parce qu'il la croit blessée.

Habitat : sur la côte, dunes et endroits plats.

Voix : *cuît* isolé et dissonant ou sifflement plus grave en deux parties.

Protection :
BBS: E ⇓ C ⇑ CBC: ⇓
Diminution peut-être due à l'augmentation des populations de prédateurs tels que les goélands, corneilles et ratons laveurs qui se sont multipliés en même temps que les humains.

Pluvier semipalmé

Charadrius semipalmatus — Semipalmated Plover

Été

Hiver

Identification : 18 cm. En tous plumages, **dessus brun foncé; collier foncé complet. ÉTÉ : barre noire en travers du front et allant de l'oeil au bec;** collier noir. **Bec orange à bout noir; pattes orange. HIVER : les parties qui étaient noires en été sont brunes; la plus grande partie du bec est foncée;** pattes orange terne. **JUV. AUT. :** comme l'adulte terne en hiver; plumes du dos et des ailes légèrement festonnées.

Alimentation : pour se nourrir, court, s'arrête, saisit une proie et recommence à courir. Déloge aussi parfois des proies en faisant vibrer l'une de ses pattes sur le sol. En migration et en hiver, mange surtout des vers marins.

Nidification : nid, légère dépression pouvant contenir des morceaux de coquillages ou d'herbe, dans un endroit sablonneux ou là où il y a du gravier. Oeufs : 4, brun chamois à taches foncées; I : 23 à 25 jours; E : 21 à 31 jours, nidifuge; C : 1.

Autres comportements : lorsqu'ils se nourrissent, ces petits pluviers laissent une certaine distance entre eux et défendent l'endroit qu'ils ont choisi. On les observe parfois qui courent sur les plages de sable dégagées en compagnie des Bécasseaux sanderling. Ils ont tendance à se reposer en petits groupes isolés.

Habitat : passe l'été dans la toundra; hiverne sur les rives boueuses, les vasières et les plages de sable.

Voix : sifflement clair et ascendant, *tchiuît*; aussi, lorsqu'il défend un territoire de chasse, gloussement accéléré.

Protection :
CWS: E→ C→ CBC: ↑

Pluvier siffleur

Charadrius melodus Piping Plover

Été

Hiver

Identification : 18 cm. En tous plumages, **dessus couleur sable pâle; collier complet ou incomplet, bec court et épais. ÉTÉ : bec orange à bout noir; pattes orange vif;** collier noir, barre en travers du front noire. Chez la femelle, motifs moins nets que chez le mâle. **HIVER : bec entièrement noir;** pattes orange pâle; collier et front couleur sable pâle. **AU VOL :** remarquer la base de la queue qui est blanche. **JUV. AUT. :** ressemble aux adultes en hiver.

Alimentation : se nourrit de crustacés, de mollusques, de larves de mouches et de vers marins ainsi que d'autres petits animaux marins et de leurs oeufs.

Nidification : nid, trou dans le sable, parfois garni de coquillages et de galets; sur une plage de sable ou de galets, au-dessus de la limite des hautes eaux, ou bien sur la rive d'un lac. Oeufs : 3 ou 4, gris à chamois à mouchetures foncées; I : 26 à 28 jours; E : 21 à 28 jours, nidifuge; C : 1.

Autres comportements : territorial lorsqu'il niche, les nids étant espacés d'au moins 60 m. Pendant la migration et en hiver, s'observe seul ou en petites bandes.

Habitat : plages de sable, rives de lacs.

Voix : sifflement *(pîp)* ou un *pîp-lo* en deux parties.

Protection :
CWS: E ↓ C ↓ CBC: ↓
Population de l'intérieur du continent en danger de disparition aux États-Unis et au Canada. Destruction de l'habitat par les constructions, les véhicules et les activités humaines sur les plages.

Pluvier kildir

Charadrius vociferus

Killdeer

Identification : 25 cm. En Amérique du Nord, le seul pluvier ayant **2 colliers.** Le **croupion brun-roussâtre** clair est très visible lorsque l'oiseau vole ou exécute une parade. Dessus brun foncé, dessous blanc. JUV. AUT. : comme l'adulte, mais les plumes du dos et des ailes sont bordées de chamois; ces bordures disparaissent par usure en automne.

Alimentation : mange surtout des insectes.

Nidification : nid, dépression creusée dans le sol nu, orné de galets. Oeufs : 3 ou 4, brun pâle à taches plus foncées; I : 24 à 28 jours; E : 25 jours, nidifuge; C : 1 ou 2.

Autres comportements : le plus souvent, les observateurs le rencontrent non sur les plages mais en milieu suburbain. Niche sur les terrains de sport, dans les champs, sur les pelouses, sur les toits couverts de gravier ou dans n'importe quel endroit où la végétation est courte et clairsemée. Parfois très bruyant, peut émettre divers cris lorsqu'il vole ou au sol lors d'interactions territoriales. Cet oiseau est connu pour sa «feinte de l'aile cassée» : pour éloigner le prédateur éventuel de son nid ou de ses petits, il fait semblant d'être blessé et court sur le sol en laissant traîner une aile.

Habitat : terrains dégagés avec du gravier ou de l'herbe courte; milieux suburbains ou ruraux.

Voix : nombreux cris variés. Le cri le plus souvent entendu est un *kildîîr* en deux parties qui est répété plusieurs fois.

Protection :
BBS: E ↑ C ↓ CBC:→

Pluvier montagnard

Charadrius montanus Mountain Plover

Été

Identification : 20 cm. ÉTÉ : **front blanc surmonté d'une barre noire; grands yeux foncés; dessous blanc uni;** ligne noire entre l'oeil et le bec qui est noir. HIVER : comme en été, mais sans les marques foncées sur le front et devant l'oeil; poitrine chamois.

Alimentation : mange des insectes, surtout des sauterelles et des coléoptères.

Nidification : nid, dépression creusée sur le sol nu, garni d'herbe, de radicelles et de copeaux de bouse de vache. Oeufs : 3 ou 4, olive à mouchetures; I : 28 à 31 jours; E : 33 à 34 jours, nidifuge; C : 2.

Autres comportements : habite les champs et les plaines à herbe courte et non les montagnes. Lorsqu'on l'approche, se sauve en marchant. La femelle s'accouple parfois avec plusieurs mâles. Elle laisse le mâle assurer l'incubation de la première couvée, puis elle s'accouple avec un autre mâle et incube elle-même la seconde couvée. En hiver, les troupes peuvent compter des centaines d'individus.

Habitat : en été, prairies sèches, plaines à herbe courte; en hiver : champs labourés.

Voix : sifflement grave et prolongé.

Protection :
BBS: E C ⇓ CBC:→
En danger de disparition dans la Prairie canadienne où l'habitat est détruit par les constructions. Les études montrent que l'aire de distribution et la population ont diminué de 50 à 90 %.

Huîtrier d'Amérique

Haematopus palliatus American Oystercatcher

Identification : 48 cm. **Long bec rouge vif, tête noire, dos brun foncé, ventre blanc.** AU VOL : en tous plumages, du blanc à la naissance de la queue, barre alaire blanche sur les rémiges proximales. IMM. : plumes de la tête et du dos brunes, bec brunâtre avec un peu de rouge à la racine. Garde son plumage imm. 1 an.

Alimentation : mange surtout des huîtres mais aussi des palourdes et d'autres bivalves. Se nourrit soit en perçant, soit en martelant sa proie. Dans le premier cas, coupe les muscles adducteurs de l'huître ouverte, puis insère son bec fermé dans la coquille pour l'ouvrir. Dans le deuxième cas, il frappe l'huître fermée de façon répétée pour la percer, puis il coupe le muscle adducteur et force la coquille à s'ouvrir. Ces techniques sont apprises par les jeunes qui imitent leurs parents.

Nidification : nid garni d'aucun matériau, dans une dépression peu profonde, sur un petit monticule de sable, sur une plage dégagée, au-dessus de la ligne des hautes eaux. Oeufs : 2 à 4, chamois à éclaboussures brunes; I : 24 à 29 jours; E : 35 jours, nidifuge; C : 1.

Autres comportements : voyant et bruyant. En hiver, se nourrit en petites troupes. Après l'éclosion, les jeunes sont nourris par les adultes pendant 60 jours parce que leur bec n'est pas encore assez solide pour ouvrir les huîtres.

Habitat : îles côtières, plages et vasières.

Voix : un *ouîp ouîp* fort; aussi un cric plus court.

Protection :
BBS: E ⇑ C CBC: ↑
L'aire de distribution s'est étendue aux états de New York et du Massachusetts où l'espèce nichait au XIXe siècle.

Échasse d'Amérique

Himantopus mexicanus Black-necked Stilt

Femelle

Identification : 36 cm. **Dessus noir, dessous blanc, longues pattes roses.** MÂLE : parties foncées entièrement noires. FEMELLE : parties foncées brun foncé et délavées à la fin de l'été.

Alimentation : se déplace par longues enjambées et saisit ses proies à l'aide de son long bec en aiguille à la surface de l'eau ou juste au-dessous ou bien sur les rivages boueux. Sur ses longues pattes, s'avance dans l'eau jusqu'au ventre. Mange des larves, nymphes et adultes et de nombreux insectes aquatiques, surtout des mouches (Ephydridae). Se nourrit également d'écrevisses, de petits poissons et de graines.

Nidification : en petites colonies, habituellement dans un endroit marécageux. Nid, dépression dans le sol, garni de branches, de coquillages et de boue, sur un monticule ou une petite île. Oeufs : 3 ou 4, chamois à taches foncées; I : 25 jours; E : 28 jours, nidifuge; C : 1.

Autres comportements : d'une année à l'autre, adopte parfois un nouveau site de nidification si l'ancien est asséché ou devient trop inondé.

Habitat : eau peu profonde dans les marais, fossés, étangs, bassins d'eau salée ou champs.

Voix : *kek kek kek* fort.

Protection :
BBS: E ⇑ C ⇓ CBC: ⇑

Avocette d'Amérique

Recurvirostra americana American Avocet

Mâle (g.), femelle (d.) en été

Hiver

Identification : 46 cm. **Long bec fin retroussé, du noir sur les ailes et le dos, corps blanc.** Le bec de la femelle est plus court et plus retroussé. **ÉTÉ : tête et cou cannelle vif. HIVER : tête et cou blanchâtres. AU VOL :** motif frappant blanc et noir sur les ailes et le dos.

Alimentation : se nourrit en bandes. Enfonce son bec dans l'eau et l'agite d'un côté à l'autre pour chercher ses proies. Peut nager en eau profonde. Mange des crustacés, poissons, insectes aquatiques et graines.

Nidification : habituellement en colonies. Nid, dépression peu profonde garnie de très peu de matériaux, à découvert sur une vasière, dans un marais ou sur une plage. Si le niveau de l'eau monte, rehausse parfois son nid à l'aide de branches et d'herbes. Oeufs : 4, olive à taches foncées; I : 23 à 25 jours; E : 27 à 35 jours, nidifuge; C : 1.

Autres comportements : dans les colonies où elle niche, bruyante et agressive; pique sur les intrus. Généralement silencieuse en migration. Espèce des lacs salés. Grand rassemblement au Grand Lac Salé où, pendant l'été, on peut observer des centaines de milliers d'individus.

Habitat : passe l'été sur les îles des lacs peu profonds de l'intérieur; hiverne sur la côte, dans les endroits plats.

Voix : un *klîît* fort et perçant.

Protection :
BBS: E C ↑ CBC: ↓

Grand Chevalier

Tringa melanoleuca Greater Yellowlegs

Été

Juvénile en automne

Identification : 36 cm. **Longues pattes jaunes à orange; dessus foncé à marques blanchâtres. Se reconnaît du Petit C., qui lui ressemble, par sa taille.** Lorsque les deux espèces sont ensemble (le Petit C. est nettement plus petit) et par la **proportion entre la taille du bec et celle de la tête** lorsque l'espèce est seule. Chez le Grand C., le bec est environ une fois et demie plus long que la tête; chez le Petit C., il est à peu près de la même longueur que celle-ci. Voir aussi la voix. **ÉTÉ : tête et cou fortement rayés de noir, grosses barres noires sur les flancs. HIVER : entièrement grisâtre, rayures peu marquées sur la tête et le cou; bec foncé, gris près de la racine. JUV. AUT. :** ressemble à l'adulte en hiver, mais rayures noires nettes et fines sur la poitrine; fines mouchetures sur le dos.

Alimentation : se nourrit dans l'eau, souvent en courant çà et là. Picore ou effleure la surface ou bien, dans l'eau, fait des mouvements de balayage avec son bec. Mange des poissons, insectes, vers, gastéropodes et baies.

Nidification : nid, dépression dans le sol. Oeufs : 4, chamois tacheté; I : 23 jours; E : 18 à 20 jours, nidifuge; C : 1.

Autres comportements : on aperçoit régulièrement les deux chevaliers ensemble. Habituellement seul ou en petites bandes.

Habitat : passe l'été dans les tourbières de la forêt subarctique; hiverne dans les marais côtiers.

Voix : suite descendante de 3 ou 4 notes, *klîou klîou klîou*.

Protection :
CWS: E→ C→ CBC: ↑

Petit Chevalier

Tringa flavipes Lesser Yellowlegs

Été

Juvénile en automne

Identification : 25 cm. **Longues pattes jaunes à orange; marques blanchâtres sur le dessus, qui est foncé. Se reconnaît du Grand C., qui lui ressemble, par la taille** lorsque les deux espèces sont ensemble (le Grand C. est nettement plus grand) et par la **proportion entre la longueur du bec et celle de la tête** lorsque l'espèce est seule. Le bec du Petit C. est à peu près aussi long que la tête, alors que celui du Grand C. est environ une fois et demie plus long. Voir aussi la voix. ÉTÉ **: tête et cou avec de fines rayures noires; flancs avec de légères barres noires.** HIVER **: dessus grisâtre, rayures peu marquées sur la tête et le cou; bec entièrement noir.** JUV. AUT. **:** ressemble à l'adulte en hiver, sauf la poitrine qui porte des rayures brunâtres indistinctes; mouchetures fines sur le dos.

Alimentation : se nourrit en eau peu profonde, marchant et sondant méthodiquement; rarement aussi agité que le Grand C. Mange des poissons, insectes, vers, gastéropodes et baies.

Nidification : nid, dépression dans le sol, garni d'herbe. Oeufs : 4, chamois-jaune tacheté; I : 22 ou 23 jours; E : 18 à 20 jours, nidifuge; C : 1.

Autres comportements : en hiver, défend parfois ses territoires d'alimentation.

Habitat : passe l'été dans les tourbières de la forêt subarctique; hiverne dans les marais côtiers.

Voix : *tiu tiu,* habituellement en 2 parties, moins musical que le cri du Grand C.

Protection :
CWS: E→ C→ CBC: ↑

Chevalier solitaire

Tringa solitaria Solitary Sandpiper

Été

Identification : 20 cm. Souvent observé seul ou en petits groupes près des étangs d'eau douce ou des mares. ÉTÉ : **tête et cou rayés de brun; ailes foncées à mouchetures blanchâtres; pattes verdâtres; cercle oculaire blanc voyant;** hoche la tête de façon répétée. Le Petit C., qui lui ressemble, a des pattes jaunes et un cercle oculaire plus fin. HIVER : **ressemble au plumage d'été, mais la tête et le cou semblent brun-gris sans rayures.** AU VOL : ailes entièrement foncées dessus et dessous. Côtés de la queue barrés.

Alimentation : se nourrit en eau peu profonde, saisit ses proies à la surface ou sonde dans l'eau ou la boue. Marche aussi parfois dans l'eau en agitant une patte devant lui pour déloger les insectes du fond. Mange des insectes aquatiques, sauterelles, petits crustacés et grenouilles.

Nidification : ajoute quelques matériaux au nid abandonné d'une autre espèce comme le Quiscale bronzé, le Merle d'Amérique ou le Quiscale rouilleux. Nid dans un conifère jusqu'à une hauteur de 11 m. Oeufs : 4, chamois-verdâtre à taches foncées; I : 23 ou 24 jours; E : ?, nidifuge; C : 1.

Autres comportements : s'observe souvent près des petites flaques d'eau boueuses, partiellement asséchées à la fin de l'été.

Habitat : passe l'été dans les tourbières boréales; hiverne sur les petits étangs.

Voix : 3 notes aiguës, *ouît, ouît, ouît.*

Protection :
CWS: E ↓ C→ CBC: ↓

Chevalier semipalmé

Catoptrophorus semipalmatus Willet

Été

Hiver

Hiver

Identification : 38 cm. **ÉTÉ : long bec droit plutôt épais, longues pattes grisâtres, rayures brunes sur la tête et le cou; barres brunes sur la poitrine. HIVER : corps brun-gris uni dessus, blanchâtre dessous. AU VOL : sur l'aile noire, bande alaire blanche très visible,** distinctive.

Alimentation : se nourrit sur les vasières et les étendues de sable en sondant avec son bec. Mange des insectes, crustacés, mollusques, herbes et graines.

Nidification : nid, trou garni d'herbes sèches et de carex, dans un endroit dégagé jusqu'à une distance de plusieurs centaines de mètres de l'eau; souvent caché par les herbes. Oeufs : 4, olive à taches foncées. I : 22 à 29 jours. E : ?, nidifuge; C : 1.

Autres comportements : sur le site de nidification, le C. semipalmé est assez bruyant. Pendant ses parades aériennes, fait voir le blanc de ses ailes. Émet son *cri pîll ouîll ouîllet* au sol ou en vol. Se perche dans les arbres et sur les poteaux de clôture pour surveiller les intrus et pousser des cris d'alarme. Aire de distribution en expansion dans l'Est.

Habitat : en été, marais côtiers dans l'Est et marais de prairie dans l'Ouest; hiverne dans les marais côtiers, sur les plages et les vasières.

Voix : cri sur le site de nidification, *pîll ouîll ouîllet;* d'où le nom de willet qu'on lui donne en anglais; cri d'alarme : *kip-kip-kip.*

Protection :
CWS: E→ C→ CBC: ↓

Chevalier grivelé

(Chevalier branlequeue)

Actitis macularia

Spotted Sandpiper

Été

Hiver

Identification : 20 cm. Le vol et les hochements de queue distinctifs permettent d'identifier cet oiseau. **ÉTÉ : dessous blanc à gros points foncés; marche tout en hochant sans cesse la queue;** bec orange-rosâtre à bout plus foncé. Motifs plus voyants chez la femelle que chez le mâle. **HIVER : dessus grisâtre, dessous blanc pur; bec foncé. AU VOL : pendant le vol, les ailes sont raides et battent tout en gardant la forme d'un arc de cercle peu prononcé.**

Alimentation : se nourrit au bord de l'eau, mange des mouches, vers, petits crustacés, poissons et coléoptères.

Nidification : nid, dépression peu profonde, garni de quelques herbes. Oeufs : 4, chamois à taches brunes; I : 21 jours; E : 21 jours, nidifuge; C : 1 à 5.

Autres comportements : surtout commun sur les lacs et les ruisseaux de l'intérieur où il niche en été; moins commun sur la côte. Dans la plupart des cas, les C. grivelés sont polyandres, la femelle étant appariée avec 2 mâles ou plus. Elle courtise un mâle, pond une couvée dont il assure l'incubation et les soins, puis elle le quitte pour aller courtiser un autre mâle. On a signalé des femelles qui se sont accouplées avec 4 ou 5 mâles.

Habitat : passe l'été le long des cours d'eau, des lacs et de la côte; hiverne au bord des étendues d'eau douce ou salée.

Voix : lorsqu'il est inquiet ou lors d'attaques, séries de sifflements courts *(ouîît ouîît ouîît)*. Pendant la parade nuptiale : *pît-uît, pît-uît*.

Protection :
CWS: E→ C→ CBC: ↑

Maubèche des champs

Bartramia longicauda Upland Sandpiper

Identification : 30 cm. En proportion, **petite tête et gros oeil foncé; court bec jaune, pattes jaunes et long cou; la longue queue** dépasse nettement le bout des ailes lorsque l'oiseau se tient debout. **AU VOL :** barres brunes et blanches grossières sur le dessous de l'aile; après s'être posée, garde les ailes au-dessus du dos pendant un court instant.

Alimentation : se nourrit dans les prairies. Mange des vers, sauterelles, coléoptères et autres insectes.

Nidification : parfois en colonies lâches. Nid, dépression, garni d'herbes, sur une prairie, dans un pré ou un champ. Oeufs : 4, chamois crème; I : 21 à 27 jours; E : ?, nidifuge; C : ?

Autres comportements : sur le site de nidification, effectue des parades aériennes et au sol. Après s'être posée, garde souvent les ailes en l'air. Se perche sur les poteaux de clôture. Se montre parfois confiante.

Habitat : prairies et prés.

Voix : en vol, *pulip, pulip*; sur le site de nidification, une sorte de sifflement admiratif et nasillard.

Protection :
CWS: E ↓ C ↓

Courlis corlieu

Numenius phaeopus Whimbrel

Identification : 43 cm. Gros oiseau de rivage brun; **long bec courbé vers le bas; 2 rayures foncées sur la couronne;** bandeau foncé passant sur l'oeil. **AU VOL :** dessous des ailes brun et ventre pâle.

Alimentation : se nourrit dans les zones humides, dans les prairies et sur les rivages. Sonde ou saisit de son bec les insectes, vers marins, crustacés et mollusques. Mange également des crabes appelants et, dans l'Arctique, des baies.

Nidification : nid, dépression dans la toundra, la lande ou une tourbière. Oeufs : 4, olive-verdâtre à taches; I : 22 à 24 jours; E : 35 à 42 jours, nidifuge; C : 1.

Autres comportements : forme de grandes troupes en migration ainsi que le soir, dans les dortoirs. Défend un territoire de chasse individuel à marée basse, puis se repose en groupe à marée haute. Parcourt parfois de longues distances au vol entre le site d'alimentation et le dortoir.

Habitat : passe l'été dans la toundra; hiverne au bord des plans d'eau douce ou salée et dans les champs.

Voix : sifflement fort et répété, *ouî ouî ouî ouî ouî*, et nombreux autres cris.

Protection :
CWS: E→ C→ CBC: ↓

Courlis à long bec

Numenius americanus Long-billed Curlew

Identification : 58 cm. **bec extrêmement long, courbé vers le bas,** d'une longueur supérieure à la moitié du corps; **fines rayures brunes sur la couronne;** cou et dessous lavés de cannelle. Bec de la femelle beaucoup plus long que celui du mâle. **AU VOL :** dessous des ailes cannelle. **JUV. AUT. :** ressemble à l'adulte, mais bec plus court pendant les quelques premiers mois; à ce moment-là, le bec n'est pas beaucoup plus long que celui d'un C. corlieu.

Alimentation : sonde la boue à la recherche de crabes et d'autres invertébrés. Mange également des sauterelles, coléoptères et insectes ainsi que les oeufs d'autres oiseaux.

Nidification : nid, légère dépression, garni d'herbes et de copeaux de bouse de vache, dans une prairie ou un endroit où l'herbe est courte. Oeufs : 4, blanc à chamois ou olive à taches brunes. I : 27 à 30 jours; E : 32 à 45 jours, nidifuge; C : 1.

Autres comportements : sur le site de nidification, effectue des parades aériennes en montagnes russes. Se nourrit en groupe et vole en formations linéaires.

Habitat : passe l'été dans les prairies; hiverne dans les champs, les vasières et les prairies de la côte.

Voix : *keurliiiiou* fort et ascendant.

Protection :
CWS: E C ↓ CBC: →

Barge hudsonienne

Limosa haemastica Hudsonian Godwit

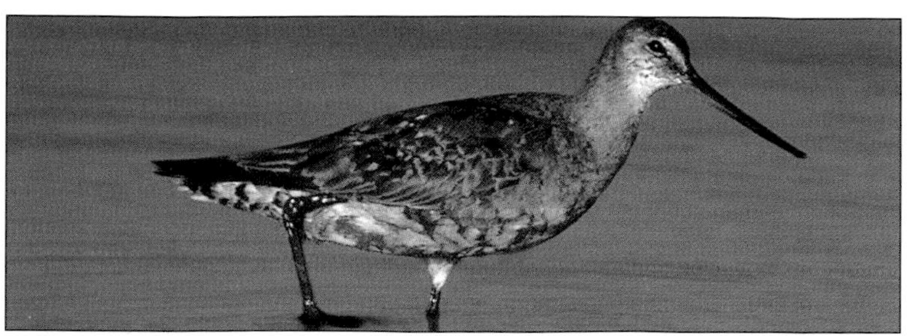

Transition avant le plumage d'hiver

Été

Juvénile en hiver

Identification : 38 cm. ÉTÉ : **gros** oiseau de rivage; **long bec légèrement retroussé, rose près de la racine;** corps brun dessus, dessous brun-roussâtre à barres foncées en quantité variable. Femelle plus grosse que le mâle, bec plus long et dessous plus pâle. HIVER : **bec comme en été;** corps gris dessus, blanc dessous. AU VOL : en tous plumages, **queue noire, croupion blanc, sous-alaires noires, bande alaire blanche.** JUV. AUT. : dos et ailes brun foncé, bordure des ailes plus claire; poitrine brun-grisâtre clair.

Alimentation : se nourrit en sondant en eau peu profonde, sur les plages et les vasières. Mange des crustacés, mollusques, vers marins et insectes.

Nidification : nid, dépression en soucoupe, garni de feuilles mortes, sur une surface humide dans une tourbière ou un marais, ou sur un monticule sec, souvent près de bouleaux. Oeufs : 4, olive-brunâtre avec des taches; I : 22 ou 23 jours; E : 25 à 30 jours, nidifuge; C : 1.

Autres comportements : migration d'automne spectaculaire; la plupart des individus vont de la baie d'Hudson à la Patagonie et à la Terre de Feu. Vole souvent plus de 4800 km sans escale. Hiverne à l'extrémité sud de l'Amérique du Sud. Au printemps, migre en passant par le centre de l'Amérique du Nord.

Habitat : passe l'été dans la toundra près de la ligne des arbres; hiverne sur les vasières et dans les champs inondés.

Voix : sur le site de nidification, un *kwî kwîp* fort.

Protection :
CWS: E → C→
Pendant la migration printanière, s'arrête au Texas, en Louisiane et au Canada dans des haltes migratoires où elle peut s'alimenter.

Barge marbrée

Limosa fedoa — Marbled Godwit

Été

Hiver

Identification : 46 cm. Gros oiseau de rivage; **long bec légèrement retroussé, rose près de la racine; dos et ailes cannelle, tachés de noir.** **ÉTÉ :** dessous densément strié. **HIVER :** dessous chamois sans barres. **AU VOL : dessous des ailes cannelle. JUV. AUT. : ressemble à l'adulte.**

Alimentation : sur les vasières intertidales, sonde avec son bec à la recherche de vers, mollusques et crustacés. Mange également des sauterelles ainsi que des graines et des tubercules de potamots et de carex.

Nidification : semi-coloniale. Nid : creux garni de très peu de matériaux, dans une zone humide de la prairie. Oeufs : 4, brun-vert à taches foncées; I : 21 à 23 jours; E : 21 jours, nidifuge; C : 1.

Autres comportements : pendant la nidification, les mâles effectuent des parades aériennes en cercles. S'observe habituellement en petits groupes.

Habitat : passe l'été dans les prairies humides; hiverne sur la côte.

Voix : pendant la nidification, *keur-ouît.*

Protection :
CWS: E ↓ C ↓ CBC: ↓

Tournepierre à collier

Arenaria interpres Ruddy Turnstone

Été

Hiver

Identification : 24 cm. Adultes en tous plumages : **bavette noire et pattes orange. ÉTÉ : tête blanche, du marron vif sur le dos et les ailes.** Chez la femelle, la tête et la nuque tendent à être plus lavées de brun et la couronne plus rayée. **HIVER : ailes, tête et dos bruns;** 2 taches blanches entourées par la bavette. **AU VOL :** rayures blanches très visibles sur les ailes et le dos.

Alimentation : se nourrit en retournant les cailloux, les coquillages, la terre, les algues et les autres objets à l'aide de son bec solide. Creuse également dans le sable avec son bec. Mange des puces de mer, mollusques, crustacés, insectes et vers.

Nidification : nid, dépression peu profonde, garni de mousse, d'herbes, de feuilles et d'algues, près d'un rocher ou de plantes. Oeufs : 3 ou 4, olive-verdâtre à taches foncées; I : 22 à 24 jours; E : 19 à 21 jours, nidifuge; C : 1.

Autres comportements : se nourrit seul, en petits groupes ou avec les troupes d'autres oiseaux de rivage. Mange parfois les oeufs des oiseaux de mer coloniaux dans l'Ouest et fréquente les dépotoirs dans le Nord. Pendant la migration printanière, la population de l'Est est largement tributaire de la baie de la Delaware pour son alimentation.

Habitat : passe l'été dans la toundra du haut Arctique; hiverne sur les plages de sable ou de galets.

Voix : appel entendu souvent, *toc-a-toc* grinçant. Émet aussi une note grave saccadée ou un *toc* bas.

Protection :
CWS: E→ C→ CBC: ↑

Bécasseau maubèche

Calidris canutus Red Knot

Été

Hiver

Identification : 28 cm. **Été : face et dessous brun-roussâtre; dos gris, noir et roux; bec court et droit** (à peu près aussi long que la tête); pattes gris foncé. **Hiver : dos gris** uni; **poitrine grise, ventre blanc;** pattes verdâtres.

Alimentation : sur les plages et dans les endroits boueux, se nourrit de mollusques, de vers, de poissons et d'oeufs de limule ainsi que de graines.

Nidification : nid, creux garni de feuilles et de lichens, haut dans la toundra rocailleuse. Oeufs : 4, olive-chamois, mouchetés de brun; I : 21 ou 22 jours; E : 18 jours, nidifuge; C : 1.

Autres comportements : se nourrit et se repose en troupes compactes de centaines d'individus. Peut s'associer avec d'autres oiseaux de rivage (Tournepierres à collier, Bécasseaux variables et Pluviers argentés). Comme les Barges hudsoniennes et plusieurs autres espèces d'oiseaux de rivage, ces oiseaux parcourent au vol des distances incroyables (plus de 3200 km) au-dessus de l'eau pendant leur migration automnale entre la baie d'Hudson et l'Amérique du Sud. La migration printanière se fait principalement le long de la côte est, où la baie de la Delaware constitue une halte stratégique où les oiseaux peuvent s'alimenter.

Habitat : passe l'été dans la toundra; hiverne sur les plages et les vasières de la côte.

Voix : lorsqu'il s'alimente, *knout* grave et grinçant; au vol, *kurit* doux.

Protection :
CWS: E ↓ C→ CBC: ⇑

Bécasseau sanderling

Calidris alba — Sanderling

Été

Hiver

Juvénile en automne

Identification : 20 cm. Le plus souvent observé en plumage d'hiver, **suivant la limite des vagues** sur les plages de sable. **ÉTÉ : dessus roussâtre à brun-orange avec des rayures brunes plus foncées; ventre blanc, pattes noires. HIVER : dessus gris pâle, dessous blanc, pattes noires;** épaule noire souvent visible. Bec droit relativement court. **AU VOL :** en tous plumages, bande alaire blanche nette. **JUV. AUT. :** comme l'adulte en hiver mais plus foncé dessus, le gris étant mêlé de brun et de noir.

Alimentation : sur les plages et les vasières. Sonde avec son bec. Mange de tout petits crustacés, des mollusques, vers marins et insectes.

Nidification : nid, dépression creusée dans la toundra sèche. Oeufs : 4, vert olive à taches foncées; I : 24 à 31 jours; E : 17 jours, nidifuge; C : 1 ou 2.

Autres comportements : ces petits bécasseaux suivent toujours les vagues en courant çà et là à toute allure comme des jouets à ressort. Sur le site de nidification, la femelle est parfois polyandre; elle pond plusieurs couvées, chacune de celles-ci étant prise en charge par un mâle différent.

Habitat : passe l'été dans la toundra arctique; hiverne sur les côtes sablonneuses.

Voix : en vol, *kip* pas très fort.

Protection :
CWS: E ↓ C→ CBC: ↓
Importante diminution des populations, qui a atteint 80 % pendant les 10 dernières années dans l'Est.

Bécasseau semipalmé

Calidris pusilla — Semipalmated Sandpiper

Été

Hiver

Juvénile en automne

Identification : 16 cm. En tous plumages, **pattes foncées, bec court relativement droit à bout arrondi; brun-gris. ÉTÉ : dos brun-grisâtre** avec un peu de noir mais sans brun-roussâtre; **poitrine blanchâtre;** peu ou pas de rayures sur les flancs. **HIVER : dessus brun-grisâtre uni, légères rayures sur la poitrine. JUV. AUT. :** dessus brun-grisâtre, plumes du dos à pointe noire et bordures pâles. La calotte finement rayée et plus foncée fait que le sourcil paraît clair. Variable, le dos de certains individus étant plutôt brun-roussâtre.

Alimentation : se nourrit sur les étendues de sable ou de boue, tête baissée et attrapant ses proies d'un geste brusque. Mange des crustacés, mollusques, vers marins et insectes aquatiques.

Nidification : nid, dépression sur un terrain plat, souvent près d'un bouleau. Oeufs : 4, chamois à jaune avec des taches foncées; I : 18 à 22 jours; E : 19 jours, nidifuge; C : 1.

Autres comportements : grégaire. Dans l'Est, s'observe parfois en troupes immenses dans les endroits où il se nourrit, le long de sa route de migration. Dans l'Ouest, rare en migration.

Habitat : passe l'été dans la toundra; hiverne sur les étendues intertidales.

Voix : cri souvent entendu en vol, *tchirt* bas.

Protection :
CWS: E ↓ C→ CBC: ⇓
Diminution récente des populations. Pendant la migration, deux sites essentiels à la survie de l'espèce sont la baie de la Delaware au printemps et la baie de Fundy en automne.

Bécasseau d'Alaska

Calidris mauri — Western Sandpiper

Été

Hiver

Juvénile en automne

Identification : 15 cm. En tous plumages, **pattes foncées, bec pointu relativement long, habituellement tombant vers le bas à l'extrémité. ÉTÉ : marques contrastantes brun-roussâtre à l'épaule; du brun-roussâtre également sur la calotte et sur l'oreille.** Chevrons noirs à partir de la poitrine et sur les flancs. HIVER : dessus brun grisâtre uni, poitrine légèrement rayée. Le bec et la voix sont les caractères qui permettent le mieux de le reconnaître du B. semipalmé. JUV. AUT. : plumes à bordure rouille contrastante, habituellement visibles sur les côtés du dos, qui est grisâtre.

Alimentation : se nourrit souvent en eau plus profonde ou plus loin sur les vasières que les B. semipalmé et minuscule. Mange des crustacés, mollusques, vers et insectes aquatiques.

Nidification : nid, dépression dans la toundra humide ou sur les pentes couvertes de mousse. Parfois caché sous les buissons. Oeufs : 4, chamois à taches brunes; I : 20 à 22 jours; E : 19 jours, nidifuge; C : 1.

Autres comportements : grégaire, peut former des troupes de milliers d'individus, surtout dans l'Ouest. Se montre parfois agressif lorsqu'il défend le territoire où il s'alimente; d'autres fois, se nourrit paisiblement.

Habitat : passe l'été dans la toundra; hiverne sur les plages et les vasières de la côte.

Voix : un *drîît* aigu.

Protection :
CBC: ↓

Bécasseau minuscule

Calidris minutilla — Least Sandpiper

Été

Hiver

Juvénile en automne

Identification : 15 cm. En tous plumages, **pattes jaunâtres ou verdâtres; court bec fin et pointu; le plus petit des «petits bécasseaux».** Lorsqu'il se nourrit, semble être accroupi. **ÉTÉ : dessus brun foncé; teinte de brun sur la poitrine, les rayures foncées se terminant brusquement en haut de la poitrine;** les plumes du côté du dos ont un centre noir. **HIVER : couleur plus grisâtre uniforme dessus, mais tout de même plus foncée que chez les autres petits bécasseaux en hiver, surtout sur la poitrine. JUV. AUT. :** ressemble à l'adulte en été, mais la poitrine n'est que légèrement rayée et lavée de chamois; couleurs chaudes dessus; rayures blanches bien visibles sur le dos.

Alimentation : on l'observe souvent qui se nourrit dans les endroits boueux et herbeux, plus près du rivage que les autres petits bécasseaux. Mange des insectes, mollusques, crustacés et vers marins.

Nidification : nid, dépression peu profonde dans une tourbière ou sur un terrain plus élevé. Oeufs : 4, chamois-rosâtre à taches foncées; I : 19 à 23 jours; E : ?, nidifuge; C : 1.

Autres comportements : se repose près des aires d'alimentation, seul ou en petits groupes, parmi la végétation du marais ou sur le haut de la plage.

Habitat : passe l'été dans la toundra et dans les tourbières près de la limite des arbres; hiverne dans les marais côtiers et de l'intérieur.

Voix : en vol, un *krîît* aigu.

Protection :
CWS: E ↓ C→ CBC: ↓

Bécasseau à croupion blanc

Calidris fuscicollis White-rumped Sandpiper

Été

Hiver

Juvénile en automne

Identification : 19 cm. En tous plumages, **les ailes dépassent la queue** lorsque l'oiseau est debout (également vrai du B. de Baird); **croupion blanc visible sur l'oiseau en vol** ou lorsqu'il lisse son plumage; nettement plus grand que les autres «petits bécasseaux», sauf le B. de Baird. **ÉTÉ : calotte et côtés du dos brun-roussâtre** (ressemble au B. d'Alaska en été); **les rayures de la poitrine se prolongent sur les flancs sous la forme de petits chevrons. HIVER :** dessus et poitrine grisâtre uni, sourcil blanc. **JUV. AUT. :** poitrine chamois à fines rayures; habituellement pas de rayures sur les flancs; dessus semblable à celui de l'adulte en été, mais couleurs plus riches.

Alimentation : se nourrit en sondant dans la boue ou l'eau peu profonde. Mange des vers marins, insectes et gastéropodes.

Nidification : nid fait d'herbe, de mousse et de feuilles, sur un monticule. Oeufs : 4, vert clair à taches foncées; I : 22 jours; E : 16 ou 17 jours, nidifuge; C : 1.

Autres comportements : s'observe en bandes de la même espèce ou en compagnie d'autres oiseaux de rivage. Le mâle exécute des parades aériennes sur le site de nidification et il est polygyne.

Habitat : passe l'été dans la toundra, près de la côte; hiverne dans les zones boueuses, près de la côte.

Voix : *djîît* ténu.

Protection :
CWS: E→ C→ CBC: ⇓

Bécasseau de Baird

Calidris bairdii

Baird's Sandpiper

Été

Juvénile en automne

Identification : 18 cm. En tous plumages, **les ailes dépassent largement la queue** lorsque l'oiseau se tient debout (également vrai du B. à croupion blanc); **croupion foncé. ÉTÉ : face et poitrine lavées de chamois; sur la poitrine, fines rayures qui ne se prolongent pas sur les flancs;** sur le dos, les plumes à centre foncé semblent former des éclaboussures. **HIVER :** plumage qui apparaît sur les sites d'hivernage en Amérique du Sud et est observé pendant une courte période lorsque l'espèce revient en Amérique du Nord. Ressemble au plumage d'été, mais plus terne, plus pâle et avec moins de chamois. **JUV. AUT. :** plumage brun plus uni; les plumes à bordure claire font que le dos paraît festonné.

Alimentation : dans les zones humides et dans les prairies de l'intérieur, se déplace rapidement pour saisir ses proies. Mange des insectes.

Nidification : nid, dépression peu profonde dans la toundra. Oeufs : 2 à 4, rose à chamois-olive avec des taches; I : 19 à 21 jours; E : 16 à 20 jours, nidifuge; C : 1.

Autres comportements : s'observe en petits groupes ou seul. Les adultes migrent par l'intérieur des terres; les juvéniles passent par l'intérieur et le long des deux côtes.

Habitat : passe l'été dans la toundra; hiverne sur les lacs de l'intérieur et de la côte ainsi que dans les marais, sur les vasières et dans les prairies.

Voix : *prîît* grave et roulé ou *crrt* grinçant.

Protection :
CWS: E C→ CBC: ↓

Bécasseau à poitrine cendrée

Calidris melanotos — Pectoral Sandpiper

Adultes

Juvénile en automne

Identification : 23 cm. Le plus souvent observé dans les bordures herbeuses des marais d'eau douce ou salée et non sur les vasières en compagnie des autres oiseaux de rivage. En tous plumages, **rayures brunes serrées sur la poitrine s'arrêtant brusquement à la limite du ventre, qui est blanc;** pattes jaunâtres, bec légèrement tombant à l'extrémité. Le mâle est nettement plus grand et a la poitrine plus foncée que la femelle. Les plumages d'été et d'hiver sont semblables. **JUV. AUT. :** ressemble aux adultes, mais rayures plus fines sur la poitrine qui est chamois; les bordures blanches plus larges des plumes du dos forment 2 V blancs.

Alimentation : mange des insectes, des graines d'herbes, des vers et des crabes appelants.

Nidification : nid caché, coupe bien construite faite d'herbes et de feuilles, garni de matériaux plus fins, sur une partie élevée de la toundra ou dans une prairie. Oeufs : 4, olive-chamois pâle à éclaboussures brunes; I : 21 à 23 jours; E : 18 à 21 jours, nidifuge; C : 1.

Autres comportements : promiscuité dans la reproduction. Les mâles s'accouplent plusieurs fois, les femelles rendent visite à d'autres mâles. Sous la poitrine, le mâle a un sac aérien qui met en relief la limite des rayures et qu'il gonfle et dégonfle pendant la parade aérienne.

Habitat : passe l'été dans la toundra humide; hiverne le long des marais herbeux.

Voix : en vol, un *tcherk* grave. Pendant le vol de la parade nuptiale, le mâle émet un roucoulement (*oua*h) 2 ou 3 fois par seconde.

Protection :
CWS: E→ C→ CBC: ↓

Bécasseau violet

Calidris maritima Purple Sandpiper

Hiver

Identification : 23 cm. Oiseau de rivage foncé qu'on observe le plus souvent en hiver le long des rivages rocheux. ÉTÉ : **long bec fin légèrement recourbé, jaunâtre près de la racine; courtes pattes jaunes;** mouchetures brunes sur la poitrine et les flancs; fines rayures sur la poitrine et la tête, couronne chamois à rayures foncées. HIVER : **comme en été, mais tête et cou gris clair; dos gris; mouchetures grises sur le ventre qui est blanc.** AU VOL : dessus foncé et barre alaire blanche, du blanc sur les côtés du croupion. JUV. AUT. : ressemble à l'adulte en plumage nuptial mais plus brun dans l'ensemble et poitrine plus finement rayée.

Alimentation : se nourrit sur les rivages rocheux, les jetées, les brise-lames et les récifs où il sonde parmi les algues et dans les interstices. Mange des crustacés, mollusques, insectes, algues, herbes et graines.

Nidification : nid, creux garni d'herbes, parmi les bruyères basses de la toundra. Oeufs : 4, verdâtres à mouchetures brun foncé; I : 21 jours; E : 21 jours, nidifuge; C : 1.

Autres comportements : en hiver, s'observe en petites bandes, souvent en compagnie de Tournepierres à collier. Se montre confiant, mais les côtes rocheuses constituant son habitat le rendent difficile à approcher.

Habitat : passe l'été dans la toundra; hiverne sur les côtes rocheuses.

Voix : en vol, *ouîît* ou parfois un *ouîît ouit* en deux parties.

Protection :
CWS: E→ C CBC: ⇑

Bécasseau variable

Calidris alpina Dunlin

Été

Hiver

Transition avant l'hiver

Juvénile en automne

Identification : 20 cm. **Long bec à pointe tombante; pattes noires. ÉTÉ :** face et dessous blancs, **grande zone noire sur le ventre;** dos brun-roussâtre, calotte à rayures variables brun-roussâtre. **HIVER : uni, tête, cou et poitrine brun-gris; ailes et dos gris; ventre blanc. JUV. AUT. :** poitrine et tête chamois; dos brun-roussâtre; les mouchetures foncées alignées s'étendent du bas de la poitrine au ventre et aux flancs. On observe rarement ce plumage parce que les juvéniles muent pour prendre leur plumage d'hiver sur le site de nidification, avant de migrer vers le sud.

Alimentation : se nourrit surtout sur les vasières et parfois sur les plages. Avec son bec, sonde à la recherche de crustacés, mollusques, vers marins et insectes.

Nidification : nid placé sur un monticule. Oeufs : 4, verts à chamois-olive avec des mouchetures; I : 19 à 22 jours; E : 18 à 25 jours, nidifuge; C : 1.

Autres comportements : se repose sur les plages et dans les champs de l'arrière-pays. S'observe parfois en immenses troupes qui exécutent d'impressionnantes manoeuvres aériennes lorsqu'on les force à s'envoler ou qu'elles sont poursuivies par un prédateur.

Habitat : passe l'été dans la toundra; hiverne sur les plages et les vasières de la côte.

Voix : en vol, un *crîîî* discordant.

Protection :
CWS: E→ C CBC: ↓

Bécasseau à échasses

Calidris himantopus Stilt Sandpiper

Été

Hiver

Identification : 22 cm. **longues pattes verdâtres; long bec fin légèrement tombant** près du bout. **ÉTÉ : foncé, barres grossières sur la poitrine et le ventre; sourcil blanchâtre, tache auriculaire brun-roussâtre. HIVER : grisâtre, ventre et sourcil blancs. AU VOL :** en tous plumages, croupion blanc; pas de bande alaire. **JUV. AUT. :** dessus noir et brun, ventre blanc; les bordures chamois des plumes créent des festons accentués; sourcil blanchâtre.

Alimentation : se nourrit en troupes compactes. Sonde avec son bec et plonge parfois la tête sous l'eau. Mange de petits mollusques, des larves de moustiques, des vers et certaines parties de plantes aquatiques.

Nidification : nid, dépression creusée dans une prairie de carex relativement sèche. Oeufs : 4, vert pâle à olive avec des mouchetures; I : 19 à 21 jours; E : 17 à 18 jours, nidifuge; C : 1.

Autres comportements : se nourrit par des mouvements rapides ressemblant à ceux des bécassins, avec lesquels on l'observe souvent, mais il émerge complètement le bec plus souvent que ceux-ci. S'alimente également avec des groupes de la même espèce. Pour migrer, traverse les Prairies; en automne, les rares observations provenant de la côte ouest concernent surtout des juvéniles.

Habitat : passe l'été dans la toundra; hiverne sur les étangs et dans les marais voisins de la côte.

Voix : en vol, un *keurr* vibrant et roulé.

Protection :
CWS: E→ C→ CBC: ⥣

Bécasseau roussâtre

Tryngites subruficollis Buff-breasted Sandpiper

Adulte

Juvénile en automne

Identification : 20 cm. **Face, poitrine et ventre chamois** avec quelques mouchetures foncées sur les côtés de la poitrine; bec court, pattes jaunes. Plumages d'été et d'hiver semblables. Mâle beaucoup plus grand que la femelle. **AU VOL :** dessous des ailes blanc luisant. **JUV. AUT. :** ressemble à l'adulte mais les plumes du dos sont bordées de blanc et non de chamois.

Alimentation : se nourrit d'insectes, d'araignées et de graines de plantes aquatiques.

Nidification : nid, cavité peu profonde dans la toundra sèche. Oeufs : 4, blanc à chamois ou olive avec des mouchetures; I : ?; E : ?, nidifuge; C : 1.

Autres comportements : promiscuité dans la reproduction; les mâles font leur parade en groupe. Les femelles viennent s'accoupler avec eux, puis elles vont nicher à un autre endroit et élèvent leur couvée seules. En migration, passe surtout par le centre de l'Amérique du Nord; les rares observations faites sur les côtes concernent surtout des juvéniles pendant la migration d'automne.

Habitat : passe l'été dans la toundra sèche de l'Arctique; hiverne dans les secteurs à herbe courte et dans les endroits secs au bord des lacs.

Voix : en vol, un *prîît* bas.

Protection :
CWS: E C ↓
Presque exterminé par la chasse à la fin du XIXe siècle.

Combattant varié

(Bécasseau combattant)

Philomachus pugnax

Ruff

Mâle en été

Juvénile en automne

Identification : 25 à 31 cm. Espèce eurasienne rare en migration sur les deux côtes, occasionnelle ailleurs en Amérique du Nord. Plumage extrêmement variable, mais sa silhouette permet de le reconnaître. **Petite tête, long cou, gros corps trapu; bec relativement court et légèrement tombant.** **ÉTÉ :** les mâles varient du blanc au roux et au noir; au niveau des oreilles, ils ont des aigrettes qui sont érectiles, tout comme les plumes de leur cou. Femelle foncée à ventre clair; éclaboussures noires sur la poitrine et les flancs. **HIVER :** dessus gris-brun, dessous blanchâtre; quelques marbrures brun-grisâtre sur la poitrine. Femelle comme le mâle, mais plus petite. **JUV. AUT. :** plumes du dos foncées bordées de chamois; tête et poitrine non rayées et chamois.

Alimentation : mange des insectes aquatiques, mollusques et crustacés.

Nidification : creux garni d'herbes, dans un marais de la toundra. Oeufs : 4, verdâtres; I : 20 à 23 jours; E : 25 à 27 jours, nidifuge; C : 1.

Autres comportements : les mâles font leur parade nuptiale sur un site commun appelé arène. Les mâles les plus foncés occupent le centre de l'arène et les plus pâles les bords. Les femelles viennent alors s'accoupler avec un ou plusieurs d'entre eux.

Habitat : passe l'été en Eurasie; en migration, s'observe sur les prairies, dans les bassins d'eau douce ou salée et sur les vasières.

Voix : habituellement silencieux.

Protection : CBC: ↓

Bécassin roux

(Bécasseau roux)

Limnodromus griseus

Short-billed Dowitcher

Griseus en été

Hiver

Hendersoni en été

Juvénile en automne

Identification : 28 à 29 cm. **Taille moyenne; long bec droit, pattes verdâtres.** Il existe trois sous-espèces. **ÉTÉ :** *L. g. griseus* (dans le Nord-Est, vers le sud jusqu'au New Jersey) : poitrine, éclaboussures orange et mouchetures noires denses; ventre blanc. *L. g. hendersoni* (Middle West et Sud-Ouest au sud du New Jersey) : poitrine et ventre brun-roussâtre avec très peu de mouchetures foncées. *L. g. caurinus* (à l'ouest des Rocheuses) : habituellement, beaucoup de mouchetures dessous, du blanc seulement sur le bas du ventre. **HIVER :** dessus brun-gris, dessous blanchâtre. **La voix** est le caractère qui permet le mieux de distinguer le B. roux du B. à long bec. **JUV. AUT. :** plumes du dos, larges bordures et marques intérieures chamois roussâtre; poitrine chamois à taches plus foncées.

Alimentation : se nourrit en sondant par des mouvements rapides de machine à coudre. Mange des vers marins, des mollusques et quelques insectes.

Nidification : creux dans la mousse ou dans une prairie humide. Oeufs : 4, vert-chamois, tachetés; I : 21 jours; E : ?, nidifuge; C : 1.

Autres comportements : se repose en groupes nombreux.

Habitat : se repose dans les tourbières à la limite nord des forêts de conifères; hiverne sur les vasières de la côte.

Voix : en vol, *tiutiutiu* répété et de tonalité moyenne.

Protection :
CWS: E ↓ C→ CBC: ⇑

Bécassin à long bec

(Bécasseau à long bec)

Limnodromus scolopaceus

Long-billed Dowitcher

Été

Hiver

Juvénile en automne

Identification : 28 à 29 cm. **Oiseau de rivage de taille moyenne; long bec droit, pattes verdâtres. Été : dessous entièrement brun-roussâtre, poitrine et flancs fortement barrés; le ventre n'est pas blanc. Hiver :** dessus brun-gris, dessous blanchâtre. **La voix** est le caractère qui permet le mieux de distinguer les B. roux et à long bec. **Au vol :** en tous plumages, **les B. roux et à long bec ont tous deux un triangle blanc distinctif sur le bas du dos ainsi qu'une queue barrée. Juv. aut. :** plumes du dos à bordures étroites brun-roussâtre foncé, sans les marques internes du B. roux; poitrine surtout grise avec peu de mouchetures.

Alimentation : se nourrit en sondant avec son bec par des mouvements verticaux de machine à coudre. Mange des insectes, mollusques, crustacés et vers marins.

Nidification : nid, dépression creusée dans une prairie humide. Oeufs : 4, brun à olive, tachetés; I : 20 jours; E : ?, nidifuge; C : ? 1.

Autres comportements : s'observe le plus souvent près des plans d'eau douce tranquille plutôt que sur les grandes étendues intertidales.

Habitat : passe l'été juste au nord de la limite des arbres; hiverne près des étangs d'eau douce et les marais.

Voix : en vol, un *kîk* ténu, parfois émis en séries.

Protection :
CWS: E C→ CBC: ⇑

Bécassine des marais

Gallinago gallinago — Common Snipe

Identification : 28 cm. Oiseau des prairies humides et des zones de tourbière. **Bec droit extrêmement long, corps trapu, pattes courtes.** Rayures noires et blanches sur la tête, **rayures blanches très visibles sur le dos foncé.** AU VOL : vole en zigzag, ailes pointues.

Alimentation : se nourrit dans les endroits humides en enfonçant le bec dans le sol mou. Mange les larves de tipules et d'autres insectes, des vers de terre, écrevisses, mollusques, grenouilles et graines.

Nidification : nid fait d'herbes, de feuilles et de mousse, dans une dépression creusée dans une tourbière. Oeufs : 4, chamois-olive avec des mouchetures; I : 18 à 20 jours; E : 14 à 20 jours, nidifuge; C : 1.

Autres comportements : pendant la nidification, les deux sexes exécutent une parade aérienne très particulière (la femelle surtout au début de la saison). L'oiseau s'élève jusqu'à une hauteur de 100 ou 110 m, puis il pique vers le bas. L'air vibre en traversant les 2 rémiges externes, ce qui produit une sorte de bêlement ou de hennissement. Cette parade se déroule le plus souvent au-dessus du site de nidification tôt le matin ou au début de la soirée.

Habitat : prairies humides, marais et tourbières.

Voix : lorsqu'on la force à s'envoler, *squèpe* nasillard. Sur le site de nidification, chante à partir d'un perchoir, *kîk kîk*.

Protection :
CWS: E ↓ C ↓ CBC: ↓

Bécasse d'Amérique

Scolopax minor American Woodcock

Identification : 28 cm. **Bec droit extrêmement long, gros oeil foncé, grosse tête, cou court;** dos foncé, poitrine chamois. **AU VOL :** ailes courtes et arrondies qui claquent lorsqu'on force l'oiseau à s'envoler.

Alimentation : sonde profondément dans le sol avec son long bec qu'elle peut ouvrir sous la surface pour attraper des proies. Peut manger son propre poids de vers de terre en 24 heures; mange aussi des insectes et des graines.

Nidification : nid, dépression creusée dans le sol, garni de quelques brindilles ou herbes, à moins de 30 ou 60 m du site de parade du mâle. Oeufs : 4, chamois à éclaboussures brunes; I : 20 ou 21 jours; E : 28 jours, nidifuge; C : 1.

Autres comportements : au printemps, chercher à entendre l'appel (*bzzzît*) et à voir la parade du mâle dans les champs ouverts. Elle se déroule à l'aube, au crépuscule et les nuits de pleine lune. Il s'élève en décrivant de grands cercles; à une hauteur d'environ 15 m, ses ailes produisent un bruissement aigu qui cesse lorsqu'il atteint 60 ou 90 m, et il émet un gazouillis semblable à celui d'un canari tout en redescendant en zigzag. Plusieurs mâles peuvent exécuter leur parade sur le même site. Les femelles, attirées à cet endroit s'accouplent avec eux. Puis les mâles recommencent pour attirer d'autres femelles. Après l'accouplement, la femelle élève sa couvée seule.

Habitat : bois et taillis bordés de zones ouvertes.

Voix : les deux sexes, *bzzzît* nasillard. Parade aérienne, gazouillis aigu.

Protection :
BBS: E ⇓ C CBC: ↓
À l'échelle du continent, diminution de 14 % chacune des dernières années due aux pertes d'habitats forestiers aux premiers stades de la succession.

Phalarope de Wilson

Phalaropus tricolor — Wilson's Phalarope

Femelle en été

Mâle en été

Adulte, 1er hiver

Identification : 23 cm. Le phalarope le plus souvent observé à l'intérieur des terres. **Bec très long et très fin. ÉTÉ : large trait foncé passant par l'oeil et longeant le cou;** poitrine lavée de brun-roussâtre clair. Calotte grise chez la femelle, qui est plus colorée, et noirâtre chez le mâle. **HIVER :** dessus gris sans rayures, dessous blanc; **fine ligne grisâtre passant par l'oeil;** pattes noir-verdâtre. **AU VOL :** pas de barres alaires, croupion blanchâtre. **JUV. :** bordures chamois nettes sur les plumes du dos; fin bandeau pâle, pattes jaunes. Garde son plumage imm. peu de temps.

Alimentation : marche sur les rivages boueux et dans l'eau peu profonde; sur l'eau, tourne sur place tout en piquant la surface avec son bec. Mange des Artemia, larves de moustiques et insectes.

Nidification : semicolonial. Nid, creux garni d'herbe, caché dans l'herbe ou le marais. Oeufs : 4, chamois avec des éclaboussures; I : 20 jours; E : 20 jours, nidifuge; C : 1 ou 2.

Autres comportements : les femelles sont plus grosses que les mâles et s'accouplent occasionnellement avec plusieurs d'entre eux. C'est le mâle qui construit le nid, couve les oeufs et élève les jeunes.

Habitat : passe l'été dans les parties marécageuses des prairies ou des lacs; hiverne sur les rives peu profondes des lacs salés.

Voix : *wêk* doux et guttural.

Protection :
CWS: E→ C→ CBC: ↓
Affecté par la disparition des sites de reproduction et d'alimentation. En expansion dans l'Ouest.

Phalarope à bec étroit (Phalarope hyperboréen)

Phalaropus lobatus Red-nedked Phalarope

Femelle en été

Mâle en été

Hiver

Identification : 18 cm. Migre surtout en mer mais observé occasionnellement à l'intérieur des terres, notamment en automne. **Petit phalarope à bec court très fin. ÉTÉ : zone brun-roussâtre vif sur le côté du cou qui est gris foncé;** chez la femelle, cette zone se prolonge pour traverser la poitrine. **HIVER : tache foncée passant par l'oeil; dos gris et noir avec une ébauche de rayures blanches; couronne et front blancs. AU VOL :** barre alaire blanche. **JUV. AUT. :** large tache foncée derrière l'oeil; dos foncé avec deux rayures chamois de chaque côté.

Alimentation : se nourrit en saisissant ses proies à la surface de l'eau, souvent en tournant rapidement sur place. Mange des insectes, mollusques et crustacés.

Nidification : dépression creusée dans la toundra humide et garnie d'herbes. Oeufs : 4, olive à mouchetures brunes; I : 19 jours; E : 20 jours, nidifuge; C : 1 ou 2.

Autres comportements : les femelles peuvent être polyandres. Dans l'Ouest, il existe des zones d'alimentation où ces oiseaux s'arrêtent en très grand nombre en automne, notamment le Grand Lac Salé dans l'Utah (600 000 individus) et le lac Mono en Californie (80 000 individus).

Habitat : passe l'été sur les étangs marécageux de la toundra; hiverne surtout en mer.

Voix : *tsîk* bas.

Protection :
CWS: E ↓ C→ CBC: ⇓
Les populations qui s'alimentaient dans l'Est du Canada ont récemment connu des déplacements importants ou peut-être des diminutions d'effectifs.

Phalarope à bec large

(Phalarope roux)

Phalaropus fulicaria

Red Phalarope

Femelle en été

Mâle en été

Hiver

Identification : 20 cm. Migre presque exclusivement en mer. **Phalarope trapu à bec court, épais et pas très pointu. ÉTÉ : bec jaune à pointe foncée;** dessous brun-roussâtre intense, tache blanche sur l'oeil. Chez la femelle, qui est plus colorée, la tache oculaire est bien délimitée et englobe l'oeil; chez le mâle, elle est moins définie et est surtout située derrière l'oeil. **HIVER : large tache foncée passant par l'oeil, dos gris non rayé, couronne et front blancs. AU VOL :** barre alaire blanche. **JUV. AUT. :** ressemble au mâle en été mais chamois-rosâtre sur la poitrine et bec foncé.

Alimentation : tourne sur place sur l'eau et mange des insectes aquatiques, des crustacés et des poissons à l'état de larves.

Nidification : nid, dépression creusée dans l'herbe, souvent recouverte d'herbes. Oeufs : 4, gris à olive avec des taches foncées; I : 19 jours; E : 16 à 21 jours, nidifuge; C : 1 ou 2.

Autres comportements : les mâles couvent et élèvent les jeunes. Les femelles peuvent être polyandres. Comme le P. à bec étroit, lors de ses migrations en mer, cette espèce est parfois entraînée vers la côte par les tempêtes.

Habitat : passe l'été sur les étangs de la toundra près de la côte de l'Arctique; hiverne en mer.

Voix : *ouit* aigu et criard.

Protection :
CWS: E ↓ C→ CBC: ⇈

Labbe pomarin

Stercorarius pomarinus Pomarine Jaeger

Immature, forme claire

Adulte, forme claire

Identification : 56 cm. Il existe une forme claire, une forme foncée et des intermédiaires. Les individus de forme claire sont beaucoup plus nombreux que ceux de forme foncée. **AU VOL : corpulent, cou épais, ailes larges à la base; battements d'ailes accentués, lents et réguliers. Rectrices centrales longues, tordues et en forme de cuillère** (parfois manquantes ou cassées); **sous l'aile, blanc visible par intermittence à la naissance des primaires.** Chez la forme claire, **barres bigarrées** variables **sur les flancs et sous les ailes; ceinture bigarrée lorsqu'elle est présente.** Forme foncée entièrement foncée sauf le blanc sur les primaires. **JUV., IMM. :** les rectrices centrales, même si elles sont courtes, ont le bout arrondi. Garde son plumage imm. 3 ou 4 ans.

Alimentation : pendant la nidification, mange des lemmings et des campagnols ainsi que d'autres oiseaux et leurs oeufs; en hiver, attrape les poissons à la surface de l'océan; vole aussi la nourriture des autres oiseaux.

Nidification : nid, dépression garnie d'aucun matériau, sur le sol. Oeufs : 1 ou 2, bruns à taches plus foncées; I : 26 jours; E : 31 à 37 jours, nidifuge; C : 1.

Autres comportements : en migration, s'observe seul ou en petits groupes.

Habitat : passe l'été dans la toundra; hiverne en mer.

Voix : généralement silencieux lorsqu'il n'est pas sur son site de nidification, mais on l'entend parfois crier en migration.

Protection :
CBC: ⇑

Labbe parasite

Stercorarius parasiticus — Parasitic Jaeger

Adulte, forme claire

Adulte, forme foncée

Identification : 46 cm. Il existe une forme claire, une forme foncée et des intermédiaires. Chaque forme peut être commune. AU VOL : si on le compare au L. pomarin, **cou et corps légèrement plus fins, ailes plus étroites à la base, rectrices centrales longues et pointues** (parfois manquantes ou cassées); **sous l'aile, du blanc à la base des primaires. Fait alterner des battements d'ailes rapides avec de courts planés. Chez la forme claire, flancs sous les ailes blanc éclatant; ceinture** (lorsqu'elle est présente) **gris uni. Forme foncée entièrement foncée sauf du blanc sur les primaires.** JUV., IMM. : les rectrices, même si elles sont courtes, sont pointues. Garde son plumage imm. 3 ou 4 ans.

Alimentation : pendant la nidification, mange de petits mammifères, des oiseaux, des insectes et des baies; en hiver, vole le poisson capturé par d'autres espèces, mange des charognes et se nourrit d'autres oiseaux comme les sternes.

Nidification : nid, dépression peu profonde, garni d'un peu de végétation. Oeufs : 1 à 3, bruns ou verdâtres à taches plus foncées; I : 25 à 28 jours; E : 25 à 30 jours, nidifuge; C : 1.

Autres comportements : peut nicher dans des colonies éparses ou seul. Dans l'Ouest, le labbe observé le plus souvent à partir de la côte.

Habitat : passe l'été dans la toundra; hiverne en mer.

Voix : hors du site de nidification, généralement silencieux, mais il émet parfois des sons en mer.

Protection :
CBC: ↑

Labbe à longue queue

Stercorarius longicaudus — Long-tailed Jaeger

Adulte, forme claire

Identification : 56 cm. La forme claire est la plus commune, la forme foncée est extrêmement rare. Le plus petit des labbes d'Amérique du Nord (bien que les rectrices ajoutent à sa longueur). **AU VOL : corps élancé, ailes étroites à la base, battements d'ailes gracieux, vol léger comme celui d'une sterne. Rectrices centrales très longues et pointues** (parfois manquantes ou cassées); sous l'aile, pas de blanc à la racine des primaires. **Forme claire : poitrine blanche sans ceinture; ailes et dos gris, les primaires et le bord de fuite étant plus foncés.** **JUV., IMM. :** les rectrices centrales, même si elles sont courtes, ont le bout arrondi. Garde son plumage imm. 3 ou 4 ans.

Alimentation : mange des souris et des lemmings ainsi que des insectes, des poissons de même que les oeufs et les poussins d'autres oiseaux.

Nidification : niche seul ou en colonies éparses; dépression peu profonde dans le sol, garnie de quelques plantes. Oeufs : 1 ou 2, bruns ou verdâtres avec des taches plus foncées; I : 23 jours; E : 21 jours, nidifuge; C : 1.

Autres comportements : en migration, s'observe plus loin des côtes que les autres labbes; poursuit parfois les Sternes arctiques.

Habitat : passe l'été dans la toundra; hiverne en mer.

Voix : généralement silencieux hors des sites de nidification.

Protection : TENDANCE INCONNUE.

On les aperçoit généralement sur la côte et au voisinage des autres plans d'eau, tels les fleuves et les lacs. La connaissance des mouettes et des goélands a deux volets : l'identification des adultes et celle des immatures.

Identification des mouettes et goélands adultes

On voit qu'un oiseau est adulte lorsque son plumage n'a aucune marque brune et que sa queue est blanchâtre sans barres foncées; habituellement, les immatures ont des zones foncées sur la queue et du brun sur le corps, les ailes ou les deux à la fois (surtout les premières années). Les mouettes et goélands adultes ont un plumage d'été et un plumage d'hiver. Chez les espèces dont la tête est blanche en été, seulement quelques rayures brunes apparaissent en hiver; les oiseaux dont la tête est noire en été arborent un capuchon gris partiel ou une tache noire derrière l'oeil en hiver.

Identifiez d'abord les adultes des espèces les plus communes. Vous verrez tant leur plumage d'été que d'hiver dans ces pages. Vous trouverez plus d'information à la page décrivant l'espèce. Pour identifier les mouettes et goélands, regardez les détails suivants : taille de l'oiseau, tête (blanche ou avec un dessin), bec (couleur, forme et marques éventuelles), couleur du dos et des ailes et, sur l'oiseau en vol, dessin de l'extérieur de l'aile.

Identification des mouettes et goélands immatures

L'identification des immatures est plus difficile pour plusieurs raisons, entre autres parce qu'ils n'arborent leur plumage d'adulte qu'au bout de 2 à 4 ans et qu'à chaque année, ils ont généralement un plumage d'été et un plumage d'hiver. Après son plumage de juvénile, un oiseau qui met 2 ans à atteindre l'âge adulte pourra donc avoir jusqu'à quatre autres plumages (1er hiver, 1er été, adulte d'hiver, adulte d'été); un goéland qui devient adulte à 4 ans aura jusqu'à 8 différents plumages en plus de son plumage de juvénile. (Lorsque le 1er plumage d'été et le 1er plumage d'hiver sont presque identiques, on les regroupe sous le nom de plumage de 1re année.) Nous n'avons malheureusement pas l'espace pour les illustrer tous.

Dans cet ouvrage, nous avons décrit en détail les plumages d'adulte et de 1re année pour deux raisons : étant donné le taux élevé de mortalité des immatures plus âgés, les individus de 1re année sont plus nombreux que tous ceux des autres classes d'âge; et les plumages de 1re année sont mieux définis que ceux des années suivantes, qui donnent lieu à des variations individu-elles pour ce qui est de la coloration et de la date de la mue.

Indices pour l'identification des mouettes et goélands de l'Est

- **Une espèce a un dos noir et des ailes noires :**
  Goéland marin, p. 203.
- **Deux espèces ont un dos et des ailes clairs et n'ont pas de noir au bout des ailes (appelés «goélands à ailes blanches») :**
  Goéland bourgmestre, p. 202;
  Goéland arctique, p. 200.
- **La plupart des autres espèces ont un dos gris et des ailes grises à bout noir.**
- **Les plus grosses espèces deviennent adultes à 4 ans; ceux de taille moyenne à 3 ans et les petits à 2 ans.**
- **Une espèce a un anneau noir autour du bec :**
  Goéland à bec cerclé, p. 198.
- **Une seule espèce a un bec rouge en hiver :**
  Mouette rieuse, p. 196.
- **Une espèce vit surtout en mer et on ne l'aperçoit qu'occasionnellement depuis la terre ferme :**
  Mouette tridactyle, p. 204.

MOUETTES ET GOÉLANDS COMMUNS DANS L'EST

Été

Mouette atricille : taille moyenne, dos et ailes gris foncé, beaucoup de noir en travers des primaires; en été, capuchon noir et bec rouge; en hiver, tête blanchâtre, nuque grise et bec noir. p. 193.

Hiver

Été

Hiver

Goéland à bec cerclé : grand, mais nettement plus petit que le G. argenté; bec jaune à anneau noir près du bout; dos gris pâle; le dessous des extrémités des ailes a plus de noir que chez le G. argenté; pattes jaunes. p. 198.

Goéland argenté : grand; ailes et dos gris; bout des ailes noir; pattes roses. p. 199.

Hiver

Été

Goéland marin : très grand; dos et ailes gris-noirâtre; domine les autres mouettes et goélands. p. 203.

Été

(Hiver : semblable)

Mouette atricille

(Mouette à tête noire)

Larus atricilla

Laughing Gull

Été

Immature, 1er hiver

Hiver

Immature, 1er hiver

Identification : 43 cm. ÉTÉ : **capuchon noir; gros bec rouge foncé légèrement courbé vers le bas; queue entièrement blanche. Les croissants blancs situés au-dessus et au-dessous de l'oeil sont fins** et ne se rejoignent habituellement pas derrière l'oeil (à tous les âges). HIVER : comme en été, mais **tête blanchâtre lavée de gris sur la nuque; bec noir, bout des ailes blanc.** AU VOL : **ailes étroites, pointues et gris foncé; beaucoup de noir en travers des primaires** (vu de dessus et de dessous). IMM. 1re ANNÉE : bec noir, demi-capuchon brun-gris délavé; dos gris; poitrine grise (et non blanche comme chez la M. de Franklin immature). AU VOL : ailes brunes avec beaucoup de noir à la pointe et près du bord de fuite; large bande noire traversant complètement la pointe de la queue, qui est blanche. Devient adulte à trois ans.

Alimentation : mange des poissons, des crabes, des crevettes, des insectes volants et des détritus.

Nidification : niche en colonies. Nid fait d'herbes et de carex, sur le sol. Oeufs : 3 ou 4, brunâtres avec des taches foncées; I : 19 à 22 jours; E : 35 à 40 jours, nidifuge; C : 1.

Autres comportements : aucune autre espèce de mouette ou goéland ne niche dans le Sud-Est.

Habitat : côtière; s'aventure parfois un peu dans l'intérieur.

Voix : cri le plus commun, rire aigu *(ha ha ha ha)*.

Protection :
BBS: E ⇑ C ⇑ CBC: ⇑
Diminution dans les années 1940 parce que les goélands plus gros la déplaçaient des sites de nidification. Populations en augmentation pendant les 25 dernières années.

Mouette de Franklin

Larus pipixcan — Franklin's Gull

Été

Immature, 1er hiver

Hiver

Immature, 1er été

Identification : 36 cm. ÉTÉ : **capuchon noir; bec rouge foncé, court et droit. Les croissants blancs situés au-dessus et au-dessous de l'oeil sont épais** et se rejoignent habituellement derrière l'oeil (à tous les âges). HIVER : comme en été, mais **tête blanchâtre avec un demi-capuchon foncé; bec noir. AU VOL : dessus de l'aile gris foncé séparé de l'extrémité noire et arrondie par une bande blanche; dessous de l'aile blanc sauf l'extrémité; queue, centre grisâtre.** IMM. - 1er HIVER : bec noir, demi-capuchon foncé, dos gris, poitrine foncée. Croissants oculaires comme chez l'adulte. AU VOL : ailes brunes à bout noir; sur la queue, la bande noire étroite ne traverse pas les rectrices externes. 1er ÉTÉ : ailes grises à bout noir; sur la queue, bande floue ou absente. Devient adulte à 3 ans.

Alimentation : mange des insectes volants et des vers dans les champs.

Nidification : coloniale. Nid fait d'herbes, sur le sol ou flottant sur l'eau peu profonde. Oeufs : 2 ou 3, brun-verdâtre avec des taches; I : 18 à 20 jours; E : 35 à 40 jours, nidifuge; C : 1.

Autres comportements : niche dans les Prairies.

Habitat : passe l'été sur les lacs du nord des Prairies; hiverne surtout sur les côtes.

Voix : cri souvent entendu, *ouîa ouîa ouîa*.

Protection : CBC: ↑

Mouette pygmée

Larus minutus Little Gull

Été

Immature, 1er hiver

Été

Immature, 1er hiver

Identification : 28 cm. **ÉTÉ : la plus petite des mouettes. Capuchon noir;** bec fin, noir. **HIVER :** comme en été, mais le capuchon noir est remplacé par une **calotte grise** et une **tache auriculaire noire. AU VOL : dessus de l'aile gris clair; dessous de l'aile entièrement gris foncé à noir avec un bord de fuite blanc très visible; bout de l'aile arrondi et bordé de blanc. IMM. - 1er HIVER :** calotte grise, tache auriculaire noire, bec fin noir. **1er ÉTÉ :** motifs de la queue et du dessus de l'aile décolorés; capuchon noir incomplet. **AU VOL :** les marques sur le dessus de l'aile forment un **M foncé;** bout de la queue traversé par une fine bande noire. Devient adulte à 2 ou 3 ans.

Alimentation : se nourrit comme les sternes, descend jusqu'à la surface de l'eau pour saisir de petits poissons. Mange également des insectes volants.

Nidification : coloniale. Nid fait d'herbes et de roseaux, sur le sol, souvent au bord de l'eau. Oeufs : 2 ou 3, brunâtres à taches plus foncées; I : 23 à 25 jours; E : 21 à 24 jours, nidifuge; C : 1.

Autres comportements : s'observe souvent dans les bandes de M. de Bonaparte. Lorsqu'elle se trouve avec d'autres mouettes, sa petite taille et ses ailes arrondies permettent de la reconnaître facilement.

Habitat : côte, Grands Lacs, lacs et réservoirs de l'intérieur.

Voix : *ca ca ca.*

Protection :
CBC: ↑
Autrefois limitée à l'Europe et l'Asie, niche en Amérique du Nord depuis 1962. Observée régulièrement dans les Grands Lacs et sur la côte nord-est.

Mouette rieuse

Larus ridibundus Black-headed Gull

Été

Hiver

Immature, 1er hiver

Identification : 38 cm. ÉTÉ : **capuchon brun foncé** (peut sembler noir au printemps); **pattes et bec rouges;** croissants oculaires fins et blancs. **HIVER : pattes et bec rouges** comme en été mais **tête blanche à tache auriculaire noire.** **AU VOL :** en tous plumages, **partie distale de l'aile foncée en dessous, bord d'attaque blanc éclatant dessus et dessous.** **IMM. - 1er HIVER :** tache auriculaire noire; bec pâle à bout noir; barre foncée à l'épaule. **1er ÉTÉ :** capuchon brun incomplet. Devient adulte à 2 ans.

Alimentation : s'alimente de différences façons; marche sur le sol pour trouver des insectes, des vers de terre et des détritus; vole au-dessus de l'eau ou de la terre et descend pour attraper des insectes et des poissons; se nourrit à la surface de l'eau tout en nageant.

Nidification : niche en colonies ou seule. Nid, dépression creusée dans le sol, garni d'herbe, ou bien monticule de végétation sur le sol. Oeufs : 2 ou 3, vert-grisâtre à taches plus foncées; I : 23 à 26 jours; E : 35 jours, nidifuge; C : 1.

Autres comportements : aperçue pour la première fois en Amérique du Nord à Newburyport, Massachusetts, en 1930. Les individus reviennent souvent au même site d'hivernage année après année. Se trouve souvent dans les troupes de M. de Bonaparte.

Habitat : côte.

Voix : *crââ* aigu.

Protection :
ICN: ↑ CBC: ↓
Aire de distribution en expansion vers l'ouest depuis 1900. Niche maintenant sur les îles au large de la Nouvelle-Écosse et à Terre-Neuve; observée de plus en plus souvent sur la côte nord-est, a été aperçue dans presque tous les états.

Mouette de Bonaparte

Larus philadelphia Bonaparte's Gull

Été

Immature, 1er hiver

Hiver

Immature, 1er hiver

Identification : 33 cm. ÉTÉ : **capuchon noir, pattes rouge-orange, fins croissants oculaires blancs, bec noir.** HIVER : comme en été, mais **tache auriculaire noire et pattes rouge-rosâtre.** AU VOL : **partie distale de l'aile avec un triangle blanc sur le bord d'attaque, étroite bordure noire sur le bord de fuite. Vol léger, comme celui d'une sterne.** IMM. - 1er HIVER : tache auriculaire noire; bec noir, parfois avec du rougeâtre près de la racine. 1er ÉTÉ : ressemble au plumage de 1er hiver, mais capuchon noir incomplet. AU VOL : de dessous, comme l'adulte. De dessus, barre foncée à l'épaule et bord de fuite foncé sur la partie proximale de l'aile. Devient adulte à 2 ans.

Alimentation : se nourrit de poissons qu'elle saisit à la surface de l'eau tout en volant; lorsqu'elle est à l'intérieur des terres, mange des vers et des insectes en vol et au sol.

Nidification : nid fait de branches et de brindilles, garni d'herbe et de mousse, sur une branche horizontale d'une épinette ou d'un sapin, à une hauteur de 1,50 m à 6 m. Oeufs : 3, brun-olive à taches plus foncées; I : 24 jours; E : environ 30 jours, nidifuge; C : 1.

Autres comportements : après la nidification, de grandes troupes se rassemblent sur les lacs étendus et les baies marines. Se nourrit souvent avec les sternes.

Habitat : passe l'été dans les forêts de conifères du Nord; hiverne sur les côtes et sur les cours d'eau de l'intérieur.

Voix : cri souvent entendu, *tcheur* nasal répété.

Protection :
BBS: E ⇑ C CBC: ⇑

Goéland à bec cerclé

Larus delawarensis Ring-billed Gull

Été

Immature, 1re année

Hiver

Immature, 1re année

Identification : 48 cm. **ÉTÉ : manteau gris pâle; anneau noir juste avant le bout du bec, qui est fin et jaune; pattes jaunes;** oeil jaune. **HIVER :** comme en été mais **mouchetures brun clair sur la couronne et la nuque. AU VOL : dos et ailes gris clair; bouts des ailes noirs avec de petits points blancs, plus de noir dessous que chez le G. argenté. IMM. 1re ANNÉE :** bec clair à bout foncé, dos gris, ailes brunes; poitrine et ventre tachetés de brun foncé; pattes roses. **AU VOL :** sur la queue, bande sombre terminale contrastant nettement avec la racine de la queue, qui est blanche. Devient adulte à 3 ans.

Alimentation : les goélands qu'on voit devant les restaurants à service rapide sont presque toujours des G. à bec cerclé; il semble qu'ils aient trouvé là une niche. L'espèce se nourrit également de vers dans les champs labourés, d'oeufs d'oiseaux marins au nid et de fourmis volantes.

Nidification : niche habituellement en colonies. Nid fait d'herbes, de galets et de branches, sur le sol. Oeufs : 3, brun clair à taches foncées; I : 21 jours; E : ?, nidifuge; C : 1.

Autres comportements : entre en conflit avec les humains, surtout près des aéroports où il peut nuire au trafic aérien.

Habitat : côtes, lacs, dépotoirs, champs, restaurants à service rapide.

Voix : *kia kia* et autres cris.

Protection :
BBS: E ⇑ C ⇑ CBC: ⇑
Depuis 1970, les populations ont augmenté autour des Grands Lacs et dans les zones urbaines.

Goéland argenté

Larus argentatus — Herring Gull

Été

Immature, 1re année

Hiver

Immature, 1re année

Identification : 64 cm. ÉTÉ : **dos gris pâle, pattes rosâtres; bec jaune à point rouge près de l'extrémité de la mandibule inférieure; oeil jaune.** HIVER : comme en été, mais **tête et cou rayés de brun.** AU VOL : au bout des ailes, moins de noir que chez les G. à bec cerclé et de Californie, petits points blancs. IMM. 1re ANNÉE : tête et corps uniformément tachetés de brun; bec noir à racine pâle (au début, seulement la mandibule inférieure). AU VOL : large queue entièrement foncée, croupion brun; bout des ailes noir et fenêtres pâles très visibles sur les primaires proximales. Devient adulte à 4 ans.

Alimentation : se nourrit de moules, palourdes, poissons, détritus, rongeurs, insectes et des petits d'autres mouettes ou goélands; vole la nourriture d'autres oiseaux.

Nidification : niche en colonies. Nid, dépression creusée dans le sol, garni d'herbe et d'algues. Oeufs : 3, brunâtres à taches foncées; I : 26 jours; E : environ 35 jours, nidifuge; C : 1.

Autres comportements : pendant le cri prolongé, abaisse et relève la tête (démonstration d'agressivité). Pendant le cri étranglé, l'oiseau penche le corps en avant et gratte parfois le sol vers l'arrière avec ses pattes (parade nuptiale ou territoriale).

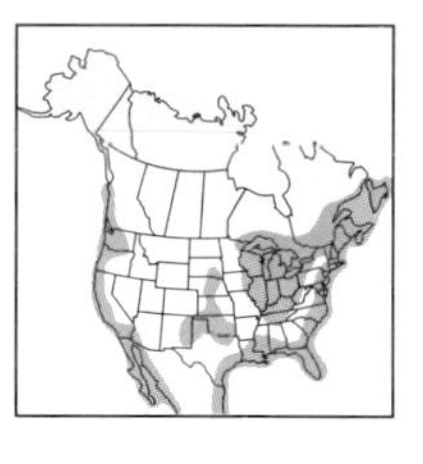

Habitat : côtes, dépotoirs, lacs, rivières, champs.

Voix : cri prolongé, *caw caw caw kîkîkî kio kio kio*. Cri étranglé, *ouah, ouah, ouah*. Cri d'alarme, *ga ga ga ga*.

Protection :
BBS: E ⇓ C ⇑ CBC: ↑

Goéland arctique

Larus glaucoides kumlieni — Iceland Gull

Hiver

Immature, 1re année

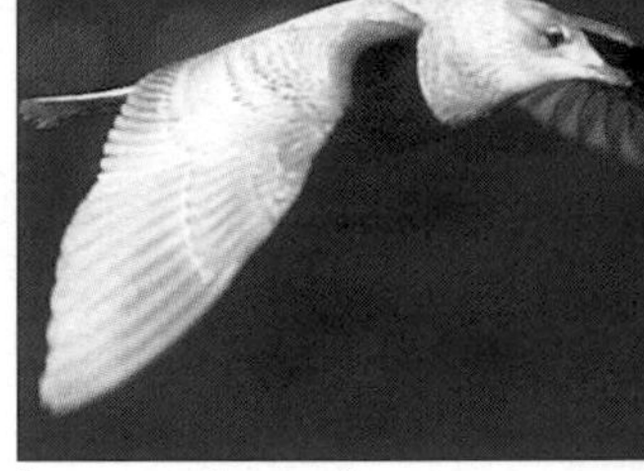

Immature, 1re année

Identification : 64 cm. ÉTÉ : **entièrement pâle; pattes rose foncé, tache rouge près du bout de la mandibule inférieure; bec plus petit, plus court et plus semblable à celui d'un pigeon que chez le G. bourgmestre; oeil jaune.** HIVER : comme en été, mais **mouchetures brun clair sur la tête et les épaules.** AU VOL : de dessous, **ailes entièrement claires sauf des points gris sur le bord de fuite de l'extrémité, qui est blanche;** de dessus, **ailes gris pâle, 2 fines rayures gris givré à brun-gris (jamais noires) le long de la pointe.** IMM. - 1re ANNÉE : corps brun pâle uni (peut sembler presque blanc); bec habituellement tout noir. AU VOL : queue grisâtre ou chamois, parfois avec une bande floue près de l'extrémité; bout de l'aile plus clair que le reste de l'aile. Devient adulte à 4 ans.

Alimentation : se nourrit principalement de poissons qu'il capture en voletant au-dessus de l'eau ou en plongeant à faible profondeur. S'alimente également à terre des charognes et des oeufs des autres oiseaux.

Nidification : colonial. Nid fait d'herbe, d'algues et de mousse, sur le sol. Oeufs : 2 ou 3, brun-roussâtre à taches plus foncées; I : ?; E : ?, nidifuge; C : 1.

Autres comportements : se nourrit parfois près des phoques.

Habitat : espèce côtière, hiverne parfois sur les Grands Lacs.

Voix : généralement silencieux en hiver, saison pendant laquelle on l'observe le plus souvent.

Protection : CBC: ⇑

Goéland brun

Larus fuscus Lesser Black-backed Gull

Été

Immature, 1re année

Hiver

Immature, 1re année

Identification : 56 cm. ÉTÉ : **dos gris foncé et bouts des ailes noirs; pattes jaunâtres, oeil jaune.** HIVER : comme en été, mais **nombreuses rayures grises sur la tête.** AU VOL : **dessus de l'aile gris foncé et bouts des ailes noirs plus foncés; un ou deux points blancs à l'extrémité de l'aile.** IMM. - 1re ANNÉE : corps brun-gris (plus foncé que chez le G. argenté); éclaboussures noirâtres sur les côtés de la poitrine et les flancs; ventre et tête plus pâles, bec noir. AU VOL : de dessus, 2 bandes foncées sur le bord de fuite de la partie proximale de l'aile; bande noire nette sur la queue. De dessous, pas de fenêtres dans les ailes comme chez le G. argenté. Devient adulte à 4 ans.

Alimentation : mange des poissons, insectes, petits mammifères et déchets ainsi que de la nourriture volée aux autres oiseaux, surtout au G. argenté.

Nidification : niche en colonies. Nid, gros monticule d'algues, d'herbe et d'autres débris, sur le sol. Oeufs : 3, olive avec peu ou pas de taches; I : 24 à 27 jours; E : 30 à 40 jours, nidifuge; C : 1.

Autres comportements : la plupart des observations sont faites en hiver, mais le G. brun est aperçu de plus en plus souvent en toute saison.

Habitat : espèce côtière.

Voix : mêmes cris que le G. argenté, en plus grave.

Protection :
CBC: ↑
Populations en augmentation en Europe, où il niche; c'est peut-être la raison pour laquelle on l'observe de plus en plus souvent sur la côte est en hiver. Niche peut-être maintenant en Amérique du Nord.

Goéland bourgmestre

Larus hyperboreus — Glaucous Gull

Été

Immature, 1re année

Hiver

Immature, 1re année

Identification : 71 cm. ÉTÉ : **gros oiseau; dos et ailes gris pâle, bouts des ailes blancs;** bec massif, relativement long; pattes roses, oeil jaune. HIVER : comme en été, mais **rayures brun pâle sur la tête et le haut de la poitrine.** AU VOL : **larges ailes gris pâle avec beaucoup de blanc à l'extrémité** (pas de gris plus foncé ni de noir sur les ailes). IMM. - 1er HIVER : chamois pâle à presque entièrement blanc; bec rosâtre à bout foncé très bien délimité. 1er ÉTÉ : encore plus pâle. Devient adulte à 4 ans.

Alimentation : pendant la saison de nidification, mange des lemmings et des campagnols ainsi que les poussins et les oeufs d'autres oiseaux marins et de canards. Se nourrit également de petits poissons, de mollusques, de crustacés et de charognes; s'alimente dans les dépotoirs.

Nidification : niche souvent en colonies. Nid, amas d'algues et d'autres plantes, sur le sol ou une corniche de falaise. Oeufs : 2 ou 3, olive à taches plus foncées; I : 27 ou 28 jours; E : 45 à 50 jours, nidifuge; C : 1.

Autres comportements : vole souvent la nourriture des autres espèces, attaque les canards et autres oiseaux plongeurs au moment où ils font surface après avoir capturé une proie. Mange également d'autres oiseaux marins adultes.

Habitat : côtes, lacs étendus de l'intérieur, sites d'enfouissement.

Voix : généralement silencieux, mais émet plusieurs cris graves et enroués.

Protection :
CBC: ⇑

Goéland marin

(Goéland à manteau noir)

Larus marinus

Great Black-backed Gull

Été

Immature, 1re année

Été

Immature, 1re année

Identification : 76 cm. **ÉTÉ : le plus gros des goélands; dos noir, pattes roses. HIVER :** comme en été, **la tête reste presque entièrement blanche. AU VOL : dessus de l'aile gris-noirâtre à bout noir; 2 grands miroirs au bout des ailes. IMM. - 1re ANNÉE** : dos brun-gris en damier contrastant avec le dessous plus pâle et la tête blanchâtre; bec noir massif à extrémité claire. **AU VOL :** partie proximale du bord de fuite, sur le dessus de l'aile, avec une seule bande de plumes foncées; queue blanchâtre à bande terminale noirâtre qui s'amincit de chaque côté. Devient adulte à 4 ans.

Alimentation : consomme divers aliments, mais est un prédateur particulièrement efficace des autres oiseaux dont les puffins, macareux et sternes; il les saisit souvent dans son bec et les secoue pour leur briser le cou. Mange également de petits mammifères et des poissons.

Nidification : niche souvent en colonies. Nid, amas d'algues et d'autres plantes, sur le sol ou sur une corniche. Oeufs : 2 ou 3, olive à taches plus foncées; I : 27 ou 28 jours; E : 49 à 56 jours, nidifuge; C : 1.

Autres comportements : grâce à sa taille, domine les autres goélands et mouettes.

Habitat : côte et Grands Lacs.

Voix : *caôp caôp caôp* grave et autres cris.

Protection :
BBS: E ↓ C CBC: ⇑
Depuis 50 ans, l'aire de nidification et les populations s'étendent le long de la côte est et ont atteint les Grands Lacs. Peut-être une menace pour les macareux et les sternes qui nichent dans le Nord-Est.

Mouette tridactyle

Rissa tridactyla Black-legged Gull

Été

Immature, 1re année

Hiver

Immature, 1re année

Identification : 41 cm. **ÉTÉ : petit bec jaune sans marque; pattes noires. HIVER :** comme en été, mais **tache floue gris foncé derrière l'oeil; nuque grise. AU VOL :** ailes grises à **pointe triangulaire entièrement noire. IMM. - 1er HIVER :** bec noir; corps blanc, large collier noir et petite tache auriculaire; queue blanche à fine bande terminale noire. **1er ÉTÉ :** bec plus pâle, collier plus clair; bande de la queue et dessin en M sur le dessus des ailes flous. **AU VOL :** sur les ailes, des lignes foncées forment un grand M. Devient adulte à 2 ans.

Alimentation : se nourrit surtout de poissons saisis à la surface de l'océan.

Nidification : niche en colonies. Nid fait de boue, d'algues et d'herbe, sur une petite corniche de falaise ou sur un édifice. Oeufs : 1 à 3, jaunâtres à taches foncées; I : 25 à 32 jours; E : 33 à 55 jours, nidifuge; C : 1.

Autres comportements : au printemps et à l'automne, pendant la migration, se rassemble en grandes troupes. En hiver, s'alimente habituellement en troupes plus petites. En mer, les troupes suivent les bateaux de pêche pour manger les détritus.

Habitat : passe l'été sur les falaises de la côte, hiverne en mer.

Voix : *kekekek* et *kîtti-waak.*

Protection :
BBS: E ⇑ C CBC: ⇓

Sterne hansel

Sterna nilotica — Gull-billed Tern

Été

Été

Identification : 38 cm. ÉTÉ : **bec noir, court et épais; pattes noires, calotte et nuque noires.** HIVER : comme en été, mais **tête blanchâtre et tache auriculaire foncée. AU VOL : dos et ailes gris pâle; queue courte et légèrement fourchue.** Seules les extrémités des primaires sont foncées. JUV. : comme l'adulte en hiver mais la partie distale de l'aile est plus foncée et la racine du bec est plus pâle.

Alimentation : le plus souvent, se nourrit d'insectes capturés en vol ou descend pour saisir ses proies à la surface de l'eau ou au sol. Ne plonge que rarement à la poursuite des poissons comme le font les autres sternes.

Nidification : nid, dépression peu profonde dans le sable, garni de morceaux de coquillages ou d'herbe. Oeufs : 3, jaunâtres; I : 22 ou 23 jours; E : 28 à 35 jours, nidifuge; C : 1.

Autres comportements : niche souvent seule ou en petits groupes en bordure des colonies d'autres espèces de sternes comme la S. pierregarin, la Petite S. ou le Bec-en-ciseaux noir.

Habitat : régions côtières, champs, lacs, marais.

Voix : *kékédéc* ou *kéédéc.*

Protection :
BBS: E ↑ C ⇑ CBC: ↓
Autrefois affectée par la collecte des oeufs et des plumes. Les populations semblent en diminution dans l'Est et stables dans le Sud-Ouest; elles augmentent peut-être sur la côte du golfe du Mexique.

Sterne caspienne

Sterna caspia — Caspian Tern

Hiver

Été

Hiver

Identification : 53 cm. La seule grosse sterne régulièrement observée dans l'intérieur. **Été : grande taille, huppe, calotte noire, bec massif rouge sang** (parfois légèrement plus foncé à l'extrémité). **Hiver :** comme en été, mais **calotte à bords irréguliers, grise, s'étend au front et atteint le bec. Au vol : ailes larges, vol lent et puissant;** de dessous, **beaucoup de foncé au bout des ailes. Juv. :** comme l'adulte en hiver, mais bec orange; dessus légèrement marqué de barres et de V foncés.

Alimentation : attrape des poissons en plongeant sous l'eau du haut des airs; saisit aussi parfois des poissons à la surface.

Nidification : niche seule ou en colonies. Nid, dépression dans le sol, garni d'herbes et d'algues, sur une plage de sable. Oeufs : 2 ou 3, rosâtres à taches plus foncées; I : 20 à 22 jours; E : 28 à 35 jours, nidifuge; C : 1.

Autres comportements : dérobe parfois les poissons capturés par d'autres oiseaux marins. Lorsqu'elle pêche, vole habituellement bas au-dessus de l'eau, mais lorsqu'elle retourne au nid, vole généralement haut et plane même en cercles pour gagner de la hauteur.

Habitat : côtes et, à l'intérieur des terres, le long des rivières et des lacs.

Voix : *craa* enroué et *couac*.

Protection :
BBS: E ⇑ C ⇑ CBC: ↑

Sterne royale

Sterna maxima Royal Tern

Été

Été

Hiver

Identification : 51 cm. Ne s'observe que sur la côte. ÉTÉ : **grande taille, bec entièrement orange, calotte noire et huppe.** HIVER : comme en été, mais **front blanc; calotte gris pâle à blanc; nuque noire.** AU VOL : de dessous, remarquer la **teinte sombre sur la rémige la plus externe et sur le bord de fuite de l'extrémité de l'aile.** JUV. : bec jaunâtre. AU VOL : de dessus, primaires foncées et barres foncées très marquées sur la partie proximale de l'aile.

Alimentation : plonge dans l'eau d'une hauteur de 12 à 15 m pour capturer des poissons.

Nidification : niche en colonies. Nid, dépression peu profonde creusée dans le sable, garni de morceaux d'herbe. Oeufs : 1 ou 2, chamois avec des mouchetures plus foncées; I : 20 à 22 jours; E : 28 à 35 jours, nidifuge; C : 1.

Autres comportements : migre souvent en grandes troupes avec d'autres espèces de sternes. Les colonies de nicheurs peuvent atteindre 10 000 individus sur la côte du golfe du Mexique.

Habitat : côte.

Voix : cris, *kerrî* sifflé et *kîîrr* criard.

Protection :
BBS: E ↓ C ⇓ CBC: ↓

Sterne caugek

Sterna sandvicensis — Sandwich Tern

Hiver

Été

Hiver

Identification : 43 cm. **ÉTÉ : calotte noire; long bec fin noir à bout jaune; huppe noire. HIVER :** comme en été, mais **couronne blanche; la tache noire de la nuque rejoint l'oeil** (le plumage d'hiver peut apparaître dès le milieu de l'été). **AU VOL :** dessus de l'aile argenté; les 4 ou 5 primaires externes plus foncées que les autres. **JUV. :** bec plus court que celui de l'adulte et tout noir; tête comme chez l'adulte en hiver; large zone noire au bout de la queue; primaires externes entièrement foncées.

Alimentation : capture de petits poissons en plongeant du haut des airs. Se nourrit souvent plus loin en mer que les autres sternes.

Nidification : niche en colonies. Nid, dépression peu profonde creusée dans le sable. Oeufs : 1 ou 2, rosâtres; I : 21 jours; E : 35 jours, nidifuge; C : 1.

Autres comportements : s'associe très intimement avec la S. royale sur les sites d'hivernage et de nidification. On trouve parfois des poussins des deux espèces ensemble sur les sites de nidification. Comme la S. royale, est souvent poussée vers le nord par les ouragans.

Habitat : espèce côtière

Voix : *kirrik*

Protection :
BBS: E ⥣ C CBC: ⥣

Sterne de Dougall

Sterna dougallii Roseate Tern

Été

Été

Juvénile, immature

Identification : 38 cm. ÉTÉ **: taille moyenne, couleur claire; long bec fin et noir** (la racine n'est rouge que pendant la nidification); **la queue blanchâtre dépasse de loin la pointe des ailes repliées.** La calotte et la nuque noires persistent jusque tard en automne. HIVER : généralement, l'adulte en plumage d'hiver n'est pas observé aux États-Unis ni au Canada. **AU VOL** : remarquer que **sur le dessous de la pointe de l'aile, la plus grande partie du bord de fuite est blanche; longue queue fourchue, battements d'ailes rigides et papillonnants. JUV., IMM.** : tête foncée et rayures foncées sur le front blanc; dos brunâtre, barre foncée à l'épaule; dessous de l'aile distinctif comme chez l'adulte; pattes et bec noirs.

Alimentation : capture de petits poissons en plongeant dans l'eau du haut des airs.

Nidification : niche en colonies. Nid, dépression creusée dans le sol, protégé par une touffe d'herbe ou d'autres plantes. Oeufs : 1 ou 2, olive à taches plus foncées; I : 21 à 25 jours; E : 28 jours, nidifuge; C : 1.

Autres comportements : dans le Nord-Est, environ 85 % de toutes les S. de Dougall nichent sur 2 îles côtières, ce qui rend la population très vulnérable. Cette espèce niche avec les S. pierregarin et est souvent évincée par les goélands qui sont plus gros.

Habitat : côte et îles côtières.

Voix : cri distinctif, *tchirik* doux.

Protection :
ICN:→
En danger de disparition au Canada et aux É.-U. sauf en Floride. Les plus gros goélands mangent les oeufs et les poussins. Autrefois affectée par le commerce des plumes et la disparition des habitats de nidification.

Sterne pierregarin

Sterna hirundo Common Tern

Été

Juvénile

Été

Immature

Identification : 38 cm. ÉTÉ : **taille moyenne; dessous gris pâle contrastant avec les sous-caudales blanches; bec rouge orangé, habituellement avec la pointe noire; queue blanche à bordures noires; la pointe des ailes repliées dépasse à peine la queue.** La calotte noire persiste une bonne partie de l'automne; la plus grande partie de la mue se produit après la migration. HIVER : comme en été, mais **partie antérieure de la calotte blanche, nuque et bec noirs; dessous blanc; barre foncée à l'épaule.** AU VOL : dessous, **corps gris, zone noire assez large le long du bord de fuite de la pointe de l'aile.** Dessus, **primaires externes plus foncées que le reste de l'aile.** En hiver, barre foncée à l'épaule. JUV., IMM. : front brun clair devenant blanc avec l'usure; nuque foncée; barre foncée à l'épaule; dos brunâtre devenant gris avec l'usure; dessous des ailes comme chez l'adulte; bec à racine rouge au début, puis surtout noir; pattes rouges.

Alimentation : se nourrit de petits poissons en plongeant.

Nidification : coloniale. Nid, dépression creusée dans le sol. Oeufs : 3, chamois avec des taches; I : 21 à 27 jours; E : 28 jours; C : 1.

Autres comportements : le mâle en parade nuptiale vole avec un poisson dans le bec.

Habitat : lacs, côte.

Voix : *kip* et *kîîarr* dissonant.

Protection :
BBS: E ⇓ C ⇑ CBC: ↓
Depuis 1920, les populations ont diminué de presque 75 % (disparition des habitats de nidification, compétition avec les mouettes et goélands sur les sites de nidification et prédation par les goélands et le Grand-duc d'Amérique).

Sterne arctique

Sterna paradisaea Arctic Tern

Été

Été

Été

Juvénile, immature

Identification : 41 cm. ÉTÉ : **taille moyenne, bec court entièrement rouge; la queue blanche bordée de noir dépasse nettement la pointe des ailes repliées;** calotte et nuque noires; **pattes très courtes.** HIVER : le plumage d'adulte en hiver ne s'observe pas aux États-Unis ni au Canada. AU VOL : de dessous, remarquer **la bordure noire très étroite et distinctive au bord de fuite du bout de l'aile; longue queue fourchue; dessous gris pâle.** JUV., IMM. : front clair, nuque foncée, barre peu marquée à l'épaule; dessous de l'aile distinctif comme chez l'adulte; bec noir, pattes rougeâtres; sur la partie proximale de l'aile, bord de fuite blanc.

Alimentation : vole souvent sur place au-dessus de l'eau, puis pique pour saisir des poissons à la surface; plonge rarement sous l'eau comme le font beaucoup d'autres sternes.

Nidification : coloniale. Nid, dépression creusée dans le sol, parfois garni de morceaux d'herbe, sur une plage ou une corniche. Oeufs : 2 ou 3, olive à taches plus foncées; I : 23 à 27 jours; E : 28 jours, nidifuge; C : 1.

Autres comportements : migrateur au long cours qui passe la saison de nidification dans l'Arctique et hiverne jusqu'en Antarctique, soit un voyage aller-retour de 35 000 km environ.

Habitat : passe l'été sur les lacs, les rivières et la côte; hiverne en mer.

Voix : *kiéérr* dissonant

Protection :
ICN: ↑
À la fin du XIXe siècle, les populations ont beaucoup été réduites par le commerce des plumes. Comme l'espèce est protégée, elle se rétablit lentement.

Sterne de Forster

Sterna forsteri Forster's Tern

Été

Hiver

Été

Juvénile, immature

Identification : 38 cm. **ÉTÉ : taille moyenne; bec rouge orangé à bout noir; dessous blanc; la queue grise à bords blancs dépasse nettement l'extrémité des ailes repliées;** calotte et nuque noires. Mue au mois d'août pour prendre son plumage d'hiver. **HIVER :** comme en été, mais **zone noire allant de l'oeil à l'oreille; front blanc, nuque pâle à gris foncé; pas de barre foncée à l'épaule; bec noir. AU VOL : dessous, ventre blanc; bordure gris foncé assez large sur le bord de fuite du bout de l'aile. Dessus, primaires et secondaires blanc argenté; au début de l'été, la pointe des primaires devient plus foncée. En hiver, ailes entièrement pâles sans barre à l'épaule. JUV., IMM. :** zone noire allant de l'oeil à l'oreille. Calotte et dos brun clair devenant gris et blanc avec l'usure; dessus, ailes foncées sans barre très visible à l'épaule.

Alimentation : mange des insectes en vol; plonge sous l'eau pour attraper des poissons.

Nidification : coloniale. Nid, dépression dans le sol. Oeufs : 3 ou 4, olive avec des taches; I : 22 ou 23 jours; E : ?, nidifuge; C : 1.

Autres comportements : hiverne aux États-Unis.

Habitat : lacs, marais, côte.

Voix : un court *kiar*; un *srîîp* et un *kip*.

Protection :
BBS: E ⇑ C ⇑ CBC: ⇑
Sites de nidification très sensibles au dérangement par les humains.
Récemment, l'aire de distribution s'est étendue vers le nord le long de la côte de l'Atlantique.

Petite Sterne

Sterna antillarum — Least Tern

Été

Été

Été

Identification : 23 cm. **ÉTÉ : très petite taille; calotte noire, front blanc, bec jaune** avec un petit peu de noir au bout. **HIVER :** comme en été, mais **blanc du front plus étendu; bec noir. AU VOL : ailes étroites, battements d'ailes rapides; sur la partie distale de l'aile, bord d'attaque noir** distinctif; queue courte pas très fourchue. **JUV. AUT. :** calotte et front blanchâtres; ligne noire passant par l'oeil et faisant souvent le tour de la nuque; bec noir; V foncés sur les plumes du dessus. **AU VOL :** sur les ailes, bord d'attaque foncé et pointe foncée.

Alimentation : attrape de petits poissons en plongeant dans l'eau du haut des airs ou en rasant la surface.

Nidification : coloniale ou solitaire. Nid, dépression peu profonde dans le sable. Oeufs : 2, olive à taches plus foncées; I : 20 à 22 jours; E : 28 jours, nidifuge; C : 1.

Autres comportements : comme toutes autres sternes qui nichent en colonies, il est préférable de ne pas la déranger. Dans ce cas, lorsque les adultes s'envolent de leur nid, les goélands et les autres oiseaux peuvent venir manger les oeufs et les poussins. En Floride, niche parfois sur les toits recouverts de gravier des grands édifices, peut-être à cause des dérangements qui se produisent sur les plages.

Habitat : côte et grands cours d'eau.

Voix : *kip kip kip* répétitif et *zrîîk* dissonant.

Protection :
BBS: E ⇓ C ⇓ CBC: ↓
À la fin du XIXe siècle, le commerce des plumes éliminait jusqu'à 100 000 individus par an. Aux É.U., la sous-espèce *C. a. «browni»* de la côte ouest et la population de l'intérieur sont en danger de disparition.

Guifette noire

Chlidonias niger — Black Tern

Été

Été

Hiver

Identification : 25 cm. **ÉTÉ : petite taille; tête et corps noirs. AU VOL :** ailes et queue gris foncé uni. **HIVER : dessous blanc, dessus gris foncé; calotte partielle noirâtre; zones noires** (ou «demi-collier») **de chaque côté de la poitrine. AU VOL :** dessus gris foncé, dessous blanc. **JUV. AUT. :** ressemble à l'adulte en hiver, mais calotte grisâtre et dos brunâtre.

Alimentation : mange des insectes qu'elle saisit au passage sur la végétation tout en voletant. S'alimente souvent au-dessus des prés et des terres agricoles. Sur la côte et en mer, se nourrit de poissons.

Nidification : coloniale. Nid, construction lâche de roseaux, au bord de l'eau ou flottant à la surface. Oeufs : 3, olive à taches foncées; I : 21 ou 22 jours; E : 21 à 28 jours, nidifuge; C : 1.

Autres comportements : niche dans la végétation d'un marais et devient très agitée si on s'approche du nid. Lorsqu'on voit voleter ces oiseaux au-dessus du site de nidification et qu'on entend leurs *krîîîk*, on devrait s'éloigner pour éviter de les déranger encore plus. Voir Protection.

Habitat : passe l'été dans les prairies humides, dans les marais et sur les étangs; hiverne sur la côte et en mer.

Voix : un court *kri*k et un *krîîîk* plus prolongé

Protection :
BBS: E ⇓ C ⇓ CBC: ↓
Diminution des populations, peut-être due à la disparition des marais d'eau douce où l'espèce niche, aux pesticides et au dérangement par les humains.

Bec-en-ciseaux noir

Rynchops niger Black Skimmer

Identification : 46 cm. Couleurs frappantes, **dessus noir et dessous blanc; gros bec rouge à bout noir,** la mandibule inférieure étant plus longue. En hiver, plumage plus terne et collier blanc peu marqué. IMM. : ressemble à l'adulte, mais dessus tacheté de brun.

Alimentation : pour se nourrir, emploie une stratégie très particulière et intéressante à observer : passe rapidement au vol au-dessus de l'eau tout en fendant la surface avec sa mandibule inférieure allongée pour trouver des poissons qu'il happe d'un seul coup.

Nidification : colonial. Nid : trou dans le sable. Oeufs : 4 ou 5, blanchâtres à taches foncées; I : 21 à 23 jours; E : 23 à 25 jours, nidifuge; C : 1.

Autres comportements : les ailes assez haut pour ne pas toucher la surface; dans les autres occasions, il donne des battements d'ailes plus accentués. Niche souvent dans des colonies avec des sternes. Occasionnellement, en Floride, se repose sur les toits recouverts de gravier.

Habitat : côte.

Voix : divers cris courts et graves.

Protection :
BBS: E ⇓ C ⇓ CBC: ⇓

Mergule nain

Alle alle Dovekie

Hiver

Été

Identification : 20 cm. ÉTÉ : **très petit; tête et dos noirs, ventre blanc;** bec court et trapu. Au vol, les ailes ont un mouvement si rapide qu'elles deviennent indistinctes. HIVER : ressemble au plumage d'été, mais **menton et gorge blancs.**

Alimentation : plonge sous l'eau à partir de la surface et se sert alors de ses ailes pour nager; se nourrit de crustacés et le plancton.

Nidification : colonial. Nid : crevasse de rocher, doublé de petits galets. Oeufs : 1, blanc bleuâtre; I : 24 jours; E : 28 jours, nidifuge; C : 1.

Autres comportements : la plupart du temps, aperçu au large de la côte en hiver, après qu'il ait quitté ses sites de nidification dans le Grand Nord. Lorsqu'il plonge, peut rester sous l'eau jusqu'à une minute; habituellement, ne reste sous l'eau que 30 secondes. À la fin de l'automne, occasionnellement poussé sur la côte ou à l'intérieur des terres par les coups de vent. Peut-être le plus abondant des Alcidés (guillemots, alques, macareux). Parfois pris accidentellement dans les filets.

Habitat : passe l'été sur les falaises de la côte; hiverne en mer.

Voix : plus bruyant lorsqu'il est sur les sites de nidification; divers caquètements.

Protection :
CBC: ⇑

Guillemot marmette

(Marmette de Troïl)

Uria aalge

Common Murre

Guillemot de Brünnich

(Marmette de Brünnich)

Uria lomvia

Thick-billed Murre

G. marmette en été

G. marmette en hiver

G. de Brünnich en été

G. de Brünnich en hiver

Identification : G. m. 43 cm. G. de B. 46 cm. ÉTÉ : les deux espèces, **tête, cou et dessus foncés, dessous blanc; long bec noir.** G. MARMETTE : **bec élancé, pointu et tout noir; la limite entre le blanc et le noir de la gorge forme un arrondi régulier; teinte brunâtre sur la tête et le dos.** G. DE BRÜNNICH : **ligne blanche longeant la commissure du bec, qui est épais et relativement court; la limite entre le blanc et le noir de la gorge forme une pointe; tête et dos noirs.** HIVER - G. MARMETTE : joue et gorge blanches; trait foncé traversant la joue. G. DE BRÜNNICH : joue et gorge blanches.

Alimentation : se nourrissent de poissons qu'ils attrapent en plongeant depuis la surface. Plongent habituellement à une profondeur de 3 à 7,5 m, mais se sont pris dans des pièges à crabe à 90 m.

Nidification : nichent en colonies. Pour les deux espèces, aucune construction si sauf quelques galets apportés au site du nid; oeufs pondus directement sur une corniche de falaise. Oeufs : 1, vert bleuté à taches plus foncées; I : 32 ou 33 jours; E : 21 jours, nidifuge; C : 1.

Autres comportements : les jeunes quittent le nid avant même de bien savoir voler; ils planent de la falaise où ils sont nés jusque dans la mer.

Habitat : passent l'été sur les falaises de la côte; hivernent en mer.

Voix : *murrr*; aussi grognements.

Protection :
G. marmette :
CBC: ⇓
G. de Brünnich :
CBC: ⇑
Les deux espèces sont vulnérables aux filets maillants et aux déversements d'hydrocarbures.

Petit Pingouin

Alca torda Razorbill

Été

Hiver

Identification : 43 cm. **ÉTÉ : cou épais, gros bec comprimé verticalement; barre blanche traversant la pointe du bec et ligne blanche allant du dessus du bec à l'oeil;** queue pointue souvent relevée. **HIVER :** semblable, mais **gorge blanche, pas de ligne blanche allant du bec à l'oeil. IMM. :** ressemble à l'adulte en hiver, mais pas de lignes blanches sur le bec, qui est plus petit. Garde son plumage imm. 1 an.

Alimentation : capture surtout des poissons qu'il poursuit en plongeant sous l'eau à partir de la surface. Peut porter jusqu'à 9 poissons à la fois dans son bec. En général, ne plonge qu'à quelques mètres en eau peu profonde pour se nourrir sur le fond, mais peut également plonger à plus de 90 m et rester sous l'eau pendant presque une minute.

Nidification : niche en colonies. Nid, quelques tiges et brindilles, ou aucune, sur une corniche, entre des rochers ou dans un terrier. Oeufs : 1, vert-bleuâtre; I : 34 à 39 jours; E : 12 à 24 jours, nidifuge; C : 1.

Autres comportements : les poussins quittent le nid la nuit et planent ou descendent jusqu'à l'eau en marchant. Là, les adultes et les poussins reconnaissent les cris les uns des autres, ce qui leur permet de se regrouper. En automne, parfois poussé sur la côte par les coups de vent.

Habitat : passe l'été le long des falaises de la côte; hiverne en mer.

Voix : divers croassements bas.

Protection : CBC: ⇓

Guillemot à miroir

Cepphus grylle Black Guillemot

Été

Hiver

Identification : 33 cm. **ÉTÉ : entièrement noir, zone blanche très visible sur l'aile. HIVER : dessous blanc; dessus barré de noir et blanc; zone blanche encore très visible sur l'aile, qui est noire.** AU VOL : zone blanche sur dessus de l'aile, sous-alaires blanches. IMM. : ressemble à l'adulte en hiver, mais zone blanche de l'aile tachetée de brun.

Alimentation : mange surtout des poissons et quelques crustacés. Se nourrit à faible profondeur pendant la saison de nidification et en eau plus profonde en hiver. Peut plonger jusqu'à une profondeur de 45 m et rester sous l'eau presque 2 minutes.

Nidification : nid, dépression peu profonde dans le sol, dans un endroit protégé comme sous un rocher, parmi les troncs d'arbres échoués ou dans un terrier naturel dans le sable. Oeufs : 1 ou 2, blanchâtres à taches foncées; I : 28 à 31 jours; E : environ 40 jours, nidifuge; C : 1.

Autres comportements : comme ces oiseaux n'effectuent pas de longues migrations, on les observe régulièrement près de leurs sites de nidification en hiver. Pendant toute l'année, ils préfèrent rester près de la côte au lieu d'aller en pleine mer.

Habitat : espèce côtière.

Voix : grincements aigus.

Protection :
BBS: E ⇑ C CBC: ↑

Macareux moine

Fratercula arctica — Atlantic Puffin

Été

Identification : 33 cm. ÉTÉ : **le seul macareux de l'Est. Gros bec coloré distinctif;** face blanche, collier noir et ventre blanc. **HIVER :** comme en été, mais **face grisâtre, bec plus terne. IMM. :** ressemble à l'adulte en hiver, mais bec plus petit, plus pointu et gris avec la pointe rougeâtre foncé. Garde son plumage imm. jusqu'à 5 ans.

Alimentation : mange surtout des petits poissons, également des crustacés et des calmars.

Nidification : nid dans un terrier creusé par l'oiseau lui-même, habituellement sous des blocs rocheux. Oeufs : 1, blanchâtre à taches peu marquées; I : 35 à 45 jours; E : 43 à 55 jours, nidifuge; C : 1.

Autres comportements : les parents nourrissent leur poussin avec de petits poissons qu'ils portent de travers dans leur bec. Ils peuvent attraper de nouveaux poissons sans laisser échapper ceux qu'ils tiennent déjà. Transportent habituellement de 5 à 12 proies par voyage, mais on en a observé qui portaient 60 proies à la fois. L'espèce a été réintroduite avec succès sur quelques îles au large de la côte du Maine.

Habitat : îles côtières et pleine mer.

Voix : cri court et dissonant *(ârr)*; aussi, cris plus longs.

Protection :
CBC: ⇓

Pigeon biset

Columba livia

Rock Dove (Pigeon)

Forme typique

Variantes

Identification : 33 cm. C'est le pigeon que l'on connaît bien. Suite à son élevage en captivité, ses couleurs peuvent aller de tout blanc à tout noir en passant par tous les intermédiaires. Le plus souvent, **tête gris foncé, cou irisé, dos gris clair, deux barres alaires foncées. AU VOL : remarquer la queue carrée terminée par une bande foncée; croupion blanc.**

Alimentation : se nourrit au sol de céréales, de graines, de miettes et d'autres déchets dans les villes. Aux mangeoires, mange les graines et le maïs concassé répandus sur le sol.

Nidification : nid en forme de soucoupe, fait de racines, tiges et feuilles, sur une corniche ou une solive d'un édifice, sur une poutre située sous un pont ou dans une grange. Oeufs : 1 ou 2, blancs; I : 18 jours; E 25 à 29 jours, nidicole; C : 2 à 5.

Autres comportements : Ils ont de nombreuses parades nuptiales. Les individus reproducteurs s'envolent en faisant claquer leurs ailes, puis ils planent en les gardant ouvertes en V. Le mâle étale aussi sa queue et hérisse les plumes de son cou tout en faisant des courbettes et en marchant en cercles devant la femelle; entre les courbettes, il court sur une courte distance en faisant traîner sa queue sur le sol. Introduit en Amérique du Nord en 1606, il est maintenant répandu.

Habitat : villes, parcs, ponts, falaises abruptes.

Voix : appel du mâle ou de la femelle au nid, *koutou couou*; pendant la parade nuptiale, le mâle émet un *ourouc' toucou*. Claquements d'ailes pendant les parades aériennes.

Protection :
BBS: E ↑ C ↓

Tourterelle turque

Streptopelia decaocto — Eurasian Collared-Dove

Identification : 30 cm. **Grande taille, pâle, collier noir** sur la nuque. **AU VOL : dessus et dessous pâles, queue carrée à coins blancs.**

Alimentation : se nourrit de graines, céréales ou miettes trouvées sur le sol; mange également des baies.

Nidification : nid plat fait de brindilles et de tiges, dans un arbre ou un buisson ou sur le rebord d'un édifice. Oeufs : 2, blancs; I : 14 à 16 jours; E : 15 à 18 jours, nidicole; C : 2 à 5.

Autres comportements : originaire d'Eurasie. Introduite aux Bahamas et s'est étendue à la Floride; signalée récemment en Georgie, en Louisiane et en Arkansas. On s'attend à ce que l'aire de distribution continue de s'étendre. Pendant la parade aérienne, s'élève en faisant claquer ses ailes, puis plane.

Habitat : paysages ouverts avec des arbres et des broussailles, habituellement près de zones cultivées; aussi dans les petites villes.

Voix : un *cou, cou, couou* doux.

Protection : population en augmentation.

Tourterelle à ailes blanches

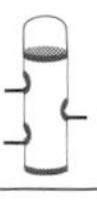

Zenaida asiatica

White-winged Dove

Identification : 28 cm. Brun-gris clair; trapue; **ligne blanche très visible le long de l'aile fermée;** petit trait noir sous la joue; oeil rouge entouré de peau bleue. **AU VOL : taches blanches très visibles traversant le centre des ailes;** queue arrondie avec du blanc de chaque côté.

Alimentation : se nourrit au sol ou en s'accrochant aux plantes sur lesquelles elle s'alimente. Mange des mauvaises herbes, des fleurs et des graines d'autres plantes, des glands, des fruits de cactus et des grains échappés comme du sorgho. Vient parfois manger les graines qui sont au sol sous les mangeoires.

Nidification : niche parfois en colonies. Nid en soucoupe fait de branches, brindilles, herbes et tiges de mauvaises herbes, à la fourche d'une branche horizontale ou par-dessus un nid abandonné, dans un arbre, à une hauteur de 1,20 m à 7,50 m. Oeufs : 1 à 4, blanc crème; I : 13 ou 14 jours; E : 13 à 16 jours, nidicole; C : 2 ou 3.

Autres comportements : se repose et niche souvent en colonies, surtout dans les taillis de mesquite. Vole seule, en couple ou en petits groupes et s'assemble en grand nombre dans les bons sites d'alimentation. Lorsqu'il vocalise au nid devant la femelle, le mâle étale sa queue et ses ailes. Au sud du Texas, l'habitat de nidification a été détruit au début du XXe siècle. Actuellement en expansion vers le nord dans les régions suburbaines.

Habitat : toutes les régions sèches du Sud-Ouest, y compris les banlieues.

Voix : *hou koukouyou* distinctif. Ressemble au cri de la Chouette rayée en plus doux.

Protection :
BBS: E ⇑ C ↑ CBC: ⇑

Tourterelle triste

Zenaida macroura

Mourning Dove

Mâle

Identification : 30 cm. Élancée, brun-gris; **longue queue pointue, points noirs sur les ailes.** Chez le mâle, couronne gris clair et côtés du cou irisés; chez la femelle, tête et cou brun uni. **AU VOL : longue queue pointue, rectrices extérieures plus courtes avec un bout blanc.**

Alimentation : commune aux mangeoires où elle se nourrit des graines répandues au sol, ou bien sur les plateaux et aux trémies. Mange des herbes et des graines de céréales ainsi que quelques insectes.

Nidification : nid lâche et plat fait de brindilles, d'herbes et d'aiguilles de pin, dans une fourche verticale ou sur la branche horizontale d'un arbre, à une hauteur de 1 à 9 m ou, rarement, au sol. Oeufs : 2, blancs; I : 14 ou 15 jours; E 12 à 14 jours, nidicole; C : 2 ou 3.

Autres comportements : les mâles non accouplés font une parade aérienne pendant laquelle ils font claquer leurs ailes tout en s'élevant, puis redescendent en décrivant un long plané en spirale tout en tenant les ailes légèrement plus bas que le corps. À partir d'un perchoir, le mâle en parade émet un roucoulement particulier tout en gonflant les plumes de sa gorge et en hochant la queue. Lorsqu'il se trouve au sol devant la femelle, le mâle hoche la tête de façon répétée et émet un roucoulement prolongé.

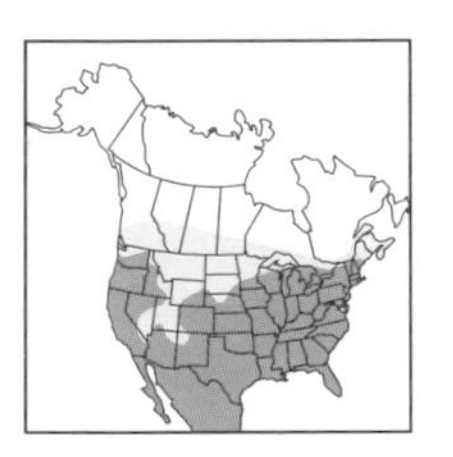

Habitat : presque tous les habitats ouverts, y compris les banlieues.

Voix : les mâles non accouplés émettent un *ou hou ou ou ou* qu'on entend souvent. Près du nid, les femelles et les mâles reproducteurs font entendre un court *ou hou.*

Protection :
BBS: E ↑ C ↓ CBC: ⇑

Colombe inca

Columbina inca — Inca Dove

Identification : 20 cm. **Petite taille;** les plumes à bout noir créent des **festons sur tout le corps; queue presque aussi longue que le reste du corps. AU VOL : extrémités des ailes brun-roussâtre; longue queue avec du blanc le long des côtés et dans les coins.**

Alimentation : se nourrit au sol de graines de mauvaises herbes et de céréales. S'alimente parfois en compagnie des volailles. Fréquente parfois les mangeoires où elle se nourrit des graines répandues sur le sol.

Nidification : nid en forme de soucoupe, fait de brindilles, de branches, d'herbe, de feuilles et de radicelles, garni d'herbe, sur une branche horizontale, dans un arbre ou un buisson, ou quelquefois dans une jardinière suspendue. Réutilise parfois le nid d'un autre oiseau comme la T. triste. Oeufs : 2, blancs; I : 14 jours; E : 14 à 16 jours, nidicole; C : 2 à 5.

Autres comportements : pendant la parade, fait des courbettes et montre les motifs de sa queue en la déployant à la verticale. En été, les adultes non nicheurs et les immatures forment des troupes lâches qui peuvent se regrouper en grand nombre sur les bons sites d'alimentation. Se reposent en groupes et se posent très près les uns des autres, certains se perchant sur d'autres.

Habitat : paysages de mesquite et de cactus; banlieues, parcs et jardins.

Voix : un *oueur-poul* répété sans cesse.

Protection :
BBS: E C ↑ CBC: ↑
Aire de distribution en expansion vers l'est le long du golfe du Mexique.

Colombe à queue noire

Columbina passerina

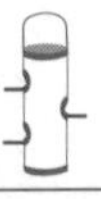

Common Ground Dove

Mâle

Identification : 18 cm. **Très petite taille, grise, festons limités à la tête et à la poitrine;** bec rougeâtre à pointe noire; **queue courte** souvent levée. **MÂLE :** gris-rosâtre. **FEMELLE :** grise. **AU VOL : pointe des ailes brun-roussâtre; queue courte et foncée, points blancs dans les coins.**

Alimentation : se nourrit au sol de graines d'herbes et de céréales échappées, de miettes, d'insectes et de petites baies. Parfois attirée par les graines répandues sur le sol près des mangeoires.

Nidification : nid en forme de soucoupe, fait de branches, de radicelles et d'herbes, au sol, sur une plage, dans un bois, dans un champ ou, occasionnellement, dans un buisson bas. Oeufs : 2 ou 3, blancs; I : 12 à 14 jours; E : 11 jours, nidicole; C : 2 à 4.

Autres comportements : en présence de la femelle, le mâle roucoule et fait des courbettes en baissant la tête. La plupart du temps au sol, habituellement en couples ou en petits groupes. N'a pas peur des humains.

Habitat : zones ouvertes en bordure de la végétation, y compris les banlieues.

Voix : *coua coua* ascendant.

Protection :
BBS: E ⇓ C ⇓ CBC: ⇓

Colombe de Verreaux  (Colombe à front blanc)

Leptotila verreauxi — White-tipped Dove

Identification : 30 cm. Limitée au sud du Texas. **Grande, trapue; front pâle, menton blanchâtre;** ailes foncées sans marques, ventre pâle. **AU VOL : de dessus, ailes foncées; de dessous, couvertures sous-alaires brun-roussâtre; queue carrée, pointes blanches dans les coins.**

Alimentation : se nourrit au sol ou dans les branches basses; mange des graines d'herbes, de céréales, de mesquite, d'opuntia et d'autres plantes. Mange également des grillons.

Nidification : nid en forme de soucoupe, fait de branches, de brindilles, d'herbes et de tiges de mauvaises herbes, au sol ou sur la fourche d'une branche horizontale jusqu'à une hauteur de 12 m. Oeufs : 2 ou 3, blanc crème; I : 14 jours; E : 15 jours, nidicole; C : 1 ou plus.

Autres comportements : craintive et solitaire. S'alimente sous les buissons denses. Lorsqu'on la surprend, s'envole en faisant claquer ses ailes.

Habitat : au sol dans les forêts à sous-bois dense.

Voix : appel long et grave, distinctif, rappelant le son produit lorsqu'on souffle sur le goulot d'une bouteille vide.

Protection :
BBS: E C ⇑

Coulicou à bec noir

Coccyzus erythropthalmus Black-billed Cuckoo

Adulte

Immature

Identification : 30 cm. **Bec noir courbé vers le bas, cercle oculaire rouge; longue queue;** les étroits croissants blancs à l'extrémité des rectrices foncées sont répartis deux par deux sur la face inférieure de la queue. **AU VOL : ailes et dessus brun foncé; étroite marque blanche au bout des rectrices. IMM. :** ressemble à l'adulte, mais cercle oculaire chamois et extrémités blanches des rectrices moins visibles. Garde son plumage imm. jusqu'à l'hiver.

Alimentation : mange des insectes, surtout des chenilles; également des araignées, grenouilles, lézards, petits mollusques, poissons et baies.

Nidification : nid, plate-forme faite de brindilles et d'herbe, garni de fougères, radicelles et chatons, près du tronc d'un arbre, à une hauteur de 60 cm à 6 m. Oeufs : 2 à 5, vert-bleuâtre; I : 10 à 14 jours; E : 9 à 14 jours, nidicole; C : 1.

Autres comportements : à de rares occasions, pond ses oeufs dans le nid d'autres oiseaux tels que le C. à bec jaune, le Moqueur chat, la Grive des bois, la Paruline jaune ou le Bruant familier. Ce phénomène se produit lorsque la nourriture est abondante comme pendant les invasions de chenilles.

Habitat : lisières de forêts, taillis, haies.

Voix : *coucoucou, coucoucou* répété et doux.

Protection :
BBS: E ↓ C ↓

Coulicou à bec jaune

Coccyzus americanus Yellow-billed Cuckoo

Adulte

Adulte

Identification : 30 cm. **Bec courbé vers le bas, noir dessus, jaune dessous; longue queue** avec 3 paires de grands ovales blancs sur sa face inférieure, qui est foncée. **AU VOL : moitié distale des ailes brun-roussâtre; large marque blanche à l'extrémité des rectrices. IMM. :** ressemble à l'adulte, mais ovales blancs du dessous de la queue moins visibles; le bec peut être entièrement foncé ou partiellement jaune; ressemble au C. à bec noir. Garde son plumage imm. jusqu'en hiver.

Alimentation : mange surtout des chenilles comme des chenilles à tentes, aussi des cigales, coléoptères, sauterelles, grillons et autres insectes, des baies, des grenouilles et des lézards.

Nidification : nid, plate-forme faite de brindilles, garni de feuilles, d'herbes, de mousse et de radicelles, sur une branche horizontale, dans un arbre ou un buisson, à une hauteur de 90 cm à 6 m. Oeufs : 1 à 5, vert-bleuâtre pâle; I : 9 à 14 jours; E : 7 à 9 jours, nidicole; C : 1 ou 2.

Autres comportements : on l'entend plus souvent qu'on ne le voit. Assez craintif. Se tient dans le feuillage dense des arbres ou dans le fouillis du sous-bois. À de rares occasions, pond ses oeufs dans le nid du C. à bec noir.

Habitat : boisés ouverts, taillis, habitats riverains.

Voix : *coucoucoucacaca calôp calôp calôp*, plus lent vers la fin.

Protection : BBS: E ↓ C ↓ CBC:→

Coulicou manioc

(Coulicou masqué)

Coccyzus minor

Mangrove Cuckoo

Identification : 30 cm. **Tête grise, tache auriculaire noire; long bec courbé vers le bas, noir dessus, jaune dessous; ventre chamois; longue queue** avec trois paires de grands ovales blancs sur sa face inférieure foncée. **AU VOL : ventre chamois, pas de brun-roussâtre sur les ailes. IMM. :** ressemble à l'adulte, mais ovales blancs de la queue moins visibles; tache auriculaire gris foncé. Garde son plumage imm. jusqu'en hiver.

Alimentation : mange des sauterelles, chenilles et autres insectes; aussi des araignées, des fruits et des baies.

Nidification : nid, plate-forme faite de brindilles, dans un arbre ou un taillis dense. Oeufs : 2, bleu-verdâtre; I : environ 12 jours; E : environ 14 jours, nidicole; C : 1 ou 2.

Autres comportements : craintif et discret. Séjourne sur les buttes portant des feuillus et dans les taillis de palétuviers.

Habitat : mangroves.

Voix : *ga ga ga* guttural, lent et répété.

Protection : TENDANCE INCONNUE.

Grand Géocoucou

Geococcyx californianus Greater Roadrunner

Identification : 56 cm. **Longues pattes, longue queue; rayé de brun;** trait bleu et rouge derrière l'oeil; **habituellement au sol;** lorsqu'il s'arrête, lève souvent sa huppe et sa queue. **Imm. :** n'a pas le trait de couleur derrière l'oeil.

Alimentation : se nourrit au sol d'insectes, de petits rongeurs, d'oeufs et de poussins des autres oiseaux, de petits serpents y compris de serpents à sonnettes, d'araignées, de lézards et de fruits.

Nidification : nid, plate-forme de branches, garni de racines, de plumes, d'herbe et de mues de serpents, de cosses de mesquite et de fumier séché de cheval ou de bovins, dans un cactus bas, un arbre ou un buisson, à une hauteur de 90 cm à 4,50 m. Oeufs : 4 à 6, blanc-jaunâtre; I : 20 jours; E : 17 à 19 jours, nidicole; C : 1 ou 2.

Autres comportements : peut courir jusqu'à 24 km/h à la poursuite de lézards ou d'insectes. Le couple vit sur son territoire toute l'année.

Habitat : au sol dans les forêts, les broussailles et les prairies; souvent dans les zones arides.

Voix : suite descendante de *cou* rappelant le chant d'une colombe.

Protection :
BBS: E C ↓ CBC: ↑

Ani à bec lisse

Crotophaga ani — Smooth-billed Ani

Ani à bec cannelé

Crotophaga sulcirostris — Groove-billed Ani

Ani à bec lisse

Ani à bec cannelé

Identification : A. à bec lisse : 36 cm. A. à bec cannelé : 33 cm. A. À BEC LISSE : limité au sud de la Floride. **Noir, longue queue; bec épais** distinctif **avec une carène sur le dessus;** longue queue souvent recourbée sous le corps. A. À BEC CANNELÉ : limité au sud du Texas. **Noir, longue queue; bec** distinctif **très épais et souvent avec de fins sillons;** la queue est parfois recourbée vers l'avant ou sur le côté.

Alimentation : les deux espèces se nourrissent dans les buissons ou au sol, souvent dans les pâturages près du bétail qui broute. Mange des insectes, des fruits et des baies. Saisit parfois les insectes sur le dos du bétail.

Nidification : nid des deux espèces, amoncellement de brindilles, garni de feuilles fraîches, dans un arbre ou un buisson épineux, jusqu'à une hauteur de 7,50 m. Oeufs : les femelles d'un groupe pondent chacune 1 à 4 oeufs bleus dans le même nid; I : 14 jours; E : 7 à 10 jours, nidicole; C : 1 ou 2.

Autres comportements : vivent en communautés de 1 à 4 couples monogames dans lesquels tous les individus participent aux soins des jeunes. Se reposent parfois en groupes de 30 à 40. En vol, les deux espèces donnent des coups d'ailes maladroits et laborieux suivis d'un plané.

Bec lisse

Bec cannelé

Habitat : terres agricoles, haies, bois, vergers et pelouses.

Voix : A. à bec lisse : *qui-lic* métallique et ascendant. A. à bec cannelé : *couî-o* ascendant puis redescendant parfois répété rapidement.

Protection :
A. à bec lisse :
BBS: E ⇓ C CBC: ⇓
A. à bec cannelé :
BBS: E C ⇑ CBC: ↓

Effraie des clochers

Tyto alba

Barn Owl

Identification : 46 cm. Chouette pâle et élancée à **longues pattes; grand disque facial blanc en forme de coeur;** yeux foncés, poitrine blanche à chamois et à mouchetures dispersées.

Alimentation : localise ses proies presque uniquement par le son. Habituellement, vole à 3 m au-dessus des marais, prairies et forêts à la recherche de souris et de rats qu'elle saisit dans ses serres. Mange aussi des insectes, chauves-souris et reptiles.

Nidification : niche dans des granges et autres vieilles constructions, dans les trous d'arbre, les clochers et les anciens terriers de marmotte ou de blaireau ainsi que dans les trous des rivages et des falaises qu'elle agrandit parfois. Adopte les nichoirs. N'ajoute aucun matériau pour le nid. Oeufs : 4 à 7, blancs; I : 32 à 34 jours; E : 45 à 58 jours, nidicole; C : 1 ou 2.

Autres comportements : l'Effraie des clochers a le sens de l'ouïe le plus développé de tous les hiboux et chouettes. Elle peut repérer une proie avec une précision parfaite dans l'obscurité totale. Elle peut entendre marcher une souris sur de la terre battue à une distance de 27 m. Elle peut donc être très utile aux agriculteurs qui veulent se débarrasser des souris au voisinage de leurs granges. En hiver, se repose dans les conifères, les édifices abandonnés et les autres endroits obscurs.

Habitat : terres agricoles dégagées, prairies, déserts et banlieues.

Voix : le plus souvent, sifflements ou grincements dissonants; parfois, cliquetis métalliques.

Protection :
CBC: ↑

Petit-duc maculé

Otus asio

Eastern Screech-Owl

Identification : 23 cm. **Petit hibou aux yeux jaunes et à aigrettes** (qui peuvent être abaissées et cachées). Dans l'Est, le seul petit hibou pourvu d'aigrettes. Il existe une forme rousse et une forme grise.

Alimentation : se nourrit de souris, insectes, amphibiens et oiseaux. Dans les villes, mange parfois les insectes attirés par les lampadaires.

Nidification : niche dans un arbre creux, un vieux trou de pic ou un nichoir. N'ajoute aucun matériau pour le nid. Oeufs : 3 à 5, blancs; I : 21 à 28 jours; E : 30 à 32 jours, nidicole; C : 1.

Autres comportements : le territoire se limite au secteur qui entoure le nid. Le mâle commence à défendre plusieurs cavités à la fin de l'hiver; il émet alors un hennissement et un long trille et poursuit les intrus. Comme chez tous les hiboux et chouettes, le mâle a une voix plus grave et il est plus petit que la femelle. Il la nourrit pendant qu'elle couve les oeufs. Les jeunes ne savent pas bien voler lorsqu'ils quittent le nid; parfois, ils en sortent et gagnent une branche en se servant de leur bec et de leurs serres. Se repose et niche dans une cavité naturelle ou dans un nichoir; un couple peut occuper le même site pendant 7 ans ou plus.

Habitat : bois, marécages, parcs, banlieues.

Voix : hennissement lugubre montant, puis descendant; long trille sur une note.

Protection :
BBS: E ↑ C ⇓ CBC: ⇑

Grand-duc d'Amérique

Bubo virginianus Great Horned Owl

Identification : 56 cm. **Très grand; aigrettes très écartées;** yeux jaunes; **gorge blanche** qui se prolonge parfois en un V fin sur la poitrine.

Alimentation : grand et redoutable chasseur aux proies très variées allant des insectes aux animaux de la taille d'un Grand Héron. Mange écureuils, souris, lapins, serpents, mouffettes, porcs-épics, chats domestiques, corneilles, balbuzards et d'autres rapaces diurnes et nocturnes y compris la Chouette rayée et la Buse à queue rousse.

Nidification : utilise l'ancien nid d'un rapace diurne, d'un héron ou d'un écureuil, un creux dans un arbre ou une corniche de falaise; y ajoute des plumes de sa poitrine. Se sert souvent d'un nid de Buse à queue rousse parce que les deux espèces partagent le même habitat. Oeufs : 1 à 4, blancs; I : 28 à 30 jours; E : 35 jours, nidicole; C : 1.

Autres comportements : les corneilles harcellent souvent ce hibou et leurs cris insistants sont souvent un indice de sa présence. Ce comportement incommode plus qu'il ne dérange vraiment cet oiseau qui, souvent, se contente de se déplacer temporairement. Les Grands-ducs d'Amérique, comme tous les autres hiboux et chouettes, régurgitent des boulettes d'os, de plumes et de poils non digérés. Les boulettes de régurgitation du Grand-duc d'Amérique ont une longueur de 7,5 à 10 cm et s'accumulent sur le sol sous le perchoir où il se repose. Parmi les hiboux et chouettes d'Amérique du Nord, c'est celui qui a l'aire de distribution la plus étendue.

Habitat : extrêmement varié; bois, déserts, banlieues.

Voix : quatre à six hululements graves et sonores émis à des rythmes divers par les différents individus; souvent un *houhouhou houhou hou*. Les hululements de la femelle sont plus aigus.

Protection : BBS: E ⇈ C ↑ CBC: ↑

Harfang des neiges

Nyctea scandiaca Snowy Owl

Adulte

Immature

Identification : 61 cm. **Grande chouette blanche;** yeux jaunes; **taches et barres noires en quantité variable.** Les immatures sont plus foncés que les adultes et les femelles plus foncées que les mâles. Les femelles immatures sont donc les plus foncées, avec presque autant de blanc que de noir sur le corps et les ailes; les mâles adultes sont presque entièrement blancs.

Alimentation : chasse souvent le jour. Mange surtout des rongeurs, des Lièvres arctiques et des Lièvres d'Amérique, des poissons, des oiseaux (y compris de la sauvagine) et des charognes. Lorsqu'il niche, se nourrit surtout de lemmings.

Nidification : nid dans la toundra, dans une dépression peu profonde sur un monticule ou sur un banc de gravier, garni de quelques plumes et de morceaux de mousse. Oeufs : 3 à 10, blancs; la taille de la couvée est plus importante lorsque les proies sont abondantes; I : 32 à 39 jours; E : 14 à 28 jours, nidicole; C : 1.

Autres comportements : la migration vers le sud en hiver prend la forme d'une invasion. Certaines années, on aperçoit plus d'individus que d'autres. Il est possible qu'il y ait une corrélation avec le cycle d'abondance des populations de lemmings. La plupart des oiseaux qui s'aventurent au sud jusqu'aux États-Unis en hiver sont des immatures.

Habitat : toundra dégagée ou, plus au sud, habitats semblables comme les aéroports, les plages et les marais.

Voix : sur le site de nidification, aboiements; silencieux en hiver.

Protection :
CBC: ↓

Chouette épervière

Surnia ulula Northern Hawk Owl

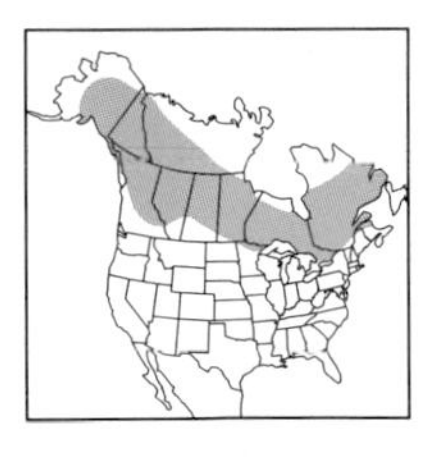

Identification : 41 cm. **Chouette de taille moyenne; longue queue, disques faciaux grisâtres à larges bordures noires.** Pas d'aigrettes; yeux jaunes; dessous grisâtre fortement barré de brun. Les individus qui viennent vers le sud en hiver sont souvent observés perchés le long des routes et des champs où ils chassent.

Alimentation : pour chasser, pique sur sa proie, puis retourne à son perchoir. Se sert régulièrement de son perchoir préféré, souvent pendant des années. Peut également manoeuvrer avec rapidité à travers la forêt comme l'Épervier de Cooper. Mange des campagnols, des souris et des lemmings en été; en hiver, mange d'autres oiseaux, y compris des tétras et des lagopèdes, ainsi que des lapins.

Nidification : niche dans l'extrémité creuse d'un arbre mort cassé; se sert également des vieux trous de pic et des cavités dans les arbres. Oeufs : 3 à 9, blancs; I : 25 à 30 jours; E : 25 à 35 jours, nidicole; C : 1.

Autres comportements : n'a pas peur des humains. Chasse plus souvent le jour que les autres chouettes et hiboux. A une excellente vision diurne qui, pour la chasse, lui sert plus que l'ouïe. Celle-ci est moins développée que chez les autres hiboux et chouettes.

Habitat : forêts de conifères et tourbières du Nord, marécages et forêts; bordures de routes et champs.

Voix : divers cris incluant des trilles sifflés, des crépitements, des cris aigus et un *kikikiki*.

Protection :
CBC: ↓

Chevêchette des saguaros (Chouette des saguaros)

Micrathene whitneyi — Elf Owl

Identification : 15 cm. Notre **plus petite chouette; yeux jaunes, queue courte, pas d'aigrettes.** Se distingue de la Petite Nyctale par sa taille plus petite et par l'absence de rayures sur le dessous.

Alimentation : mange des insectes, scorpions, araignées, chilopodes, souris et musaraignes. Chasse la nuit.

Nidification : niche dans un ancien trou de pic, dans un arbre feuillu ou un saguaro; n'ajoute aucun matériau pour le nid. Oeufs : 2 à 5, blancs; I : 24 jours; E : 28 à 33 jours, nidicole; C : 1.

Autres comportements : se repose et niche dans deux cavités différentes. Pendant la journée, se repose dans un arbre creux ou dans des taillis denses où sa couleur fait qu'il est très difficile de la trouver. Lorsque la femelle couve, le mâle se repose parfois avec d'autres mâles.

Habitat : déserts à saguaros, ruisseaux à rives boisées, forêts de pins et de chênes.

Voix : jappements aigus, gazouillis et divers autres cris.

Protection :
TENDANCE INCONNUE.
Presque disparue de Californie. Tentatives de réintroduction, succès incertain. Plus commune ailleurs dans son aire de distribution.

Chevêche des terriers

(Chouette des terriers)

Speotyto cunicularia

Burrowing Owl

Identification : 23 cm. **Petite taille, longues pattes, gorge blanche; grosses taches sauf sur le ventre qui est barré;** yeux jaunes, pas d'aigrettes; **habituellement posée sur le sol.** Fait des courbettes lorsqu'on l'approche.

Alimentation : mange des insectes, scorpions, écrevisses, souris, écureuils terrestres, jeunes chiens de prairie, lapins, amphibiens, serpents et, plus rarement, des oiseaux.

Nidification : niche en petites colonies, dans le terrier abandonné d'un chien de prairie, d'une tortue, d'un armadillo, d'une marmotte, d'une mouffette ou d'un autre mammifère. Creuse parfois son propre terrier ou en agrandit un qui existe déjà; nid garni de bouse de vache ou de cheval et d'herbes. Oeufs : 6 à 11, blancs; I : 21 à 28 jours; E : 28 jours, nidicole; C : 1.

Autres comportements : on les aperçoit souvent qui se tiennent sur le monticule formé à l'entrée de leur terrier, dans des habitats tels les aéroports, abords de grand-routes, terrains de golf et terrains vacants ainsi que dans leur habitat traditionnel, les colonies de chiens de prairie. Elles ne partagent pas le terrier d'un chien de prairie mais en adoptent un qui a été abandonné. Les serpents à sonnette vivent parfois dans les colonies de chiens de prairie et s'en nourrissent ainsi que de C. des terriers. Celles-ci savent imiter le cliquetis du serpent à sonnettes pour éloigner les prédateurs éventuels.

Habitat : plaines dégagées, prairies et déserts de broussailles.

Voix : pendant la parade nuptiale, le mâle fait entendre un *cou cou*; long caquètement lorsqu'elle est inquiète.

Protection :
BBS: E ⇓ C ⇓ CBC: ↑
Diminution en Californie, augmentation en Floride.

Chouette rayée

Strix varia

Barred Owl

Identification : 53 cm. Avec l'Effraie des clochers, la **seule grande chouette de l'Est à avoir des yeux foncés.** Poitrine barrée, ventre rayé, pas d'aigrettes.

Alimentation : souris, lapins, amphibiens, reptiles et insectes.

Nidification : niche dans un arbre creux ou dans le nid abandonné d'un rapace diurne ou d'une corneille, à une hauteur de 7,50 m à 24 m. Se sert de nichoirs dont le trou d'entrée a un diamètre de 15 cm au moins. Oeufs : 2 à 4, blancs; I : 28 à 33 jours; E : 40 à 45 jours, nidicole; C : 1.

Autres comportements : les C. rayées sont parmi les rapaces nocturnes les plus bruyants de nos régions et elles crient souvent pendant la journée. En dehors du cri le plus connu *(ouhouh ouhouh ouhouh ouhouh ouhouâh)* leur répertoire est étonnant et inclut même un cri aigu à vous glacer le sang. Les deux membres d'un couple s'appellent parfois à tour de rôle. En moyenne, le territoire est d'environ 2,5 km^2. Il peut être agrandi en hiver en cas de manque de nourriture. Les mâles quittent parfois leur territoire en hiver pour aller se nourrir ailleurs; c'est alors qu'on les observe dans les banlieues et les villes où ils cherchent à manger. Au début du printemps, ils vont retrouver leur partenaire sur leur territoire.

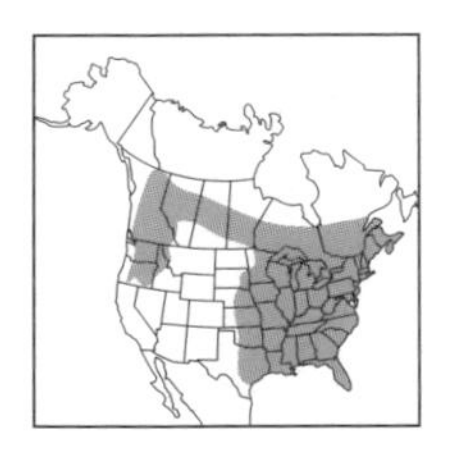

Habitat : forêts, marécages boisés.

Voix : *ouh ouh ouhouh.* Les cris de la femelle sont plus aigus. Aussi, des cris rappelant la voix d'un singe (*hô hô hâ hâ hâ*).

Protection :
BBS: E ⇑ C ⇑ CBC: ↑
Aire de distribution en expansion dans le nord-ouest des États-Unis et au Canada.

Chouette lapone

Strix nebulosa Great Grey Owl

Identification : 74 cm. Notre **plus grande chouette; grands disques faciaux** couverts par des cercles concentriques; **yeux jaunes relativement petits;** sous le menton, 2 taches blanches ressemblant à un **noeud papillon blanc;** queue relativement longue, pas d'aigrettes.

Alimentation : surtout des campagnols et des souris; aussi des gaufres et des belettes, moins souvent des oiseaux et des écureuils. En plus de sauter sur sa proie avec ses serres, plonge occasionnellement tête première dans la neige à la poursuite de campagnols. Chasse le jour aussi bien que la nuit.

Nidification : adopte le nid abandonné d'un rapace diurne, d'une corneille ou d'un corbeau, ou bien niche au sommet d'une souche d'arbre. Oeufs : 1 à 5, blancs; I : 30 jours; E : 20 à 28 jours, nidicole; C : 1.

Autres comportements : visiteur d'hiver rare et irrégulier dans les régions qui sont en dehors de son aire de distribution permanente. Habituellement, on l'observe dans les endroits ouverts, dégagés et humides entourés de bois, où on peut la voir chasser les campagnols pendant la journée.

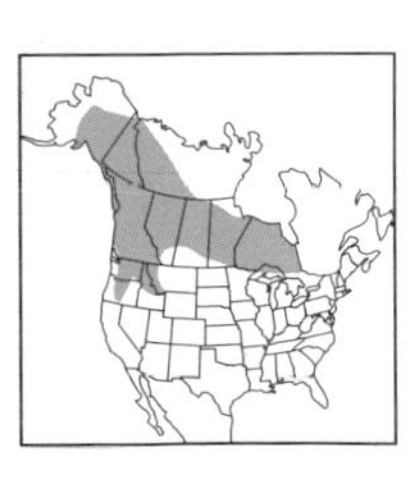

Habitat : forêts de conifères et de feuillus du Nord.

Voix : suite lente de hululements graves régulièrement espacés.

Protection :
CBC: ↑

Hibou moyen-duc

Asio otus Long-eared Owl

Identification : 38 cm. **Hibou élancé; aigrettes longues et rapprochées; disque facial roux; longues ailes qui dépassent la pointe de la queue;** yeux jaunes, pas de blanc à la gorge.

Alimentation : mange surtout des campagnols et des souris; également des amphibiens, reptiles et insectes.

Nidification : niche parfois dans des colonies lâches. Utilise le nid abandonné d'une corneille, d'un rapace diurne, d'une pie, d'un écureuil ou d'un héron, ou bien une cavité dans un arbre. Sont ajoutés parfois au nid des lambeaux d'écorce, des feuilles et des plumes provenant de la poitrine de la femelle. Oeufs : 3 à 8, blancs; I : 21 à 28 jours; E : 23 à 26 jours, nidicole; C : 1.

Autres comportements : se rassemblent parfois dans des dortoirs communautaires regroupant 50 individus ou plus, habituellement dans les conifères denses. Il importe que les ornithologues évitent de déranger ces endroits en les visitant trop souvent. Possède un vaste répertoire vocal (bien qu'il soit souvent silencieux); émet des cris de chat et des gazouillis de canari lorsqu'il regagne le dortoir avant l'aube. Les aigrettes qu'on peut voir sur la tête ne sont pas des oreilles; elles ajoutent au camouflage de l'oiseau lorsqu'il s'allonge, et il ressemble alors à l'extrémité irrégulière d'une branche cassée.

Habitat : bois près de champs ouverts ou de marais.

Voix : *hou* simple ou double émis sur un rythme lent; jappements, gazouillis aigu et un long *hououou* tremblotant.

Protection :
CBC: ↓

Hibou des marais

Asio flammeus Short-eared Owl

Identification : 38 cm. **Taille moyenne; on l'aperçoit souvent au crépuscule qui chasse au-dessus des champs et des marais; les yeux jaunes sont entourés de zones foncées** ressemblant à des lunettes de soleil; **fortes rayures sur la poitrine, ventre clair.** Il a de petites aigrettes, mais elles sont rarement visibles. **AU VOL :** on le voit souvent chasser au vol à faible hauteur. Remarquer le **vol irrégulier et léger, les zones chamois pâle sur le dessus des ailes et, sous les ailes, les taches foncées au poignet.**

Alimentation : mange surtout des campagnols. Lorsqu'il a des petits à nourrir, recherche également les passereaux et quelques oiseaux-gibiers. Chasse surtout à l'aube et au crépuscule.

Nidification : niche au sol dans une dépression cachée par les roseaux et les herbes; nid garni d'herbes sèches et de plumes provenant de la poitrine de la femelle. Oeufs : 4 à 14, blancs; I : 21 à 28 jours; E : 31 à 36 jours, nidicole; C : 1.

Autres comportements : espèce dont l'abondance varie d'une année à l'autre et qui donne lieu à des invasions. Se déplace pour trouver de bons terrains de chasse, puis s'établit et niche. Les nichées sont plus nombreuses lorsque les proies sont abondantes. En hiver, forme des dortoirs communautaires.

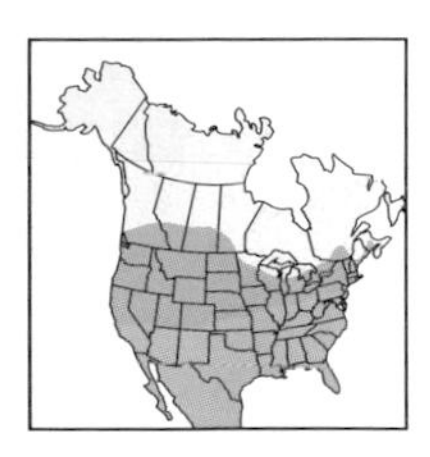

Habitat : champs dégagés, marais, dunes et prairies.

Voix : longue suite de *hou* graves émise par l'oiseau en vol ou posé; aussi divers grondements, grincements et jappements.

Protection :
BBS: E C ↑ CBC: ↓
En diminution dans une grande partie de son aire de distribution à cause des pertes d'habitat.

Chouette de Tengmalm

Aegolius funereus

(Nyctale boréale)
Boreal Owl

Petite Nyctale

Aegolius acadicus

Northern Saw-whet Owl

Chouette de Tengmalm

Petite Nyctale

Identification : N. de Tengmalm : 25 cm, Petite N., 20 cm. N. DE TENGMALM : **petite taille;** yeux jaunes, pas d'aigrettes; **disque facial gris clair bordé de noir; front noir couvert de mouchetures blanches;** bec pâle. PETITE N. : **petite taille;** yeux jaunes, pas d'aigrettes; **disque facial brun-roussâtre sans bordure foncée; front brun finement rayé de blanc;** bec foncé.

Alimentation : la N. de Tengmalm se nourrit de campagnols, lemmings et souris. La Petite N. mange des souris, campagnols, tamias, musaraignes, chauves-souris et insectes.

Nidification : la N. de Tengmalm niche dans un arbre creux ou un vieux trou de pic, parfois aussi dans un nichoir. Oeufs : 3 à 10, blancs; I : 25 à 30 jours; E : 28 à 32 jours, nidicole; C : 1. La Petite N. niche dans un arbre creux ou un ancien trou de pic, parfois aussi dans un nichoir. Oeufs : 4 à 7, blancs; I : 25 à 30 jours; E : 28 à 35 jours, nidicole; C : 1.

Autres comportements : la Petite N. est parfois incroyablement confiante; strictement nocturne. En hiver, se repose dans les conifères denses. La N. de Tengmalm arrive dans le Sud lors d' invasions qui coïncident souvent avec les invasions de Chouettes lapones et de C. épervières. Difficile à trouver parce qu'elle est strictement nocturne et se repose dans les conifères denses pendant la journée.

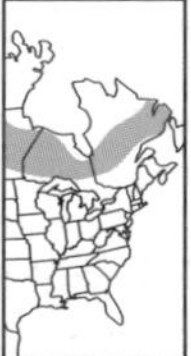

N. Tengmalm Petite N.

Habitat : forêts de conifères ou mixtes.

Voix : N. de Tengmalm, suite rapide de 5 à 10 *hou* sifflés devenant plus aigus vers la fin. Petite N. au printemps, longue suite de sifflements flûtés graves (2 par sec.); en automne, sifflement descendant.

Protection :
N. de Tengmalm :
CBC: ↓
Petite N. :
CBC: ↑

Engoulevent minime

Chordeiles acutipennis — Lesser Nighthawk

Engoulevent d'Amérique

Chordeiles minor — Common Nighthawk

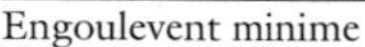

Engoulevent minime

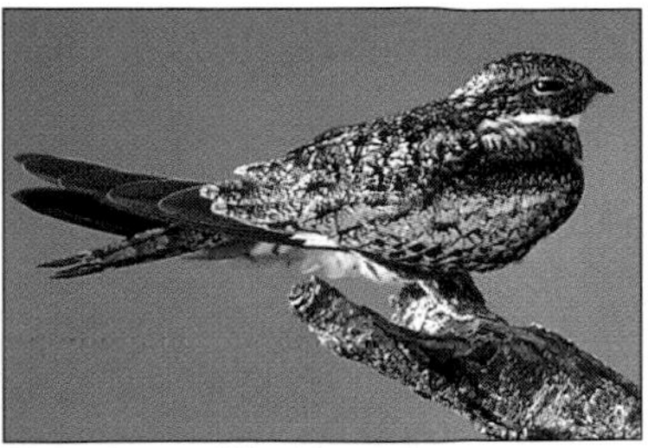

Engoulevent d'Amérique

Engoulevent d'Amérique

Identification : E. minime : 23 cm. E. d'Amérique : 25 cm. S'observent en vol au crépuscule ou à l'aube, parfois pendant la journée. E. MINIME - **AU VOL : longues ailes fines arrondies dont l'extrémité est traversée par une barre blanchâtre très visible;** barre plus près du bout que chez l'E. d'Amérique. Vol généralement bas (3 à 6 m au-dessus du sol), battements d'ailes rapides. E. D'AMÉRIQUE - **AU VOL : longues ailes fines et pointues dont l'extrémité est traversée par une barre blanchâtre très visible.** Vol généralement haut (plus de 12 m au-dessus du sol), battements d'ailes plus lents et mesurés. Chez les deux espèces, le mâle a une bande blanche près du bout de la queue, contrairement à la femelle. ➤Pour reconnaître l'E. piramidig (*C. gundlachii*) des Keys de Floride, voir la voix.

Alimentation : les deux espèces attrapent les insectes ailés dans leur grande bouche tout en volant.

Nidification : l'E. minime niche au sol dans les basses terres arides et sur les côtés des canyons. Oeufs : 2, grisâtres avec des taches; I : 18 ou 19 jours; E : 21 jours, nidifuge; C : 1. L'E. d'Amérique niche sur un sol pourvu de gravier, dans les champs et sur les toits couverts de gravier. Oeufs : 2, olive à taches foncées; I : 19 ou 20 jours; E : 21 jours, nidifuge; C : 1.

Autres comportements : l'E. d'Amérique se nourrit parfois près des lampadaires.

E. minime

E. d'Amérique

Habitat : E. minime, rivières, étangs, déserts de broussailles. E. d'Amérique : forêts, plaines, zones urbaines.

Voix : E. minime, trille doux. L'E. d'Amérique émet un *bzzt* nasillard. E. piramidig : ***pîkîp pîk pîk.***

Protection :
E. minime :
BBS: E C ⇑ CBC: ↑
E. d'Amérique :
BBS: E ⇓ C ↓ CBC: ↓

Engoulevent pauraqué

Nyctidromus albicollis Pauraque

Identification : 30 cm. **Vole à faible hauteur au crépuscule et à l'aube,** surtout le long des routes où il se pose aussi parfois. **AU VOL : longues ailes fines et arrondies dont l'extrémité est traversée par une barre blanchâtre très visible.** On le reconnaît des autres engoulevents qui lui ressemblent par sa **longue queue arrondie (plutôt que légèrement fourchue). MÂLE :** bande blanche de chaque côté de la queue. **FEMELLE :** points blancs des deux côtés du bout de la queue (difficile à voir sur le terrain).

Alimentation : vole bas, attrape des insectes dans sa bouche. Saute ou court aussi parfois sur le sol à la poursuite d'insectes.

Nidification : pas de nid, pond simplement ses oeufs sur le sol nu à un endroit plat, dans un bois dégagé, parfois près d'un canyon ou d'un cours d'eau. Oeufs : 2, roses à taches plus foncées. I : ?; E : ?, nidifuge; C : 1, peut-être plus.

Autres comportements : la nuit, on le voit parfois qui se repose sur les routes; on le remarque lorsque la lumière des phares se reflète dans ses yeux.

Habitat : lisières des forêts subtropicales, buissons denses adjacents à des zones dégagées.

Voix : de un à trois *pop* suivis d'un sifflement descendant et dissonant (*gagaouîîr*).

Protection :
BBS: E C ⇓ CBC: ↓

Engoulevent de Nuttall

Phalaenoptilus nuttallii — Common Poorwill

Engoulevent bois-pourri

Caprimulgus vociferus — Whip-poor-will

E. de Nutall

E. bois-pourri

Identification : E. de Nuttall : 20 cm; E. bois-pourri : 25 cm. **Le plus souvent, on entend les deux espèces crier le soir.** Principaux caractères d'**Identification : voir la voix.** E. DE NUTTALL - **AU VOL : petite taille, ailes courtes et arrondies, queue courte.** La nuit, on l'aperçoit parfois qui chasse les insectes le long des routes. E. BOIS-POURRI - **AU VOL : plus grand, foncé; ailes arrondies, queue relativement longue.**

Alimentation : mangent des insectes volants, surtout des papillons de nuit; aussi des coléoptères et des sauterelles.

Nidification : nid de l'E. de Nuttall, dépression creusée ou absente, sur un sol de gravier ou un rocher plat. Oeufs : 2, blanchâtres à taches foncées. I : ?; E : ?, nidicole; C : 1. Nid de l'E. bois-pourri, sur le sol de la forêt. Oeufs : 2, blancs à mouchetures grises ou brunes; I : 19 ou 20 jours; E : 20 jours, nidifuge; C : 1 ou 2.

Autres comportements : les deux espèces sont nocturnes et se reposent pendant la journée. Lorsqu'il fait froid, L'E. de Nuttall peut abaisser la température de son corps et entrer dans un état de torpeur pour économiser son énergie.

Nuttall

bois-pourri

Habitat : bois ouvert, canyons, zones sèches et broussailleuses.

Voix : E. de Nuttall, *po-ouîl* ou *po-ouîlop* avec l'accent sur la *ouî*. E. bois-pourri : *ouîp-poulî* avec l'accent sur la dernière syllabe (« *bois-pourri!* »).

Protection :
E. de Nuttall
BBS: E C ⇑ CBC: ↓
E. bois-pourri
BBS: E ↓ C ↑ CBC: ↓

Engoulevent de Caroline

Caprimulgus carolinensis — Chuck-will's-widow

Identification : 30 cm. **Le plus souvent, on l'entend crier le soir;** on l'aperçoit rarement. **AU VOL : roussâtre; ailes arrondies, longue queue. MÂLE :** du blanc le long des rectrices externes. **FEMELLE :** pas de blanc sur la queue. Autres caractères d'identification, voir la voix.

Alimentation : mange des insectes qu'il attrape dans sa grande bouche (5 cm de large).

Nidification : niche sur les feuilles mortes, sur le sol de la forêt. Oeufs : 2, crème à taches foncées; I : 20 jours; E : 17 jours, nidifuge; C : 1.

Autres comportements : nocturne, se nourrit et crie la nuit.

Habitat : lisières de forêts mixtes ou de conifères; souvent le long des rivières.

Voix : *tchok-ouîll ouîdo*, l'accent étant mis sur la 1re et la 3e syllabe. Cri répété sans arrêt au crépuscule.

Protection :
BBS: E ⇓ C ↑ CBC: ↑

Martinet ramoneur

Chaetura pelagica Chimney Swift

Identification : 14 cm. **AU VOL : ailes rigides aux battements très rapides suivis d'un plané. Longues ailes fines et pointues, queue courte et carrée; dessus brun-gris foncé, dessous plus pâle sur la gorge et la poitrine.**

Alimentation : se nourrit en vol en attrapant les insectes dans son bec.

Nidification : niche dans les cheminées ou sous les avant-toits des vieilles granges et autres constructions. Sans se poser, casse au passage les brindilles mortes des arbres avec ses pattes et les rapporte au nid dans son bec. Construit son nid en forme de coupe en cimentant les brindilles à une surface verticale avec sa «salive» collante. Oeufs : 4 ou 5, blancs; I : 19 jours; E : 14 à 18 jours, nidicole; C : 1.

Autres comportements : pendant le type le plus commun de parade nuptiale aérienne, les deux oiseaux volent ensemble, l'un légèrement au-dessus de l'autre. Celui qui est en arrière lève brusquement ses ailes en V et commence à planer; puis celui qui le précède l'imite. Parade exécutée par les membres du couple pendant toute la saison de nidification. Pendant la migration, de grandes troupes se reposent ensemble dans des cheminées ou des clochers. Tournoie autour du dortoir pendant plus de 45 minutes avant d'y entrer au crépuscule.

Habitat : zones rurales ou urbaines où il y a des cheminées; plus rarement dans des arbres creux.

Voix : suite rapide de *tchiki tchiki tchiki* et suite rapide de *tchip* distincts.

Protection :
BBS: E ↓ C ↓

Ariane du Yucatan

Amazilia yucatanensis

Buff-bellied Hummingbird

Identification : 11,5 cm. **Gorge vert irisé, ventre chamois pâle, queue brun-roussâtre, bec rouge à bout noir.** Sexes semblables.

Alimentation : se nourrit du nectar des fleurs, mange également des insectes. Fréquente les mangeoires à colibris.

Nidification : nid fait de matières végétales douces et garni de duvet végétal; retenu par des fils d'araignée et couvert de lichens, dans un petit arbre ou un buisson. Oeufs : 2, blancs; I : ?; E : ?, nidicole; C : 1 ou peut-être plus.

Autres comportements : l'un de nos plus gros colibris. S'observe là où il y a une végétation dense et beaucoup de plantes en fleurs. Hiverne occasionnellement le long de la côte du golfe du Mexique jusqu'en Louisiane. Au repos, un colibri peut avoir jusqu'à 250 respirations par minute.

Habitat : taillis, forêts subtropicales, banlieues.

Voix : notes métalliques très aiguës.

Protection :
CBC: ↓

Colibri à gorge rubis

Archilochus colubris

Ruby-throated Hummingbird

Mâle

Femelle

Identification : 9 cm. Le seul colibri présent dans la plus grande partie de l'est de l'Amérique du Nord. **MÂLE : dessus vert, gorge rouge irisé** (peut sembler noire); **tache noire allant du bec au dessous de l'oeil;** poitrine et milieu du ventre blanchâtres. **FEMELLE : dessus vert, dessous blanchâtre sans taches.**

Alimentation : nectar des fleurs, insectes, araignées, sève qui s'écoule des trous creusés par le Pic maculé. Fréquente les mangeoires à colibris.

Nidification : nid en duvet végétal et écailles de bourgeons, couvert de lichens, retenu par des fils d'araignée, sur une petite branche horizontale, à une hauteur de 3 à 6 m. Oeufs : 2, blancs; I : 16 jours; E : 30 jours, nidicole; C : 1 ou 2.

Autres comportements : au printemps, le mâle défend un territoire d'environ 1300 m^2. Parade aérienne : décrit un U vertical haut de 3 à 12 m. Lors de la parade nuptiale ou pour montrer leur agressivité, les deux sexes décrivent des allers et retours horizontaux en étalant la queue. Après l'accouplement, la femelle construit le nid et élève sa nichée seule. En migration, le mâle et la femelle défendent temporairement une source de nourriture telle qu'une mangeoire; ils doivent accumuler assez de graisse pour pouvoir faire la traversée du golfe du Mexique, qui est de près de 1000 km. Le poids du mâle équivaut à celui de 2 trombones à papier et demi.

Habitat : lisières de forêts, ruisseaux, parcs, jardins.

Voix : divers cris aigus et gazouillis.

Protection :
BBS: E ↑ C ↑ CBC: ↓

Colibri à gorge noire

Archilochus alexandri

Black-chinned Hummingbird

Mâle

Femelle

Identification : 9 cm. MÂLE : **menton noir bordé de violet** (le violet peut paraître noir); **collier blanc;** poitrine et milieu du ventre blancs; dos et flancs verts. FEMELLE : **dessus vert, dessous blanc; gorge claire et unie à régulièrement et légèrement rayée; lorsqu'il se nourrit, étale et hoche sans cesse la queue. Voir la voix.**

Alimentation : vole sur place pour boire le nectar des fleurs. Mange de petits insectes et des araignées.

Nidification : la femelle construit un nid avec du duvet végétal pris sur les saules ou le dessous des feuilles de platane; se sert aussi de plumes et de fleurs d'arbres. Le nid est retenu par des fils d'araignée; l'extérieur n'est pas recouvert de lichens; dans un arbre ou un buisson, à une hauteur de 1,50 m à 3 m. Construit parfois des nids successifs l'un par-dessus l'autre. Oeufs : 1 à 3, blancs; I : 13 à 16 jours; E : 21 jours, nidicole; C : 1 ou 2.

Autres comportements : celui des colibris de l'Ouest qui a l'aire de nidification la plus étendue. Le mâle et la femelle défendent des territoires distincts et s'accouplent en terrain neutre. La femelle élève les petits. Plus tard dans la saison, lorsque les sites de nidification sont trop secs, vont dans les piémonts et les contreforts montagneux où les fleurs abondent.

Habitat : basses terres sèches et piémonts.

Voix : un *tiou* descendant et distinctif.

Protection :
BBS: E C ↑ CBC: ↓
On peut planter des fleurs riches en nectar pour créer un meilleur habitat de nidification.

Martin-pêcheur à ventre roux

Ceryle torquata Ringed Kingfisher

Femelle

Identification : 41 cm. Limité au sud du Texas. Le plus gros de nos martins-pêcheurs. **Gros bec; tête, ailes et dos gris-bleu; collier blanc. MÂLE : dessous entièrement brun-roussâtre. FEMELLE : poitrine gris-bleu, ventre entièrement brun-roussâtre; bande blanche sur la poitrine.**

Alimentation : plonge à partir d'un perchoir ou après avoir volé sur place. Mange des poissons, des grenouilles et de petits reptiles aquatiques.

Nidification : nid, tunnel creusé de 1,50 m à 2,50 m de long au bout duquel se trouve une chambre élargie où les oeufs sont pondus; dans les talus verticaux. Oeufs : 3 à 5, blancs; I : 22 jours; E : 34 à 37 jours, nidicole; C : 1.

Autres comportements : souvent craintif et solitaire. Il a ses perchoirs préférés pour chasser le long des ruisseaux. Préfère les rivières étendues et dégagées ou les lacs aux eaux claires.

Habitat : le long des rivières.

Voix : jacassement fort et grave; en vol, émet un *tchak*.

Protection :
CBC: ⇑

Martin-pêcheur d'Amérique

Ceryle alcyon Belted Kingfisher

Femelle

Mâle

Identification : 33 cm. Notre seul martin-pêcheur en dehors du Texas. **Gros bec, tête, dos et ailes gris-bleu; collier blanc. MÂLE : ventre entièrement blanc. FEMELLE : ceinture brun-roussâtre.**

Alimentation : vole sur place et plonge dans l'eau, ou bien plonge à partir d'un perchoir. Mange des poissons, amphibiens, reptiles et insectes.

Nidification : nid, tunnel creusé dans un talus vertical. Trou d'entrée, 7,5 à 10 cm de diamètre, à 45 cm au-dessous du sommet du talus. Tunnel long de 90 cm à 4,50 m au bout duquel il y a une chambre sphérique où les oeufs sont pondus. Peut se trouver loin de l'eau. Oeufs : 5 à 7, blancs; I : 22 à 26 jours; E : 18 à 28 jours, nidicole; C : 1.

Autres comportements : creuse le tunnel avec son bec. Les deux individus se relaient pour creuser; lorsqu'il entre, chacun d'eux pousse à l'extérieur avec ses pattes la terre qui a été excavée par l'autre, faisant sortir du trou un jet de terre. Ils peuvent ainsi creuser environ 30 cm par jour. Hors de la saison de nidification, défend un territoire de chasse individuel qui mesure en moyenne 450 m le long du cours d'eau.

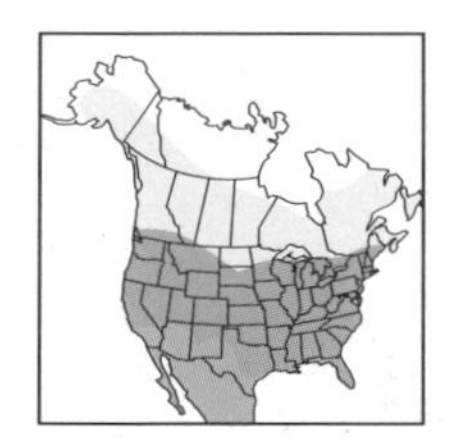

Habitat : près de l'eau (rivières, lacs, baies côtières).

Voix : bruit sec et continu de crécelle, souvent émis en vol. Très bruyant.

Protection :
BBS: E ↓ C ↓ CBC: ↑

Martin-pêcheur vert

Chloroceryle americana Green Kingfisher

Mâle

Identification : 20 cm. Limité au sud et au centre du Texas. **Petit** martin-pêcheur **à bec relativement gros; dessus vert foncé, collier blanc. MÂLE : poitrine brun-roussâtre. FEMELLE : pas de brun-roussâtre sur la poitrine, qui est traversée par une bande de taches noires.**

Alimentation : à partir d'un perchoir, plonge dans l'eau pour attraper des poissons, amphibiens, crustacés et insectes.

Nidification : le mâle et la femelle creusent un tunnel de 60 à 90 cm de long qui débouche sur une chambre abritant le nid; dans un talus de sable, habituellement partiellement caché dans la végétation. Oeufs : 3 ou 6, blancs; I : 19 à 21 jours; E : 22 à 27 jours, nidicole; C : 1, peut-être plus.

Autres comportements : solitaire ou en couple. Très territorial. Chasse à partir de perchoirs bas, généralement au-dessus de l'eau peu profonde.

Habitat : près des ruisseaux aux eaux claires et des lacs.

Voix : *tic* net, souvent en série.

Protection :
CBC: ↓

Pic à tête rouge

Melanerpes erythrocephalus

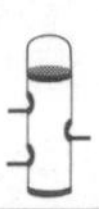

Red-headed Woodpecker

Identification : 20 cm. Le seul pic ayant une **tête entièrement rouge; motif voyant noir et blanc sur le corps et les ailes. AU VOL :** remarquer le croupion blanc et la moitié arrière de la partie proximale de l'aile, qui est blanche. **JUV. AUT. :** motif semblable à celui de l'adulte, mais tête et dos bruns. Le plumage d'adulte apparaît graduellement au cours de l'automne et de l'hiver.

Alimentation : se nourrit de glands, de faînes, de noix, d'insectes, d'oeufs et de poussins d'oiseaux, de la sève qui s'écoule des trous faits par le P. maculé, de fruits et de baies.

Nidification : les deux sexes creusent un trou dans un arbre mort ou vivant ou dans un poteau. Se sert des nichoirs. Oeufs : 4 ou 5, blancs; I : 12 ou 13 jours; E : 30 jours, nidicole; C : 1 ou 2.

Autres comportements : capture des insectes en plein vol aussi bien que sur les feuilles et sur le sol. Dans de petites cavités, cache des morceaux de noix et de glands ainsi que des insectes qu'il utilise après la saison de nidification. Camoufle même sa cache en la fermant avec des éclats de bois mouillé. Défend ses caches contre les autres pics, les geais et les corneilles. Les populations nordiques sont migratrices et se concentrent dans les bois où les glands sont en abondance.

Habitat : terres agricoles, forêts dégagées, banlieues et vergers.

Voix : cri souvent entendu, un *wîîrr* fort. Tambourine doucement et en courtes rafales.

Protection :
BBS: E ⇓ C ↓ CBC: ↓
Diminution causée par la coupe forestière et la compétition des étourneaux pour les sites de nidification.

Pic à front doré

Melanerpes aurifrons

Golden-fronted Woodpecker

Mâle

Femelle

Identification : 23 cm. **Tête et ventre ocre; jaune sur le front et la nuque; ailes, dos et queue noirs barrés de blanc. MÂLE :** petite tache rouge sur la couronne. **FEMELLE :** pas de rouge.

Alimentation : mange divers insectes comme des coléoptères, des sauterelles et des fourmis; également des vers blancs, des baies et des fruits. Aux mangeoires, se nourrit de graines de tournesol.

Nidification : creuse une cavité dans le tronc vivant d'un gros arbre, habituellement un mesquite, un caryer pacanier ou un chêne, ou bien dans une grosse branche morte; se sert également de piquets de clôture et de poteaux. Adopte parfois un nichoir. Oeufs : 4 ou 5, blancs; I : 12 à 14 jours; E : 25 à 30 jours, nidicole; C : 2 ou 3.

Autres comportements : bruyant et peu discret. Niche dans la même cavité plusieurs années de suite.

Habitat : forêts, parcs, jardins.

Voix : *tcheurr* dissonant. Tambourinages.

Protection :
BBS: E C ↓ CBC: ↑

Pic à ventre roux

Melanerpes carolinus

Red-bellied Woodpecker

Mâle

Femelle

Identification : 23 cm. **Tête et ventre ocre; nuque rouge; ailes, dos et queue noirs barrés de blanc.** MÂLE : la tache rouge s'étend au front. FEMELLE : du rouge seulement sur la nuque.

Alimentation : se nourrit sur les troncs d'arbres et les grosses branches, mange les insectes xylophages et autres; également des fruits, baies et graines. Fréquente les mangeoires où il s'alimente de suif, de noix, de graines et de fruits.

Nidification : creuse des cavités dans les arbres vivants ou dans ceux qui sont morts depuis peu. Se sert également de trous abandonnés dans les vieilles souches, les poteaux ou les piquets de clôture. Aussi dans les nichoirs. Oeufs : 3 à 8, blancs; I : 12 à 14 jours; E : 25 à 30 jours, nidicole; C : 2 ou 3.

Autres comportements : pendant la parade nuptiale, le mâle et la femelle tambourinent sur le même arbre, l'un des deux se trouvant dans un trou pouvant servir pour le nid, l'autre à l'extérieur. Entrepose de la nourriture en la coinçant dans des crevasses profondes. À la fin des années 1950 et au début des années 1960, a commencé à étendre son aire de distribution vers le nord; niche actuellement dans le Nord-Est.

Habitat : forêts, parcs, banlieues.

Voix : un *tzrrrr* dissonant. Tambourine en courtes rafales d'une seconde.

Protection :
BBS: E ↑ C ↑ CBC: ↑

Pic maculé

Sphyrapicus varius — Yellow-bellied Sapsucker

Mâle

Femelle

Identification : 20 cm. **Face rayée de noir et blanc; tache rouge sur le front;** tache blanche allongée sur l'épaule, aile noire; milieu du ventre jaunâtre. **MÂLE :** menton rouge. **FEMELLE :** menton blanc. **AU VOL :** remarquer le croupion blanc et les taches blanches aux épaules. **JUV. AUT. :** entièrement brunâtre, mais avec une tache blanche sur l'aile comme l'adulte. Le plumage d'adulte apparaît au printemps.

Alimentation : boit la sève des arbres et capture les insectes en vol ou au sol. Mange aussi des fruits et des baies.

Nidification : nid, trou dans un arbre vivant, souvent dans un peuplier atteint d'un champignon qui fait pourrir le coeur mais non l'aubier. Le P. maculé creuse facilement dans le coeur qui est ramolli mais il laisse intact l'aubier qui forme alors une paroi protectrice autour du nid. Oeufs : 5 ou 6, blancs; I : 12 ou 13 jours; E : 25 à 29 jours, nidicole; C : 1.

Autres comportements : creuse des rangées de trous horizontales dans les troncs de nombreuses espèces d'arbres; lorsqu'il trouve une veine abondante de sève, il creuse alors des rangées verticales pour en profiter au maximum. Puis il revient régulièrement boire la sève qui s'écoule. D'autres oiseaux profitent de la sève, dont la Mésange bicolore, les sittelles et les colibris.

Habitat : bois et vergers.

Voix : *tcheurr*; aussi un *wîîp wîîp*. Tambourinage : courte rafale suivie de coups irréguliers *(tatatat tatat tatat)*.

Protection :
BBS: E ↓ C ⇑

Pic arlequin

Picoides scalaris Ladder-backer Woodpecker

Mâle

Femelle

Identification : 18 cm. **Dos barré de blanc et noir; face et dessous blanc-chamois; le bandeau noir et la ligne noire partant de la racine du bec se rejoignent derrière la joue. MÂLE :** rouge allant de la nuque au front; au cours de l'été, le front devient noir suite à l'usure des plumes. **FEMELLE :** pas de rouge.

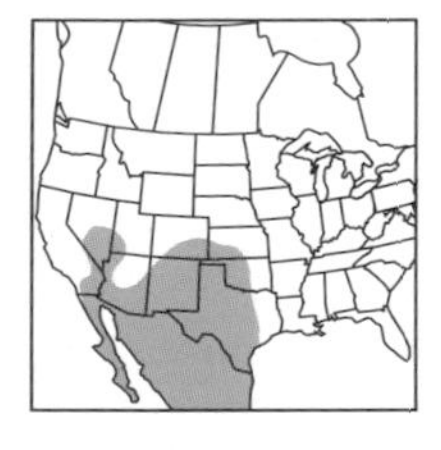

Alimentation : mange des fruits de cactus et des insectes comme les larves de coléoptères.

Nidification : pour nicher, creuse une cavité dans un chicot mort ou dans une branche presque morte de saule ou de mesquite, ou bien dans un saguaro vivant. Creuse également dans les agaves, les yuccas, les piquets de clôture et les poteaux. Oeufs : 3 à 6, blancs; I : 13 jours; E : ?; nidicole; C : 1 ou peut-être plus.

Autres comportements : au printemps, pendant la parade nuptiale, le mâle et la femelle tambourinent sur des branches d'arbres sèches et sonores.

Habitat : broussailles arides et semi-arides, ruisseaux, fermes et banlieues.

Voix : *pîk* aigu. Tambourine par de courtes rafales sonores.

Protection :
BBS: E C ⇓ CBC: ↓

Pic mineur

Picoides pubescens

Pic chevelu

Picoides villosus

Downy Woodpecker

Hairy Woodpecker

Pic mineur mâle

P. mineur femelle

Pic chevelu femelle

Identification : P. mineur, 15 cm. P. chevelu, 23 cm. **Les 2 espèces : dos et dessous blancs;** ailes noires tachetées de blanc; face rayée de noir et blanc. Du rouge sur la nuque chez les mâles, mais pas chez les femelles. P. MINEUR : **la longueur du bec équivaut à moins de la moitié de celle de la tête;** quelques barres noires sur les rectrices externes, qui sont blanches. P. CHEVELU : **bec plus long que la moitié de la tête;** rectrices externes entièrement blanches.

Alimentation : les 2 espèces mangent divers insectes, surtout xylophages. Aux mangeoires, suif et graines de tournesol.

Nidification : P. mineur creuse dans le bois mort pour son nid. Oeufs : 4 ou 5, blancs; I : 12 jours; E : 21 jours, nidicole; C : 1 ou 2. P. chevelu creuse pour son nid dans du bois vivant. Oeufs : 4 à 6, blancs; I : 11 ou 12 jours; E : 28 à 30 jours, nidicole; C : 1. Utilisent rarement un nichoir.

Autres comportements : pendant la nidification, les 2 tambourinent fort en frappant à un rythme très soutenu sur des matériaux sonores comme de vieux troncs pour annoncer qu'ils sont dans leur territoire et attirer les partenaires. Quand ils cognent sur un arbre dans le but d'obtenir de la nourriture ou de creuser une cavité, le son est irrégulier et moins fort.

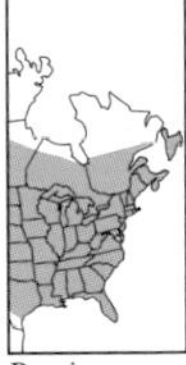

P. mineur

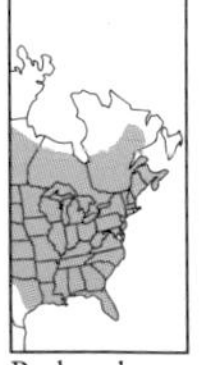

P. chevelu

Habitat : forêts, fermes, banlieues.

Voix : chez les 2 espèces, cri de localisation, *pîk*. P. mineur, hennissement, *couîc couîc* pendant la parade nuptiale. P. chevelu pendant la parade nuptiale : *ouikiouikiouiki*.

Protection :
P. mineur :
BBS: E ↑ C ↑ CBC: ↑
P.chevelu :
BBS: E ↑ C ↑ CBC: ↑

Pic à face blanche

Picoides borealis Red-cockaded Woodpecker

Mâle

Femelle

Identification : 20 cm. **Dos barré de noir et blanc; joue blanche très visible. MÂLE :** très petite tache rouge, difficile à voir, à la limite supérieure de la joue, qui est blanche. **FEMELLE :** pas de rouge.

Alimentation : mange des insectes xylophages et autres, des baies et des noix.

Nidification : colonial. Pour son nid, creuse une cavité dans un pin de 65 à 120 ans dont le coeur est pourri. Le même arbre peut servir pendant 40 ou 50 ans. Fait des trous dans l'écorce et dans l'aubier tout autour de la cavité où se trouve le nid; la résine coule alors et finit par enduire tout l'arbre, ce qui décourage les prédateurs et notamment les serpents arboricoles. Oeufs : 2 à 5, blancs; I : 12 ou 13 jours; E : 22 à 29 jours, nidicole; C : 1.

Autres comportements : vit en groupes familiaux de 2 adultes nicheurs et leurs jeunes. Parfois, les jeunes mâles nés les années précédentes prennent part aux soins de la nichée. Le groupe défend un territoire de 0,5 à 5 km^2. La survie de cette espèce est problématique : elle est tributaire des vieilles forêts de pins, ce qui la rend vulnérable parce que cet habitat disparaît rapidement (il a diminué de 90 % suite à l'exploitation forestière). L'ouragan Hugo (1989) a aussi détruit un très grand nombre d'arbres servant à la nidification. La population actuelle est de 7400 individus. Il est possible que les mesures de protection soient inadéquates.

Habitat : forêts de pins arrivés à maturité.

Voix : *chrip* dissonant et un *tsic* aigu.

Protection :
BBS: E ⇓ C ↑ CBC: ↓
En danger de disparition aux États-Unis depuis 1970. Forte diminution de la population. Un effort de protection d'envergure a été entrepris.

Pic tridactyle

Picoides tridactylus — Three-toed Woodpecker

Pic à dos noir

Picoides arcticus —  Black-backed Woodpecker

P. tridactyle femelle

P. à dos noir mâle

P. tridactyle

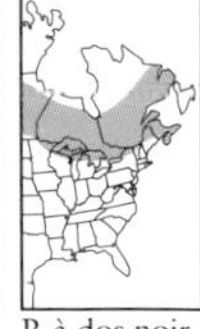

P. à dos noir

Identification : P. tridactyle, 20 cm. P. à dos noir, 23 cm. Les deux espèces, **tête noire, fin bandeau blanc, ligne blanche plus large partant de la racine du bec, flancs barrés.** Tache jaune sur la couronne chez les mâles et non chez les femelles. P. TRIDACTYLE : **dos barré de noir et blanc.** P. À DOS NOIR : **dos noir brillant uni.**

Alimentation : P. tridactyle, surtout des insectes, également des baies, de la sève et des noix. S'alimente souvent sur les arbres tués par le feu. P. à dos noir, larves de coléoptères xylophages et d'autres insectes, fruits et noix.

Nidification : le P. tridactyle forme des colonies lâches lorsque la nourriture est abondante. Creuse une cavité dans un arbre mort, ou parfois vivant, à une hauteur de 60 cm à 4,50 m; occasionnellement dans un poteau. Oeufs : 2 à 6, blancs; I : 12 à 14 jours; E : 22 à 26 jours, nidicole; C : 1. Le P. à dos noir creuse une cavité dans un arbre vivant dont le coeur est pourri, à une hauteur de 1,50 m à 3,50 m; arrache parfois l'écorce autour de l'entrée du nid. Oeufs : 2 à 6, blancs; I : 14 jours; E : 25 jours, nidicole; C : 1.

Autres comportements : les deux espèces s'alimentent en arrachant de gros morceaux d'écorce sur des arbres morts. Le P. à dos noir a plus tendance à produire des invasions.

Habitat : forêt de conifères boréale.

Voix : P. tridactyle, cri de localisation, *tîîk*; tambourine par courtes rafales. Cri de localisation du P. à dos noir : *kik*; tambourine par longues rafales.

Protection :
P. tridactyle :
CBC: ↑
P. à dos noir :
BBS: E ↓ C CBC: ↑

Pic flamboyant 

Colaptes auratus

Northern Flicker

Mâle, forme dorée

Mâle, forme rosée

Femelle, forme dorée

Identification : 33 cm. **ailes et dos barrés de brun et noir; poitrine blanchâtre ou chamois, taches noires; large collier noir. AU VOL : croupion blanc très visible.** FORME DORÉE : tache rouge sur la nuque; couronne grise; dessous de la queue et dessous des ailes jaunes. **MÂLE :** ligne noire partant de la racine du bec. **FEMELLE :** pas de ligne à la racine du bec. FORME ROSÉE : pas de tache rouge sur la nuque; couronne brune, dessous de la queue et dessous des ailes rougeâtres. **MÂLE :** ligne rouge partant de la racine du bec. **FEMELLE :** pas de ligne à la racine du bec.

Alimentation : se nourrit au sol de fourmis, qui constituent 45 % de son régime alimentaire; attrape également des insectes au vol et mange des fruits, des baies et des graines. Fréquente les mangeoires.

Nidification : pour son nid, creuse une cavité dans un arbre, un poteau ou un cactus. Se sert des nichoirs. Oeufs : 7 à 9, blancs; I : 11 ou 12 jours; E : 14 à 21 jours, nidicole; C : 1 ou 2.

Autres comportements : le couple pendant la parade nuptiale, fait des hochements de tête accompagnés de *ouîkaouîkaouîka*. Lorsque deux oiseaux du même sexe adoptent ce comportement, ils se disputent habituellement un partenaire ou un territoire.

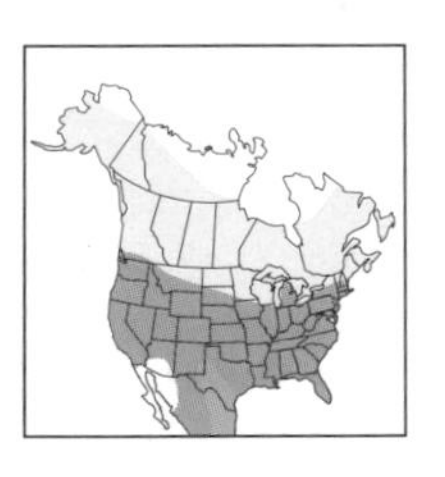

Habitat : parcs, banlieues, terres agricoles, forêts.

Voix : un fort *kékékékéké* pour la défense du territoire; pendant la parade nuptiale, *ouîkaouîkaouîka*. Tambourine par courtes rafales étouffées.

Protection :
BBS: E ⇓ C ⇓ CBC: ↓

Grand Pic

Dryocopus pileatus

Pileated Woodpecker

Mâle

Femelle

Identification : 46 cm. **De la taille d'une corneille; presque entièrement noir, huppe rouge vif.** **MÂLE :** tache rouge partant de la racine du bec. **FEMELLE :** ligne toute noire partant de la racine du bec. **AU VOL :** remarquer la grande taille et le motif blanc très visible des sous-alaires.

Alimentation : mange de grandes quantités de fourmis charpentières, surtout en hiver. Se nourrit également de coléoptères et autres insectes, de graines et de fruits. Fréquente les mangeoires où il se nourrit de préparations de suif.

Nidification : creuse une cavité dans le bois mort à une hauteur de 4,50 m à 21 m. Le trou d'entrée a un diamètre de 9 cm environ et la cavité une profondeur de 25 à 60 cm. Oeufs : 3 à 5, blancs; I : 15 ou 16 jours; E : 28 jours ou plus, nidicole; C : 1.

Autres comportements : le territoire peut mesurer 0,75 à 1 km^2. On reconnaît la présence du Grand Pic aux grands trous rectangulaires de 7,5 à 15 cm qu'il creuse dans les arbres à la recherche des fourmis charpentières qui vivent en profondeur dans le bois, dans des tunnels. Pour ce faire, le Grand Pic creuse parfois un long sillon dans un arbre. Les mâles non appariés tambourinent pour attirer une femelle; les couples déjà formés tambourinent également pendant leur parade nuptiale.

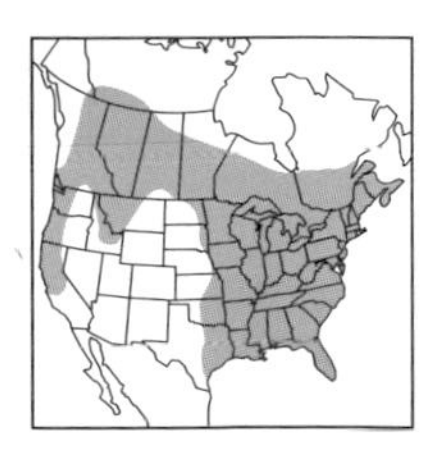

Habitat : forêts à maturité, banlieues.

Voix : entre membres du couple, dix à quinze *coc*; pendant la parade nuptiale ou les interactions territoriales, *ouika ouika*. Tambourinage grave dont la vitesse et la force diminuent vers la fin.

Protection :
BBS: E ⇑ C ↓ CBC: ↑

Les tyrannidés forment une grande famille d'oiseaux qui ont pour habitude de se percher à un endroit exposé à partir duquel ils font de courtes envolées pour attraper les insectes au passage. En Amérique du Nord, quelques moucherolles sont très colorés mais la plupart d'entre eux n'ont que des teintes de gris, de blanc et de vert olive.

Pour apprendre à identifier les tyrannidés, il est bon de savoir d'abord reconnaître les principaux genres qui existent dans cette famille. Dans ces pages, vous trouverez les caractéristiques de chaque genre, la liste des espèces qui en font partie et une illustration de celles qui sont les plus répandues. Ces informations vous fourniront une base qui vous aidera à apprendre ensuite à reconnaître les espèces plus difficiles ou moins connues.

Les quelques espèces qui ne sont pas couvertes ici sont faciles à identifier et souvent très colorées. Ce sont le Tyranneau imberbe (p.268), le Moucherolle vermillon (p. 277) et le Tyran quiquivi (p. 281).

PRINCIPAUX GENRES DE TYRANNIDÉS

Piouis *(Contopus sp.)*

Moucherolles de taille moyenne gris-brunâtre qui se tiennent dressés lorsqu'ils sont perchés et dont le sommet de la tête forme une légère pointe; peuvent avoir des barres alaires floues.

Pioui de l'Est, p. 270

Autre espèce :
Moucherolle à côtés olive, p. 269

Sayornis sp.

Moucherolles de taille moyenne qui se tiennent dressés lorsqu'ils sont perchés et qui hochent sans cesse la queue; barres alaires floues ou absentes; construisent souvent leur nid sur les ponts ou les édifices.

Moucherolle phébi, p. 275

Autre espèce :
Moucherolle à ventre roux, p. 276

Tyrans *(Tyrannus sp.)*

Grands moucherolles qui se tiennent inclinés lorsqu'ils sont perchés. Grand bec, dessus foncé, ventre blanc ou jaune. Souvent agressifs envers les autres oiseaux.

Tyran tritri,
p. 284

Autres espèces :
Tyran de Couch, p. 282
Tyran de l'Ouest, p. 283
Tyran gris, p. 285
Tyran à longue queue, p. 286

Tyrans à huppe *(Myiarchus sp.)*

Grands moucherolles à huppe arrondie relativement évidente; beaucoup ont le dessus brunâtre, le dessous gris ou jaune, et du brun-roussâtre sur la queue.

Tyran huppé,
p. 279

Autres espèces :
Tyran à gorge cendrée, p. 278
Tyran de Wied, p. 280

Empidonax sp.

Petits moucherolles à cercle oculaire clair et barres alaires pâles; généralement olive dessus et plus clairs dessous. Se tiennent dressés lorsqu'ils sont perchés. Beaucoup d'espèces se ressemblent tellement que même les experts ne peuvent habituellement les identifier à vue et se fient à leur chant.

Moucherolle tchébec,
p. 274

Autres espèces :
Moucherolle à ventre jaune, p. 271
Moucherolle vert, p. 272
Moucherolle des aulnes, p. 273
Moucherolle des saules, p. 273

Tyranneau imberbe

Camptostoma imberbe — Northern Beardless-Tyrannulet

Identification : 11,5 cm. Limité au sud-est de l'Arizona et au sud du Texas. **Très petit; huppe touffue; 2 barres alaires chamois;** olive-grisâtre dessus, gris dessous; mandibule inférieure pâle.

Alimentation : saisit les insectes sur les rameaux et mange de petites baies; attrape parfois les insectes en vol.

Nidification : nid, amas sphérique de fibres végétales, attaché à des branches pendantes. Oeufs : 2 ou 3, blancs; I : ?; E : ?, nidicole; C : 1 ou peut-être plus.

Autres comportements : nid souvent placé dans une touffe de gui poussant dans un arbre. L'entrée est sur le côté.

Habitat : forêts subtropicales, taillis, arbres au bord de l'eau.

Voix : suite descendante et sonore de *pîîr*; appel, un *pî-up* sonore.

Protection : TENDANCE INCONNUE.

Moucherolle à côtés olive

Contopus borealis Olive-sided Flycatcher

Identification : 19 cm. **Pointe à l'arrière de la tête; tête relativement grande; entièrement olive-grisâtre foncé** sauf une **bande de blanc allant du menton au ventre;** les taches blanches de chaque côté du bas du dos sont caractéristiques, mais elles peuvent être cachées par les ailes.

Alimentation : s'élance d'un perchoir bien exposé pour attraper les insectes en vol.

Nidification : nid fait de brindilles et de radicelles, garni d'aiguilles de pin et de mousse, sur une branche horizontale, dans un arbre feuillu ou résineux. Oeufs : 3 ou 4, blanchâtres à taches foncées; I : 14 à 17 jours; E : 15 à 19 jours, nidicole; C : 1.

Autres comportements : cette espèce se perche haut sur des branches mortes plus souvent que la plupart des autres moucherolles.

Habitat : forêts de conifères nordiques et de montagne.

Voix : un *ouit-tîî-biu*, la première syllabe étant peu sonore et la deuxième plus accentuée. Aussi, un *pip-pip-pip* répété.

Protection :
BBS: E ↓ C ⇓

Pioui de l'Est

Contopus virens

Easteern Wood-Pewee

Identification : 15 cm. **Pointe à l'arrière de la tête;** dessus olive-grisâtre; **2 barres alaires;** gorge blanchâtre; **poitrine grisâtre; ventre blanchâtre ou jaunâtre. ADULTE : mandibule supérieure noire, mandibule inférieure orange;** barres alaires blanchâtres. Se distingue du P. de l'Ouest par sa distribution et son chant. **IMM. :** bec parfois entièrement foncé; barres alaires cannelle ou chamois. Garde son plumage imm. jusqu'en hiver.

Alimentation : s'élance d'un perchoir pour attraper les insectes en vol.

Nidification : nid compact fait de fibres végétales et de matériaux duveteux, garni de feuilles argentées ou de lichens, sur une branche ou une fourche horizontale, à une hauteur de 2,50 m à 12 m. Oeufs : 2 à 4, blanc crème, tachetés de foncé à un bout; I : 12 ou 13 jours; E : 14 à 18 jours, nidicole; C : 1.

Autres comportements : le mâle chante sans arrêt pendant toute la saison de reproduction. À son début, monte parfois au sommet des arbres pour y émettre une version plus forte de son chant. À l'aube, chant répété plus rapidement et pouvant durer une demi-heure, parfois entendu au début de la matinée. Pendant la parade nuptiale, le mâle poursuit parfois la femelle; toutefois, l'accouplement semble comporter peu de comportements de parade. Territoire de 10 000 à 30 000 m^2.

Habitat : forêts ouvertes.

Voix : sifflements aigus et liés *pîouîî, pîû*, entrecoupés de longs silences. À l'aube, ces notes sont souvent émises sans interruption. Aussi, un *tchip*.

Protection :
BBS: E ↓ C ⇓ CBC: ↓

Moucherolle à ventre jaune

Empidonax flaviventris — Yellow-bellied Flycatcher

Identification : 14 cm. *Empidonax* à tête relativement grosse et à queue courte; plus commun dans l'est du Canada. **Dos vert; gorge jaune;** poitrine jaune lavée d'olive sur les côtés; fin cercle oculaire de largeur égale; ailes foncées à barres alaires très visibles. **Voir la voix**.

Alimentation : s'élance d'un perchoir pour attraper des insectes en vol.

Nidification : nid, coupe profonde faite de mousse et garnie de matériaux plus fins, au sol ou partiellement caché sous les racines d'un arbre ou sous des sphaignes. Oeufs : 3 ou 4, blancs à taches claires; I : 12 ou 13 jours; E : 13 ou 14 jours, nidicole; C : 1 ou plus.

Autres comportements : parmi les moucherolles de nos régions, le seul qui construit régulièrement son nid au sol. Silencieux lorsqu'il est près du nid; le mâle ne s'en approche que pour nourrir les petits. La femelle laisse les intrus venir tout près du nid, puis elle s'envole sans bruit. Discret pendant la migration, se perche à faible hauteur dans les boisés et les taillis.

Habitat : forêts de conifères denses.

Voix : chant, un *tsiluk* doux et d'intensité égale, la 2e syllabe étant plus grave; appel, *puruîî* sifflé et ascendant, parfois simplement *prîîî*.

Protection :
BBS: E ⇑ C

Moucherolle vert

Empidonax virescens Acadian Flycatcher

Identification : 15 cm. *Empidonax* à **bec relativement grand**, à longues ailes et à queue large; surtout commun dans le sud-est des États-Unis. **Dos très vert, gorge habituellement blanche, poitrine et ventre jaune clair;** cercle oculaire net, barres alaires chamois contrastant avec les ailes qui sont foncées. **Voir la voix.** Mue à la fin de l'été, avant la migration; à ce moment-là, les imm. et les adultes ont parfois la gorge teintée de jaune de sorte qu'il est plus difficile de les distinguer du M. à ventre jaune.

Alimentation : s'élance d'un perchoir pour attraper les insectes au vol.

Nidification : nid délicat fait de longues fibres végétales, quelquefois de «cheveux du roi» (Tillandsia), partiellement suspendu entre 2 fourches d'une branche, à une hauteur de 3 m environ; habituellement, de longs filaments pouvant atteindre de 30 à 60 cm pendent du nid. Oeufs : 2 à 4, blanchâtres à taches légèrement plus foncées; I : 13 ou 14 jours; E : 13 à 15 jours, nidicole; C : 1.

Autres comportements : bien qu'il ressemble beaucoup à d'autres espèces de moucherolles comme le M. des saules et le M. des aulnes, construit un nid très différent en forme de hamac et à la base duquel sont accrochés de longs fils pendants.

Habitat : forêts de feuillus à maturité, souvent près de l'eau.

Voix : chant, pîtré; appel, un *pîît* sonore et d'intensité égale.

Protection :
BBS: E ↑ C ⇓

Moucherolle des aulnes

Empidonax alnorum — Alder Flycatcher

Moucherolle des saules

Empidonax traillii — Willow Flycatcher

M. des aulnes

M. des saules

Identification : 15 cm. Membres du genre *Empidonax* à bec relativement épais et à queue plutôt large qui ont une apparence identique et qu'on ne peut distinguer que par la voix. Pendant la saison de reproduction, le M. des aulnes est plus commun au Canada et le M. des saules aux États-Unis au sud du Canada. **Dos brun-olive, gorge blanche, poitrine olive pâle, ventre jaune clair;** cercle oculaire peu marqué ou absent (parfois plus net chez le M. des aulnes); barres alaires blanc terne non contrastantes. **Voir la voix.**

Alimentation : s'élancent d'un perchoir peu élevé pour attraper des insectes.

Nidification : (les 2 espèces) nid, coupe solide à parois épaisses, fait de fibres végétales, garni de duvet végétal et de fibres cotonneuses, dans un buisson à une hauteur de 60 cm à 1,80 m. Oeufs : 3 ou 4, blanchâtres à taches foncées; I : 12 ou 13 jours; E : 12 à 14 jours, nidicoles; C : 1, peut-être plus.

Autres comportements : pendant la migration, les deux espèces fréquentent des habitats très divers.

des aulnes

des saules

Habitat : M. des aulnes : taillis d'aulnes au bord des lacs et marais. M. des saules : marécages buissonneux.

Voix : M. des aulnes, chant, *rruibît* ou *rruibîou* (accent 2e syllabe); appel : *pîîp*. M. des saules, chant, *fits-bîou*, (accent 1re syllabe); appel : *ouît*.

Protection :
M. des aulnes :
BBS: E ↑ C ⇓
M. des saules :
BBS: E ↑ C ⇑

Moucherolle tchébec

Empidonax minimus Least Flycatcher

Identification : 13 cm. **Le plus petit des *Empidonax*;** bec relativement petit; fréquemment observé dans tout l'Est pendant la migration. **Dos brun-olivâtre, gorge blanchâtre; poitrine lavée de gris, ventre jaune pâle; cercle oculaire net;** barres alaires bien visibles. **Voir la voix.**

Alimentation : s'élance d'un perchoir pour attraper des insectes en vol.

Nidification : nid, coupe compacte faite d'herbes, de lambeaux d'écorce et de duvet végétal, dans la fourche d'une branche. Oeufs : 3 ou 4, blanchâtres; I : 14 jours; E : 12 à 16 jours, nidicole; C : 1 ou 2.

Autres comportements : pendant la parade nuptiale, les mâles poursuivent les femelles en émettant de nombreux *tchébec*. Les mâles indésirables sont chassés du territoire qui est relativement petit (10 000 ou 20 000 m^2). Le mâle nourrit parfois la femelle au nid pendant l'incubation. Les parents nourrissent les jeunes pendant 3 semaines environ après qu'ils aient quitté le nid.

Habitat : forêts ouvertes, vergers, banlieues.

Voix : chant émis par le mâle et la femelle, un *tchébec* répété avec insistance, l'accent étant sur la 2e syllabe; appel, un *oui* court.

Protection :
BBS: E ⇓ C ↓ CBC: ↑

Moucherolle phébi

Sayornis phoebe Eastern Phoebe

Identification : 18 cm. **Dessus brun-gris, dessous blanchâtre; bec entièrement foncé; hoche sans cesse la queue.** À la fin de l'été, après la mue, le ventre est parfois jaunâtre.

Alimentation : s'élance d'un perchoir pour attraper les insectes en vol; saisit également des insectes sur le sol.

Nidification : nid, assemblage de boue et de mousse, garni d'herbes fines, en forme de coupe, sur une corniche d'un édifice ou d'un pont. Oeufs : 4 ou 5; I : 16 jours; E : 18 jours, nidicole; C : 2 ou 3.

Autres comportements : par des poursuites et par le chant, le mâle revendique un territoire de plusieurs hectares. Dès l'arrivée de la femelle, il ne chante presque plus si ce n'est au début de la matinée lorsque le couple se réunit pour une courte période. C'est la femelle qui construit le nid et qui assure toute l'incubation. Lorsqu'elle va se nourrir, le mâle vient quelquefois près du nid, sinon la femelle l'empêche de s'en approcher. Les deux parents nourrissent les petits. Lorsque les jeunes ont quitté le nid, la femelle répare parfois celui-ci pour la prochaine couvée et il arrive que le mâle recommence à chanter pendant une courte période. Au moins 25 % des nids de M. phébi sont parasités par les vachers. C'est aussi le seul moucherolle qui passe l'hiver dans le sud-est des États-Unis.

Habitat : forêts, terres agricoles, banlieues; niche sur les ponts et les bâtiments de ferme.

Voix : le chant ressemble au nom de l'espèce prononcé d'une voix enrouée *(phîbii)*; appel : *tcherp*.

Protection :
BBS: E ↑ C ↑ CBC: ↓

Moucherolle à ventre roux

Sayornis saya — Say's Phoebe

Identification : 20 cm. **Dessus gris-brunâtre; gorge et poitrine grisâtres; ventre cannelle; hoche continuellement la queue, qui est noirâtre.**

Alimentation : s'élance d'un perchoir pour attraper les insectes en vol; vole aussi sur place au-dessus des herbes à la recherche d'insectes.

Nidification : nid, assemblage d'herbes, de mousse et de cocons, en forme de coupe, garni de poils ou de laine, le plus souvent dans un recoin naturel abrité, dans une construction ou sous un pont. Oeufs : 4 ou 5, blancs; I : 14 jours; E : 14 à 16 jours, nidicole; C : 2 ou 3.

Autres comportements : se sert du même nid plusieurs années de suite. Contrairement aux autres membres du genre Sayornis, cette espèce utilise rarement de la boue pour construire son nid.

Habitat : zones arides dégagées à végétation clairsemée.

Voix : chant, un *pit-tsi-eur* répété; appel, *pîîîr* aigu descendant.

Protection :
BBS: E C ↑ CBC: ↑

Moucherolle vermillon

Pyrocephalus rubinus Vermilion Flycatcher

Mâle

Femelle

Identification : 15 cm. **MÂLE : calotte et dessous écarlates; ailes, queue et dos noirs. FEMELLE : dessus brun-gris; poitrine blanchâtre** légèrement rayée de gris; **ventre rose saumon. IMM. - MÂLE :** calotte et poitrine, quantités variables de rouge; ventre rose saumon; ailes, queue et dos bruns. FEMELLE : comme la femelle adulte, mais ventre jaune clair. Garde son plumage imm. 1 an.

Alimentation : s'élance d'un perchoir pour attraper des insectes en vol.

Nidification : nid, coupe peu profonde faite de brindilles, d'herbacées, de tiges d'herbes et d'écorce, garni de matériaux duveteux, sur une branche horizontale à une hauteur de 2,50 m à 16,50 m. Oeufs : 2 ou 3, blancs à taches foncées; I : 12 jours; E : 14 à 16 jours, nidicole; C : 2.

Autres comportements : tenter de voir la parade nuptiale. Le mâle chante en hérissant les plumes rouges de son ventre et de sa huppe et s'élève d'un vol papillonnant jusqu'à une hauteur de 15 m, puis il poursuit son vol à l'horizontale et redescend.

Habitat : zones boisées ou buissonneuses près de l'eau.

Voix : un *pit pit-é-sî, pit pit pit-é-sî* répété, parfois émis en vol. Appel, un court *pits.*

Protection :
BBS: E C ⇓ CBC: ⇓

Tyran à gorge cendrée

Myiarchus cinerascens

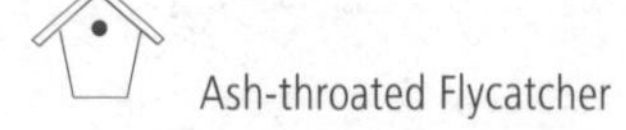

Ash-throated Flycatcher

Identification : 20 cm. **Huppe; dessus brun-grisâtre; poitrine gris pâle; ventre jaune pâle.** Ressemble beaucoup au T. de Wied, taille plus petite, bec plus court et plus fin, dessous plus clair. **Voir la voix.**

Alimentation : s'élance d'un perchoir pour attraper des insectes en vol.

Nidification : nid dans une cavité naturelle, un ancien nid de pic ou un nichoir, garni de tiges d'herbes, de radicelles, de copeaux de fumier, de poils, de fourrure et occasionnellement de mues de serpents. Oeufs : 4 ou 5, blanchâtres à taches foncées; I : 15 jours; E : 14 à 16 jours, nidicole; C : 1.

Autres comportements : adopte parfois un nichoir dont le trou d'entrée a un diamètre de 3,8 à 5 cm. Niche parfois dans des endroits inattendus comme dans une boîte aux lettres, un tuyau de drainage ou un piquet de clôture.

Habitat : varié; boisées ouverts, ruisseaux aux rives boisées, zones arides de broussailles.

Voix : appels souvent entendus, *prrrt*, un *ka-brik* grasseyé et un *ka-wîr*.

Protection :
BBS: E C ↑ CBC: ↓

Tyran huppé

Myiarchus crinitus

Great Crested Flycatcher

Identification : 20 cm. **Huppé; ventre jaune vif, queue d'un brun-roussâtre voyant.** Autres caractères permettant de le distinguer des autres tyrans à huppe : mandibule inférieure jaune près de la racine et gorge gris plus foncé. Dans tout l'Est sauf au sud du Texas, le seul tyran ayant une huppe. **Voir la voix.**

Alimentation : s'élance d'un perchoir pour attraper les insectes en vol; se nourrit habituellement au sommet des grands arbres. Mange également quelques baies.

Nidification : nid dans une cavité naturelle, un nichoir ou un trou creusé par un pic, garni d'herbe, de fourrure, de morceaux de papier et occasionnellement de morceaux de mue de serpent. Oeufs : 5 ou 6, blanchâtres à taches foncées; I : 12 à 15 jours; E : 14 à 21 jours, nidicole; C : 1.

Autres comportements : lève sa huppe lorsqu'il est inquiet ou intrigué. Lors de la parade d'agression, étale complètement les plumes brun-roussâtre de ses ailes et de sa queue pour les montrer. Adopte un nichoir dont le trou d'entrée a un diamètre de 3,8 cm à 6,3 cm, mais entre souvent en compétition avec les Étourneaux sansonnets et les Pics flamboyants.

Habitat : forêts et zones urbaines boisées.

Voix : un *ouîîrp* sonore et fortement ascendant; aussi, un *prîît* grasseyé.

Protection :
BBS: E ↓ C ↓ CBC: ↓

Tyran de Wied

Myiarchus tyrannulus — Brown-crested Flycatcher

Identification : 22 cm. **Huppe, bec relativement grand;** dessus brun-gris; gorge grise; ventre jaune citron; rectrices bordées de brun-roussâtre jusqu'à la pointe. La voix permet de le distinguer des autres tyrans à huppe. **Voir la voix.**

Alimentation : s'élance d'un perchoir pour attraper les insectes en vol.

Nidification : nid dans une cavité naturelle creusée dans le bois ou dans un trou abandonné par un pic, garni de poils, de fourrure et d'autres matériaux doux. Oeufs : 3 à 5, blanchâtres à taches plus foncées; I : 13 à 15 jours; E : 12 à 20 jours, nidicole; C : 1 ou plus.

Autres comportements : en Arizona, niche souvent dans les trous que les pics (Pic des saguaros ou Pic flamboyant) ont creusés dans les saguaros et abandonnés. De nombreux oiseaux des régions désertiques ont besoin de ces trous pour nicher et parfois pour se reposer (Chevêchette naine, petits-ducs, Crécerelle d'Amérique, Troglodyte des cactus, Hirondelle noire et Tyran à gorge cendrée).

Habitat : zones arides ou semi-arides de broussailles avec des saguaros, rives de cours d'eau, forêts subtropicales.

Voix : chant, un *wîrr pir* dur; les appels comprennent un *ouît* et un *purrît.*

Protection :
BBS: E C ⇑ CBC: ↓

Tyran quiquivi

(Tyran kiskidi)

Pitangus sulphuratus

Great Kiskadee

Identification : 25 cm. Limité au sud du Texas. Remarquable, **tête rayée de blanc et noir, ventre jaune.** Souvent bruyant.

Alimentation : se tient sur un perchoir et pique vers l'eau ou le sol pour attraper ses proies, puis regagne son perchoir pour les manger. Se nourrit de poissons, d'insectes, de lézards, d'oisillons sortant du nid, de baies et de déchets.

Nidification : gros nid globulaire fait de brindilles, d'herbes, de lianes et de mousse, garni de matériaux plus doux, haut dans un arbre ou sur la partie horizontale d'un poteau de téléphone. Oeufs : 3 ou 4, blanchâtres à tâches claires; I : ?; E : ?, nidicole; C : 2 ou 3.

Autres comportements : l'un des premiers oiseaux à se faire entendre le matin; lorsqu'il lance son appel à l'aube, hérisse parfois sa huppe et bat des ailes. Très agressif, chasse les oiseaux plus grands que lui qui s'approchent du nid. La femelle couve les oeufs pendant que le mâle reste perché à proximité. Les deux adultes participent à la construction du nid et nourrissent les petits.

Habitat : boisés près de l'eau, banlieues.

Voix : le cri fait penser au nom de l'espèce, en plus lent, *qui-qui-vii*, ou à l'expression «*Qu'est-ce qu'il dit?*». À l'aube, émet un appel plus long, *kayîîr kayîîr trrrr kouîîr.*

Protection :
BBS: E C ⇑ CBC: ↓

Tyran de Couch

(Tyran mélancolique)

Tyrannus couchii

Couch's Kingbird

Identification : 23 cm. Limité au sud du Texas. **Gros bec; tête gris clair avec une tache légèrement plus foncée sur l'oreille; poitrine teintée d'olive** (et non grise comme chez le T. de l'Ouest); **queue brunâtre à encoche profonde.**

Alimentation : s'élance d'un perchoir pour attraper les insectes au vol; mange également quelques baies. Effleure parfois la surface de l'eau pour boire.

Nidification : nid fait de mousse, de lambeaux d'écorce et de duvet végétal, sur une branche d'arbre à une hauteur de 2,50 m à 6,50 m. Oeufs : 3 ou 4, blanchâtres à taches foncées; I : 15 ou 16 jours; E : 17 à 19 jours, nidicole; C : 1.

Autres comportements : le mâle et la femelle se perchent souvent ensemble et pourchassent les oiseaux plus gros qu'eux qui s'approchent du nid. On les a même vus s'attaquer à des frégates, des éperviers et des faucons.

Habitat : arbres épars, forêts ouvertes, banlieues.

Voix : appels, *guîîrr* et *kip*.

Protection :
BBS: E C ⇑ CBC: ↓

Tyran de l'Ouest

Tyrannus verticalis Western Kingbird

Identification : 23 cm. Dans l'Ouest, le tyran le plus répandu. **Bec** relativement **court; tête, gorge et haut de la poitrine gris clair;** ventre jaune clair; **queue noire à bout carré** et à **fines bordures blanches** distinctives mais parfois difficiles à apercevoir.

Alimentation : mange surtout des insectes attrapés en plein vol; également quelques baies.

Nidification : nid volumineux fait de brindilles, de tiges et de radicelles, garni de matériaux plus fins, parfois de débris, dans un arbre, à une hauteur de 2,50 m à 12 m. Oeufs : 3 à 5, blancs à taches plus foncées; I : 13 à 15 jours; E : 16 à 18 jours, nidicole; C : 1 ou peut-être plus.

Autres comportements : la calotte rouge-orange est normalement cachée, mais elle est exposée pendant les attaques. Comme les autres tyrans, se montre agressif envers les gros oiseaux qui s'approchent de son nid.

Habitat : zones dégagées avec quelques arbres ou buissons.

Voix : appel, *kit,* se prolongeant parfois en *kit kit kitredek.*

Protection :
BBS: E ⇓ C ↑ CBC: ↓

Tyran tritri

Tyrannus tyrannus — Eastern Kingbird

Identification : 23 cm. **Dessus noir, dessous blanc; queue noire à extrémité blanche** très visible.

Alimentation : se tient sur un perchoir et s'élance pour attraper des insectes au vol ou sur le sol.

Nidification : nid quelque peu désordonné fait de matériaux doux comme des herbes, de la mousse, des lambeaux d'écorce, des plumes, du tissu et de la ficelle, près de l'extrémité d'une branche horizontale, à une hauteur de 3 m à 6 m. Oeufs : 3 ou 4, blancs à taches foncées; I : 14 à 16 jours; E : 14 à 17 jours, nidicole; C : 1.

Autres comportements : le mâle parcourt son territoire d'environ 5000 m^2 le matin et l'après-midi en émettant des appels (*tsîîr* et ts*îkîr*). Lorsque la femelle pénètre pour la première fois dans le territoire, le mâle la poursuit parfois; puis, chaque fois qu'ils se rencontrent de nouveau, ils exécutent un vol papillonnant et émettant un *tsîkîr*. Les autres tyrans peuvent venir sur le territoire s'ils ne s'approchent pas trop du nid et qu'ils ne tentent pas de s'accoupler avec la femelle. Chasse les oiseaux plus gros en piquant sur leur dos et en les poursuivant bien au-delà des limites du territoire; après cela, exécute parfois un vol acrobatique particulier. Pendant l'incubation, la femelle peut se montrer agressive à l'égard du mâle près du nid. Après l'éclosion, les deux parents nourrissent les petits.

Habitat : endroits dégagés avec quelques arbres.

Voix : appels, *kitrîkitrîkitrî*, *k-trîî k-trîî* et *tsîîr.*

Protection :
BBS: E ↓ C ↑ CBC: ↓

Tyran gris

Tyrannus dominicensis Gray Kingbird

Identification : 23 cm. Limité aux régions côtières de Floride et aux côtes des états voisins. **Tête et dos gris pâle; masque noir sur l'oeil; bec noir épais;** queue entièrement noire, dessous blanchâtre.

Alimentation : mange surtout des insectes attrapés en vol, mais également des baies et quelques graines.

Nidification : nid peu profond fait de brindilles et garni de radicelles, sur une branche horizontale, dans un arbre ou un buisson. Oeufs : 2, blancs à taches foncées; I : 12 ou 13 jours; E : ?, nidicole; C : 1 ou peut-être plus.

Autres comportements : pendant les parades, étale parfois les ailes et la queue.

Habitat : régions côtières avec des mangroves et des buttes portant des feuillus; aussi, banlieues.

Voix : *pitsîrr* répété et aigu.

Protection :
BBS: E ↓ C

Tyran à longue queue

Tyrannus forficatus Scissor-tailed Flycatcher

Identification : 36 cm. **Très longue queue fourchue;** corps gris pâle; **teinte rosâtre sur les flancs.** Au vol : dessous des ailes rose orangé vif. Imm. : queue longue, mais moins que chez l'adulte; corps plus pâle avec peu ou pas du tout de rose sur le ventre. Garde son plumage imm. jusqu'à l'hiver.

Alimentation : s'élance d'un perchoir pour attraper les insectes sur le sol ou en vol.

Nidification : nid, assemblage lâche de matériaux doux d'origine naturelle ou artificielle, sur une branche horizontale ou un poteau de téléphone. Oeufs : 4 ou 5, blancs à taches foncées; I : 12 à 15 jours; E : 14 à 16 jours, nidicole; C : 1.

Autres comportements : pendant la parade nuptiale, le mâle exécute un vol spectaculaire. Il s'élève jusqu'à une hauteur de 30 m environ et redescend ensuite en décrivant une série d'arcs de cercle de faible hauteur, puis s'élève parfois de nouveau et effectue des cabrioles aériennes avant de se poser. Pendant ces vols, l'oiseau claque du bec et émet des *kakwîî*. La nuit, des groupes pouvant atteindre 250 individus se reposent parfois ensemble dans les arbres; pendant la saison de reproduction, la femelle reste sur les oeufs ou avec les poussins et ne se rend pas au dortoir.

Habitat : endroits dégagés à arbres dispersés.

Voix : appel, *kit*; pendant la parade aérienne, *kakwîî kakwîî*.

Protection :
BBS: E C ↑ CBC: ↓

Bécarde à gorge rose

Pachyramphus aglaiae Rose-throated Becard

Mâle

Identification : 16,5 cm. Limitée au sud de l'Arizona et au sud du Texas. **Trapue, cou épais, queue courte. MÂLE : dessus gris foncé, dessous clair; tache rosée sur la gorge. FEMELLE : calotte grise; queue et ailes grises;** dessous chamois pâle. **IMM. :** comme la femelle adulte; le mâle imm. a davantage de plumes rosées à la gorge.

Alimentation : s'élance d'un perchoir pour attraper les insectes en vol ou sur les feuilles; mange quelques graines.

Nidification : long nid suspendu fait de fibres végétales tissées, accroché à l'extrémité d'une branche d'arbre à une hauteur de 9 m à 15 m. Oeufs : 4 à 6, blancs à taches plus foncées; I : ?; E : ?, nidicole; C : 1.

Autres comportements : se tient souvent cachée dans le feuillage; on la localise le plus souvent grâce à son cri.

Habitat : grands arbres le long des rivières ou des ruisseaux.

Voix : jacassement rapide suivi d'un *síou* descendant.

Protection : TENDANCE INCONNUE.

Pie-grièche grise
Lanius excubitor — Northern Shrike

Pie-grièche migratrice
Lanius ludovicianus — Loggerhead Shrike

Pie-grièche grise adulte

Pie-grièche grise immature

Pie-grièche migratrice

Identification : P.-g. grise 25 cm, P.-g. migratrice 23 cm. La P.-g. grise niche dans le Grand Nord et on ne l'aperçoit généralement qu'en hiver; la P.-g. migratrice est répandue dans les 48 états contigus des États-Unis. P.-G. GRISE : **front arrondi, long bec très crochu; fin masque noir;** le gris pâle du dos se fond dans la poitrine blanchâtre. **IMM. :** masque parfois peu marqué; tête et dos brun-grisâtre; poitrine et ventre barrés. Garde son plumage imm. jusqu'au printemps. P.-G. MIGRATRICE : **front aplati; bec relativement court, légèrement crochu; masque noir épais;** le dos gris foncé contraste avec la poitrine blanchâtre. **AU VOL :** chez les 2 espèces, taches banches sur les ailes et aux coins de la queue.

Alimentation : les 2 espèces piquent sur leur proie à partir d'un perchoir. Se nourrissent d'insectes, de petits oiseaux et de petits animaux.

Nidification : nid fait de brindilles et de lambeaux d'écorce, dans un buisson ou un arbre. P.-g. grise - Oeufs : 2 à 9, gris à taches foncées; I : 15 ou 16 jours; E : 20 jours, nidicole; C : ?. P.-g. migratrice - Oeufs : 4 à 7, gris à taches foncées; I : 10 à 17 jours; E : 17 à 21 jours, nidicole; C : 2.

Autres comportements : les 2 espèces entreposent leurs proies en les empalant sur des épines.

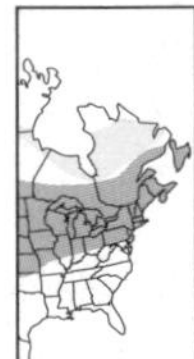
grise — migratrice

Habitat : zones dégagées avec quelques arbres et buissons.

Voix : les 2 espèces, suite de sifflements et de cris; appel, *tchac tchac*.

Protection :
Grise :
CBC: ↑
Migratrice :
BBS: E ⇓ C ⇓ CBC: ↓
Migratrice : en danger de disparition au Canada et sur les îles San Clemente, en Californie.

Viréo aux yeux blancs

Vireo griseus White-eyed Vireo

Identification : 13 cm. **Lore et anneau oculaire jaunes («lunettes»); gorge blanche, yeux blanchâtres, flancs jaunes, barres alaires blanches très visibles.** Les yeux des jeunes individus sont entièrement foncés jusqu'à la fin du 1er hiver; ils deviennent blancs vers le mois de février.

Alimentation : se nourrit surtout d'insectes dans les taillis bas; mange aussi des araignées, des petits lézards, des escargots et des baies sauvages.

Nidification : nid fait de lambeaux d'écorce, de brindilles, de radicelles, d'herbes et de feuilles, retenu par des fils d'araignée, garni d'herbes fines et de tiges, décoré de lichens et de morceaux de papier, suspendu à la fourche d'une petite branche, dans un arbre ou un buisson à une hauteur de 30 cm à 2,50 m. Oeufs : 3 à 5, blancs à taches foncées; I : 12 à 16 jours; E : ?; nidicole; C : 1 ou 2.

Autres comportements : on l'entend plus souvent qu'on le voit. Reste habituellement caché dans l'épaisseur des buissons. Les mâles ont plusieurs chants; ils répètent généralement le même avec insistance, puis passent à un autre. Ils ajoutent également des appels ou des parties du chant d'autres espèces (Moqueur chat, Bruant chanteur, Paruline polyglotte et Merle d'Amérique).

Habitat : sous-bois et taillis denses, haies.

Voix : chant, suite rapide de sifflements qui commence et se termine par un *tchic* sec; *tchic-idiouîou-tchic;* appels, un *tchic* et un grognement de troglodyte.

Protection :
BBS: E ↑ C ↓ CBC: ↑

Viréo de Bell

Vireo bellii Bell's Vireo

Identification : 12 cm. **Cercle oculaire et lore blanchâtres («lunettes») indistincts; 2 barres alaires, la plus haute étant faiblement marquée ou absente;** chez certains individus, sourcil blanchâtre. **Dans l'Est, dessus verdâtre et dessous jaunâtre; dans l'Ouest, dessus grisâtre et dessous blanchâtre.** Plumage variable : présence ou absence de cercle oculaire, de barres alaires, de lunettes et de sourcil. Caractères habituellement peu marqués et identification difficile si l'oiseau ne chante pas; se distingue des autres viréos par le chant.

Alimentation : très actif. Mange des insectes, araignées et fruits près du sol dans les sous-bois denses et les buissons.

Nidification : nid fait d'écorce, de fibres végétales et de cocons, garni de poils et d'herbes fines, pendu à la fourche d'une branche, de 30 cm à 3 m au-dessus du sol. Oeufs : 3 à 5, blancs mouchetés de brun; I : 14 jours; E : 11 ou 12 jours, nidicole; C : 2.

Autres comportements : la sous-espèce de Californie est menacée d'extinction à cause de la disparition des habitats riverains et de l'invasion des fragments d'habitat restants par le Vacher à tête brune qui parasite les nids du V. de Bell. La reconstitution des habitats et la lutte contre les vachers à l'échelle locale permettra peut-être un certain rétablissement.

Habitat : buissons des rivages, mesquites, taillis épineux.

Voix : chant, suite rapide de notes dissonantes, crescendo, finissant parfois par une inflexion montante ou descendante.

Protection :
BBS: E ⇓ C ⇓ CBC: ↑
La sous-espèce de Californie *(V. b. pusillus)* est menacée d'extinction aux États-Unis.

Viréo à tête noire

Vireo atricapillus — Black-capped Vireo

Identification : 11,5 cm. **Petite taille, calotte et joue foncées; cercle oculaire et lore blancs («lunettes») très visibles;** 2 barres alaires jaunâtres. **MÂLE :** calotte noire luisante. **FEMELLE :** calotte gris foncé.

Alimentation : cherche sa nourriture parmi les chênes nains et les taillis. Mange des insectes, araignées et fruits.

Nidification : nid fait d'herbes, de feuilles sèches, de lambeaux d'écorce, de chatons et de cocons d'araignées, maintenu par des fils d'araignée, garni d'aiguilles de pin et d'herbes fines, suspendu à la fourche d'un arbre ou à la branche d'un buisson, de 30 cm à 4,50 m au-dessus du sol. Oeufs : 3 à 5, blancs; I : 14 à 17 jours; E : 10 à 12 jours, nidicole; C : 2.

Autres comportements : très actif. On l'aperçoit le plus souvent dans les buissons bas. Les populations diminuent de façon alarmante à cause des pertes d'habitat dues à la construction de quartiers résidentiels, à l'élimination des buissons dans les pâturages et au broutage par les moutons et les chèvres. Cette espèce est aussi très souvent parasitée par le vacher. Bien qu'on ait pris quelques mesures dans l'espoir de permettre son rétablissement, la survie de cette espèce est très compromise.

Habitat : taillis buissonneux en pente, arbustaies de chênes.

Voix : chant, suite rapide de strophes de 2 ou 3 notes dissonantes. Appel : *tchitit*.

Protection : TENDANCE INCONNUE. Menacé d'extinction aux É.-U. où la construction d'aménagements affecte directement 90 % des populations.

Viréo à tête bleue

Vireo solitarius — Solitary Vireo

Forme de l'Est

Identification : 14 cm. **Tête grise, cercle oculaire et lore («lunettes») blancs très visibles; 2 barres alaires blanches très nettes.** Dans l'Est, dos olive et flancs jaunâtres; les individus des montagnes Rocheuses et du Grand Bassin *(V. s. plumbeus)* sont presque entièrement gris et blanc; les oiseaux de la côte ouest ont le dos vert-grisâtre.

Alimentation : cherche sa nourriture dans le feuillage des arbres; se nourrit d'insectes, d'araignées et de quelques fruits. Occasionnellement, attrape des insectes au passage à partir d'un perchoir.

Nidification : nid fait d'herbacées, d'herbes, de lambeaux d'écorce interne, de toiles d'araignée et de radicelles, garni de vrilles de vigne et d'aiguilles de pin, décoré de lichens, suspendu dans un arbre à la fourche d'une branche horizontale, de 90 cm à 9 m au-dessus du sol. Oeufs : 3 à 5, blancs, mouchetés de brun; I : 11 ou 12 jours; E : 14 jours, nidicole; C : 1 ou 2.

Autres comportements : se déplace plus lentement que les viréos plus petits. Se tient au sommet des arbres. Souvent parasité par le Vacher à tête brune qui pond ses oeufs parmi les siens.

Habitat : forêts mixtes de conifères et de feuillus.

Voix : chant, courtes suites de sifflements aigus, les séries étant séparées par de longs silences; appel, un *tcheur* dissonant.

Protection :
BBS: E ⇈ C ⇈ CBC: ↑

Viréo à gorge jaune

Vireo flavifrons — Yellow-throated Vireo

Identification : 14 cm. **Gorge et poitrine jaune vif; ventre blanc; cercle oculaire et lore («lunettes») jaunes; 2 barres alaires blanches très visibles.**

Alimentation : cherche sa nourriture dans le feuillage des arbres; mange des insectes et parfois des fruits sauvages.

Nidification : nid fait de débris d'écorce, d'herbacées et d'herbes, maintenu par des toiles d'araignée et du duvet végétal, garni d'herbes fines, décoré de lichens, pendu dans un arbre à la fourche d'une branche, de 90 cm à 18 m au-dessus du sol. Oeufs : 3 à 5, blancs ou blanc rosé, mouchetés de brun; I : 14 ou 15 jours; E : 14 ou 15 jours, nidicole; C : ?

Autres comportements : lorsqu'il chante, ce viréo laisse des silences plus longs entre les strophes que le V. aux yeux rouges et le V. à tête bleue. Autrefois, il était plus fréquent dans les banlieues mais il a été affecté par les épandages de pesticides sur les arbres d'ombrage.

Habitat : couvert des forêts de feuillus à maturité.

Voix : chant, suite lente de strophes de 2 ou 3 sifflements enroués, chaque strophe étant suivie d'un long silence, *tîru, turuî, turué.*

Protection :
BBS: E ↑ C ⇓ CBC: ↓

Viréo mélodieux

Vireo gilvus

Warbling Vireo

Forme de l'Est

Identification : 13,5 cm. **Sourcil blanchâtre; bandeau peu marqué et lore pâle; dessous blanchâtre** avec du jaune en quantité variable; s'il y a du jaune, il est plus vif sur les flancs. Les individus de l'Ouest ont un peu plus de vert et de jaune; ceux de l'Est sont plus gris.

Alimentation : saisit ses proies dans le feuillage à la fois en cherchant dans les arbres eux-mêmes et en volant sur place au-dessus. Mange des insectes et quelques baies.

Nidification : nid fait de feuilles, de lambeaux d'écorce, d'herbes et de duvet végétal, maintenu par des toiles d'araignée, garni de tiges et de crin de cheval, suspendu dans un arbre à une branche horizontale, à une hauteur de 1,20 m à 27 m. Oeufs : 3 à 5, blancs mouchetés de brun; I : 12 à 14 jours; E : 12 à 16 jours, nidicole; C : ?

Autres comportements : le meilleur indice de sa présence est son chant qui est un long gazouillis ininterrompu émis pendant toute la journée. Souvent parasité par le Vacher à tête brune.

Habitat : forêts de feuillus et buissons bordant des ruisseaux; bosquets de trembles.

Voix : chant, suite continue et irrégulière de sifflements liés.

Protection :
BBS: E ↓ C ↑ CBC: →

Viréo de Philadelphie

Vireo philadelphicus

Philadelphia Vireo

Identification : 13 cm. **Sourcil blanc; bandeau foncé sur l'oeil et lore foncé; dessous, teinte jaunâtre variable, les parties les plus vivement colorées étant le centre de la gorge et le haut de la poitrine.**

Alimentation : se nourrit dans les arbres, à l'extrémité des branches et dans le feuillage dense, vole sur place devant les rameaux et les branches ou s'y suspend. Mange des insectes, des araignées et des fruits.

Nidification : nid fait de lichens, d'écorce de bouleau, d'herbes et de duvet végétal, maintenu par des toiles d'araignée, garni d'herbes fines et d'aiguilles de pin, suspendu dans un arbre à une branche horizontale, à une hauteur de 3 m à 27 m. Oeufs : 3 à 5, blancs mouchetés de brun; I : 14 jours; E : 12 à 14 jours, nidicole; C : ?

Autres comportements : le chant de cette espèce ressemble à celui du V. aux yeux rouges mais il est habituellement plus aigu et plus ténu, et les strophes sont plus lentes.

Habitat : forêts ouvertes et buissons bordant les ruisseaux.

Voix : chant, strophes courtes, aiguës et sifflées, séparées par des silences *tîîyé, tîîyîî, tîîyit.*

Protection :
BBS: E ↑ C CBC: →

Viréo aux yeux rouges

Vireo olivaceus Red-eyed Vireo

Identification : 15 cm. **Deux sourcils, un blanc surmonté d'un noir; bandeau foncé; calotte grise.** Oeil rouge visible de près. IMM. : comme l'adulte, mais les yeux sont bruns et deviennent rouges au printemps. ➤Le V. jaune-verdâtre *(V. flavoviridis)*, qui est étroitement apparenté à cette espèce, a aussi une calotte grise et le même motif sur l'oeil, mais il est jaunâtre dans l'ensemble. Il vit au Mexique et est occasionnellement observé dans le sud du Texas et dans les régions côtières de la Californie.

Alimentation : s'alimente dans le feuillage au sommet des arbres, mange surtout des insectes. Se nourrit également de baies et de fruits sauvages.

Nidification : nid fait d'herbes fines, de radicelles, de papier, d'écorce de vigne et de toiles d'araignée, décoré de lichens, dans un arbre ou un buisson, sur une branche horizontale, de 60 cm à 18 m au-dessus du sol. Oeufs : 3 à 5, blancs à taches foncées; I : 11 à 14 jours; E : 10 à 12 jours, nidicole; C : 1 à 2.

Autres comportements : la femelle construit le nid et couve seule. Pendant l'incubation, le chant du mâle est plus rapide (50 à 60 strophes/min). Lorsqu'il s'arrête, la femelle sort du nid et il la nourrit ou ils s'alimentent ensemble, puis elle recommence à couver. Cette espèce est l'une de celles qui sont parasitées le plus souvent par les vachers.

Habitat : forêts de feuillus, habitat rural à banlieues.

Voix : strophes courtes de tonalité moyenne séparées par des silences, *îîyé, ouliîî, îîop*. Appels : *niaa et tjjjj*.

Protection :
BBS: E ↑ C ↓ CBC: ↓

Vireo à moustaches

Vireo altiloquus Black-whiskered Vireo

Identification : 15 cm. Limité au sud de la Floride. Ressemble au V. aux yeux rouges, **2 sourcils, un blanc surmonté d'un noir; bandeau foncé, calotte grise;** oeil rouge visible de près. Différences avec le V. aux yeux rouges : **bec plus gros** et **«moustache» noire partant de la racine du bec.**

Alimentation : se nourrit au sommet des arbres. Mange des insectes, des baies sauvages et quelques graines de mauvaises herbes.

Nidification : nid fait de fibres végétales, d'herbes, d'herbacées, de cocons, de toiles d'araignée et de lichens, garni d'aiguilles de pin et de fils de palmiers, suspendu à des branches horizontales, dans un arbre à une hauteur de 90 cm à 6 m. Oeufs : 2 ou 3, blancs et mouchetés de brun; I : ?; E : ?, nidicole; C : ?

Autres comportements : chante pendant toute la journée. Il est peut-être difficile à voir à cause de son habitat de mangroves humides denses.

Habitat : mangroves côtières.

Voix : chant, série de strophes doubles, moins continues que celles du V. aux yeux rouges.

Protection :
BBS: E ↑ C

Mésangeai du Canada

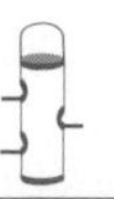

(Geai du Canada)

Perisoreus canadensis

Gray Jay

Identification : 30 cm. **Front blanc, calotte gris foncé, bec court.** La teinte foncée du dessus et la teinte claire du dessous varient selon la région.

Alimentation : variée. Petits rongeurs, invertébrés, poussins et oeufs d'autres oiseaux, baies, fruits et restes de repas humains. Fréquente volontiers les terrains de camping où il se montre confiant envers les humains, accepte la nourriture qu'on lui offre et n'hésite pas à voler quelques morceaux, même dans les assiettes.

Nidification : nid fait de brindilles, d'écorce et de mousse, garni de plumes et de fourrure, dans un arbre, habituellement un conifère, sur une branche horizontale, à une hauteur de 1,80 m à 8,50 m. Oeufs : 2 à 5, vert clair ou blancs, à éclaboussures foncées; I : 16 à 18 jours; E : 15 jours, nidicole; C : 1.

Autres comportements : sa salive est rendue collante par un mucus que sécrètent certaines glandes situées à l'intérieur du bec. L'oiseau s'en sert pour former une boule avec des baies qu'il entrepose ainsi en les collant aux branches d'arbres ou aux amas de lichens. En hiver, gagne les endroits moins élevés en altitude. Lorsque la nourriture devient rare, de grandes bandes sortent parfois de l'aire de distribution normale.

Habitat : surtout dans les forêts conifériennes nordiques.

Voix : souvent silencieux; le cri d'alarme est un *tcheurrr.* Nombreux autres cris

Protection :
BBS: E ↓ C ⇓ CBC: ⇑

Geai bleu

Cyanocitta cristata

Blue Jay

Identification : 30 cm. **Huppe; collier noir; ailes et queue tachetées de blanc;** dessus bleu, dessous grisâtre.

Alimentation : glands et noix; aussi fruits, insectes, oeufs et poussins d'autres espèces. Fréquente les mangeoires où il se nourrit de graines de tournesol et de maïs concassé qu'il cache parfois; il est friand d'arachides.

Nidification : nid fait de brindilles, d'écorce, de feuilles et d'objets fabriqués par les humains, garni de fines radicelles, dans un arbre. Construit parfois une ébauche (plate-forme lâche de brindilles) qu'il ne termine jamais et dont il ne se sert pas pour nicher. Oeufs : 4 ou 5, bleu-verdâtre, mouchetés de brun; I : 17 jours; E : 17 à 19 jours, nidicole; C : 1 ou 2.

Autres comportements : en automne, ces oiseaux se déplacent en grandes bandes à la recherche de nourriture; puis, au milieu de l'hiver, ils se dispersent en groupes plus petits. Au printemps, le matin, les oiseaux en parade nuptiale se déplacent en file indienne et en émettant divers cris. On pense que ces troupes comportent une femelle et plusieurs mâles; c'est toujours la femelle qui s'envole la première. Après s'être posés à un nouvel endroit, les mâles exécutent leur parade : ils font des courbettes, lèvent et abaissent l'ensemble du corps avec insistance tout en émettant un *toucloul.* Silencieux et discret pendant la nidification. Les G. bleus harcèlent les rapaces et piquent sur eux en émettant des *djéé.*

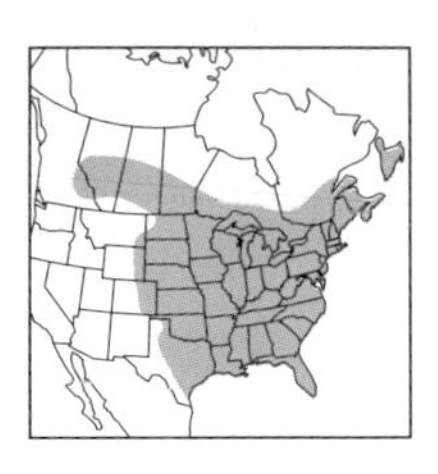

Habitat : forêts et banlieues.

Voix : un *djéé djéé* dissonant émis en cas d'alarme et dans une troupe; un *toucloul* liquide et un appel grinçant. Imite aussi des cris de rapaces.

Protection :
BBS: E ↓ C ↓ CBC: ↑

Geai vert

Cyanocorax yncas

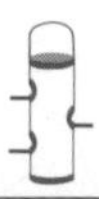

Green Jay

Identification : 30 cm. Limité au sud du Texas. **Calotte d'un bleu éclatant; dos et ventre verts; queue verte à rectrices externes jaunes;** bavette et menton noirs.

Alimentation : mange des noix, coléoptères, grillons et autres insectes, vers de terre, oeufs d'autres oiseaux, graines, fruits et baies. Fréquente les mangeoires où il consomme les graines de tournesol et le maïs concassé.

Nidification : nid, plate-forme de brindilles, garni de mousses, d'herbes et de feuilles, dans un petit arbre ou un buisson. Oeufs : 3 à 5, verts ou gris pâle, mouchetés de brun; I : 17 à 19 jours; E : 19 à 22 jours, nidicole; C : 1.

Autres comportements : après avoir niché, forme des troupes plus nombreuses qui peuvent se montrer curieuses à l'égard des humains. Les jeunes restent avec leurs parents une année et ils participent à la défense du territoire. Les troupes harcèlent les prédateurs.

Habitat : forêts subtropicales, buissons denses.

Voix : appel fréquent, *tché tché tché;* nombreux autres appels et imitations.

Protection :
BBS: E C ↑ CBC: ↓

Geai à gorge blanche

Aphelocoma coerulescens

Florida Scrub-Jay

Identification : 30 cm. **Tête, queue et ailes bleues; pas de huppe; gorge rayée de gris et de blanc, entourée d'un collier bleuâtre; sourcil blanc et front blanchâtre; dos grisâtre.**

Alimentation : mange des insectes, glands, graines de pin, invertébrés, oeufs et poussins d'autres oiseaux, grenouilles, baies et fruits. Cache sa nourriture. Fréquente les mangeoires.

Nidification : nid fait de brindilles et d'herbes, garni de fibres et de radicelles, dans un buisson ou arbuste. Oeufs : 2 à 6, gris ou vert pâle, tachés de brun roussâtre; I : 16 à 19 jours; E : 18 jours, nidicole; C : 1 ou 2.

Autres comportements : s'observe en couples ou en groupes familiaux qui passent toute l'année dans un territoire donné. De 1 à 3 jeunes de l'année précédente participent à la défense du territoire et du nid et aident à nourrir les poussins. Cette forme d'aide a pour effet de réduire la mortalité due à la prédation. La population a diminué de 50 % depuis 1900 suite à la disparition de l'habitat de chênes buissonnants due à la construction.

Habitat : zones buissonneuses avec quelques arbres; fréquente parfois les banlieues.

Voix : les cris varient selon la localité. Appel souvent entendu, un *rîîîp* enroué. Imite les cris des autres oiseaux de l'endroit, dont ceux des rapaces.

Protection :
BBS: E ⇓ C

Corneille d'Amérique

Corvus brachyrhynchos

American Crow

Corneille de rivage

Corvus ossifragus

Fish Crow

Corneille d'Amérique

Corneille de rivage

Identification : C. d'Am. 46 cm, C. de rivage 43 cm. **Grandes, entièrement noires;** bout de la queue carré ou légèrement arrondi. **La voix est le caractère qui permet le mieux de les distinguer. Voir la voix.**

Alimentation C. d'Amérique : insectes, noix, graines, maïs, glands, fruits, oeufs et poussins d'autres oiseaux, charognes. Cache sa nourriture. Fréquente les mangeoires. C. de rivage, amphibiens, crabes, poissons, crevettes, graines, fruits et oeufs d'autres oiseaux surtout aquatiques.

Nidification : nid fait de brindilles et de petites branches, garni d'écorce, d'herbe et de mousse, dans un arbre. C. d'Amérique - Oeufs : 4 ou 5, vert-bleuâtre, tachés de brun; I : 18 jours; E : 28 à 35 jours, nidicole; C : 1 ou 2. C. de rivage - Oeufs : 4 ou 5, vert-bleuâtre, tachés de brun; I : 18 jours; E : 21 jours ou plus, nidicole; C : 1.

Autres comportements : dans l'Est, les C. d'Amérique vivent toute l'année dans des territoires, formant des groupes familiaux de 2 à 10 individus (parents et jeunes des années précédentes qui aident à élever la dernière nichée). En Californie, seul un couple nicheur sur trois reçoit de l'aide, habituellement d'une femelle de l'année, et les couples ne défendent pas de territoire. Les C. de rivage nichent en petites colonies. En hiver, les C. d'Amérique quittent leur territoire chaque soir et regagnent de grands dortoirs communautaires où peuvent se trouver des C. de rivage.

d'Amérique

de rivage

Habitat : C. d'Am., habitats variés. C. de riv., côte ou intérieur le long des rivières.

Voix : C. d'Am., appel, long *câââr* descendant; C. de riv., appel, un *ca* nasal et court. Les 2 espèces ont divers autres cris.

Protection :
C. d'Amérique :
BBS: E ↑ C ↑ CBC: ↑
C. de rivage :
BBS: E ↑ C ⇑ CBC: ⇑

Grand Corbeau

Corvus corax — Common Raven

Corbeau à cou blanc

Corvus cryptoleucus — Chihuahuan Raven

Grand Corbeau

Corbeau à cou blanc

Identification : Grand C. 61 cm, C. à cou blanc 48 cm. **Les deux : grands et entièrement noirs, bec massif;** en vol, le bout de la queue est en **forme de coin** et non carré ou légèrement arrondi comme chez les corneilles. Voir aussi la distribution, l'habitat et la voix. GRAND C. : **très grand, longues plumes hérissées sur le menton et la gorge; plane souvent comme une buse.** C. À COU BLANC : **plus petit; gorge moins hérissée, bec moins massif.**

Alimentation : Charognes, coquillages, rongeurs, insectes, graines, fruits, restes de nourriture, oeufs et poussins d'autres oiseaux; cachent aussi la nourriture.

Nidification : nid, masse volumineuse de brindilles, de branches et de terre, garni de racines, de mousse et de poils, le plus souvent sur une falaise mais aussi dans un arbre ou sur un édifice. Oeufs : 3 à 8, bleus à verdâtres, tachés de brun; I : 21 jours; E : 35 à 42 jours, nidicole; C : 1.

Autres comportements : lors du vol nuptial, les mâles exécutent des manoeuvres compliquées (piqués, cabrioles et tonneaux). En automne et en hiver, les deux espèces ont de grands dortoirs communautaires où se regroupent surtout les individus non nicheurs. Les couples nicheurs ont tendance à rester dans leurs territoires toute l'année. Figurent dans de nombreuses légendes amérindiennes.

Grand C.

à cou blanc

Habitat : Grand C., montagnes, forêts, canyons, déserts; côte. G. à cou blanc : zones arides.

Voix : Grand C., appel souvent entendu, un *grôk* très grave. C. à cou blanc, appel, un *craac* plus aigu.

Protection :
Grand C. :
BBS: E ⇑ C ⇑ CBC: ⇑
C. à cou blanc :
BBS: E C ⇓ CBC: ⇓

Alouette hausse-col

(Alouette cornue)

Eremophila alpestris

Horned Lark

Identification : 20 cm. **Marques faciales distinctives,** front noir avec deux «cornes» noires (plus visibles chez les mâles); ligne noire allant du bec à l'oeil et descendant sur la joue; bavette noire. Les autres parties de la **face, de la gorge et du ventre varient du blanchâtre au jaune vif** selon les sous-espèces. **AU VOL :** remarquer le **dessous des ailes clair; queue noire à rémiges externes blanches.**

Alimentation : se nourrit au sol de graines de mauvaises herbes et de céréales, d'insectes et d'araignées.

Nidification : nid, dépression dans le sol, garni d'herbes, près d'une touffe d'herbe ou d'une bouse de vache. Oeufs : 3 à 5, gris, parfois tachés de brun; I : 11 jours; E : 9 à 12 jours, nidicole; C : 1 à 3.

Autres comportements : le mâle exécute un vol nuptial spectaculaire, il s'élève jusqu'à une hauteur de près de 250 m, décrit des cercles et chante lorsqu'il est au sommet, puis il pique en silence. Pendant la parade nuptiale, il soulève aussi ses «cornes» et déambule devant la femelle dans une posture rigide. La femelle commence une 2ᵉ couvée environ une semaine après que les jeunes aient quitté le nid. Forme de grandes troupes pendant la migration et en hiver. Dans l'Est, a étendu sa distribution.

Habitat : terrains ouverts à végétation basse.

Voix : chant, léger gazouillis émis pendant la parade aérienne; appel, *tsîîtiti* ou *zîît*.

Protection :
BBS: E ↑ C ↓ CBC: ↓

Hirondelle noire

Progne subis

Purple Martin

Mâle (g.), femelle (dr.)

Mâle immature, 1er été

Identification : 20 cm. MÂLE : **entièrement violet foncé**, queue et ailes noires. Les parties violettes sont luisantes. FEMELLE : poitrine grise; **ventre blanchâtre; dos violet terne;** queue et ailes noires. IMM. : femelle comme la femelle adulte. Mâle, le premier automne, aussi comme la femelle adulte. Le printemps et l'été suivants, il ressemble encore à la femelle adulte mais avec plus de violet luisant sur le dos, et il a le ventre légèrement plus foncé. Garde son plumage imm. 1 an.

Alimentation : mange des insectes attrapés en plein vol.

Nidification : dans l'Est, niche en colonies surtout dans des nichoirs artificiels formés de plusieurs compartiments individuels. Dans l'Ouest, a tendance à nicher de façon isolée dans des cavités naturelles creusées dans les arbres et dans les trous des saguaros. Nid fait de boue, de brindilles, de rameaux, de plumes, d'écorce et de papier; ajoute des feuilles vertes fraîches pendant l'incubation. Oeufs : 5 ou 6, blancs; I : 15 ou 16 jours; E : 27 à 35 jours, nidicole; C : 1.

Autres comportements : les Amérindiens furent les premiers à installer des gourdes creuses pour permettre aux H. noires de nicher. Aujourd'hui, des milliers de nichoirs sont installés par les humains. Après la saison de nidification et avant la migration, les jeunes et les adultes forment des rassemblements de plusieurs milliers d'individus dans des aires de repos.

Habitat : lieux ouverts, souvent près de l'eau.

Voix : chant, notes doublées suivies d'un gazouillis guttural, émis pendant les interactions entre membres du couple. Appel près du nid : *tcheur tcheur.*

Protection :
BBS: E ↓ C ↑ CBC: ↑

Hirondelle bicolore

Tachycineta bicolor

Tree Swallow

Adulte

Femelle immature

Identification : 15 cm. **Dessus bleu irisé; dessous blanc vif; l'oeil est compris dans la partie foncée de la tête.** En automne, le dessus irisé peut paraître verdâtre. Les femelles adultes ont parfois le front brunâtre. **Imm. :** mâle comme le mâle adulte. Chez la femelle, le dessus est surtout brun avec des quantités variables de bleu irisé; pendant deux années, ce plumage devient graduellement comme celui de l'adulte.

Alimentation : mange des insectes au vol. Avant la migration, se pose dans les myriques pour en manger les baies.

Nidification : souvent en colonies lâches. Nid garni de plumes, dans une cavité d'un arbre, un vieux trou de pic ou un nichoir. Oeufs : 5 ou 6, blancs; I : 14 ou 15 jours; E : 21 jours, nidicole; C : 1 ou 2.

Autres comportements : le seul passereau d'Amérique du Nord dont les femelles gardent leur plumage immature la 1re année (et parfois la 2e). Cela leur permet de s'approcher des adultes nicheurs et de leurs nids sans être chassées. Elles peuvent ainsi observer les couples nicheurs et remplacer toute femelle adulte qui meurt pendant la saison de nidification.

Habitat : zones dégagées près des bois et de l'eau.

Voix : chant du mâle, 3 notes descendantes suivies d'un gazouillis. Cri d'alarme, *tchîîdîîp*.

Protection :
BBS: E ↑ C ↑ CBC: ↓
En compétition avec les étourneaux, les Moineaux domestiques, les Troglodytes familiers et les merlebleus pour les sites de nidification.

Hirondelle à ailes hérissées

Stelgidopteryx serripennis Northern Rough-winged Swallow

Identification : 13 cm. **Dessus brun-grisâtre; menton, poitrine et flancs grisâtres;** ventre blanc. Battements d'ailes plus lents et plus accentués que chez l'H. de rivage, qui lui ressemble.

Alimentation : mange des insectes en plein vol.

Nidification : seule ou en petits groupes dispersés. Parfois, quelques couples nichent en marge des colonies d'H. de rivage. Nid fait d'herbes, de feuilles, de brindilles, de mousse et de paille, dans un trou ou une crevasse comme dans une caverne, un vieux tunnel creusé par les H. de rivage ou un tuyau de drainage; rarement dans un trou creusé dans un arbre. Oeufs : 4 à 8, blancs; I : 16 à 18 jours; E : 18 à 21 jours, nidicole; C : 1.

Autres comportements : après la saison de nidification, forme de grandes troupes qui se reposent dans les marais, sur les îles de mangrove et dans les champs de canne à sucre.

Habitat : zones dégagées, surtout près de l'eau et des talus verticaux.

Voix : cri d'alarme également émis pendant les rencontres agressives, *brrt* guttural.

Protection :
BBS: E ↑ C ↓ CBC: ⇓

Hirondelle de rivage

Riparia riparia — Bank Swallow

Identification : 13 cm. **Dessus brun foncé, dessous blanc sauf une bande brune sur la poitrine.** Battements d'ailes rapides et peu accentués.

Alimentation : mange une très grande variété d'insectes.

Nidification : très coloniale. Nid fait d'herbes diverses, garni de plumes, dans un tunnel creusé dans une berge de rivière verticale et sablonneuse, une falaise sur la côte ou une carrière de gravier; les nids peuvent n'être espacés que de 30 cm. L'oiseau creuse lui-même son tunnel, qui est long de 50 cm à 1 m et incliné vers le haut et qui débouche sur une chambre élargie abritant le nid. Oeufs : 3 à 6, blancs; I : 12 à 26 jours; E : 22 jours, nidicole; C : 1 ou 2.

Autres comportements : les individus plus âgés reviennent à leur site de nidification bien avant les oiseaux de 1re année et ils choisissent les emplacements les plus élevés sur la berge. Les H. de rivage sont moins fidèles à l'endroit où elles nichent que les autres hirondelles dont les sites de nidification sont plus stables. Après avoir niché, elles forment des troupes de centaines ou de milliers d'individus qui se nourrissent et se reposent ensemble. Les nids sont souvent situés sur des berges de ruisseaux et dans des carrières de gravier où ils sont détruits par la construction d'aménagements ou du fait de l'exploitation de la carrière.

Habitat : zones dégagées près de l'eau, là où il y a des berges verticales.

Voix : cri de contact entre membres du couple, *tchrrt tchrrt* dissonant; pendant la parade nuptiale, émet parfois un long gazouillis; aussi, jacassement rapide et bourdonnant.

Protection :
BBS: E ↓ C ↓ CBC: ↓

Hirondelle à front blanc

Hirundo pyrrhonota Cliff Swallow

Identification : 15 cm. **Croupion chamois, front blanchâtre, gorge brun-roussâtre foncé.** Aussi, ventre blanc, rayures blanches sur le dos; **extrémité de la queue carrée.**

Alimentation : se nourrit en troupes compactes. Mange surtout des insectes, rarement des baies.

Nidification : coloniale, forme parfois d'immenses colonies. Nid, cavité sphérique avec un étroit tunnel d'entrée, fait de boules de boue mêlées à un peu d'herbe, garni d'herbe et de plumes. Les nids sont parfois construits sur les falaises, mais habituellement sous des ponts, dans des ponceaux et sur des édifices. Oeufs : 2 à 5, blancs à éclaboussures brunes; I : 12 à 15 jours; E : 24 jours, nidicole; C : 1 à 3.

Autres comportements : les oiseaux d'une même colonie nichent de façon synchrone. Pour nicher, réutilise parfois d'anciens emplacements mais change aussi parfois de site d'une année à l'autre, peut-être pour éviter les parasites comme les puces et les poux qui sont présents dans les vieux nids. Dans les colonies, les oiseaux tentent de dérober l'herbe et la boue de leurs voisins. Les femelles pondent parfois dans le nid d'une autre femelle et il arrive même qu'elles y apportent leurs oeufs après les avoir pris dans leur propre nid. Les mâles s'accouplent parfois avec des femelles étrangères au couple.

Habitat : zones dégagées près des falaises, ponts et bâtiments de ferme.

Voix : mâle, gazouillis prolongé et dissonant; entre membres du même couple, *tcheurr*; cri d'alarme, *niou* nasal

Protection : BBS: E ↑ C ↑ CBC: ↓ A commencé à nicher sur les structures artificielles, ce qui l'avantage.

Hirondelle à front brun

Hirundo fulva Cave Swallow

Identification : 15 cm. **Croupion chamois; front brun-roussâtre, gorge chamois.** Aussi, ventre blanc, rayures blanches sur le dos; **extrémité de la queue carrée.**

Alimentation : se nourrit en petites troupes, parfois en compagnie des H. à front blanc et rustiques.

Nidification : dans des colonies. Nid, demi-sphère ouverte faite de boules de boue ou de guano, garni de fibres, d'herbe et de plumes, dans une caverne ou un ponceau, sous un pont, contre un mur ou un édifice. Répare et réutilise parfois les anciens nids. Oeufs : 3 à 5, blancs à taches brun-roussâtre; I : 15 ou 16 jours; E : 22 à 26 jours, nidicole; C : 1 à 3.

Autres comportements : la nidification est moins synchrone que chez l'H. à front blanc. A niché pour la première fois aux États-Unis en 1914, d'abord dans des cavernes, puis, plus récemment, dans des ponceaux de routes et des édifices. Niche parfois en compagnie des H. rustiques, espèce avec laquelle elle s'hybride parfois.

Habitat : zones dégagées près des cavernes, des ponceaux et des ponts.

Voix : chant, grincements prolongés suivis d'un gazouillis; cri d'alarme : *tchou*; au sein d'une troupe, *tchouîît*.

Protection :
BBS: E C ⇑
A étendu son aire de distribution en nichant dans les ponceaux.

Hirondelle rustique (Hirondelle des granges)

Hirundo rustica — Barn Swallow

Identification : 18 cm. **Longue queue fourchue; dessus noir bleuté; poitrine chamois;** menton et gorge brun-roussâtre.

Alimentation : mange des insectes, se nourrit en couples pendant la ponte et en troupes lâches aux autres moments. S'alimente en vol et effleure parfois l'eau pour saisir les insectes qui flottent à la surface.

Nidification : isolée ou en colonies. Nid, coupe profonde faite de boules de boue et d'herbe, garni de plumes, sur une poutre ou une saillie, dans une grange, sous un pont, dans un ponceau, un puits de mine ou une caverne. Oeufs : 2 à 7, blancs à taches brun-roussâtre; I : 14 à 16 jours; E : 18 à 23 jours, nidicole; C : 1 à 3.

Autres comportements : le mâle et la femelle participent à la construction du nid, habituellement le matin; ils peuvent faire jusqu'à 1000 voyages pour aller chercher de la boue. Rarement, le mâle s'accouple avec 2 femelles, bien qu'il soit habituellement monogame. Dans les colonies, le mâle s'accouple parfois avec des femelles étrangères au couple. Le mâle apparié défend vigoureusement une petite zone autour du nid et protège la femelle des mâles étrangers qui pourraient tenter de s'accoupler avec elle.

Habitat : paysages ouverts près des granges ou des bâtiments ouverts, des ponts et des ponceaux.

Voix : chant des deux sexes, un gazouillis continu entrecoupé de sons grinçants; lorsqu'ils s'alimentent ou en cas d'alarme, *tchitchit*.

Protection :
BBS: E ↓ C ↑ CBC: ↑

Mésange à tête noire
Parus atricapillus

Black-capped Chickadee

Mésange de Caroline
Parus carolinensis

(Mésange minime)

Carolina Chikadee

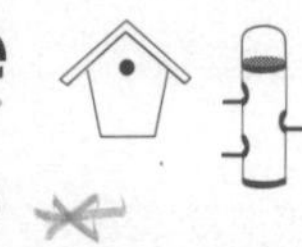

M. à tête noire

M. de Caroline

Identification : M. à t. n. 13 cm, M. de C. 12 cm. Les 2 : **calotte et bavette noires, joue blanche. Meilleurs caractères pour les distinguer : distribution et chant.** M. À T. N. : (aile repliée) **plumes de l'épaule (grandes couvertures) à bords blancs** (ternies par l'usure à la fin de l'été); bord inférieur de la bavette irrégulier; voir la voix. M. DE C. : **plumes de l'épaule entièrement grises;** bord inférieur de la bavette net; voir la voix. Hybrides là où les distributions se recoupent.

Alimentation : les 2 se déplacent de façon acrobatique dans les branches à la recherche d'insectes; mangent aussi des graines et des baies. Souvent aperçues aux mangeoires. Aiment les graines de tournesol, qu'elles tiennent dans leurs pattes pour les ouvrir.

Nidification : les 2 creusent une cavité dans le bois pourri ou adoptent un nichoir ou une cavité naturelle. Nid fait de mousses et de copeaux de bois. M. à t. n. - Oeufs : 6 à 8, blancs, tachetés; I : 12 jours; E : 16 jours, nidicole; C : 1 ou 2. M. de C. - Oeufs : 6, blancs et tachetés de roussâtre; I : 11 ou 12 jours; E : 13 à 17 jours, nidicole; C : 1 ou 2.

Autres comportements : en hiver, les 2 espèces forment des troupes stables qui se dispersent au printemps lorsque les couples nicheurs se constituent. Les mâles chantent et chaque couple défend un territoire où il niche.

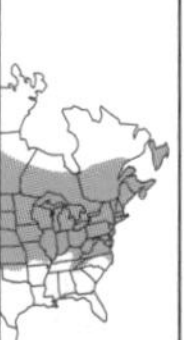

à tête noire

de Caroline

Habitat : forêts, terres agricoles, banlieues.

Voix : M. à t. n., chant, 2 sifflements, le 1er un peu plus aigu que le second; M. de C., chant, 4 notes, la 1re et la 3e beaucoup plus aiguës que les autres.

Protection :
M. à tête noire :
BBS: E ⇑ C ↑ CBC: ⇑
M. de Caroline :
BBS: E ↓ C ↓ CBC: ↑

Mésange à tête brune

Parus hudsonicus

Boreal Chickadee

Identification : 13 cm. **Calotte brune, bavette noire, quantité limitée de blanc sur la joue; flancs brun-roussâtre vif.** De façon générale, semble plus grassouillette que les autres mésanges et brune au lieu de grise; le plumage usé de la fin de l'été est très terne.

Alimentation : s'accroche aux branches comme un acrobate en cherchant des insectes. Mange également des graines. Fréquente les mangeoires où elle consomme des graines de tournesol et du suif.

Nidification : nid fait de mousses, de lichens, de duvet végétal, de poils et de fourrure, dans une cavité naturelle ou creusée dans un arbre, ou dans un trou abandonné par un pic. Adopte aussi parfois un nichoir. Oeufs : 4 à 9, blancs à taches brunes; I : 11 à 16 jours; E : 18 jours, nidicole; C : 1.

Autres comportements : plutôt craintive. Commune dans les forêts d'épinettes et de sapins. En hiver, forme des troupes et s'aventure parfois au sud de son aire de distribution normale.

Habitat : forêts nordiques de conifères; tourbières à épinettes.

Voix : appel et chant, grinçants et plus étirés que ceux de la M. à tête noire.

Protection :
BBS: E ⇓ C CBC:→

Mésange bicolore

Parus bicolor — 9 février 2000

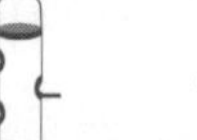

Tufted Titmouse

Forme à huppe grise

Forme à huppe noire

Identification : 13 cm. **Petit oiseau gris; du noir sur le front ou la huppe;** flancs habituellement chamois. La forme à huppe noire a le front blanchâtre (sud, centre et ouest du Texas); la forme à huppe grise a le front noir (reste de l'aire de distribution).

Alimentation : mange des insectes, graines et baies. Commune aux mangeoires, où elle affectionne les graines de tournesol et le suif.

Nidification : nid fait de mousses, de poils, d'herbes, de feuilles, de coton et de lambeaux d'écorce, dans une cavité naturelle ou un nichoir. Oeufs : 4 à 8, blancs à petites taches brunes; I : 13 ou 14 jours; E : 17 ou 18 jours, nidicole; C : 1 ou 2.

Autres comportements : à la fin de l'hiver ou au début du printemps, les groupes familiaux se dissocient et les mâles commencent à chanter et à défendre un territoire de nidification de 10 000 à 25 000 m^2. Les mâles rivaux se rencontrent à la limite de leurs territoires et chantent à tour de rôle. Lors de la parade nuptiale, le mâle nourrit la femelle pendant qu'elle fait vibrer ses ailes et qu'elle émet des cris aigus. Ce comportement se poursuit pendant la construction du nid et l'incubation. La femelle construit le nid presque seule et ramasse souvent de grandes quantités de mousse ou d'écorce.

Habitat : forêts et banlieues.

Voix : chant, sifflement descendant, *piteur piteur piteur.* Appels, *dzouîîdzouîîdzouîî* grondant et *tsîîdzouîî;* cri de contact, *tsîît;* aussi, suite de sifflements extrêmement aigus.

Protection :
BBS: E ↑ C ↑ CBC: ↑

Auripare verdin

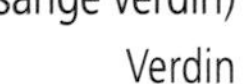

(Mésange verdin)

Auriparus flaviceps

Verdin

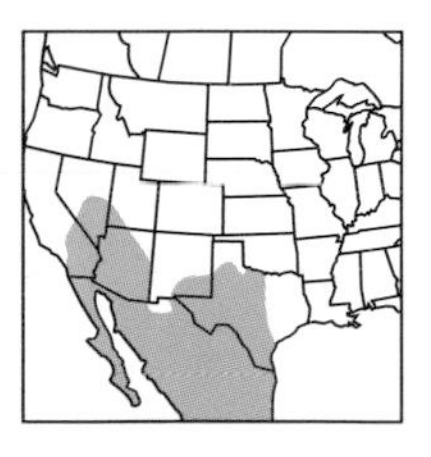

Identification : 11 cm. **Petite taille, gris; tête jaune.** Une petite tache brun-roussâtre est parfois visible à l'épaule. **JUV. :** entièrement brun-gris terne; la queue plus courte et le bec droit plus long permettent de distinguer cette espèce de la Mésange buissonnière qui lui ressemble.

Alimentation : se nourrit en saisissant des insectes dans les arbres et les buissons. Mange également des graines et des baies.

Nidification : nid remarquable sphérique, fait de brindilles épineuses, d'herbes et de fils d'araignée, garni de plumes et de duvet végétal, à l'extrémité d'une branche basse dans un buisson, un cactus ou un arbre, souvent un mesquite. Oeufs : 3 à 6, blanc-verdâtre pâle à taches foncées; I : 10 jours; E : 21 jours, nidicole; C : 2.

Autres comportements : le mâle construit plusieurs nids et la femelle en choisit un pour nicher. Construit des nids plus petits qui servent de site de repos en hiver.

Habitat : déserts buissonneux et régions semi-désertiques.

Voix : chant, 3 notes, la 2e étant plus aiguë, *tîî tsîî tîî;* appels, un *tchip* sonore et un *tzîî*.

Protection :
BBS: E C ⇓ CBC: ↑

Mésange buissonnière

Psaltriparus minimus

Bushtit

De la côte

De l'intérieur

Identification : 9 cm. **Très petite et grise; bec minuscule** (dessus de la mandibule supérieure très courbé); **longue queue.** Les individus de la côte sont de couleur claire avec une calotte brun-gris; ceux de l'intérieur sont foncés avec une joue brunâtre; dans le Sud-Ouest, les mâles et les juvéniles ont parfois une tache noire sur la joue. Chez toutes les formes, les yeux des mâles sont foncés et ceux des femelles jaune clair.

Alimentation : se nourrit de façon acrobatique, mange des pucerons, des coléoptères et divers insectes trouvés sur les branches externes des arbres et des buissons. Consomme également des graines et des fruits. Fréquente les mangeoires.

Nidification : nid en forme de gourde, fait de mousse, de radicelles, de lichens et de feuilles, garni de duvet végétal, de poils et de plumes, attaché aux rameaux de l'arbre ou du buisson par des fils d'araignée, à une hauteur de 1,20 m à 7,50 m. Oeufs : 5 à 7, blancs; I : 12 jours; E : 14 ou 15 jours, nidicole; C : 1 ou 2.

Autres comportements : en hiver, se déplace en troupes animées de 6 à 30 individus ou plus qui émettent sans cesse de légers cris de contact. La nuit, les individus de la troupe se reposent en se blottissant les uns contre les autres, peut-être pour rester au chaud.

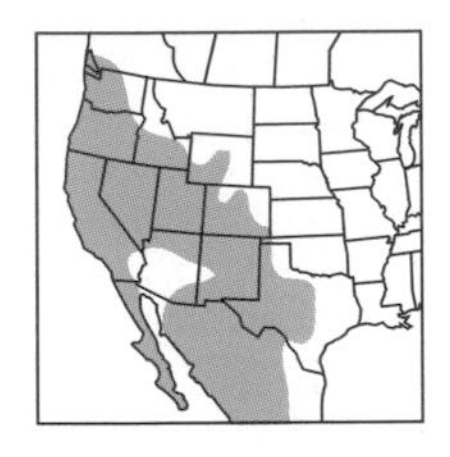

Habitat : forêts ouvertes, chaparral, banlieues, parcs, jardins.

Voix : chant, trille aigu; appels, *tsîîp* et *tsip* courts, peut-être émis comme cris de contact pendant que la troupe se déplace.

Protection :
BBS: E C ⇑ CBC: ⇑

Sittelle à poitrine rousse

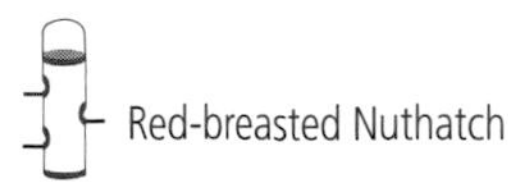

Sitta canadensis

Red-breasted Nuthatch

Mâle

Identification : 11 cm. **Sourcil blanc entre la calotte foncée et le bandeau noir; dessous rouille. MÂLE : calotte noire et dessous vivement coloré. FEMELLE : calotte grise et dessous moins vivement coloré.**

Alimentation : se déplace souvent la tête en bas le long des troncs d'arbre à la recherche d'insectes. Mange des graines de conifères. Fréquente les mangeoires où elle recherche les graines de tournesol et le suif.

Nidification : nid fait de radicelles, d'herbes, de mousses et de débris d'écorce, dans un trou creusé par l'oiseau, un nichoir ou un trou abandonné par un pic, à une hauteur de 1,50 m à 36 m. Enduit l'entrée de la cavité de poix pour dissuader les prédateurs. Oeufs : 5 à 7, blancs ou légèrement rosés à taches brunes; I : 12 jours; E : 16 à 21 jours, nidicole; C : 1 ou 2.

Autres comportements : invasions périodiques vers le sud pendant les hivers où la production de cônes est insuffisante dans les régions nordiques. Les oiseaux sont alors obligés de se déplacer pour pouvoir se nourrir et ont les observe en plus grand nombre aux mangeoires. Territoire de nidification de 100 000 à 150 000 m^2. Se sert des nichoirs et des cavités dans les arbres pour se reposer comme pour nicher.

Habitat : forêts de conifères.

Voix : appel fréquent, un *niép niép* nasal. Aussi, un *tsip* court.

Protection :
BBS: E ⥣ C ⥣ CBC: ⥣

Sittelle à poitrine blanche

Sitta carolinensis

White-breasted Nuthatch

Mâle

Femelle

Identification : 15 cm. **Calotte et nuque foncées, face blanche, dos gris.** Quantités variables de brun-roussâtre sur les sous-caudales et les flancs. Les deux sexes n'ont pas la même coloration sur la calotte et le dos, sauf dans le Sud-Est où il est difficile de les distinguer par le plumage. **MÂLE : couronne et nuque noir luisant, dos gris-bleu. FEMELLE : couronne et nuque grises ou noir terne; dos gris.**

Alimentation : marche la tête en bas sur les troncs d'arbre. Mange des noix, glands et insectes. Fréquente les mangeoires où elle consomme le suif et les graines de tournesol.

Nidification : nid fait de brindilles, de débris d'écorce, de fourrure et de poils, dans une cavité naturelle, un nichoir ou un trou abandonné par un pic, de 4,50 m à 15 m au-dessus du sol. Oeufs : 3 à 10, blancs à taches foncées; I : 12 jours; E : 14 jours, nidicole; C : 1 ou 2.

Autres comportements : les sittelles sont bien connues pour l'habitude qu'elles ont d'entreposer de la nourriture dans les crevasses de l'écorce et pour leur capacité à descendre le long des arbres la tête en bas, ce qui leur permet de trouver des proies ayant pu échapper aux oiseaux qui restent «à l'endroit» comme les pics. La parade nuptiale commence à la fin de l'hiver; à ce moment-là, le mâle chante, il présente de la nourriture à la femelle et la nourrit pendant toute la couvaison.

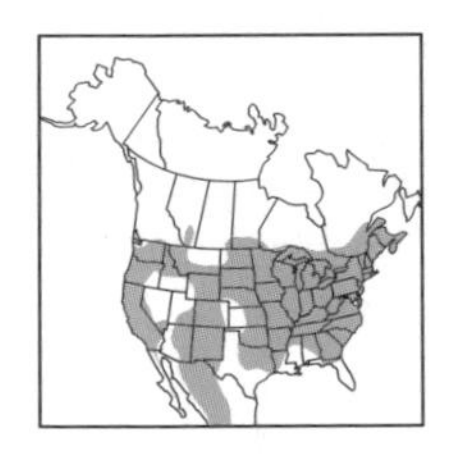

Habitat : forêts mixtes et de feuillus.

Voix : chant, *ouérouérouérouér*; les appels comprennent les cris de contact *ip* et *ank ank*, ce dernier étant répété à un rythme rapide lors des rencontres agressives.

Protection :
BBS: E ↑ C ↑ CBC: ↑

Sittelle à tête brune

Sitta pusilla

Brown-headed Nuthatch

Identification : 11 cm. **Très petite; calotte brun terne bordée d'un bandeau foncé; dos gris; dessous chamois terne.** Sur la nuque, tache blanche visible de près.

Alimentation : se déplace le long des branches, des troncs d'arbre, des poteaux et des édifices à la recherche d'insectes, d'araignées et de graines de pin. Fréquente les mangeoires.

Nidification : nid fait de lambeaux d'écorce, d'herbes, de poils, de plumes et de coton, dans un nichoir ou une cavité creusée dans un arbre, un piquet ou une souche, à une hauteur de 60 cm à 15 m. Oeufs : 3 à 9, blancs à taches brunâtres; I : 14 jours; E : 18 ou 19 jours, nidicole; C : 1.

Autres comportements : connue pour utiliser des «outils». Pour trouver des insectes, arrache des morceaux d'écorce à l'aide d'un autre morceau. Les couples nicheurs sont souvent aidés par un «auxiliaire», un mâle non apparié qui participe à toutes les étapes de la nidification.

Habitat : forêts de pins.

Voix : un *dzîîdzé dzîîdzé* distinctif et un *kikikiki* répété à un rythme rapide.

Protection :
BBS: E ↓ C ⇑ CBC: ↓
Sa nourriture et son habitat de nidification se trouvent dans les vieux pins; en déclin dans les régions où ceux-ci sont coupés ou exploités.

Grimpereau brun

Certhia americana — Brown Creeper

Identification : 14 cm. **Petit oiseau brun qui monte par saccades le long des troncs d'arbre; dessus rayé de brun; dessous blanchâtre; bec relativement long, courbé vers le bas;** longues rémiges pointues.

Alimentation : pour se nourrir, a l'habitude très particulière de grimper le long d'un tronc d'arbre, puis de se laisser tomber jusqu'à la base du prochain où il recommence à grimper. Explore l'écorce à la recherche d'insectes et de larves. Fréquente parfois les mangeoires où il consomme des noix hachées et du suif.

Nidification : nid ressemblant à un hamac, en forme de croissant, fait d'écorce, de brindilles et de mousse, garni de plumes, derrière un morceau d'écorce partiellement détaché d'un arbre mort ou dans une cavité naturelle, à une hauteur de 1,50 m à 4,50 m. Oeufs : 5 ou 6, blancs à mouchetures foncées; I : 14 à 16 jours; E : 13 à 15 jours, nidicole; C : ?

Autres comportements : on le détecte habituellement grâce à son chant distinctif ou à son cri aigu. Très bien camouflé lorsqu'il est sur un tronc d'arbre. En cas d'alarme, s'aplatit contre le tronc et reste immobile, ce qui le rend encore plus difficile à voir.

Habitat : forêts.

Voix : chant, suite de sifflements aigus, *sîî ouîî sîî tou ouîî*. Appel, un *tsîî* aigu.

Protection :
BBS: E ↑ C CBC: ↑

Troglodyte des cactus

Campylorhynchus brunneicapillus

Cactus Wren

Identification : 20 cm. **Le plus gros de nos troglodytes. Calotte foncée; large sourcil blanc; nombreuses taches sur la poitrine; ailes barrées.** Longue queue dont le dessous porte des barres noires et blanches très visibles.

Alimentation : se nourrit au sol d'insectes, d'araignées, de petits lézards, de baies et de graines. Visite parfois les mangeoires où il consomme du pain, des graines et des morceaux de fruits.

Nidification : gros nid en forme de ballon ovale, fait de tiges et d'herbes, entrée latérale étroite débouchant dans une chambre intérieure garnie de fourrure et de plumes. Nid placé dans une raquette, un yucca ou une autre plante épineuse. Oeufs : 3 à 7, blanc rosé à taches foncées; I : 16 jours; E : 19 à 23 jours, nidicole; C : 2 ou 3.

Autres comportements : c'est la femelle qui choisit le site du nid. Lorsqu'elle a presque fini de couver, le mâle construit un autre nid qui sert pour la 2e nichée ou comme lieu de repos. En hiver, les vieux nids servent de site de repos.

Habitat : déserts et régions semi-désertiques avec des cactus (raquettes).

Voix : chant, *tcha tcha tcha tcha* grave *ou tchou tchou tchou tchou.*

Protection :
BBS: E C ⇓ CBC: ↓
La population côtière de Californie est en danger suite à l'apparition de pâturages, de vignobles et d'aménagements.

Troglodyte des rochers

Salpinctes obsoletus Rock Wren

Identification : 14 cm. **Dessus brun-grisâtre à fines mouchetures blanches; poitrine et ventre pâles.** AU VOL : remarquer le **croupion cannelle; coins de la queue chamois.**

Alimentation : se nourrit au sol d'insectes et d'araignées.

Nidification : nid fait de radicelles, d'herbes et de tiges, garni de laine, de fils d'araignée et de plumes, dans une crevasse sur une pente rocheuse ou dans un terrier abandonné par un gaufre. L'entrée du nid est pavée de petits galets et de pierres. Oeufs : 4 à 6, blancs à taches brunes; I : 12 à 14 jours; E : 14 à 16 jours, nidicole; C : 1 ou 2.

Autres comportements : hoche souvent la tête, surtout lorsqu'il est effrayé. Lorsqu'il réutilise le site d'un nid les années suivantes, ajoute d'autres galets dans l'entrée. Dans un cas, on a compté plus de 750 galets et cailloux devant le nid.

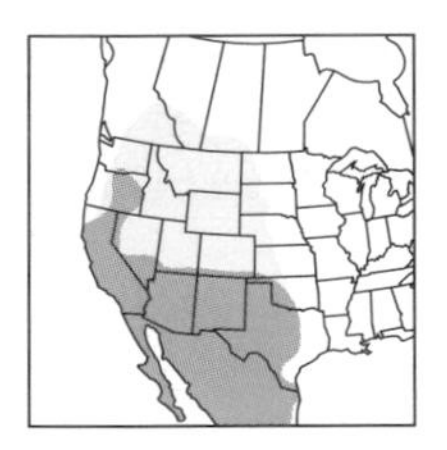

Habitat : endroits rocailleux à végétation clairsemée, y compris les pentes d'éboulis et les talus au bord des routes.

Voix : chant, strophe en 2 parties, répétée, *taouî taouî taouî taouî;* appels, un *tickîîr* aigu et un trille aigu.

Protection :
BBS: E C ⇓ CBC: ↑

Troglodyte des canyons

Catherpes mexicanus — Canyon Wren

Identification : 14 cm. **Bec très long; gorge et poitrine blanches; ventre brun vif; calotte gris foncé; reste du dessus brun,** entièrement marqué de fines mouchetures blanchâtres.

Alimentation : se déplace en furetant comme une souris dans les endroits rocailleux qu'il explore à la recherche d'insectes et d'araignées.

Nidification : nid fait de brindilles et de mousses, garni de fils d'araignée, de plumes, de fourrure et de duvet végétal, dans une crevasse du canyon, d'une paroi rocheuse ou d'un édifice. Oeufs : 5 ou 6, blancs à taches claires; I : ? E : ?, nidicole; C : ?

Autres comportements : la biologie de la nidification est mal connue chez cette espèce. D'autres études sont nécessaires.

Habitat : parois de canyons, falaises, mesas, blocs rocheux, maisons de pierre.

Voix : chant remarquable, suite bruyante de sifflements descendants, *tiou tiou tiou tiou tiou tiou*, souvent amplifiée par l'habitat; appel, un *drît* rauque.

Protection :
BBS: E C ⇓ CBC: ↑

Troglodyte de Caroline

Thryothorus ludovicianus

Carolina Wren

Identification : 15 cm. **Dessus brun riche; dessous chamois vif; sourcil blanc très visible;** pas de rayures sur le dos ni de barres blanches sur les bords de la queue.

Alimentation : se nourrit au sol ainsi que sur l'écorce et les feuilles des arbres, mange des insectes, des rainettes et quelques matières végétales. Fréquente parfois les mangeoires.

Nidification : nid fait de brindilles, de mousses, de radicelles, d'écorce et quelquefois d'une mue de serpent, garni de matériaux fins, dans une cavité naturelle ou dans les endroits les plus divers (nichoir, seau, tas de branches, boîte aux lettres). Oeufs : 4 à 8, crème ou blanc rosé à taches brunes; I : 12 à 14 jours; E : 12 à 14 jours, nidicole; C : 2 ou 3.

Autres comportements : les populations s'étendent vers le nord les années où les hivers sont doux. Les mâles peuvent interpréter jusqu'à 40 différentes versions de leur chant et ils chantent toute l'année. Aire de distribution en expansion dans le Nord-Est.

Habitat : sous-bois, vignes et boisés dans les zones rurales ou les banlieues.

Voix : strophe en 3 parties, sonore et répétée, *tî tulut tî tulut tî tulut*; appels, un cri d'alarme flûté, un bourdonnement grinçant ainsi qu'un *tîîîr* dissonant et descendant.

Protection :
BBS: E ↑ C ↑ CBC: ↑

Troglodyte de Bewick

Thryomanes bewickii

Bewick's Wren

Identification : 14 cm. Troglodyte élancé avec un **sourcil blanc; longue queue dont le dessous est marqué de blanc et noir. Dessous gris pâle;** dessus plus gris dans l'Ouest, plus brun dans l'Est. Agite souvent la queue d'un côté à l'autre, ce qui laisse voir le blanc de chaque côté de l'extrémité.

Alimentation : se nourrit au sol ainsi que dans les arbres et les buissons, mange des insectes et des araignées.

Nidification : nid fait de brindilles, de poils, de feuilles et d'herbes, garni de plumes et d'herbes, dans divers types de cavités. Oeufs : 4 à 11, blancs à mouchetures foncées; I : 14 jours; E : 14 jours, nidicole; C : ?

Autres comportements : garde la queue relevée. Explore toutes les crevasses. On a remarqué qu'il nichait dans toutes sortes d'endroits : boîte aux lettres, piquet de clôture, boîte de métal, vêtements pendus dans un bâtiment de ferme, crevasse dans un mur. Se sert aussi parfois d'un nichoir.

Habitat : taillis, broussailles et boisés ouverts dans les zones rurales ou les banlieues.

Voix : chant, suite compliquée de notes ténues et de trilles (ressemble à celui du Bruant chanteur); appel, *tchip*.

Protection :
BBS: E ⇓ C ↓ CBC: ↑
La sous-espèce des Appalaches a connu un fort déclin.

Troglodyte familier

Troglodytes aedon

House Wren

Identification : 13 cm. **Petit oiseau dodu à queue courte souvent relevée; dessus non rayé, brun-gris; sourcil chamois peu marqué; dessous blanc-grisâtre, quelques barres chamois sur les flancs.** Le moins coloré de nos troglodytes, sans caractères très visibles.

Alimentation : se nourrit d'insectes trouvés au sol et dans le feuillage.

Nidification : nid de brindilles, garni d'herbes, de radicelles, de plumes et de poils, peut se trouver dans toutes sortes de cavités dont un nichoir ou un trou dans un arbre, de 1,20 m à 9 m au-dessus du sol. Oeufs : 5 ou 6, blancs à taches brunes; I : 12 à 15 jours; E : 16 ou 17 jours, nidicole; C : 1 ou 2.

Autres comportements : au printemps, le mâle établit un territoire de nidification peu étendu; il chante alors en se perchant dans des endroits exposés et amorce la construction de plusieurs nids en plaçant des brindilles dans des cavités. Lorsque la femelle pénètre sur son territoire, il fait vibrer ses ailes et son chant devient très aigu et grinçant. Après s'être accouplée avec lui, la femelle choisit l'un des nids, elle le garnit de matériaux doux et pond. Le mâle apporte de la nourriture à la femelle pendant qu'elle couve. Les T. familiers peuvent se montrer agressifs à l'égard des autres espèces qui nichent dans des cavités; ils détruisent même leurs oeufs et tuent leurs poussins.

Habitat : lisières de boisés dans les régions rurales et les banlieues; aussi, forêts et clairières de montagne, massifs de trembles.

Voix : chant, gazouillis descendant durant 2 ou 3 secondes; appels, une suite de bourdonnements courts et un crépitement *(tcheurr)*.

Protection :
BBS: E ↑ C ↑ CBC: ↓

Troglodyte mignon (Troglodyte des forêts)

Troglodytes troglodytes Winter Wren

Identification : 10 cm. **Très petit; queue extrêmement courte; dessus brun chocolat, dessous brun chamois; barres foncées sur le ventre et les couvertures sous-caudales.**

Alimentation : se nourrit au sol près des bûches en décomposition et des buissons ainsi que dans le feuillage des arbres; mange des insectes et des araignées.

Nidification : niche près de l'eau. Nid fait de mousses, d'herbes et de brindilles, garni de poils et de plumes, sous des racines, dans une crevasse de rocher, dans une souche ou la berge d'un ruisseau, ou bien dans une autre cavité naturelle. Oeufs : 4 à 7, blancs à mouchetures brunes; I : 14 à 16 jours; E : 19 jours, nidicole; C : ?

Autres comportements : plutôt discret. Hoche la tête. Polygyne.

Habitat : passe l'été le long des ruisseaux rocailleux des forêts, surtout dans les forêts de conifères; passe l'hiver en forêt, dans les tas de bois et les enchevêtrements.

Voix : chant, longue suite harmonieuse de trilles et de gazouillis clairs; appel, *tchip tchip*.

Protection :
BBS: E ⇈ C ⇈ CBC: ↑

Troglodyte à bec court

Cistothorus platensis Sedge Wren

Identification : 11 cm. **Petit, dessus brun; fines rayures blanches sur la calotte et le haut du dos;** dessous chamois, sourcil chamois indistinct.

Alimentation : dans le feuillage, se nourrit d'insectes et d'araignées.

Nidification : nid sphérique fait d'herbes sèches et vertes, de roseaux et de carex, garni de duvet, de plumes et de chatons tissés avec les herbes et les carex, de 30 cm à 90 cm au-dessus du sol ou d'une eau peu profonde. Oeufs : 4 à 8, blancs; I : 12 à 15 jours; E : 12 à 14 jours, nidicole; C : 2.

Autres comportements : ne niche pas dans la même région d'une année à l'autre et peut donc ne pas revenir à son site de nidification de la saison précédente.

Habitat : passe l'été dans les prairies humides, souvent avec des carex; passe aussi l'hiver dans les marais côtiers.

Voix : chant, quelques notes courtes et saccadées suivies d'un long jacassement, *tchit tchit tchit trrrrr.*

Protection :
BBS: E ⇑ C ↑ CBC: ↑

Troglodyte des marais

Cistothorus palustris Marsh Wren

Identification : 13 cm. **Dessus brun riche; rayures blanches habituellement visibles sur le haut du dos; calotte brun foncé non rayée; sourcil blanc;** gorge et poitrine blanches; ventre pâle. Discret.

Alimentation : au sol et dans le feuillage dense, se nourrit d'insectes aquatiques et parfois d'oeufs d'autres oiseaux.

Nidification : nid sphérique fait de roseaux détrempés, d'herbes et de quenouilles, garni de duvet végétal et de plumes, attaché aux herbes du marais, de 30 cm à 90 cm au-dessus du sol. Oeufs : 3 à 8, brun cannelle à mouchetures foncées; I : 13 à 15 jours; E : 14 à 16 jours, nidicole; C : 1 ou 2.

Autres comportements : au printemps, le mâle exécute souvent une parade aérienne au-dessus de son petit territoire. Il s'élève, puis redescend lentement en émettant son chant sec et saccadé. Pour la parade nuptiale, il construit aussi quelque 5 ou 6 nids constitués d'une carcasse externe faite de quenouilles tissées. Après être arrivée, la femelle s'accouple avec le mâle, elle choisit l'un des nids et en garnit l'intérieur, ou bien elle en construit un elle-même. Puis elle pond et couve ses oeufs. Les T. des marais sont souvent polygynes, le même mâle étant apparié à 2 ou 3 femelles. La polygynie peut être avantageuse pour les femelles lorsque la nourriture est particulièrement abondante sur les territoires des mâles, de sorte qu'il est plus facile d'élever les poussins.

Habitat : endroits marécageux, surtout avec des quenouilles et des joncs.

Voix : chant, un gazouillis saccadé; appel, un simple *tchec*, parfois répété comme un jacassement.

Protection :
BBS: E ⇓ C ↑ CBC: ⇑

Roitelet à couronne dorée

Regulus satrapa Golden-crowned Kinglet

Femelle

Identification : 9 cm. **Très petit; calotte noire avec une zone jaune ou orange au centre; sourcil blanc;** 2 barres alaires blanches. **MÂLE :** couronne jaune à centre orange. **FEMELLE :** couronne jaune.

Alimentation : ramasse sa nourriture sur l'écorce des arbres, mange des insectes, araignées, fruits et graines. Boit la sève des arbres.

Nidification : nid globulaire fait de mousse, de lichens et de toiles d'araignées, garni d'écorce interne, de radicelles et de plumes, suspendu à des branches à une hauteur de 1,20 m à 18 m. Oeufs : 8 à 11, blanc crème à taches foncées; I : 14 ou 15 jours; E : 14 à 19 jours, nidicole; C : 2.

Autres comportements : les roitelets ont l'habitude de faire de petits mouvements d'ailes nerveux tout en sautillant d'une branche à l'autre. S'observe souvent dans des troupes mixtes en compagnie de mésanges, sittelles, pics, Grimpereaux bruns et R. à couronne rubis.

Habitat : passe l'été dans les forêts de conifères; passe aussi l'hiver dans les forêts mixtes et feuillues.

Voix : chant, plusieurs notes aiguës se terminant en jacassement; appel très aigu, *tsî tsî tsî*.

Protection :
BBS: E ⥣ C CBC: ⥣

Roitelet à couronne rubis

Regulus calendula Ruby-crowned Kinglet

Mâle

Identification : 11 cm. **Très petit; dessus vert-grisâtre; cercle oculaire blanc incomplet; pas de sourcil blanc; 2 barres alaires blanches. MÂLE :** sur la calotte, tache rouge habituellement cachée. **FEMELLE :** pas de tache rouge sur la calotte.

Alimentation : vole sur place près de l'extrémité des branches pour saisir sa nourriture sur les feuilles. Mange des insectes, des araignées et quelques fruits et graines. Boit la sève des arbres.

Nidification : nid fait de mousses, de brindilles et de lichens, garni de fourrure et d'autres matériaux fins, suspendu à une branche à une hauteur de 60 cm à 30 m. Oeufs : 5 à 11, blanc crème à taches brunes; I : 12 jours; E : 12 jours, nidicole; C : ?

Autres comportements : fait de petits mouvements d'ailes brusques et jacasse tout en se déplaçant. En hiver, s'observe dans des troupes mixtes en compagnie de mésanges, de pics, de parulines et de R. à couronne dorée.

Habitat : passe l'été dans les forêts de conifères; passe l'hiver dans les forêts et les lisières broussailleuses.

Voix : chant, suite de notes aiguës descendantes suivies de strophes en 3 parties, *tsî tsî tsî diu diu diu deludi deludi deludi*.

Protection :
BBS: E ↓ C ⇑ CBC: ↑

Gobemoucheron gris-bleu

Polioptila caerulea

Blue-gray Gnatcatcher

Mâle

Mâle

Identification : 11,5 cm. **Élancé; dessus gris-bleu; longue queue noire dessus, beaucoup de blanc dessous, cercle oculaire blanc.** Relève souvent la queue ou l'agite d'un côté à l'autre comme un moqueur en miniature. **MÂLE :** sourcil noir pendant la saison de nidification. **FEMELLE :** pas de sourcil noir. ➤Le Gobemoucheron à coiffe noire (*P. nigriceps*) est une espèce du Mexique qui est rarement observée dans le sud-est de l'Arizona. Il ressemble beaucoup au G. gris-bleu mais son cri est un miou descendant, il a un bec nettement plus long et, en plumage nuptial, le mâle a une calotte entièrement noire.

Alimentation : explore activement les arbres et les crevasses à la recherche d'insectes, de leurs oeufs et de leurs larves ainsi que d'araignées.

Nidification : nid, petite soucoupe de fibres végétales, de duvet et de toiles d'araignées, garni de matériaux plus fins et couvert de morceaux de lichens, à cheval sur une branche horizontale ou dans la fourche d'un arbre, à une hauteur de 60 cm à 24 m. Oeufs : 3 à 6, bleu pâle à mouchetures foncées; I : 13 jours; E : 10 à 12 jours, nidicole; C : 1 ou 2.

Autres comportements : s'élance vivement pour saisir les mouches et les moucherons en plein vol.

Habitat : forêts, marécages et endroits buissonneux.

Voix : chant, suite de notes bourdonnantes rappelant le son produit par une sauterelle; appel, un *dzîîîî* fin et geignard.

Protection :
BBS: E ↑ C ↓ CBC: ↑

Traquet motteux

Oenanthe oenanthe — Northern Wheatear

Mâle

Femelle

Identification : 15 cm. **Croupion blanc; ailes foncées; bande noire au bout de la queue.** Le dessous est plutôt cannelle chez les oiseaux de l'Est, plutôt blanc chez ceux de l'Ouest. **ÉTÉ - MÂLE : masque noir, ailes noires. FEMELLE : pas de masque noir, ailes brunes. HIVER : le mâle ressemble à la femelle mais il a les lores noirs** (bruns chez la femelle) **et les ailes noires; la femelle est comme en été.**

Alimentation : se nourrit au sol d'insectes, d'escargots et de vers de terre.

Nidification : nid fait de radicelles, de mousses et d'herbes, garni de radicelles, d'herbe, de laine, de poils et de plumes, dans une cavité, sous un tas de pierres ou dans un autre endroit abrité. Oeufs : 3 à 8, bleu clair à tâches roussâtres; I : 14 jours; E : 15 ou 16 jours, nidicole; C : ?

Autres comportements : lorsqu'il se nourrit, volette allègrement de part et d'autre en étalant la queue et en faisant sans cesse des courbettes. Le mâle étale aussi la queue et expose son croupion blanc pendant le vol nuptial et lorsqu'il sautille sur le sol près de la femelle. Les individus de l'Ouest migrent vers la Sibérie et ceux de l'Est vont en Afrique en passant par l'Europe; cependant, on observe régulièrement quelques oiseaux en migration sur la côte atlantique.

Habitat : en été, toundra rocheuse; en hiver, champs labourés ou à végétation clairsemée.

Voix : cri d'alarme, *tchac;* chant, suite de notes mélodieuses parmi lesquelles on reconnaît l'appel *(tchac)* et des imitations de cris d'autres oiseaux.

Protection : TENDANCE INCONNUE.

Merlebleu de l'Est

Sialia sialis

(Merle-bleu de l'Est)

Eastern Bluebird

Mâle

Femelle

Identification : 16 cm. **MÂLE : tête, dos, ailes et queue d'un bleu brillant; gorge et poitrine rouge brique; FEMELLE : gorge et poitrine chamois vif; tête et dos bleu-grisâtre; ailes et queue bleu clair; cercle oculaire blanc.** Le dessus de la femelle varie d'un bleu presque aussi intense que chez le mâle au brun-grisâtre.

Alimentation : à partir d'un perchoir, se laisse tomber jusqu'au sol pour attraper des insectes. Fréquente parfois les mangeoires où il consomme des préparations de beurre d'arachides, des baies, des vers de farine et des raisins secs.

Nidification : nid fait d'herbes, de tiges et d'aiguilles de pin, garni de poils, de plumes et d'herbes fines, dans un nichoir, une cavité naturelle dans un arbre ou un trou abandonné par un pic, à une hauteur de 90 cm à 6 m. Oeufs : 3 à 6, bleu pâle; I : 12 à 18 jours; E : 16 à 21 jours, nidicole; C : 2 ou 3.

Autres comportements : jusqu'aux années 1970, les populations de merlebleus ont connu un grave déclin dû à la disparition des cavités où ils nichaient et à cause des Moineaux domestiques et des Étourneaux sansonnets qui exercent une compétition en occupant les sites de nidification. La North American Bluebird Society a été constituée en 1978. En même temps que d'autres organismes, elle a installé des nichoirs à merlebleus dans l'ensemble des États-Unis, ce qui a contribué au rétablissement des populations.

Habitat : terres agricoles et cours de fermes; forêts ouvertes.

Voix : chant, suite de sifflements descendants, tîu *tîulu truli;* appel, un *turlî* doux.

Protection :
BBS: E ⇈ C ⇈ CBC: ⇈

Grive fauve

Catharus fuscescens Veery

Identification : 19 cm. **Dessus brun-roux uni; mouchetures floues et teinte chamois sur le haut de la poitrine; flancs gris; pas de cercle oculaire très visible.** ➤Sous-espèce de l'Est *(C. f. fuscescens)*, dessus cannelle; sous-espèce de l'Ouest (*C. f. salicicolus*), dessus brun plus foncé et davantage de mouchetures sur la poitrine.

Alimentation : ramasse sa nourriture sur le sol de la forêt et l'écorce des arbres; souvent, cherche ses proies en retournant les feuilles qui sont sur le sol à l'aide de son bec. Mange des insectes, larves, araignées, escargots, vers de terre et fruits sauvages.

Nidification : nid fait de tiges, de brindilles et de mousses, garni d'herbes, d'écorce interne et de radicelles, sur une base de feuilles mortes. Sur le sol ou à très faible hauteur. Oeufs : 3 à 5, bleu clair; I : 10 à 12 jours; E : 10 jours, nidicole; C : 1 ou 2.

Autres comportements : le mâle émet son chant mélodieux à partir d'un perchoir, au crépuscule. Bien qu'on l'entende souvent, cet oiseau reste souvent caché dans la végétation dense des forêts, de sorte qu'il est difficile de l'observer. On ignore encore beaucoup d'aspects de son comportement.

Habitat : forêts humides de feuillus, surtout le long des ruisseaux.

Voix : chant, une spirale descendante de notes flûtées *(vriu vriu vriu vriu)*; appel, un *tiou* sonore et descendant; aussi, un grognement hargneux

Protection :
BBS: E ↓ C ⇓ CBC: ↓

Grive à joues grises

Catharus minimus — Grey-cheeked Thrush

Grive de Bicknell

Catharus bicknelli — Bicknell's Thrush

G. à joues grises

G. de Bicknell

Identification : 20 cm. Les 2 espèces, **taches nettes sur toute la poitrine; joue grise; cercle oculaire indistinct, pas de chamois sur la face.** Les aires de nidification ne se recoupent pas. G. À JOUES GRISES : légèrement plus grande que la G. de Bicknell; dos et queue brun-gris; racine de la mandibule inférieure rosâtre. Voir la voix. G. DE BICKNELL : légèrement plus petite que la G. à joues grises; la queue marron contraste avec le dos qui est brun-olive; racine de la mandibule inférieure jaune.

Alimentation : se nourrissent surtout au sol d'insectes, d'araignées, d'écrevisses, de chenilles, de vers de terre et de baies.

Nidification : nid fait de brindilles, de mousse, d'herbe, d'un peu de boue et de feuilles en décomposition, garni de radicelles, d'herbes fines et parfois de lichen, dans un arbre à une hauteur de 30 cm à 6 m. Oeufs : 3 à 5, bleu pâle avec des taches peu marquées; I : 13 ou 14 jours; E : 11 à 13 jours, nidicoles; C : 1 ou 2.

Autres comportements : plutôt craintives. Pendant la migration, on peut les apercevoir dans divers habitats.

à j. grises — de Bicknell

Habitat : forêts de conifères jusqu'à la limite des arbres, buissons élevés.

Voix : G. à j. gr., fin du chant, sifflement descendant; G. de B., fin du chant sur le même ton ou montant. Appels, des *ouîoh* descendants.

Protection :
G. à joues grises :
BBS: E ↓ C CBC: ↓
G. de Bicknell :
TENDANCE INCONNUE.

Grive à dos olive

Catharus ustulatus

Swainson's Thrush

Identification : 19 cm. **cercle oculaire chamois très visible; lores et poitrine chamois;** poitrine entièrement tachetée. Dessus brun-grisâtre uniforme dans l'Est, brun-roussâtre foncé dans l'Ouest. Pour pouvoir mieux la distinguer des autres grives, voir la voix.

Alimentation : se nourrit au sol et dans le feuillage, mange toutes sortes d'insectes, des araignées, des cerises et des baies.

Nidification : nid fait de brindilles, d'écorce, de mousse, d'herbes et de fibres végétales, garni de feuilles dont il ne reste que les nervures, de lichens et de matériaux fins, sur une branche d'arbre horizontale, de 60 cm à 6 m au-dessus du sol. Oeufs : 3 à 5, bleu clair à taches brunes; I : 11 à 14 jours; E : 10 à 14 jours, nidicole; C : ?

Autres comportements : chante beaucoup. En migration, s'observe souvent dans les troupes de parulines où elle se nourrit au sommet des arbres.

Habitat : forêts de conifères et mixtes, taillis d'arbustes bordant des ruisseaux.

Voix : chant, suite de sifflements ascendants; appels, un *ouit* court et un *kîp* semblable à celui de la Rainette crucifère.

Protection :
BBS: E ↓ C ⇓ CBC: ↓

Grive solitaire

Catharus guttatus Hermit Thrush

Identification : 19 cm. **Tête, ailes et dos bruns; queue brun-roussâtre; poitrine entièrement tachetée; fin cercle oculaire blanchâtre.** Pour pouvoir mieux la distinguer des autres grives, voir la voix.

Alimentation : se nourrit surtout au sol d'insectes, d'araignées, de vers de terre, d'escargots, de baies et de fruits sauvages.

Nidification : nid fait de mousses, d'herbes et de bois pourri, garni de radicelles, de lambeaux d'écorce et d'autres matériaux fins, au sol ou à une hauteur de 60 cm à 2,40 m, dans un buisson ou un arbre. Oeufs : 3 à 6, vert bleuté ou bleu clair; I : 12 à 13 jours; E : 12 jours, nidicole; C : 2.

Autres comportements : après s'être posée sur un perchoir, cette grive a l'habitude de lever et d'abaisser légèrement la queue, souvent en émettant un *tchoc*. Aussi, déplace souvent ses ailes un bref instant. Chante en migration.

Habitat : forêts de conifères et mixtes; taillis d'arbustes.

Voix : un long sifflement suivi de 3 ou 4 autres plus aigus et de tonalité différente; appels, un *tchoc* doux et un *wîî* plaintif.

Protection :
BBS: E ↑ C ↑ CBC: ↑

Grive des bois

Hylocichla mustelina Wood Thrush

Identification : 20 cm. **Tête brun-roussâtre vif; ailes, queue et dos bruns; grosses taches sur la poitrine et le haut du ventre; fin cercle oculaire blanc.** Pour pouvoir mieux la distinguer des autres grives, voir la voix.

Alimentation : ramasse sa nourriture au sol et occasionnellement sur le feuillage des arbres.

Nidification : nid fait de mousses, de feuilles mortes, de tiges de mauvaises herbes, de papier et de ficelle, avec une couche intermédiaire de boue, garni de radicelles. Sur une branche horizontale, à l'emplacement d'une fourche, à une hauteur de 1,50 m à 6 m. Oeufs : 2 à 5, vert bleuté; I : 12 ou 13 jours; E : 12 à 14 jours, nidicole; C : 1 ou 2.

Autres comportements : les mâles chantent souvent, surtout le matin et au début de la soirée. Les femelles produisent une version écourtée du chant lorsqu'il survient un dérangement près du nid. Les deux sexes émettent un *bouîbîbîp* lorsqu'ils sont inquiets ainsi qu'une forme moins sonore de cet appel qui sert de cri de contact entre membres du couple.

Habitat : boisés de feuillus dans les régions rurales à urbaines.

Voix : notes flûtées précédées de notes répétées plus graves *(kakak îolé kakak îolé)*; appels, un *bouîbîbîp* et un *pit pit pit* sonore.

Protection :
BBS: E ↓ C ↓ CBC: ↓

Merle d'Amérique

Turdus migratorius

American Robin

Mâle

Identification : 25 cm. **Dessus gris foncé, dessous rouge brique; bec jaune;** couvertures sous-caudales blanches; croissants oculaires blancs. **MÂLE : tête noire et poitrine rouge foncé. FEMELLE : tête gris foncé et poitrine rougeâtre pâle. JUV. :** ressemble à l'adulte, mais grosses taches sur la poitrine.

Alimentation : sautille sur les pelouses et les terrains de golf ainsi que dans les prés à la recherche de vers de terre. Mange aussi des insectes, fruits et baies. Fréquente parfois les mangeoires pour trouver des fruits.

Nidification : nid fait d'herbes et d'une couche intermédiaire de boue, garni d'herbes fines, sur une branche horizontale, dans un arbuste ou un arbre, ou bien sur la corniche d'un édifice, à une hauteur de 1,50 m à 6 m. Oeufs : 3 à 7, bleu clair; I : 12 à 14 jours; E : 14 à 16 jours, nidicole; C : 2 à 3.

Autres comportements : les oiseaux mâles chantent généralement pour revendiquer un territoire ou attirer une partenaire, mais chez le merle le chant n'est pas fortement relié à ces fonctions. C'est juste avant l'éclosion des oeufs que cette espèce chante le plus. Pendant la construction du nid, les femelles qui ont tassé l'intérieur de celui-ci pour le façonner ont parfois une tache boueuse en travers de la poitrine. Après la saison de reproduction, les merles se rassemblent et passent la nuit dans de grands dortoirs communautaires; ce comportement se poursuit de l'automne à la fin de l'hiver.

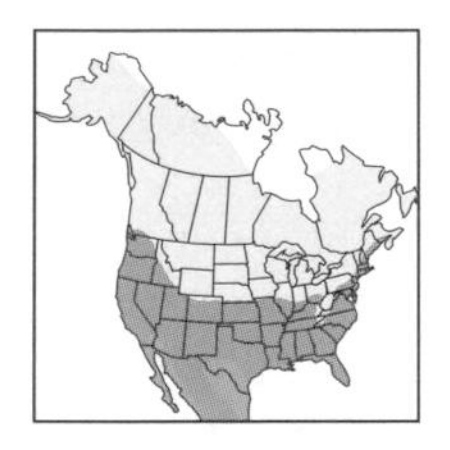

Habitat : milieux divers, des forêts aux pelouses dégagées et des plaines jusqu'à la limite des arbres.

Voix : chant, sifflement sonore, *tchîrili tchiriop*; appels, *tsîk* ou *toc toc toc;* aussi, un *tsîîîp* émis en vol.

Protection :
BBS: E ↑ C ⇈ CBC: ↑

Moqueur chat

Dumetella carolinensis Gray Catbird

Identification : 23 cm. **Entièrement gris, calotte noire;** tache brun-roussâtre peu visible sous la racine de la queue.

Alimentation : se nourrit au sol et dans le feuillage, mange divers insectes, des araignées, des raisins sauvages et des baies.

Nidification : nid fait de brindilles, de feuilles, d'herbes et d'écorce de vigne, garni de radicelles, d'aiguilles de pin et de crin de cheval, dans un arbuste, une vigne ou un petit arbre, à une hauteur de 60 cm à 3 m. Oeufs : 2 à 6, vert bleuté foncé; I : 12 à 14 jours; E : 10 à 13 jours, nidicole; C : 1 à 2.

Autres comportements : peu après être arrivé sur le site de nidification, le M. chat mâle commence à chanter dans le territoire qu'il a choisi. Lorsque la femelle se présente, il adopte plusieurs comportements de parade nuptiale : il gonfle les plumes du corps, émet un chant aigu et grinçant et poursuit la femelle pendant de longs moments à l'intérieur du territoire. En cas d'alarme, les deux sexes produisent un miaulement.

Habitat : arbustes, taillis touffus, lisières de boisés; zones rurales à banlieues.

Voix : chant, imite le chant d'autres oiseaux, strophes non immédiatement répétées; appels : un miaulement et un *tchoc*.

Protection :
BBS: E ↓ C ↓ CBC: ↓

Moqueur polyglotte

Mimus polyglottos

Northern Mockingbird

Identification : 28 cm. **Dessus gris; dessous blanchâtre; longue queue, rectrices externes blanches; petite tache blanche sur le bord inférieur de l'aile repliée. Au vol : taches blanches très visibles sur les ailes.**

Alimentation : se nourrit au sol et dans le feuillage, mange divers insectes, des araignées, escargots, écrevisses, lézards, petits serpents, fruits sauvages et baies. Fréquente occasionnellement les mangeoires où il s'alimente de raisins secs et d'autres fruits, de pain et de suif.

Nidification : nid fait de brindilles, de tiges, de mousses, de tissu, de ficelle et de feuilles sèches, garni de radicelles et d'herbes, dans un arbuste, l'enchevêtrement d'une vigne, un cactus ou un arbre, à une hauteur de 90 cm à 3 m. Oeufs : 2 à 6, vert bleuté à taches brunes; I : 12 ou 13 jours; E : 10 à 13 jours, nidicole; C : 1 à 3.

Autres comportements : délimite un territoire de 5 000 à 10 000 m^2 deux fois par année. Au printemps, le mâle chante et défend un territoire de nidification contre les autres moqueurs, les chats, les serpents, les humains, les gros oiseaux et tous les autres prédateurs potentiels. En automne, le mâle et la femelle chantent et défendent un territoire de chasse centré sur une bonne source d'approvisionnement en baies. Ils en chassent les autres moqueurs, les merles, les geais et les étourneaux. Cette espèce chante souvent la nuit.

Habitat : endroits dégagés avec des arbustes, jardins et parcs.

Voix : chant, imitations du chant d'autres oiseaux, chaque strophe étant répétée au moins 3 fois; appels, un *djjjjt* grinçant et un *tchec* sonore.

Protection :
BBS: E ↓ C ↓ CBC: ↓

Moqueur des armoises

Oreoscoptes montanus — Sage Trasher

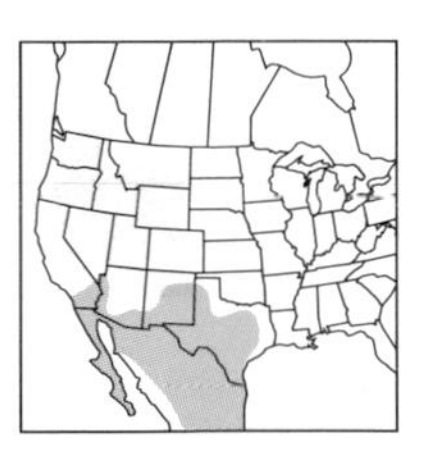

Identification : 22 cm. **Queue relativement courte pour un moqueur; bec relativement court et droit; dessus gris; fortes rayures sur la poitrine et les flancs; coins de la queue blancs; 2 barres alaires.** À la fin de l'été, les barres alaires et une grande partie des rayures de la poitrine sont parfois rendues moins nettes par l'usure.

Alimentation : se nourrit en courant sur le sol où il attrape divers insectes et araignées. En été et en automne, fréquente souvent les jardins pour se nourrir des raisins et des baies qu'on y cultive.

Nidification : nid volumineux fait de brindilles, d'herbes, d'écorce et de débris de feuilles, garni de radicelles, de crin de cheval et de fourrure, au sol ou dans un buisson bas, souvent une armoise, jusqu'à 90 cm au-dessus du sol. Oeufs : 1 à 7, bleu-vert intense à mouchetures brunes; I : 13 à 17 jours; E : 11 à 14 jours, nidicole; C : ?

Autres comportements : les M. des armoises passent la plus grande partie de leur vie au sol, mais on entend ou on voit souvent les mâles chanter sur un perchoir élevé et bien exposé. L'une des rares espèces d'oiseaux qu'on trouve dans les vallées et les déserts à armoise du Grand Bassin, mais commun et typique de ces endroits.

Habitat : en été, armoises; en hiver, déserts de broussailles.

Voix : chant, notes modulées, parfois répétées; appel, un *tchoc*.

Protection :
BBS: E C ⇑ CBC: →

Moqueur roux

Toxostoma rufum Brown Trasher

Identification : 28 cm. **Long bec courbé vers le bas; dessus brun-roussâtre; fortes rayures sur la poitrine et le ventre; longue queue; oeil pâle.** Le seul moqueur du genre *Toxostoma* dans la plupart des régions de l'Est.

Alimentation : au sol, remue les feuilles à l'aide de son bec pour se nourrir. Occasionnellement, saute en l'air pour attraper une proie. Mange des insectes, des lézards, des serpents, des rainettes et diverses baies sauvages

Nidification : nid fait de brindilles, d'herbes, de feuilles mortes, de vigne et de papier, garni d'herbes et de radicelles, au sol, dans un buisson ou l'enchevêtrement d'une vigne, ou bien dans un arbre jusqu'à 4,50 m au-dessus du sol. Oeufs : 2 à 6, bleu clair avec de fines taches foncées; I : 12 à 14 jours; E : 9 à 12 jours, nidicole; C : 2.

Autres comportements : au printemps, lorsqu'ils arrivent sur leurs sites de nidification, les mâles chantent souvent très fort sur des perchoirs bien exposés pour attirer les femelles. Le M. roux, le M. polyglotte et le M. chat ont en commun l'habitude d'improviser inlassablement tout en imitant le chant d'autres oiseaux. Pour distinguer ces différentes espèces, on se souviendra que, généralement, le M. chat fait entendre chaque phrase une seule fois, le M. roux la répète deux fois et le M. polyglotte 3 fois ou plus.

Habitat : taillis et arbustes dans les zones dégagées ou à la lisière des forêts.

Voix : chant bruyant, suite de strophes répétées deux fois, imitations d'autres oiseaux; appel, un *tsék* bruyant.

Protection :
BBS: E ↓ C ↓ CBC: ⇓

Moqueur à long bec

(Moqueur brun)

Toxostoma longirostre

Long-billed Trasher

Identification : 28 cm. Limité au sud du Texas. Différences avec le M. roux auquel il ressemble beaucoup : **du gris sur la face et les côtés du cou; bec plus long et courbé vers le bas; tête et dos brun terne; queue brun-roussâtre;** oeil pâle.

Alimentation : se nourrit au sol et dans le feuillage, mange des insectes, araignées et baies sauvages.

Nidification : nid fait de feuilles mortes, de rameaux épineux et d'herbes, garni de radicelles, d'herbes et de paille, dans un arbuste, un buisson épineux ou un arbre, à une hauteur de 1,20 m. à 3 m. Oeufs : 2 à 5, vert clair ou vert bleuté à fines mouchetures; I : 13 ou 14 jours; E : 12 à 14 jours, nidicole; C : 2.

Autres comportements : au printemps, on peut voir et entendre les M. à long bec mâles qui chantent sur un perchoir élevé et bien exposé. En hiver, défend un territoire où il se nourrit.

Habitat : taillis denses, broussailles, forêts subtropicales.

Voix : chant bruyant, suite de strophes répétées, imitant souvent le chant d'autres oiseaux; appel, un *smack*.

Protection :
BBS: E C ⥣ CBC: ⥣

Moqueur à bec courbe

Toxostoma curvirostre

Curve-billed Trasher

Identification : 28 cm. **Grosses taches floues arrondies sur le haut de la poitrine; long bec nettement courbé vers le bas. Oeil orangé.**

Alimentation : se nourrit d'insectes sur le sol. Mange également des graines et des baies; fréquente souvent les mangeoires, où il consomme des fruits, ainsi que les bains pour oiseaux.

Nidification : nid fait de brindilles, d'herbes et de feuilles, garni de crin de cheval et de radicelles, dans une raquette, un buisson épineux ou un petit arbre à une hauteur de 60 cm à 4,50 m. Oeufs : 1 à 5, bleu-vert clair à taches brunes; I : 12 à 15 jours; E : 12 à 18 jours, nidicole; C : 2 ou 3.

Autres comportements : au Texas, le plus commun et le plus répandu des moqueurs du genre *Toxostoma*. Reste habituellement à l'intérieur des buissons, mais son chant et son appel *(ouit-ouit)* permettent de le localiser.

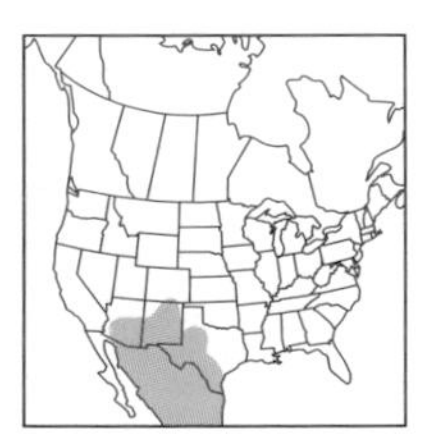

Habitat : zones semi-désertiques de broussailles, parcs et terrains privés des banlieues.

Voix : chant, strophes sifflées; appel souvent entendu, *ouit-ouit*, la 2e syllabe étant plus aiguë.

Protection :
BBS: E C ⇓ CBC: ↓

Pipit d'Amérique

Anthus rubescens — American Pipit

Pipit de Sprague

(Pipit des prairies)

Anthus spragueii — Sprague's Pipit

Pipit d'Amérique, été

Pipit d'Amérique, hiver

Pipit de Sprague

Identification : 16 cm. P. D'AMÉRIQUE - ÉTÉ : **tout en se nourrissant, hoche la queue. Dessus brun grisâtre; poitrine et ventre chamois; sourcil chamois au-dessus de la joue foncée; pattes habituellement noires ou brun foncé.** HIVER : comme en été, mais **dessus brunâtre et dessous chamois; fortes rayures sur la poitrine.** P. DE SPRAGUE : **lorsqu'il se nourrit, ne hoche pas beaucoup la queue, qui est courte. Dessus brun, dos d'apparence écailleuse; face chamois; poitrine légèrement rayée, ventre blanchâtre; pattes jaunes à brun pâle.** AU VOL : chez les 2 espèces, rectrices externes blanches.

Alimentation : les 2 se nourrissent au sol d'insectes et de graines de diverses herbes. Le P. d'Amérique mange également des crustacés et des mollusques dans la zone intertidale.

Nidification : nid d'herbes et de brindilles, garni de matériaux fins, sur le sol. P. d'Amérique - Oeufs : 3 à 7, blanc-gris à taches foncées; I : 14 jours; E : 13 à 15 jours, nidicole; C : 1. P. de Sprague - Oeufs : 3 à 7, blanc-gris à taches foncées; I : ?; F : 10 ou 11 jours, nidicole; C : ?

Autres comportements : le P. d'Amérique s'observe en couples ou en petites troupes. Le P. de Sprague est plus discret et on l'aperçoit le plus souvent seul.

d'Amérique — de Sprague

Habitat : P. d'Amérique, toundra, champs ouverts. P. de Sprague, prés à herbe courte.

Voix : chant du P. d'Amérique, *tulît* répété; appel, un court *pît-pît*. Chant du P. de Sprague, notes descendantes; appel, *tsuit tsuit*.

Protection :
P. d'Amérique :
CBC: ⇓
P. de Sprague :
BBS: E C ↓ CBC: ↑

Jaseur boréal

Bombycilla garrulus

Bohemian Waxing

Jaseur d'Amérique

(Jaseur des cèdres)

Bombycilla cedrorum

Cedar Waxing

7 août 2001

Jaseur boréal

Jaseur d'Amérique

Identification : J. boréal 20 cm, J. d'Am. 18 cm. Les 2 espèces, **aspect soyeux et huppe; bandeau noir, bout de la queue jaune.** J. BORÉAL : **dessus grisâtre; ventre gris, sous-caudales brun-roussâtre;** taches rouges, jaunes et blanches sur les ailes. J. D'AM. : **dessus brunâtre; ventre jaune, sous-caudales blanches;** sur les ailes, seulement des taches rouges. **JUV. :** (les 2 espèces) ressemble à l'adulte, mais rayures floues sur la poitrine.

Alimentation : les 2 espèces mangent des insectes et une grande variété de baies et de fruits sauvages.

Nidification : nid fait d'herbes, de brindilles et de mousses, garni de radicelles et de matériaux fins, dans la fourche d'une branche à une hauteur de 1,20 m à 15 m. J. boréal - Oeufs : 2 à 6, bleu pâle à taches foncées; I : 14 jours; E : 13 à 15 jours, nidicole; C : 1. J. d'Am. - Oeufs : 2 à 6, pâles à taches foncées; I : 12 à 16 jours; E : 14 à 18 jours, nidicole; C : 1 ou 2.

Autres comportements : s'observent presque toujours en grandes bandes qui visitent des endroits dispersés et s'y gavent de baies et de petits fruits. Même pendant la nidification, quittent leur territoire pour aller se nourrir en groupe. Certains hivers, le J. boréal envahit les régions du Sud.

J. boréal

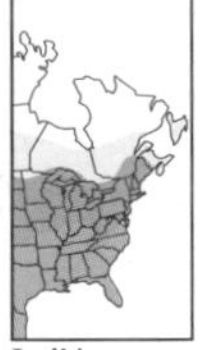

J. d'Am.

Habitat : J. boréal, forêts de conifères. J. d'Amérique, zones dégagées des régions rurales et banlieues.

Voix : J. boréal, appel, trille bourdonnant aigu et répété. J. d'Am., appel, un *sììì* ténu et très aigu.

Protection :
J. boréal :
CBC: ↓
J. d'Amérique :
BBS: E ⇑ C ⇑ CBC: ⇑

Étourneau sansonnet

Sturnus vulgaris

European Starling

Été

Hiver

Identification : 20 cm. «Oiseau noir» trapu à queue courte. **ÉTÉ : entièrement noir-violet luisant; long bec jaune.** Les juvéniles, qu'on aperçoit souvent en grandes troupes pendant l'été, sont d'un brun-gris uni et ont un bec foncé. **HIVER : corps noir entièrement marqué de mouchetures blanches et dorées; bec noir.**

Alimentation : se nourrit au sol d'insectes, d'araignées, de vers de terre, de déchets, de salamandres, d'escargots, de graines de mauvaises herbes et de baies. Fréquente les mangeoires où il s'alimente de graines et de suif.

Nidification : nid fait de brindilles, d'herbes, de plumes, de fleurs d'arbres et de tissu, dans une cavité naturelle dans un arbre, un trou abandonné par un pic, un nichoir ou toute autre cavité, à une hauteur de 60 cm à 18 m. Oeufs : 2 à 8, bleu clair à taches foncées; I : 12 à 14 jours; E : 18 à 21 jours, nidicole; C : 1 à 3.

Autres comportements : en 1890, des étourneaux provenant d'Europe ont été introduits à New York; depuis, ils se sont étendus à toute l'Amérique du Nord. Comme ils nichent dans les cavités, ils sont des compétiteurs sérieux pour les espèces indigènes. Pour réduire cette compétition, installer des nichoirs dont le trou d'entrée est assez petit pour empêcher le passage des étourneaux (diamètre de 3,8 cm ou moins).

Habitat : zones urbaines et banlieues.

Voix : chant, suite continue de grincements, gloussements et imitations d'autres oiseaux; appel en vol, un *djjj* court.

Protection :
BBS: E ↓ C ↑ CBC: ⇑

Introduction

Les parulines sont de petits passereaux insectivores. Leur identification représente un défi parce qu'elles se déplacent très vite et qu'elles sont souvent cachées dans le feuillage d'un arbre ou d'un buisson. Beaucoup de parulines sont surtout observées au printemps et en automne, pendant la migration entre leurs terrains de nidification dans le Nord et leur zone d'hivernage en Amérique centrale ou du Sud, aux Antilles ou dans le sud des États-Unis.

On pourra rechercher les parulines en migration dans les fourrés côtiers, sur les rives des lacs, dans les vallées de rivière et dans les parcs.

Identification des parulines

Au printemps, il est relativement facile d'identifier les parulines parce que les mâles chantent et arborent des plumages très colorés et que généralement les femelles leur ressemblent, bien que le plumage de celles-ci soit plus discret.

En automne, l'identification des parulines est plus difficile. Dans la plupart des cas, le plumage des adultes est très semblable à celui du printemps, mais il peut être très différent chez certaines espèces.

De plus, de nombreuses parulines immatures sont très ternes. Cela est particulièrement vrai des femelles immatures qui peuvent avoir un plummage très peu marqué et qui peuvent ressembler aux parulines immatures d'autres espèces.
Pour identifier les parulines d'automne, commencez par vous familiariser avec celles qui sont illustrées sur ces pages; ce sont celles que vous verrez le plus souvent. Vous trouverez les descriptions complètes aux pages qui sont indiquées.

Parulines nicheuses communes et répandues

Deux parulines sont souvent observées en été parce qu'elles nichent dans la plupart des régions habitées de l'Amérique du Nord.

Paruline jaune : niche dans les endroits buissonneux, surtout dans les habitats humides. p. 358.

Paruline masquée : niche dans les marais, les fourrés et les zones buissonneuses. Commune également pendant la migration d'automne. Quelques individus hivernent dans le Sud. p. 386.

Paruline à croupion jaune : la plus abondante pendant la migration d'automne

Fréquente tous les habitats. Croupion jaune en tous plumages; remarquez également les taches jaunes sur les côtés de la poitrine. Émet constamment un *tchec*. En troupes ou en troupes mixtes avec des mésanges. Quelques individus hivernent aux États-Unis. p. 363.

Autres parulines communes en automne

Paruline noir et blanc : monte et descend souvent le long des troncs d'arbre. Quelques individus hivernent dans le Sud. p. 375.

Paruline à couronne rousse : souvent au sol ou près du sol; hoche la queue. Quelques individus hivernent dans le Sud. p. 371.

Paruline flamboyante : quelques individus hivernent en Floride. p. 376.

Paruline rayée, p. 373

Paruline à ailes bleues

Vermivora pinus — Blue-winged Warbler

Mâle

Femelle

«de Brewster»

Identification : 12 cm. **MÂLE : calotte, face et dessous jaune vif; bandeau noir; 2 barres alaires blanches; ailes gris-bleu. FEMELLE ET IMM. : plus pâles que le mâle, pas autant de jaune sur la calotte.** S'hybride avec la P. à ailes dorées.

Alimentation : mange des insectes et des araignées.

Nidification : nid en forme de coupe, fait de feuilles, d'herbes et d'écorce de vigne, caché dans les vignes ou les enchevêtrements de la végétation, près du sol. Oeufs : 4 à 7, blancs à mouchetures brunes; I : 10 ou 11 jours; E : 9 ou 10 jours, nidicole; C : 1.

Autres comportements : se croise avec la P. à ailes dorées; les hybrides ont un plumage de couleur intermédiaire. Un gène unique détermine le motif de la face. Chez l'hybride de la forme dominante, qui est le plus commun («*Paruline de Brewster*»), le motif de la face est le même que chez la P. à ailes bleues. La forme récessive («*P. de Lawrence*»), plus rare, a le motif facial et la gorge noire de la P. à ailes dorées. Les hybrides de la première génération ont toujours le plumage de la «Paruline de Brewster». Leurs descendants peuvent avoir un motif facial ou l'autre. Les hybrides émettent le chant de l'un ou l'autre des parents ou des deux. L'aire de distribution de la P. à ailes bleues est en expansion dans le Nord. Remplace la P. à ailes dorées après un contact de 50 ans.

Habitat : forêts en repousse, champs buissonneux.

Voix : chant, notes graves bourdonnantes, la première plus aiguë que la seconde. Rappelle les mots anglais «blue-winged».

Protection :
BBS: E ↑ C ⇑

Paruline à ailes dorées

Vermivora chrysoptera — Golden-winged Warbler

Mâle

Identification : 12 cm. **MÂLE : sur l'aile, tache jaune; gorge noire, tache noire sur l'oreille;** calotte jaune, dessous blanc. **FEMELLE : plus pâle, gorge grise et tache grise sur l'oreille;** dessous teinté de gris. **IMM. :** dos vert-jaunâtre; dessous jaune pâle.

Alimentation : mange des insectes et des araignées.

Nidification : nid en forme de coupe, fait de feuilles, d'herbe et de vigne, caché dans la végétation, sur le sol. Oeufs : 3 à 6, blanc crème, taches brunes très rapprochées près du gros bout; I : 10 ou 11 jours; E : 9 ou 10 jours, nidicole; C : 1.

Autres comportements : se croise avec la P. à ailes bleues; les hybrides ont un plumage de couleur intermédiaire. Un gène unique détermine le motif de la face. Chez l'hybride de la forme dominante, qui est le plus commun (*«Paruline de Brewster»*), le motif de la face est le même que chez la P. à ailes bleues. La forme récessive, plus rare (*«P. de Lawrence»*) a le motif de la face et la gorge noire de la P. à ailes dorées. Les hybrides de la première génération ont toujours le plumage de la «Paruline de Brewster». Leurs descendants peuvent avoir un motif facial ou l'autre. Les hybrides émettent le chant de l'un ou l'autre des parents ou des deux.

Habitat : clairières ou lisières de forêts, champs envahis par la végétation. Milieux plus secs et stades de succession plus précoces que la P. à ailes bleues.

Voix : chant, *zîî bi bi* ou *zîî bi bi bi* bourdonnant. Appel, un *tchip* doux.

Protection :
BBS: E ↓ C

Paruline obscure

Vermivora peregrina Tennessee Warbler

Mâle, printemps

Adulte, automne

Immature

Identification : 12 cm. PRINTEMPS - MÂLE : **dessus verdâtre, calotte grise; sourcil blanc; bandeau foncé; sous-caudales blanches;** queue relativement courte et long bec droit. FEMELLE : **semblable, mais tête gris olive; gorge, poitrine et sourcil légèrement teintés de jaune.** AUTOMNE - ADULTE ET IMM. : **dessus vert olive, sourcil jaunâtre; quantités variables de jaune sur la poitrine et le ventre; habituellement, soupçon de barre alaire.** Se reconnaît de la P. verdâtre par les sous-caudales blanches, le bandeau et le sourcil plus distincts et l'absence de rayures sur la poitrine.

Alimentation : mange des insectes, des araignées et des fruits.

Nidification : nid d'herbes, en forme de coupe, au sol, caché dans la végétation, souvent dans un endroit détrempé. Oeufs : 4 à 7, blancs à taches brun-roussâtre; I : 11 ou 12 jours; E : ?, nidicole; C : 1.

Autres comportements : pendant la saison de nidification, le mâle chante fort en se perchant à un endroit bien exposé de sorte qu'on le remarque facilement. La femelle est très discrète. La population augmente pendant les grandes invasions de chenilles de Tordeuse de l'épinette.

Habitat : forêts de feuillus, mixtes ou de conifères, clairières.

Voix : chant, 2 ou 3 strophes de notes bruyantes et répétées, la dernière strophe étant plus rapide (*tsik tsik tsik tsik, tsu tsu tsu tsu, tî tî tî tî tî tî*). Appel, un *tchip* doux.

Protection :
BBS: E ⇑ C ⇓ CBC: ↑

Paruline verdâtre

Vermivora celata

Orange-crowned Warbler

Forme de l'Est

Identification : 13 cm. Très terne. Identifier par l'absence de caractères reconnaissables. **Dessus vert olive terne; dessous jaune olive pâle; sous-caudales jaunes; rayures peu marquées et floues sur les côtés de la poitrine. IMM. :** entièrement teinté de grisâtre; sous-caudales jaune pâle. ➤Sur la côte ouest, l'ensemble du plumage est plus jaune; les oiseaux de l'Est sont plus gris. Plus commune dans l'Ouest. La tache orange sur la calotte est rarement visible sur le terrain.

Alimentation : mange des insectes et des baies. On peut l'observer lorsqu'elle se nourrit à faible hauteur dans les mauvaises herbes. En hiver, fréquente les postes d'alimentation où elle consomme des noix et du suif.

Nidification : nid en forme de coupe, fait de lambeaux d'écorce et d'herbes, au sol ou dans un buisson. Oeufs : 3 à 6, blanc crème à taches brun-roussâtre; I : 12 à 14 jours; E : 8 à 10 jours, nidicole; C : 1.

Autres comportements : le nom scientifique de cette espèce, *celata*, signifie caché. C'est une allusion à la tache orange de la calotte qui est presque toujours cachée sous les plumes olive de la tête sauf lorsque l'oiseau hérisse sa huppe. Cette tache est parfois absente chez les immatures et les femelles.

Habitat : taillis denses, lisières de forêts, champs buissonneux.

Voix : chant, trille aigu s'étirant vers la fin. Appel, un *tchet* métallique.

Protection :
BBS: E ⇓ C CBC: ↓

Paruline à joues grises

Vermivora ruficapilla — Nashville Warbler

Mâle

Immature

Identification : 13 cm. Agite la queue. Mâle : **tête grise, tache rousse difficilement visible sur la calotte; cercle oculaire blanc bien marqué; gorge jaune; parties jaunes de la poitrine et des sous-caudales séparées par une tache blanche située sur le bas du ventre;** dessus vert olive. En automne, ensemble du plumage plus terne. Femelle et Imm. : **cercle oculaire chamois et ensemble du plumage plus terne,** surtout chez la femelle imm. dont la tête est olive-grisâtre sans roux; gorge blanchâtre. ➤Se distingue de la P. à gorge grise par la taille plus petite, les pattes foncées et la gorge jaune.

Alimentation : se nourrit d'insectes (livrées, spongieuses et sauterelles).

Nidification : nid en forme de coupe, fait d'aiguilles de pin, de mousses, de fourrure et de poils, sur le sol, souvent au pied d'un arbuste. Oeufs : 4 ou 5, blancs à taches brunes; I : 11 ou 12 jours; E : 11 jours, nidicole; C : 1.

Autres comportements : tache rousse de la calotte partiellement cachée par les autres plumes. Elle peut être visible quand l'oiseau hérisse sa huppe comme lorsqu'il est inquiet ou qu'il fait une parade en présence d'un autre oiseau.

Habitat : forêts ouvertes en repousse, taillis, lisières de forêts.

Voix : chant, une strophe suivie d'un trille plus court et plus grave, *tski tski tski triririr*. Appel, *in tchink* métallique.

Protection :
BBS: E ↑ C ⇑ CBC: ↑

Paruline à collier

Parula americana — Northern Parula

Mâle

Femelle

Identification : 11 cm. Très petite, queue courte. **MÂLE : dessus gris-bleu, tache jaune-verdâtre sur le dos; poitrine traversée par une bande de noir et roux; gorge et poitrine jaunes; 2 barres alaires blanches; croissants oculaires blancs. FEMELLE : ressemble au mâle, mais pas de bande en travers de la poitrine. IMM. :** ressemble à l'adulte du même sexe, mais plus terne, teinte verdâtre plus prononcée. Le mâle imm. a une bande moins distincte sur la poitrine. ➤Une espèce semblable, la P. à joues noires (*P. pitiayumi*) est une résidente rare à l'extrême sud du Texas. Elle n'a pas de croissants oculaires et le dessous est plus jaune. Mâle, masque noir, poitrine orangée. Femelle semblable mais plus terne.

Alimentation : mange des insectes et des araignées.

Nidification : nid garni d'herbes et de duvet végétal, dans des lichens du genre *Usnea* dans le Nord ou des «cheveux du roi» *(Tillandsia)* dans le Sud. Parfois, nid ouvert construit dans les amas de rameaux de conifères. Oeufs : 3 à 7, blancs à taches brunes; I : 12 à 14 jours; E : ?, nidicole; C : ?

Autres comportements : lorsqu'elle est à la recherche d'insectes dans les amas de feuilles, se suspend parfois la tête en bas comme une mésange.

Habitat : forêts de feuillus et de conifères, habituellement près de l'eau.

Voix : chant, trille bourdonnant et ascendant qui se termine habituellement, mais pas toujours, par une note plus grave (*trîîîîîîîîî-op*). Appel : un *tchip* mélodieux.

Protection :
BBS: E ↑ C ⇓ CBC: →

Paruline jaune

Dendroica petechia Yellow Warbler

Mâle

Femelle

Identification : 13 cm. **En tous plumages, taches jaunes sur la queue. MÂLE : entièrement jaune, rayures roussâtres sur la poitrine. FEMELLE ET IMM. : jaune plus terne, rayures sur la poitrine plus floues ou absentes.** Les femelles imm. n'ont pas la poitrine rayée et ont un plumage olive chamois avec beaucoup moins de jaune. ➤Il existe plusieurs sous-espèces de cette paruline. Les individus de l'Alaska sont plus petits et vert olive terne; ceux du Sud-Ouest ont une coloration plus pâle et ceux des Keys de Floride sont d'un jaune doré éclatant.

Alimentation : mange des chenilles (arpenteuses, Spongieuses...), coléoptères, pucerons et autres insectes.

Nidification : nid fait de fibres de tiges d'asclépiade, d'herbes, de duvet provenant des graines de saule et de fils d'araignée, dans une fourche verticale, dans un arbuste ou un petit arbre, à une hauteur de 90 cm à 3,60 m. Oeufs : 4 à 6, blancs avec des éclaboussures à un bout; I : 10 jours; E : 9 à 11 jours, nidicole; C : 1.

Autres comportements : commence sa migration vers le sud au mois de juillet.

Habitat : zones d'arbustes, surtout près de l'eau, avec des saules et des aulnes; cours et jardins.

Voix : chant, *huit huit huit huididu huit*, la dernière note étant accentuée. Aussi, une version non accentuée. Appel, un *tchip* musical.

Protection :
BBS: E ↑ C ↓ CBC: →

Paruline à flancs marron

Dendroica pensylvanica — Chestnut-sided Warbler

Mâle, printemps

Mâle, automne

Identification : 13 cm. PRINTEMPS - MÂLE : **du marron sur les côtés et les flancs; calotte jaune citron; moustache et bandeau noirs;** dos rayé; 2 barres alaires jaune pâle. FEMELLE : **semblable, moins de marron sur les côtés, moins de noir sur la face.** AUTOMNE - ADULTE ET IMM. : **dessus vert lime; cercle oculaire blanc très visible;** face grise; dessous blanchâtre; barres alaires jaunâtres. Marron bien visible sur le côté du mâle adulte; chez la femelle et le mâle imm., souvent, un peu de marron sur les côtés; la femelle imm. n'a jamais les côtés marron.

Alimentation : mange des insectes, des araignées, des graines et des baies.

Nidification : nid fait de mauvaises herbes, d'écorce de vigne et de duvet végétal, dans la fourche d'un arbuste ou d'un petit arbre, ou dans des ronces. Oeufs : 3 à 5, blanchâtres à éclaboussures plus foncées; I : 12 à 14 jours; E : 10 à 12 jours, nidicole; C : 1.

Autres comportements : a pour habitude de relever la queue et d'abaisser les ailes. Niche de préférence dans les endroits peuplés d'arbustes.

Habitat : broussailles des forêts coupées, arbustes en repousse, taillis bordant les routes.

Voix : chant, *ti ti ti touî tiou*, les deux dernières syllabes étant accentuées; aussi, version non accentuée. Appel : un *tchip* musical.

Protection :
BBS: E ↓ C ⇓ CBC: ↑

Paruline à tête cendrée

Dendroica magnolia Magnolia Warbler

Mâle, printemps

Femelle, printemps

Immature

Identification : 13 cm. **En tous plumages, grandes taches blanches à mi-longueur de la queue.** **PRINTEMPS - MÂLE : dessous jaune, grosses rayures noires en éventail sur la poitrine; face noire et large sourcil blanc; les 2 barres alaires se rejoignent, formant une tache blanche;** croupion jaune; sous-caudales blanches. **FEMELLE : semblable, rayures de la poitrine plus fines; 2 barres alaires blanches, face et sourcil plus gris. AUTOMNE - ADULTE ET IMM. : étroite bande grise traversant le haut de la poitrine;** sous-caudales blanches; fin cercle oculaire; dos olive.

Alimentation : mange des insectes et des araignées, se nourrit bas ou à mi-hauteur dans les arbres et le sous-bois.

Nidification : nid fait de brindilles et d'herbes, sur la branche d'un conifère. Oeufs : 3 à 5, blancs à taches brunes; I : 11 à 13 jours; E : 8 à 10 jours, nidicole; C : 1.

Autres comportements : lorsqu'elle se déplace dans les branches pour trouver des proies, étale souvent la queue en laissant voir les taches blanches.

Habitat : boisés et forêts de conifères, surtout les taillis d'épinettes, de pruches et de Sapins baumiers. Plus abondante dans les peuplements jeunes.

Voix : chant, suite de courtes notes mélodieuses *(viu viu viu vuî)*. Appel, un *clenc* traînant.

Protection :
BBS: E ↑ C ⇓ CBC: ↓

Paruline tigrée

Dendroica tigrina — Cape May Warbler

Mâle, printemps

Femelle, printemps

Femelle immature

Identification : 13 cm. **En tous plumages, croupion jaune ou jaune olive et dessous rayé. PRINTEMPS - MÂLE : sur l'oreille, tache marron orangé entourée de jaune;** dessous jaune rayé de noir; tache blanche sur l'aile; queue courte. **FEMELLE : tache jaune sur le cou, sous la tache auriculaire; 2 étroites barres alaires blanches;** dessous jaune plus pâle faiblement rayé. **AUTOMNE - MÂLE : plus terne que le mâle au printemps, mais a encore une tache blanche sur l'aile; au moins une trace de marron sur l'oreille. FEMELLE : plus terne que la femelle au printemps, mais encore un soupçon de jaune sur le cou et dessous. IMM. - MÂLE :** pas de marron sur la tache auriculaire; tache sur l'aile plus petite que chez le mâle au printemps. **FEMELLE :** très terne, souvent sans jaune sauf sur le croupion.

Alimentation : mange des insectes. Vole sur place à l'extrémité des branches.

Nidification : nid volumineux en forme de coupe, fait de mousses et de brindilles, dans une épinette ou un sapin. Oeufs : 4 à 9, crème, tachetés; I : ?; E : ?, nidicole; C : ?

Autres comportements : la population s'accroît pendant les invasions de Tordeuse de l'épinette.

Habitat : forêts d'épinettes; en migration, forêts.

Voix : chant, un *tsî tsî tsî tsî* très aigu. Appel, un *tsîî* très aigu.

Protection :
BBS: E ↑ C CBC: ↑

Paruline bleue

(Paruline bleue à gorge noire)

Dendroica caerulescens

Black-throated Blue Warbler

Mâle

Femelle

Identification : 13 cm. **Dans presque tous les plumages, tache blanche à la naissance des primaires. MÂLE : gorge, flancs et haut de la poitrine noirs; dessus bleu.** Dans les Appalaches, le mâle est plus foncé et plus vivement coloré. **FEMELLE : très différente du mâle, dessus brun olive; dessous chamois; sourcil pâle; IMM. :** ressemble à l'adulte de même sexe, mais la tache sur l'aile est parfois absente chez la femelle imm.

Alimentation : mange des insectes, des graines et des fruits.

Nidification : nid volumineux à extérieur grossier, couvert de lambeaux d'écorce, de fibres de bois et d'écorce de bouleau, garni de matériaux plus fins, bas dans un sapin, une épinette, un arbuste ou un rhododendron. Oeufs : 3 à 5, crème avec des taches; I : 12 jours; E : 10 jours, nidicole; C : 1.

Autres comportements : habituellement, se nourrit et reste à faible hauteur dans le sous-bois ou parfois au sol.

Habitat : forêts mixtes à maturité avec un sous-bois bien développé, forêts coupées.

Voix : chant, 3 ou 4 notes traînantes, la dernière devenant plus aiguë *(zur zur zur zrîî)*. Appel, un *tip* atone.

Protection :
BBS: E ↑ C CBC: ↓

Paruline à croupion jaune

Dendroica coronata

Yellow-rumped Warbler

Mâle, printemps, forme de l'Est

Adulte, automne, forme de l'Est

Identification : 14 cm. On considérait autrefois qu'il existait 2 espèces distinctes, la «Paruline à croupion jaune» du Nord et de l'Est et la «P. d'Audubon» de l'Ouest, qu'on regroupe actuellement dans une seule espèce. **En tous plumages, croupion jaune et tache jaune sur le côté, devant l'aile. PRINTEMPS - MÂLE :** forme de l'Est, tache jaune sur la calotte, gorge blanche; forme de l'Ouest («d'Audubon») semblable, mais gorge jaune. **FEMELLE AU PRINTEMPS, ADULTES D'AUTOMNE ET IMM. :** mêmes motifs généraux que les mâles en plumage nuptial, mais plus ternes, avec plus de brun dans le plumage. Certaines femelles imm. n'ont pas de calotte jaune ni de tache sur le côté.

Alimentation : mange des insectes et des baies, surtout en hiver. Fréquente les mangeoires où elle se nourrit de suif et de fruits.

Nidification : coupe faite de brindilles, d'herbes et de radicelles, dans un conifère à une hauteur de 1,50 m à 15 m. Oeufs : 4 ou 5, crème à taches brunes; I : 12 ou 13 jours; E : 12 à 14 jours, nidicole; C : 2.

Autres comportements : la paruline la plus commune dans l'ensemble des États-Unis. On l'observe souvent pendant la migration d'automne, parfois en troupes. Hiverne régulièrement aux États-Unis.

Habitat : forêts mixtes ou de conifères. En hiver, taillis buissonneux de myriques.

Voix : forme de l'Est, chant, trille mélodieux en strophes de 2 notes; appel, *tchec* net. «P. d'Audubon», chant, gazouillis lent; appel, *ouip*.

Protection :
BBS: E ↑ C ↑ CBC: ↑

Paruline à gorge noire

(Paruline verte à gorge noire)

Dendroica virens

Black-throated Green Warbler

Mâle

Femelle

Femelle immature

Identification : 13 cm. MÂLE : dessus vert olive; **gorge et haut de la poitrine noirs; face jaune; ligne olive passant par l'oeil; sur l'oreille, tache olive entourée de jaune.** FEMELLE : **semblable, mais gorge jaune pâle avec beaucoup moins de noir.** IMM - MÂLE : sauf pendant la saison de nidification, pratiquement identique à la femelle adulte. FEMELLE : plus pâle, gorge et poitrine pâles; sur les côtés, rayures floues et peu marquées. ➤En tous plumages, teinte jaune dans la région anale.

Alimentation : mange des insectes et des baies. Se nourrit dans les arbres, à une hauteur moyenne à élevée.

Nidification : nid en forme de coupe, fait d'herbes et de débris d'écorce, garni de plumes et de poils, haut dans un conifère. Oeufs : 4 ou 5, blanchâtres, tachetés; I : 12 jours; E : 8 à 10 jours, nidicole; C : 1.

Autres comportements : certaines espèces de parulines émettent des chants différents selon les circonstances. Le mâle de la P. à gorge noire a 2 chants, l'un avec une fin accentuée et l'autre sans accentuation. Il fait entendre le premier en présence de la femelle, bas dans la végétation ou lorsqu'il se nourrit. Il émet le chant non accentué à partir d'un perchoir bien exposé pour revendiquer un territoire ou en présence d'autres mâles.

Habitat : forêts ouvertes de conifères ou mixtes, repousse.

Voix : chant, une variante accentuée *(zrî zrî zrî zru zrî)* et une non accentuée *(zu zrî zu zu zrî)*. Appel, un *tic* dissonant.

Protection :
BBS: E ↓ C ⇓ CBC: ↑

Paruline à dos noir

Dendroica chrysoparia — Golden-cheeked Warbler

Mâle

Identification : 14 cm. Niche sur le plateau Edwards, au centre du Texas. MÂLE : **face jaune d'or, bandeau noir; dessus, calotte, gorge et haut de la poitrine noirs; dessous blanc à grosses rayures.** FEMELLE : **semblable, mais calotte et dessus plus verts; gorge blanche ou jaunâtre; marbrures noires sur la poitrine.** IMM. : ressemble à la femelle adulte; la femelle imm. est encore plus terne, mais on distingue encore le bandeau.

Alimentation : mange des insectes qu'elle ramasse ou attrape à la façon des moucherolles à une hauteur moyenne à élevée, dans les arbres.

Nidification : pour construire le nid, la femelle se sert de lambeaux provenant uniquement de l'intérieur de l'écorce du Genévrier cendré à maturité. Ces lambeaux sont tissés avec des herbes et des fils d'araignée; nid garni de poils, dans un Genévrier cendré. Oeufs : 3 à 5, blancs, tachés de brun; I : 12 jours; E : 9 jours, nidicole; C : 1.

Autres comportements : en 1974, la population était de 15 000 à 17 000 individus, mais elle n'était plus que de 2 200 à 4 600 en 1990 et elle continue de diminuer à cause de la disparition de l'habitat et de la présence du Vacher à tête brune, un important parasite.

Habitat : forêts ouvertes avec des peuplements de Genévriers cendrés.

Voix : chant, un *zîî dîî sidîî zîî* sifflé et bourdonnant. Appel, un *tchop* d'intensité moyenne.

Protection :
BBS: E C ⇓
Menacée d'extinction aux États-Unis.

Paruline à gorge orangée

Dendroica fusca Blackburnian Warbler

Mâle

Femelle

Identification : 13 cm. **MÂLE : gorge, sourcil et calotte orange feu; tache foncée sur l'oreille;** grande tache blanche sur l'aile; dos noir à rayures blanches; flancs rayés. **FEMELLE, ADULTES EN AUTOMNE ET IMM. :** même motif général que le mâle en plumage nuptial, mais l'orange est remplacé par du jaune orangé ou, chez la femelle imm., du chamois-pêche; 2 larges barres alaires blanches.

Alimentation : se nourrit d'insectes et occasionnellement de baies.

Nidification : nid fait de brindilles, d'herbes, de duvet végétal et de fils d'araignée, loin du tronc sur une branche horizontale de conifère ou de feuillu, jusqu'à une hauteur de 25 m. Oeufs : 4 ou 5, blanc-verdâtre à mouchetures foncées; I : 11 à 13 jours; E : ?, nidicole; C : ?

Autres comportements : se tient habituellement haut dans le couvert. On a besoin d'autres études sur la biologie de la reproduction.

Habitat : forêts de conifères à maturité, surtout de pruches; aussi forêts de feuillus.

Voix : chant, suite de notes fines et ténues, la dernière étant très aiguë *(tsip tsip tsip titi tsîîîî)*. Appel, un *tic* dissonant.

Protection :
BBS: E ↑ C ⇓ CBC: ↑

Paruline à gorge jaune

Dendroica dominica

Yellow-throated Warbler

Mâle

Identification : 14 cm. MÂLE : **gorge et haut de la poitrine jaune vif; face noire bordée d'un sourcil jaunâtre ou blanc; tache blanche sur le cou; dos gris uni;** dessous blanc et flancs rayés. FEMELLE ET IMM. : ressemblent au mâle adulte, mais plus ternes, surtout la femelle imm. ➤Chez la sous-espèce *D. d. albilora*, qui niche vers l'ouest à partir des Appalaches, le sourcil est entièrement blanc. Toutes les autres sous-espèces ont habituellement du jaune au sourcil, devant l'oeil. La «Paruline de Sutton», un hybride rare de la P. à collier et de la P. à gorge jaune, n'a pas de rayures sur les côtés et son dos est verdâtre.

Alimentation : mange des araignées et des insectes, y compris des chenilles, des papillons de nuit et des sauterelles. Fréquente les mangeoires.

Nidification : nid fait d'herbes, de duvet végétal et de fils d'araignée, sur une branche de pin ou dans des «cheveux du roi» *(Tillandsia)*. Oeufs : 4 ou 5, gris verdâtre; I : 12 ou 13 jours; E : ?, nidicole; C : 1 ou 2.

Autres comportements : marche le long des branches et des troncs d'arbre en cherchant des insectes dans les crevasses de l'écorce. Chante dans le couvert forestier.

Habitat : forêts de chênes verts ou de pins, marécages de platanes et de cyprès, forêts des plaines d'inondation.

Voix : chant, suite descendante de sifflements se terminant par une note plus aiguë. Appel, un *tcherp* énergique.

Protection :
BBS: E ↑ C ↑ CBC: ↓

Paruline des pins

Dendroica pinus Pine Warbler

Mâle

Femelle immature

Identification : 14 cm. **En tous plumages, dessus uni non rayé; barres alaires blanches; sous-caudales blanches; pattes noires; taches blanches aux coins de la queue, visible surtout par en-dessous; bec relativement gros. MÂLE : gorge et poitrine jaunes; rayures noires indistinctes sur les côtés de la poitrine;** dessus vert olive vif. **FEMELLE : semblable, mais plus pâle, poitrine jaune-chamois;** teinte grisâtre sur le dessus, surtout sur la nuque et le cou. **MÂLE IMM. :** ressemble à la femelle adulte, mais dessus plus brun et poitrine plus jaune. **FEMELLE :** très terne; dessus brun-grisâtre; dessous chamois pâle à blanchâtre.

Alimentation : chasse à la façon des moucherolles ou marche le long des branches à la recherche de proies. Mange des insectes et des araignées; en hiver, fruits, baies et graines de pin. Fréquente les mangeoires où elle se nourrit de graines de tournesol et de suif.

Nidification : coupe faite d'aiguilles de pin, de mauvaises herbes et d'écorce, sur une branche de pin, loin du tronc. Oeufs : 3 à 5, blanchâtres à taches brunes; I : 10 jours; E : 10 jours, nidicole; C : ?

Autres comportements : s'observe habituellement dans les pins.

Habitat : forêts de pins ou mixtes.

Voix : chant, trille rappelant celui du Bruant familier, mais plus musical. Appel, un *tchip* doux.

Protection :
BBS: E ↑ C ↑ CBC: ⇑

Paruline de Kirtland

Dendroica kirtlandii Kirtland's Warbler

Mâle

Identification : 15 cm. Limitée au nord-est de la partie inférieure de la péninsule du Michigan. Agite souvent la queue. **MÂLE : dessus gris-bleu rayé de noir; dessous jaune, rayures noires seulement sur les côtés; cercle oculaire blanc incomplet;** 2 barres alaires blanches. **FEMELLE ET IMM. : ensemble du plumage plus terne; teinte brune dessus; rayures moins distinctes sur les flancs.**

Alimentation : mange des insectes et des bleuets.

Nidification : nid fait d'herbe et de feuilles, au sol dans une clairière herbeuse ou sous les branches d'un jeune arbre. Oeufs : 3 à 5, crème à taches brunes; I : 13 à 16 jours; E : 9 jours, nidicole; C : 1 ou 2.

Autres comportements : habitat de nidification très spécialisé, peuplements denses d'au moins 160 hectares de jeunes pins gris d'une hauteur de 1,80 m à 5,50 m. Seule la chaleur intense d'un incendie de forêt peut faire ouvrir les cônes de ces arbres et en libérer les graines. Pour protéger la P. de Kirtland, on a mis sur pied un plan de gestion : chaque année, on allume des incendies de forêt contrôlés, on coupe les arbres arrivés à maturité et on replante des millions de pousses; on protège aussi l'habitat et on procède en permanence au piégeage et à l'élimination du Vacher à tête brune, un nicheur parasite très nuisible.

Habitat : jeunes peuplements de pins gris.

Voix : chant, suite bruyante de notes graves suivies de 2 ou 3 sifflements plus aigus. Appel, un *tsip* énergique.

Protection : menacée d'extinction aux États-Unis. En 1995, la population comptait 765 mâles chanteurs.

Paruline des prés

Dendroica discolor — Prairie Warbler

Mâle

Femelle

Femelle immature

Identification : 12 cm. **Agite ou hoche la queue. MÂLE : face jaune et bandeau noir sur l'oeil; sous l'oeil, tache jaune bordée de noir; dessous jaune; rayures noires sur les côtés; dessus olive** et, sur le dos, rayures marron souvent cachées. 2 barres alaires blanches ou jaunâtres. **FEMELLE ET IMM. : ensemble du plumage plus pâle, rayures et motif de la face moins nets,** surtout chez la femelle imm. qui a les joues grises et la tête teintée de grisâtre.

Alimentation : mange des insectes qu'elle ramasse sur les feuilles ou attrape en plein vol.

Nidification : niche parfois en colonies éparses. Nid fait d'herbes et de duvet végétal, garni de plumes et de poils, dans un buisson ou un petit arbre. Oeufs : 3 à 5, blanchâtres à marques brunes; I : 10 à 14 jours; E : 8 à 10 jours, nidicole; C : 1 ou 2.

Autres comportements : les mâles sont parfois polygynes.

Habitat : endroits secs buissonneux, champs abandonnés, plantations de jeunes pins, marécages de mangrove.

Voix : chant, suite de notes bourdonnantes qui montent de façon continue. Appel, un *tsép* musical.

Protection :
BBS: E ⇓ C ⇓ CBC: ↓

Paruline à couronne rousse

Dendroica palmarum Palm Warbler

Automne

Adulte, printemps (Est)

Adulte, printemps (Ouest)

Identification : 14 cm. **En tous plumages, hoche la queue sans arrêt, sous-caudales jaunes; se nourrit souvent au sol. ADULTE AU PRINTEMPS : sexes semblables. Calotte marron; sourcil et gorge jaunes; dessous rayé de marron; croupion jaune-olive.** Dans l'Est : dessous jaunâtre. Dans l'Ouest : dessous blanc-grisâtre. **ADULTE EN AUTOMNE ET IMM :** ressemblent à l'adulte au printemps, mais ensemble du plumage plus terne et plus brun, y compris la calotte.

Alimentation : mange des insectes qu'elle ramasse sur le sol. Sautille au lieu de marcher.

Nidification : nid, dans les tourbières à épinettes ou les plaines sèches peuplées de pins. Coupe d'herbes garnie de plumes et d'herbes fines, au sol près du tronc d'une épinette, à faible hauteur dans un arbuste ou dans les branches basses d'un conifère. Oeufs : 4 ou 5; crème avec une couronne de taches brunes; I : 12 jours; E : 12 jours, nidicole; C : 1 ou 2.

Autres comportements : pendant tout l'hiver, l'une des parulines les plus communes dans le sud de la Floride. Les individus qui nichent dans l'Est passent l'hiver sur la côte du Golfe du Mexique, de l'ouest de la Floride au nord-est du Mexique. Ceux qui nichent dans l'Ouest passent l'hiver dans le sud de la Floride, aux Antilles et occasionnellement sur la côte atlantique jusqu'en Virginie.

Habitat : tourbières à épinettes. En migration et en hiver, prés d'herbe, endroits buissonneux, plages et pelouses.

Voix : chant, trille bourdonnant, parfois montant. Appel, un *sop* net et mélodieux.

Protection :
BBS: E ⇑ C CBC: ⇓

Paruline à poitrine baie

Dendroica castanea Bay-breasted Warbler

Mâle, printemps

Adulte, automne

Identification : 14 cm. **En tous plumages, pattes gris foncé. PRINTEMPS - MÂLE : calotte, gorge, haut de la poitrine et flancs bais** (marron); face noire, tache chamois-rosâtre sur le côté du cou; 2 barres alaires blanches. **FEMELLE : plus pâle, moins de marron sur la tête et les flancs. ADULTE EN AUTOMNE ET IMM. :** dessus olive-jaunâtre avec quelques rayures; dessous blanc-chamois, un soupçon de marron ou de chamois vif sur les flancs; sous-caudales chamois. Chez la femelle imm., pas de marron ni de chamois sur les flancs. ➤La P. rayée immature, qui lui ressemble, a les pattes et les jambes de couleur paille (souvent avec les côtés foncés) et les sous-caudales blanches; elle est vert-jaunâtre dessous avec les côtés faiblement rayés. Chez la P. des pins imm., qui lui ressemble aussi, le dos n'est pas rayé et il y a davantage de brun-gris dans le plumage.

Alimentation : mange des insectes qu'elle ramasse sur les feuilles.

Nidification : nid fait herbes et de brindilles, dans un conifère. Oeufs : 4 à 7, blancs, tachetés; I : 12 ou 13 jours; E : 11 ou 12 jours, nidicole; C : 1.

Autres comportements : en automne, migre avant la P. rayée.

Habitat : forêts de conifères.

Voix : chant, suite de notes aiguës doubles, *ouitsî ouitsî ouitsî*. Appel, un *tsî* aigu.

Protection :
BBS: E ↓ C ↓ CBC: ↓

Paruline rayée

Dendroica striata — Blackpool Warbler

Adulte, automne

Mâle, printemps

Femelle, printemps

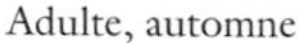

Identification : 14 cm. **En tous plumages, tend à avoir des pattes jaunâtres ou rose-jaunâtre; dessous des pieds jaune; barres alaires blanches; quelques rayures sur les flancs.** PRINTEMPS - **MÂLE : motif de la face, calotte noire et joues blanches, comme une mésange;** dessous blanc, rayures noires sur les côtés et le dos. FEMELLE : **calotte et dessus gris-olive, rayés;** dessous blanchâtre ou jaunâtre, côtés finement rayés. ADULTE EN AUTOMNE ET IMM. : dessus vert olive; parfois, côtés des pattes brun foncé; gorge et poitrine jaune-verdâtre; fines rayures sur les côtés; longues sous-caudales et ventre blancs. En automne, se reconnaît de la P. des pins et de la P. à poitrine baie par la couleur des pattes (habituellement), les sous-caudales blanches et le bas du ventre contrastant avec la poitrine qui est jaune-verdâtre; faibles rayures sur les côtés; sourcil pâle.

Alimentation : mange des insectes, des araignées et quelques graines et baies.

Nidification : nid d'herbes dans une épinette. Oeufs : 4 ou 5, blancs à mouchetures brunes; I : 11 jours; E : 11 ou 12 jours, nidicole; C : 1 ou 2.

Autres comportements : migrateur abondant en automne.

Habitat : forêts d'épinettes et de sapins. En migration, autres forêts.

Voix : chant, suite de *sîît* extrêmement aigus, plus forts vers le milieu. Appel, un *tchip* énergique.

Protection :
BBS: E ↑ C

Paruline azurée

Dendroica cerulea Cerulean Warbler

Femelle immature

Mâle

Femelle

Identification : 12 cm. **En tous plumages, la queue semble courte. MÂLE : dessus bleu («azuré») rayé de noir; barres alaires blanches;** dessous blanc, **bande noire en travers de la poitrine** et rayures sur les côtés. **FEMELLE : dessus bleu turquoise; calotte bleu métallique; sourcil,** gorge et haut de la poitrine **blanc-jaunâtre;** rayures peu marquées sur les côtés; **barres alaires blanches. IMM. - MÂLE :** plus terne que le mâle adulte, teinte plus verte; rayures peu marquées sur les côtés; dessous, teinte jaunâtre. **FEMELLE :** plus terne que la femelle adulte, mais dessus vert olive et beaucoup de jaunâtre dessous.

Alimentation : se nourrit d'insectes qu'elle recueille haut dans les arbres ou attrape au vol à la façon des moucherolles.

Nidification : nid fait d'écorce et de mauvaises herbes, à une hauteur de 6,50 m à 18 m, dans un feuillu. Oeufs : 3 à 5, verdâtres à taches brunes variables; I : 12 ou 13 jours; E : ?, nidicole; C : ?

Autres comportements : se tient habituellement haut dans le couvert forestier.

Habitat : arbres feuillus à maturité, surtout près des endroits marécageux et des ruisseaux.

Voix : chant, suite rapide de notes bourdonnantes sur le même ton, se terminant par une note plus aiguë (*tri tri tri zrouîî*). Appel, un *tchip* net.

Protection :
BBS: E ⇓ C ⇓

Paruline noir et blanc 

Mniotilta varia

Black & White Warbler

Mâle

Femelle

Identification : 13 cm. **Descend le long des troncs d'arbre comme une sittelle. MÂLE : calotte, dessus et dessous rayés de noir et blanc;** en hiver, taches noires sur la gorge et les oreilles très réduites ou absentes. **FEMELLE : semblable, mais tache grise sur l'oreille; gorge blanche; dessous, rayures grisâtres. IMM. - MÂLE :** ressemble à la femelle adulte, mais rayures plus noires sur les flancs et les sous-caudales. **FEMELLE :** tache auriculaire, flancs et sous-caudales chamois.

Alimentation : son bec relativement long lui permet d'atteindre les insectes sous l'écorce des troncs et des branches.

Nidification : nid en forme de coupe, fait d'herbes, de feuilles et de mousse, caché au pied d'un arbre ou sous une branche tombée au sol. Oeufs : 4 ou 5, crème, entourés de taches brunes; I : 10 à 13 jours; E : 8 à 12 jours, nidicole; C : 1 ou 2.

Autres comportements : au printemps, l'une des premières espèces à effectuer sa migration, souvent avant que les arbres aient développé leurs premières feuilles.

Habitat : forêts de feuillus et mixtes, surtout détrempées.

Voix : chant, un *oui-tsî oui-tsî oui-tsî* aigu. Appels, un *tsîît* doux et un *pit* net.

Protection :
BBS: E ↑ C ↓ CBC: ↑

Paruline flamboyante

Setophaga ruticilla American Redstart

Mâle

Femelle

Identification : 13 cm. **Volette constamment çà et là en étalant ses rectrices, ce qui met en évidence les taches de la queue qui sont orange chez le mâle, jaunes chez la femelle et l'immature.** MÂLE : poitrine et dessus noirs, taches orange sur les ailes et les côtés. FEMELLE ET IMM. : dessus gris-olive; taches jaunes sur les ailes et les côtés. Chez la femelle imm., les taches des ailes sont très réduites ou absentes. Mâle imm. au printemps, un peu de noir sur les plumes du corps ou de la tête; sur les ailes, la queue et le côté, taches saumon.

Alimentation : attrape souvent les insectes au vol à la façon d'un moucherolle ou les recueille. Mange des insectes; occasionnellement, pendant la migration, des graines et des baies.

Nidification : nid en forme de coupe, fait d'herbes, d'écorce et de fils d'araignée, dans la fourche d'un petit arbre ou d'un arbuste. Oeufs : 2 à 5, blanchâtres à taches brunes; I : 12 jours; E : 8 ou 9 jours, nidicole; C : ?

Autres comportements : très active. Les mâles adultes nichent dans des milieux plus favorables que les mâles de 1re année.

Habitat : taillis, forêts de feuillus et mixtes.

Voix : chant, suite assez variable de notes aiguës se terminant par une note descendante. Appel, un *tchip* doux.

Protection :
BBS: E ↓ C ↓ CBC: ↑

Paruline orangée

Protonotaria citrea — Prothonotary Warbler

Mâle

Identification : 14 cm. **Bec relativement long; gros yeux foncés. MÂLE : tête et dessous jaune doré éclatant;** ailes gris-bleu; beaucoup de blanc sur la queue et les sous-caudales. FEMELLE ET IMM. : **tête et dessous jaunes; teinte olive sur la calotte, la nuque et le dos;** ailes grises.

Alimentation : explore les crevasses des bûches et des troncs d'arbre à la recherche d'insectes et d'araignées.

Nidification : nid fait de brindilles, de mousse et d'herbe, dans une cavité naturelle, un nichoir ou un trou abandonné par un pic, souvent un Pic mineur. Le nid se trouve habituellement à une hauteur de 1,20 m à 1,80 m. Oeufs : 4 à 6, blancs à taches brunes irrégulières; I : 12 à 14 jours; E : 11 jours, nidicole; C : 1 ou 2.

Autres comportements : dans 75 % des cas, l'arbre dans lequel se trouve le nid est au bord de l'eau ou dans l'eau.

Habitat : marécages boisés, forêts des plaines d'inondation.

Voix : chant, suite de *tsouît* énergiques sur le même ton. Appel, un *tink* fort.

Protection :
BBS: E ↓ C ⇓ CBC: ↓

Paruline vermivore

Helmitheros vermivorus — Worm-eating Warbler

Identification : 14 cm. **Tête et dessous chamois vif; 2 lignes noires sur la calotte; ligne noire passant par l'oeil;** long bec pointu.

Alimentation : mange des insectes comme des sauterelles, des coléoptères et des chenilles sans poils. Sautille sur le sol ou se nourrit de façon acrobatique dans les arbres, saisissant ses proies ou sondant l'intérieur des feuilles mortes enroulées pour y chercher des insectes.

Nidification : nid fait de feuilles mortes et de tiges de mousses (Polytric), caché sur le sol sur une pente ou une berge ombragée. Oeufs : 3 à 6, blancs à taches brunes; I : 12 jours; F : 10 jours, nidicole; C : 1

Autres comportements : le nom de l'espèce prête à confusion parce que celle-ci ne mange pas de vers de terre mais uniquement des insectes.

Habitat : pentes et ravins boisés.

Voix : chant, trille sec monotone rappelant le son d'une machine à coudre. Ressemble au chant du Bruant chanteur. Appel, un *tchip* sec.

Protection :
BBS: E ↓ C ↓ CBC: ↓

Paruline de Swainson

Limnothlypis swainsonii Swainson's Warbler

Identification : 14 cm. **Calotte brun vif; sourcil pâle; bandeau brun étroit;** long bec effilé; dessous ocre pâle.

Alimentation : marche sur le sol à la recherche d'insectes, retourne les feuilles ou sonde la terre.

Nidification : nid en forme de coupe, fait d'aiguilles de pin, de mousse et de feuilles, dans un buisson, dans les joncs ou l'enchevêtrement de la végétation. Oeufs : 3 à 5, blancs; I : 14 ou 15 jours; E : 12 jours, nidicole; C : 1 ou 2.

Autres comportements : discrète; se tient au sol ou à faible hauteur dans la végétation. Dans les bons habitats de nidification, niche parfois de façon semi-coloniale.

Habitat : marécages, massifs de joncs; aussi, dans le sud des Appalaches, taillis de rhododendrons.

Voix : chant, 3 ou 4 sifflements énergiques suivis de gazouillis se terminant souvent par un *tîu*. Appel, un fort *tsip*.

Protection :
BBS: E ↓ C ↓

Paruline couronnée

Seiurus aurocapillus Ovenbird

Identification : 15 cm. **Calotte orange bordée de 2 rayures brun foncé; cercle oculaire blanc;** dos brun olive, dessous blanc; sur la poitrine et les flancs, grosses rayures foncées formées de taches allongées.

Alimentation : mange des insectes, des vers et des araignées. Fouile sous les feuilles.

Nidification : nid fait d'herbes et de radicelles, sur le sol, toujours recouvert de branches et de feuilles. L'entrée est une fente étroite. Oeufs : 3 à 6, blancs à taches brunes et grises; I : 11 à 14 jours; E : 8 à 11 jours, nidicole; C : 1 ou 2.

Autres comportements : on l'entend plus souvent qu'on ne la voit. Le chant a une sonorité rappelant la voix d'un ventriloque. En anglais on appelle l'espèce Ovenbird parce que son nid est couvert d'un dôme et ressemble à un four. Marche sur le sol et les branches tombées, se balance souvent.

Habitat : forêts de feuillus ou mixtes à maturité.

Voix : chant, suite sonore de notes d'intensité croissante, *pitchu pitchu pitchu* ou *tipié, tipié, tipié.* Appel, un *tchip* sec.

Protection :
BBS: E ↑ C ⇓ CBC: ↓

Paruline des ruisseaux

Seiurus noveboracensis Northern Waterthrush

De l'Est

De l'Ouest

Identification : 15 cm. **Sourcil de largeur égale ou s'amincissant derrière l'oeil, chamois-jaunâtre (dans l'Est) ou blanchâtre (dans l'Ouest); dessous de couleur unie, chamois-jaunâtre pâle dans l'Est et blanchâtre dans l'Ouest; fortes rayures brunes allant du menton à la poitrine et le long des flancs;** pattes couleur chair.

Alimentation : cherche sous les feuilles et sur les bûches tombées à terre. Marche dans l'eau. Mange des insectes, mollusques, crustacés et petits poissons; proies plus petites que la P. hochequeue.

Nidification : nid fait de mousses, de feuilles et d'herbes, caché dans les racines d'un arbre renversé ou sous le surplomb d'une berge, près d'une eau dormante. Oeufs : 3 à 6, blancs à taches variables brunes ou violettes; I : 12 jours; E : 10 jours, nidicole; C : ?

Autres comportements : hoche la queue tout en marchant.

Habitat : étangs aux rives boisées, marécages, taillis de saules, rives des lacs, près de l'eau dormante ou de rivières lentes.

Voix : chant bruyant, série de notes descendantes vers la fin. Appel, un *tchink* métallique.

Protection :
BBS: E ↑ C ⇈ CBC: ↓

Paruline hochequeue

Seiurus motacilla — Louisiana Waterthrush

Identification : 15 cm. **Sourcil plus large, surtout derrière l'oeil, et plus étendu que chez la P. des ruisseaux, qui lui ressemble; sourcil teinté de chamois pâle devant l'oeil, devenant blanc éclatant derrière l'oeil; dessous blanchâtre à fortes rayures, contrastant avec les flancs chamois ainsi qu'avec les sous-caudales et le ventre, qui ne sont pas rayés; gorge habituellement blanche;** menton non rayé; pattes rosâtres.

Alimentation : se déplace en cherchant sous les feuilles et marche dans l'eau. Mange des insectes, mollusques, crustacés et petits poissons.

Nidification : nid fait de mousses, de feuilles et d'herbes, caché parmi les racines d'un arbre renversé ou sous le surplomb d'une berge, à quelques mètres de l'eau en mouvement. Aménage un sentier de feuilles qui va du nid au bord de l'eau. Oeufs : 4 à 6, blancs, taches variables brunes ou violettes; I : 12 à 14 jours; E : 9 à 10 jours, nidicole; C : ?

Autres comportements : tout en marchant, hoche la queue et tout l'arrière-train. Territoire de nidification long et étroit, le long d'un ruisseau.

Habitat : ravins boisés près des ruisseaux de montagne.

Voix : 3 ou 4 notes traînantes suivies d'un gazouillis modulé. Appel, un *tchink* net.

Protection :
BBS: E ↑ C ↑ CBC: ↓

Paruline du Kentucky

Oporornis formosus — Kentucky Warbler

Femelle

Identification : 13 cm. **«Lunettes» très nettes, jaunes;** dessous jaune; dessus vert olive uni; calotte, dessous de l'oeil et côtés du cou plus foncés chez le mâle que chez la femelle et l'imm.

Alimentation : retourne les feuilles et les brindilles ou se nourrit dans les buissons bas. Mange des insectes et des araignées.

Nidification : nid fait de feuilles, de tiges et d'herbes, sous une bûche ou dans un buisson bas, dans un sous-bois dense. Oeufs : 3 à 6, crème à taches brunes; I : 12 ou 13 jours; E : 9 ou 10 jours, nidicole; C : ?

Autres comportements : craintive et discrète. Le plus souvent, on l'aperçoit sur le sol.

Habitat : ravins et endroits bas, dans les forêts humides de feuillus ou mixtes.

Voix : chant, suite ininterrompue de notes doubles *(turlî turlî)*; ressemble à celui du Troglodyte de Caroline, mais moins mélodieux. Appel, un *tchic* grave et musical.

Protection :
BBS: E ↓ C ⇓ CBC: ↓

Paruline à gorge grise

Oporornis agilis — Connecticut Warbler

Mâle

Identification : 15 cm. **En tous plumages, cercle oculaire complet et net, blanc ou blanchâtre; capuchon brun ou gris; dessous jaune;** les longues sous-caudales dépassent le milieu de la queue et font que celle-ci paraît courte; longues pattes. **MÂLE :** capuchon gris. **FEMELLE ET IMM. :** dessous plus pâle, capuchon plus brun, gorge plus pâle.

Alimentation : se nourrit d'insectes et d'araignées, au sol ou sur des bûches tombées.

Nidification : nid fait de feuilles, d'herbes et de fibres végétales, au sol, habituellement au pied d'un arbuste ou d'une pousse d'arbre. Oeufs : 3 à 5, blancs à taches brunes; I : ?; E : ?, nidicole; C : ?

Autres comportements : de façon générale, plus rare que la P. triste et la P. des buissons. Se déplace furtivement dans le sous-bois. Marche avec la queue relevée tout en hochant la tête. La biologie de la nidification devra faire l'objet d'autres études.

Habitat : tourbières d'épinettes et de mélèzes, forêts ouvertes de peupliers, broussailles de saules, jeunes peuplements de pins gris.

Voix : chant, notes sonores et répétées, *ouî tsur tsur ouî tsur tsur*. Appel, un *tchink* métallique.

Protection :
BBS: E ↑ C ⇑

Paruline triste

Oporornis philadelphia Mourning Warbler

Mâle

Femelle

Immature

Identification : 13 cm. **MÂLE : capuchon gris; pas de cercle oculaire; tache noire marbrée sur le haut de la poitrine. FEMELLE : capuchon gris plus pâle; cercle oculaire très peu marqué et interrompu, occasionnellement complet; gorge pâle;** pas de noir sur la poitrine. **IMM. :** fin cercle oculaire interrompu; la partie jaunâtre de la gorge traverse le bas du capuchon et rejoint le dessous jaune; capuchon plus brun, moins évident que chez la P. des buissons imm. Le mâle imm. a parfois quelques plumes noires sur les côtés du haut de la poitrine.

Alimentation : se nourrit au sol ou ramasse ses proies dans le sous-bois. Mange des insectes et des araignées.

Nidification : nid volumineux en forme de coupe, fait de feuilles mortes et d'herbes, au sol, au pied d'un arbuste ou à faible hauteur dans l'enchevêtrement de la végétation. Oeufs : 3 à 5, blancs à taches brunes variables; I : 12 jours; E : 7 à 9 jours, nidicole; C : 1.

Autres comportements : sautille sur le sol alors que la P. à gorge grise marche. Généralement, se déplace furtivement dans le sous-bois dense.

Habitat : sous-bois denses des forêts humides, endroits buissonneux, marécages et tourbières.

Voix : chant, suite sonore de strophes à 2 notes, la 2e partie étant plus grave. Appel, un *tchec* sonore

Protection :
BBS: E ↓ C ↑

Paruline masquée

Geothlypis trichas — Common Yellowthroat

Mâle

Femelle

Mâle immature

Identification : 13 cm. MÂLE : **gorge et haut de la poitrine jaunes; masque noir à bordure blanc-grisâtre;** flancs chamois, sous-caudales jaunes. FEMELLE : **gorge et poitrine jaunes; face et dessus brun olive; cercle oculaire blanchâtre; ébauche de sourcil; teinte brune sur le front.** IMM. - MÂLE : masque partiellement visible, souvent caché par les pointes pâles des plumes. FEMELLE : plus pâle que la femelle adulte, gorge jaune-chamois; pas de brun sur le front. ➤Forte variation géographique chez cette espèce. Les oiseaux du Nord et de l'Est ont le ventre blanchâtre et les sous-caudales jaunes; chez ceux du Sud-Ouest, le dessous est entièrement jaune.

Alimentation : mange des insectes, des araignées et des graines qu'elle ramasse sur le sol ou dans les buissons.

Nidification : nid fait d'herbes grossières et de feuilles mortes, garni d'herbes fines ou de poils, à une hauteur de 30 cm à 60 cm, dans la végétation basse. Oeufs : 3 ou 4, blanc crème à taches brunes; I : 12 jours, E : 8 ou 9 jours, nidicole; C : 1 ou 2.

Autres comportements : espèce très abondante.

Habitat : buissons denses, près des endroits humides; habitats plus secs à sous-bois dense.

Voix : chant, *ouititi ouititi ouititi*. Appel, un *tchec tchec* brusque.

Protection :
BBS: E ↓ C ↓ CBC: →

Paruline à capuchon

Wilsonia citrina Hooded Warbler

Mâle

Femelle immature

Identification : 13 cm. En tous plumages, gros oeil foncé, mouvements nerveux et fréquents de la queue permettant d'apercevoir le blanc sur les rectrices. MÂLE : **capuchon noir entourant la face jaune;** dessous jaune, dessus olive-verdâtre. FEMELLE : **ressemble au mâle, quantité de noir du capuchon variable; chez certaines femelles, capuchon presque aussi noir que chez le mâle.** IMM. - MÂLE : comme le mâle adulte. FEMELLE : pas de noir sur la tête.

Alimentation : se nourrit souvent comme un moucherolle en s'élançant d'un perchoir bas pour capturer ses proies. Mange des insectes et des araignées.

Nidification : nid, coupe de feuilles mortes, de fibres végétales et de lambeaux d'écorce, dans la fourche d'un arbuste. Oeufs : 3 à 5, blanchâtres à taches brunes; I : 12 jours; E : 8 jours, nidicole; C : 1.

Autres comportements : la plupart du temps dans le sous-bois dense. Le mâle révèle surtout sa présence lorsqu'il chante.

Habitat : végétation dense et basse des forêts de feuillus à maturité, surtout près des ruisseaux.

Voix : chant fort et mélodieux, notes doubles *(oui-ta oui-ta oui-tî-you)*. Appel, un *tsic* métallique.

Protection :
BBS: E ⇑ C ⇓ CBC: ↑

Paruline à calotte noire

Wilsonia pusilla Wilson's Warbler

Mâle

Femelle

Identification : 12 cm. **Mâle : calotte noire; dessous jaune; dessus vert olive. Femelle : un peu de noir sur la calotte, occasionnellement assez étendu. Imm. - Mâle :** comme le mâle adulte, mais parfois plus terne. **Femelle :** pas de noir sur la calotte. ➤Les individus de l'Ouest ont la face et le dessous d'un jaune plus éclatant que ceux de l'Est.

Alimentation : chasse comme les moucherolles. Mange des insectes et des baies.

Nidification : dans un habitat idéal, niche parfois en colonies éparses. Nid fait d'herbes, de feuilles et de mousses, au sol, habituellement au pied d'un arbuste. Oeufs : 4 à 6, blancs à taches brunes; I : 11 à 13 jours; E : 8 à 10 jours, nidicole; B : 1.

Autres comportements : souvent, secoue nerveusement la queue et les ailes. Se tient à faible hauteur dans le sous-bois. Plus commune dans l'Ouest que dans l'Est.

Habitat : taillis de saules et d'aulnes, près de l'eau; forêts humides.

Voix : chant, un trille rapide de tonalité descendante. Appel, un t*chet* atone et grave.

Protection :
BBS: E ↑ C CBC: ↑

Paruline du Canada

Wilsonia canadensis — Canada Warbler

Mâle

Femelle immature

Identification : 13 cm. **MÂLE : collier de rayures noires traversant la poitrine jaune; «lunettes» jaunes; dos gris-bleu foncé uni; sous-caudales blanches. FEMELLE : collier flou et moins évident, surtout chez la femelle imm.**

Alimentation : attrape souvent les insectes au vol à la façon des moucherolles. Se nourrit bas ou à hauteur moyenne dans la végétation. Mange des insectes et des araignées.

Nidification : nid fait d'herbes diverses et de feuilles, dans une souche ou entre les racines d'un arbre renversé, ou bien dans un monticule de sphaignes. Oeufs : 3 à 5, crème à taches brunes; I : ?; E : ?, nidicole; C : ?

Autres comportements : souvent, remue nerveusement la queue. On a besoin d'autres études sur la biologie de la reproduction.

Habitat : sous-bois dense des forêts mixtes ou de feuillus à maturité, zones buissonneuses près des ruisseaux et des marécages.

Voix : chant, gazouillis mélodieux commençant par un *tchip*. Appel, un *t*chit énergique.

Protection :
BBS: E ↓ C

Paruline polyglotte

Icteria virens — Yellow-breasted Chat

Femelle

Identification : 19 cm. **La plus grosse des parulines. MÂLE : «lunettes» blanches; lores noirs; moustache blanche; gorge et poitrine jaunes;** longue queue, bec épais. **FEMELLE : semblable, lores gris.**

Alimentation : mange des insectes, des baies, des raisins sauvages et d'autres fruits. Se nourrit à faible hauteur dans la végétation dense.

Nidification : niche parfois en colonies éparses. Nid en forme de coupe volumineuse, fait de feuilles mortes, de paille, de mauvaises herbes et de morceaux d'écorce, garni d'herbes fines, dans un arbuste ou un petit arbre. Oeufs : 3 à 5, blancs, tachés de brun; I : 11 ou 12 jours; E : 8 à 12 jours, nidicole; C : 2.

Autres comportements : on l'entend plus souvent qu'on ne la voit. Le chant fait plus penser à un moqueur qu'à une paruline. Au printemps, les mâles exécutent une parade aérienne pendant laquelle ils chantent.

Habitat : taillis denses et lisières broussailleuses dans des zones sèches ou humides.

Voix : chant, ensemble surprenant de sifflements, de grincements, de cris aigus, de grognements et de miaulements. Appel, un *tchac* rauque.

Protection :
BBS: E ↓ C ↓ CBC: ↓

Tangara vermillon

Piranga rubra

Summer Tanager

Mâle

Femelle

Mâle immature

Identification : 19 cm. **MÂLE : tête et corps rouge rosé vif uni; ailes et queue d'un rouge plus foncé. FEMELLE : dessous jaunâtre, dessus légèrement plus foncé; pas de tache grise sur la joue ni de barres alaires blanches. IMM. - MÂLE :** taches rouges et vertes sur tout le corps. **FEMELLE :** comme la femelle adulte. Garde son plumage imm. 1 an.

Alimentation : attrape parfois des insectes en plein vol. Aime manger les abeilles et les guêpes dont il pille les nids. Mange des fruits et des baies. Fréquente parfois les mangeoires où il recherche les fruits, les miettes de pain et les préparations de beurre d'arachides.

Nidification : nid fait de tiges de mauvaises herbes, d'écorce et d'herbes grossières, garni de matériaux plus fins, sur une branche d'arbre horizontale, à une hauteur de 3 m à 10 m. Oeufs : 3 à 5, vert-bleuâtre pâle à taches foncées; I : 12 jours; F : ?, nidicole; C : ?

Autres comportements : reste habituellement caché dans le feuillage des arbres. On détecte plus facilement sa présence grâce à son chant. Dans l'Est, son aire de distribution diminue. Là où elle recoupe celle du T. écarlate, les 2 espèces se montrent agressives l'une envers l'autre.

Habitat : chênaies à pins, saules et peupliers au bord des ruisseaux.

Voix : chant, série de sifflements divers; appel, un *tchtchvit* rapide et dissonant.

Protection :
BBS: E ↓ C ↓ CBC: ↑

Tangara écarlate

Piranga olivacea Scarlet Tanager

Mâle

Femelle

Mâle immature

Identification : 18 cm. **MÂLE : corps rouge écarlate, queue et ailes noires. FEMELLE : dessous jaunâtre, dessus verdâtre, ailes brun-grisâtre.** Taille plus petite et bec plus petit que le T. vermillon femelle, qui lui ressemble. **IMM. - MÂLE :** sur le corps, taches rouges et jaunes; queue et ailes brun foncé. **FEMELLE :** comme la femelle adulte. Garde son plumage imm. 1 an.

Alimentation : se nourrit au sol et dans le feuillage, mange des insectes et quelques baies sauvages.

Nidification : nid fait de brindilles, d'herbes et de radicelles, sur une branche d'arbre horizontale, à une hauteur de 1,50 m à 23 m. Oeufs : 2 à 5, vert bleuté pâle à mouchetures brunes irrégulières; I : 12 à 14 jours; E : 9 ou 10 jours, nidicole; C : 1.

Autres comportements : en dépit de son plumage d'un rouge éclatant, le mâle est parfois difficile à localiser dans le couvert forestier. Le meilleur indice de sa présence est son chant. De plus, on peut facilement détecter les individus des deux sexes par l'appel qu'ils émettent souvent, un tchic-bru. Lorsque la femelle arrive sur le territoire de nidification, le mâle chante moins et la suit. Sur un perchoir situé à faible hauteur, il exécute alors pour elle une parade, abaissant les ailes pour montrer son dos rouge. Souvent parasité par le vacher.

Habitat : forêts de feuillus à maturité.

Voix : suite de sifflements doubles bien espacés, *zurîît zîîyîîr zîîrou*; appel, *tchic-bru* distinctif.

Protection :
BBS: E ↑ C ↓

Cardinal rouge

Cardinalis cardinalis

Northern Cardinal

Mâle

Femelle

Identification : 22 cm. **MÂLE : entièrement rouge vif, racine du bec entourée de noir; longue huppe;** bec rougeâtre. **FEMELLE : dessous jaune-chamois; dessus brun grisâtre; bec,** huppe, ailes et queue **rougeâtres.** Juvéniles : comme la femelle adulte, mais bec foncé.

Alimentation : se nourrit en sautillant sur le sol et ramasse sa nourriture dans la végétation basse et les arbres. Mange des insectes, araignées, fruits sauvages dont des baies ainsi que des graines de mauvaises herbes. Visiteur très apprécié aux mangeoires où il affectionne les graines de tournesol et de carthame ainsi que le maïs concassé.

Nidification : nid fait de brindilles, de lambeaux d'écorce, de tiges grimpantes, de feuilles, de radicelles et de papier, garni d'herbes fines et de poils, dans les buissons épais ou parmi les branches d'un petit arbre, à une hauteur de 30 cm à 4,50 m. Oeufs : 2 à 5, blanc-chamois à taches foncées; I : 12 ou 13 jours; E : 9 à 11 jours, nidicole; C : 1 à 4.

Autres comportements : à votre mangeoire, vous verrez peut-être un couple nicheur échanger de la nourriture; on peut observer ce comportement remarquable jusqu'à 4 fois par minute. Le mâle saisit une graine et s'approche de la femelle; celle-ci prend la graine et les becs des deux oiseaux se touchent alors pendant un instant. Ce comportement se poursuit pendant la ponte et l'incubation. Le mâle et la femelle chantent.

Habitat : arbustes près des endroits ouverts, boisés, terrains privés des banlieues.

Voix : chant, suite de sifflements répétés, clairs et changeants, *ouît ouît ouî tîou tîou tîou*. Appel, un *tchip* métallique.

Protection :
BBS: E ↓ C ↑ CBC: ↓

Cardinal pyrrhuloxia

Cardinalis sinuatus

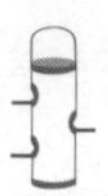

Pyrrhuloxia

Mâle

Femelle

Identification : 20 cm. MÂLE : **gris, du rouge rosé sur la face et le milieu du dessous, les ailes et la queue; longue huppe à bout rouge;** bec massif jaune orangé. **FEMELLE : grise, longue huppe à bout rouge; un peu de rouge sur la face, les ailes et la queue;** bec massif jaunâtre.

Alimentation : se nourrit au sol de graines de diverses herbes, de chatons, de fruits de cactus et de graines de mesquite ainsi que d'insectes. Fréquente parfois les mangeoires où il recherche les graines de tournesol et les fruits.

Nidification : nid fait de brindilles épineuses, d'écorce interne, d'herbes grossières et de fils d'araignée, doublé de fibres végétales, d'herbe fine, de crin de cheval et de radicelles, parmi les branches d'un mesquite ou d'un autre type de taillis, de 1,50 m à 6 m au-dessus du sol. Oeufs : 2 à 5, blanc-gris ou blanc-vert à mouchetures brunes. I : 14 jours; E : 10 jours, nidicole; C : 1.

Autres comportements : pendant la parade nuptiale, le mâle nourrit la femelle. En hiver, s'observe en petites troupes et se déplace parfois pour trouver de bons points d'approvisionnement en nourriture.

Habitat : zones arides et semi-arides avec des forêts et des arbustes épineux.

Voix : chant, suite de sifflements clairs répétés qui peuvent être variables; appel, un *tchip* métallique.

Protection :
BBS: E C ↓ CBC: ↓

Cardinal à poitrine rose

Pheucticus ludovicianus 30 mai 2000

Rose-breasted Grosbeak

Mâle, été

Femelle

Mâle immature

Identification : 20 cm. ÉTÉ - MÂLE : **tête et dos noirs; triangle rouge sur la poitrine;** ventre blanc. **Au vol, taches blanches visibles sur les ailes; «aisselles» rouge rosé; croupion blanc.** FEMELLE : **gros bec pâle; sourcil blanc; fortes rayures sur la poitrine, qui est blanche;** 2 barres alaires blanches. «Aisselles» jaunes visibles en vol. Plumage semblable en hiver et chez l'imm. HIVER - MÂLE : ressemble au plumage d'été, mais bordures brunes aux plumes de la tête et du dos. IMM. : le mâle ressemble à la femelle adulte, mais triangle rosé sur la poitrine qui est chamois et «aisselles» rougeâtres (visibles en vol). Garde son plumage imm. jusqu'au printemps.

Alimentation : se nourrit dans le feuillage des arbres. Mange des insectes, des graines, des bourgeons et quelques fruits. Fréquente les mangeoires où il recherche les graines de tournesol.

Nidification : nid fait de brindilles fines et grossières, garni de crin de cheval, de radicelles et d'herbes, sur la branche d'un arbre, à une hauteur de 1,50 m à 7,50 m. Oeufs : 3 à 6, bleu clair à taches brunes irrégulières; I : 12 à 14 jours; E : 9 à 12 jours, nidicole; C : 1 ou 2.

Autres comportements : le mâle et la femelle chantent.

Habitat : forêts de feuillus, forêts mixtes d'arbustes et d'arbres.

Voix : chant, suite rapide de sifflements mélodieux, «un merle pressé»; appel, crissement distinctif, comme une espadrille sur le plancher d'un gymnase.

Protection :
BBS: E ↓ C ↓ CBC: ↑

Guiraca bleu

(Passerin bleu)

Guiraca caerulea

Blue Grosbeak

Mâle

Immature, automne

Femelle

Mâle immature, 1er printemps

Identification : 18 cm. MÂLE : **entièrement bleu foncé sauf 2 barres alaires brun-roussâtre,** la barre supérieure plus large; gros bec argenté; plumes noires autour de la naissance du bec. FEMELLE : **brun uni dans l'ensemble; queue et ailes foncées; 2 barres alaires brun-chamois; gros bec conique gris.** IMM. : en automne, le mâle et la femelle ressemblent à la femelle adulte, mais ils sont parfois plus brun-roussâtre. Au printemps, chez le mâle, quelques taches bleues apparaissent sur les plumes du corps. Garde son plumage imm. 1 an.

Alimentation : se nourrit sur le sol, sautille çà et là à la recherche d'insectes; ramasse également sa nourriture dans le feuillage. Mange des araignées, des graines et des fruits sauvages.

Nidification : nid fait de radicelles, d'herbes, de brindilles, de mues de serpents, de coton et de lambeaux d'écorce, garni de radicelles, d'herbes et de vrilles, dans un arbuste, l'enchevêtrement d'une vigne ou un arbre, de 90 cm à 3,50 m au-dessus du sol. Oeufs : 2 à 5, bleu clair; I : 11 ou 12 jours; E : 9 à 13 jours, nidicole; C : 2.

Autres comportements : souvent, lorsqu'il est nerveux, agite et déploie rapidement la queue. En migration, s'observe en compagnie de passerins.

Habitat : zones dégagées avec quelques arbustes comme les bords de routes, les haies, les terres agricoles et les prairies.

Voix : chant, gazouillis mélodieux; appel, un *tchink* énergique

Protection :
BBS: E ↑ C ↓ CBC: ↓

Passerin indigo

Passerina cyanea Indigo Bunting

Mâle, été

Femelle

Mâle immature, 1er printemps

Identification : 14 cm. ÉTÉ - **MÂLE : entièrement bleu foncé; bec conique gris foncé.** FEMELLE : **brun uni, faibles barres alaires et rayures peu visibles; bec conique, court et gris.** Garde le même plumage toute l'année. HIVER - **MÂLE : brunâtre, un peu de bleu sur le dessous, les ailes et le croupion.** IMM. : femelle comme la femelle adulte. Mâle comme la femelle adulte pendant tout l'hiver, puis mélange de plumes brunes et bleues sur le corps. Garde son plumage imm. 1 an.

Alimentation : se nourrit au sol et dans le feuillage bas où il cherche des insectes, des graines de mauvaises herbes, des baies sauvages et des céréales.

Nidification : nid fait de feuilles mortes, d'herbes et de tiges de mauvaises herbes, garni d'herbes plus fines et de matériaux duveteux, dans la fourche d'une branche, dans un arbuste, un enchevêtrement ou un arbre, à une hauteur de 60 cm à 3 m. Oeufs : 2 à 6, blancs; I : 12 jours; E : 10 à 12 jours, nidicole; C : 1 ou 2.

Autres comportements : le mâle est facile à observer lorsqu'il chante au sommet des arbres ou des arbustes. La femelle est parfois très furtive. Les deux émettent leur appel (*spit*), agitent la queue et hésitent à s'approcher du nid si on est trop près de celui-ci. S'hybride parfois avec le P. azuré.

Habitat : buissons et arbres bas près de zones dégagées comme les champs envahis par la végétation.

Voix : suite courte et rapide de sifflements, souvent doubles (*tsî tsî tiou tiou tîr tîr*); appel, un *spit* court.

Protection :
BBS: E ↓ C ↓ CBC: ⇓

Passerin varié

(Passerin à calotte rouge)

Passerina versicolor

Varied Bunting

Mâle

Femelle

Identification : 13 cm. **MÂLE : face bleu foncé; nuque brun-roussâtre; croupion bleu;** le reste du corps paraît noir dans la plupart des conditions d'éclairage, bien qu'il y ait des teintes de bleu et de violet. **FEMELLE : mandibule supérieure, dessus fortement courbé; dessus olive-grisâtre terne; dessous brun-gris; croupion gris-bleuâtre; 2 étroites barres alaires chamois. IMM. :** ressemble à la femelle adulte. Garde son plumage imm. 1 an.

Alimentation : se nourrit au sol et bas dans le feuillage. Mange des insectes et des graines.

Nidification : nid fait de tiges, d'herbes sèches, de papier et parfois d'une mue de serpent, garni d'herbes fines, de radicelles et de poils, bas dans le feuillage d'un buisson, dans un enchevêtrement ou un arbre, à une hauteur de 60 cm à 3 m. Oeufs : 3 à 5, bleu clair; I : 12 jours; E : ?, nidicole; C : ?

Autres comportements : d'autres études seront nécessaires sur la biologie de la nidification.

Habitat : zones arides à buissons épineux, comme près des cours d'eau temporaires.

Voix : chant, court gazouillis; appel, *tsink*.

Protection :
BBS: E C ⇑

Passerin nonpareil

Passerina ciris

Painted Bunting

Mâle

Femelle

Mâle immature, 1er printemps

Identification : 14 cm. MÂLE : couleurs éclatantes, **tête bleue, dessous rouge, dos et ailes vert clair. FEMELLE : teinte très unie; dessus vert feuille, dessous vert plus clair; bec conique gris. IMM. :** mâle en hiver, comme la femelle adulte; au printemps, il peut apparaître quelques plumes bleues et rouges. Femelle imm. comme la femelle adulte. Garde son plumage imm. 1 an.

Alimentation : au sol et dans le feuillage bas, se nourrit de graines d'herbes et d'insectes. Fréquente parfois les mangeoires où il recherche des graines de tournesol et d'autres mélanges de graines.

Nidification : nid fait de tiges d'herbacées, d'herbes et de feuilles, garni de poils, d'herbes fines, de radicelles et occasionnellement de morceaux de mue de serpent, dans le feuillage bas d'un arbre ou d'un arbuste, de 90 cm à 7,50 m au-dessus du sol. Oeufs : 3 à 5, blanc bleuté clair ou blanc-gris à mouchetures brunes; I : 11 ou 12 jours; E : 12 à 14 jours, nidicole; C : 2 à 4.

Autres comportements : les mâles sont parfois polygynes.

Habitat : buissons, coupes à blanc, mesquites, pâturages et taillis.

Voix : chant, gazouillis mélodieux; appel, *tchit* court.

Protection :
BBS: E ⇓ C ⇓ CBC: ⇓

Dickcissel d'Amérique

(Dickcissel)

Spiza americana

Dickcissel

Mâle, été

Femelle, été

Immature

Identification : 16 cm. ÉTÉ - MÂLE : **poitrine jaune et bavette triangulaire noire; sourcil jaune; épaule brun-roussâtre.** FEMELLE : **semblable au mâle, mais sans bavette noire.** Garde le même plumage toute l'année. **HIVER - MÂLE :** comme en été, mais sur la poitrine, les pointes jaunes des plumes couvrent une bonne partie de la bavette noire. **IMM. :** fines rayures sur la poitrine, peu ou pas de jaune; calotte brune à fines rayures foncées; ligne foncée partant de la racine du bec. Garde son plumage imm. jusqu'au printemps.

Alimentation : cherche sa nourriture au sol, mange des insectes et toutes sortes de graines de mauvaises herbes ainsi que des céréales.

Nidification : nid fait de tiges de mauvaises herbes, d'herbes, de feuilles et occasionnellement d'une tige de maïs, garni de radicelles, d'herbes fines et de poils, dans un arbre ou une haie, à une hauteur de 60 cm à 4 m. Oeufs : 2 à 6, bleu clair; I : 12 ou 13 jours; E : 7 à 10 jours, nidicole; C : 1.

Autres comportements : en migration et en hiver, s'observe en bandes. Pendant la saison de nidification, de nombreux nids sont détruits par les faucheuses; de plus, les nids de D. d'Amérique sont souvent parasités par le Vacher à tête brune. Chante continuellement pendant la nidification.

Habitat : prairies, champs avec des mauvaises herbes, champs de céréales.

Voix : chant, 2 notes courtes suivies de notes bourdonnantes, *tit tit trut trut trut* («dick-dick, dickcissel»); appel, un *zzzt* court.

Protection :
BBS: E ⇓ C ↓ CBC: ↓

Tohi olive

Arremonops rufivirgatus — Olive Sparrow

Identification : 14 cm. Limité au sud du Texas. **Dessus olive terne; 2 rayures brunes sur la calotte; fin bandeau brun; plumes des ailes et de la queue liserées de jaunâtre;** dessous blanc-grisâtre clair.

Alimentation : se nourrit dans les sous-bois, sur le sol qu'il gratte pour chercher des insectes et des graines.

Nidification : nid recouvert d'un dôme, fait d'herbacées sèches, d'herbes, de paille, de tiges de mauvaises herbes, de brindilles et de feuilles, garni de poils, de d'autres matériaux fins, dans le feuillage dense d'un buisson ou d'un cactus, de 60 cm à 1,50 m au-dessus du sol. Oeufs : 2 à 5, blancs; I : ?; E : ?, nidicole; C : 2.

Autres comportements : sa biologie est très peu connue. D'autres études sont nécessaires.

Habitat : sous-bois des forêts subtropicales denses, buissons épais.

Voix : chant, suite de *tchip* s'accélérant vers la fin; appel, un *tchip* court.

Protection :
BBS: E C ⇑ CBC: ↓

Tohi à queue verte

Pipilo chlorurus

Green-tailed Towhee

3 mai 1999

Identification : 16 cm. **Face grise; calotte brun-roussâtre; menton blanc;** ailes, queue et dos verdâtre uni.

Alimentation : se nourrit sous les broussailles en grattant le sol. Mange des graines de mauvaises herbes, des baies sauvages et des insectes; fréquente parfois les mangeoires où il recherche les graines.

Nidification : nid fait de brindilles, d'herbes, d'écorce et de tiges, garni de crins de cheval, de radicelles et de fines tiges, sur le sol ou à faible hauteur, sous les broussailles. Oeufs : 2 à 5, blancs à taches nombreuses; I : ?; E : ?, nidicole; C : 2.

Autres comportements : le chant peut comporter des passages du chant d'autres oiseaux. Pendant la nidification, lorsqu'il est inquiet, court la queue dressée en l'air pour attirer l'attention sur lui et éloigner l'intrus du nid.

Habitat : broussailles denses, chaparral, pentes, armoises, manzanitas. L'été, montagnes; l'hiver, basses terres et piémonts.

Voix : chant, 2 ou 3 sifflements suivis d'un trille enroué, *ouîtîr tchurrr*; appel, un miaulement;

Protection :
BBS: E C ↓ CBC: →

Tohi à flancs roux

Pipilo erythrophthalmus

Eastern Towhee

Mâle

Femelle

Identification : 20 cm. **Capuchon et dos foncés contrastant avec les flancs brun-roussâtre et le ventre blanc. MÂLE : dessus noir. FEMELLE : dessous brun-roussâtre dans l'Est, brun foncé dans l'Ouest.** ➤En Floride, forme à yeux blancs.

Alimentation : sautille à reculons en remuant les feuilles mortes. Mange des insectes, araignées, lézards, serpents, graines de diverses herbes et baies sauvages. Fréquente les mangeoires où il recherche les graines sur le sol.

Nidification : nid fait de feuilles, de lambeaux d'écorce et d'herbes, garni d'herbes fines, sur le sol ou à faible hauteur, dans une dépression creusée sous les broussailles. Oeufs : 2 à 6, crème à mouchetures brunes; I : 12 ou 13 jours; E : 10 à 12 jours, nidicole; C : 1 à 3.

Autres comportements : le cri distinctif, *tcheouînk* ou *tcheouî*, émis par les deux sexes, est un bon indice de la présence de l'espèce. Au printemps, le mâle chante continuellement et donne la réplique aux mâles du voisinage. Il courtise la femelle par le chant et en exécutant une parade pendant laquelle il étale les ailes et la queue. Pendant la ponte et l'incubation, le mâle s'approche rarement du nid et la femelle est très furtive. Les deux parents nourrissent les jeunes.

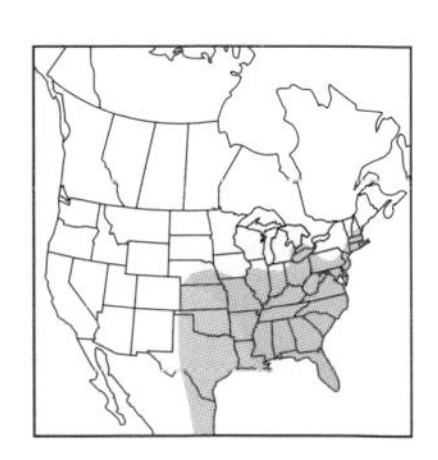

Habitat : lisières d'arbustes ou forêts ouvertes avec un sous-bois de broussailles.

Voix : chant, 2 sifflements suivis d'un trille aigu, *tîk u tîîîî*; appel :, *tcheouînk* ou *tcheouî*.

Protection :
BBS: E ⇓ C ↓

Introduction

Les bruants sont un groupe de petits oiseaux généralement rayés de brun qu'on aperçoit souvent dans les endroits herbeux, buissonneux ou envahis par les mauvaises herbes. Pour certains observateurs, ils peuvent paraître tous semblables et difficiles à identifier, mais il est quand même possible de les distinguer les uns des autres.

Commencez par apprendre les espèces les plus communes qui figurent sur ces pages. Cela vous permettra d'identifier la plupart des bruants que vous verrez et vous aurez ainsi un point de départ pour apprendre à reconnaître les autres. Pour en savoir plus sur ces espèces communes, voyez les pages où elles sont décrites.

Pour l'identification, il peut être utile de bien connaître quelques caractères évidents qui sont restreints à quelques espèces, c'est-à-dire la présence d'un point sur la poitrine (sur fond uni ou rayé), de cercles oculaires et de blanc sur les rectrices externes (qu'on peut voir sur l'oiseau en vol).

Bruants avec point sur la poitrine

- **Toujours sur poitrine rayée :**
  Bruant fauve, p. 423
  Bruant chanteur, p. 424
- **Parfois sur poitrine rayée :**
  Bruant vespéral, p. 413
  Bruant des prés, p. 417
- **Toujours sur poitrine unie :**
  Bruant hudsonien, p. 409
  Bruant à joues marron, p. 414

Bruants à cercle oculaire blanc :

Bruant à calotte fauve, p. 408
Bruant des champs, p. 412
Bruant vespéral, p. 413
Bruant sauterelle, p. 418

Bruants avec du blanc sur les rectrices externes :

Bruant de Cassin, p. 407
Bruant vespéral, p. 413
Bruant à joues marron, p. 414
Junco ardoisé, p. 430

Autres oiseaux communs qui ressemblent à des bruants

Plusieurs oiseaux fréquemment observés ressemblent à des bruants mais ne leur sont pas apparentés. Le plus commun est le Moineau domestique qui vit dans les villes, dans les banlieues et aux abords des fermes. C'est un membre de la famille des tisserins.

C'est également le cas de la femelle du Roselin familier. Le fait qu'elle soit souvent en compagnie du mâle qui a du rouge sur la tête, la poitrine et le croupion peut aider à son identification. Les deux espèces fréquentent les mangeoires.

Moineau domestique, p. 460

Roselin familier, p. 453

BRUANTS OBSERVÉS LE PLUS SOUVENT

Trois de ces espèces, le Junco ardoisé, le Bruant à gorge blanche et le Bruant hudsonien, nichent dans le Nord ou à haute altitude et la plupart des observateurs ne les aperçoivent qu'en hiver, souvent aux mangeoires. Les deux autres, c'est-à-dire le Bruant chanteur et le Bruant familier, sont communs dans la plupart des régions en été, mais ils peuvent migrer vers le sud pour l'hiver. Ils fréquentent également les mangeoires.

Bruant des pinèdes

Aimophila aestivalis Backman's Sparrow

Identification : 14 cm. **Gros bec gris; front plat; fine ligne foncée derrière l'oeil; poitrine gris-chamois, non rayée; grosses rayures brun-roussâtre sur le dos.** Variations entre les sous-espèces : brun-roussâtre dans la partie ouest de l'aire de distribution, brun-grisâtre dans la partie sud. **Discret; pour le localiser et l'identifier, le chant est le meilleur indice.** Voir la voix.

Alimentation : se nourrit au sol de graines de mauvaises herbes et d'insectes.

Nidification : nid en forme de coupe ou recouvert d'un dôme, fait d'herbes, garni de poils et d'autres matériaux fins, au sol parmi les herbes. Oeufs : 3 à 5, blancs; I : 12 à 14 jours; E : 10 à 11 jours, nidicole; C : 1 ou 2.

Autres comportements : on a observé des adultes qui, lorsqu'ils étaient dérangés au nid, exécutaient une parade de diversion, c'est-à-dire qu'ils s'éloignaient tout en faisant semblant d'être blessés. Le mâle a un beau chant qu'on entend pendant une bonne partie de l'été. Lorsqu'il chante, se perche parfois au-dessus des arbres ou des buissons, ou bien se cache dans les branches basses.

Habitat : forêts ouvertes de pins ou de chênes, champs de broussailles.

Voix : chant, sifflement clair suivi d'un trille doux; appel, sifflement.

Protection :
BBS: E ⇓ C ↓ CBC: ↓
Déclin dû à la disparition des vieilles forêts de pins suite aux aménagements et à la coupe forestière. Diminution de l'aire de distribution.

Bruant de Botteri
Aimophila botterii

Botteri's Sparrow

Bruant de Cassin
Aimophila cassinii

Cassin's Sparrow

Bruant de Botteri

Bruant de Cassin

Identification : B. de Botteri 15 cm, B. de Cassin 14 cm. Les 2 : tête plate, longue queue arrondie. B. DE B. : **poitrine chamois clair; dos brun-roussâtre** (plus gris dans le sud du Texas) **à rayures noires.** Contrairement au B. de C., pas de barres alaires ni de coins blancs à la queue, flancs non rayés. **Chant, le meilleur indice de sa présence.** Voir la voix. B. DE C. : **poitrine pâle; dos gris à marques noires; fines rayures sur les flancs; plumage frais (de l'automne au printemps), barres alaires blanchâtres.** Au vol, **coins de la queue blancs.** Chant différent.

Alimentation : les 2, au sol, insectes et graines de mauvaises herbes. Le B. de Cassin mange parfois des fleurs.

Nidification : B. de Cassin - nid en forme de coupe, fait d'herbes, garni de radicelles et de poils, au sol ou jusqu'à une hauteur de 30 cm dans un arbuste ou un cactus. Oeufs : 3 à 5, blancs; I : ?; E : ?, nidicole; C : ?
B. de Botteri - D'autres études devront porter sur la biologie de la reproduction.

Autres comportements : les 2 volent brièvement au-dessus des herbes, puis se laissent tomber. Le B. de C. chante en vol tout en s'élevant, puis redescend. Parade nuptiale : poursuites et appel (*tsîî tsîî*). Discrets en dehors de la période d'accouplement.

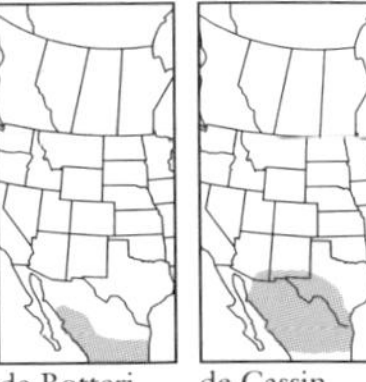
de Botteri de Cassin

Habitat : zones d'herbes hautes et d'arbustes.

Voix : chant, B. de B., notes accélérées (*tsp tsp tsptsp tststs*). B. de C., court trille avec 1 ou 2 courtes notes au début et à la fin, (*tup tup trrrrr tiou tiou*).

Protection :
B. de Botteri : TENDANCE INCONNUE.
B. de Cassin : BBS: E C ⇓ CBC: ↑

Bruant à calotte fauve

(Bruant à couronne fauve)

Aimophila ruficeps

Rufous-crowned Sparrow

Identification : 14 cm. **poitrine gris clair; gorge blanchâtre; face grise; fin trait roux passant par l'oeil; calotte rousse. Bande malaire sombre; fin trait commençant derrière l'oeil; cercle oculaire blanchâtre très visible.**

Alimentation : sur le sol, mange des insectes et des graines.

Nidification : nid en forme de coupe, fait d'herbes, de brindilles et d'écorce, garni de poils et d'herbes fines, au sol ou dans un arbre ou arbuste, à une hauteur de 30 cm à 1 m. Oeufs : 3 ou 4, blancs; I : ? : E : ?, nidicole; C : 1 ou 2.

Autres comportements : pour établir leur territoire, les mâles chantent au sommet des petits arbustes. Souvent, plusieurs couples occupent le même secteur. Habituellement craintif et discret.

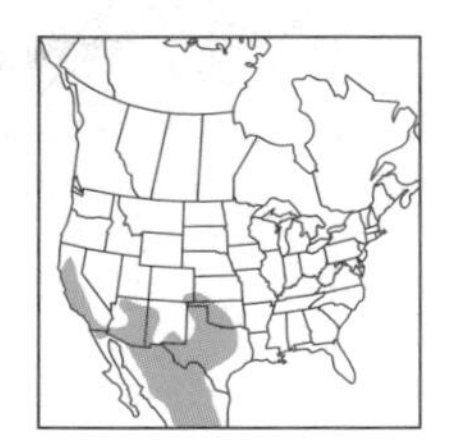

Habitat : pentes sèches rocailleuses ou herbeuses.

Voix : chant, ensemble confus de notes; appel, *dîîr*.

Protection :
BBS: E C ⇓ CBC: ↑

Bruant hudsonien

Spizella arborea

American Tree Sparrow

Identification : 15 cm. **Poitrine gris clair à point central noir; face grise;** fin bandeau roux; **calotte rousse; barres alaires blanches; bec à 2 teintes :** mandibule supérieure foncée, mandibule inférieure jaune. En hiver, les bordures grises des plumes de la calotte rendent la couleur rousse un peu plus difficile à voir.

Alimentation : se nourrit surtout au sol, mange des graines de mauvaises herbes, mais aussi parfois les graines des arbustes et des arbres. Aux mangeoires, recherche les graines répandues au sol ou sur un plateau.

Nidification : nid en forme de coupe, fait d'herbes et de lambeaux d'écorce, garni de matériaux plus fins, au sol ou dans un arbuste à une hauteur de 30 cm. Oeufs : 3 à 5, verdâtre pâle ou blanc bleuté; I : 12 ou 13 jours; E : 9 ou 10 jours, nidicole; C : 1.

Autres comportements : le plus souvent aperçu en hiver; les individus migrent alors vers le sud et se nourrissent en petites troupes. Les femelles hivernent généralement plus loin au sud que les mâles. Les troupes de 30 à 50 individus restent sur un territoire relativement fixe; elles se dispersent en groupes plus petits à l'intérieur de ce secteur.

Habitat : l'été, régions buissonneuses subarctiques; l'hiver, champs envahis par les mauvaises herbes, lisières broussailleuses, forêts ouvertes et jardins.

Voix : en hiver, son émis le plus souvent, un appel de 3 notes, *tsi du lît*.

Protection :
BBS: E ⇓ C CBC: ⇓

Bruant familier

Spizella passerina

Chipping Sparrow

Été

Hiver

Juvénile

Identification : 14 cm. ÉTÉ : **poitrine gris clair; calotte roux vif; sourcil blanchâtre, bandeau noir net;** bec noir. HIVER : **tête plus chamois et de teinte moins vive; calotte brune à fines rayures noires; sourcil chamois; bandeau indistinct;** bec grisâtre, croupion gris. JUV. : fines rayures sur la poitrine; fines rayures sur la calotte; face chamois. Chez les oiseaux de la dernière couvée, la mue précédant le plumage adulte d'hiver peut s'interrompre partiellement, d'où l'existence d'intermédiaires entre les plumages de juvénile et d'adulte d'hiver.

Alimentation : mange des insectes et des graines sur le sol. Attrape parfois des insectes au vol. Fréquente quelquefois les mangeoires.

Nidification : nid en forme de coupe, fait d'herbes, sur une branche d'arbre à une hauteur de 90 cm à 3 m. Oeufs : 3 ou 4, bleu clair à éclaboussures foncées; I : 11 ou 12 jours; E : 7 à 10 jours, nidicole; C : 2.

Autres comportements : le mâle arrive le premier sur le territoire et chante sur un perchoir bien exposé. Le territoire mesure environ 25 000 m^2. Dès l'arrivée de la femelle, on observe souvent l'accouplement; on peut également voir la femelle construire le nid pendant que le mâle la suit dans ses déplacements.

Habitat : endroits herbeux, forêts ouvertes, pelouses, parcs.

Voix : chant, trille continu et rapide, durant 2 ou 3 secondes.

Protection :
BBS: E ↑ C ↑ CBC: ↑

Bruant des plaines

Spizella pallida — Clay-colored Sparrow

Identification : 14 cm. **Poitrine gris clair; calotte brune à fines rayures noires et à bande centrale blanchâtre; sourcil blanchâtre; sur la joue, tache chamois bordée de noir au-dessus et au-dessous; collier gris;** longue queue échancrée; moustache foncée et bande malaire plus pâle; croupion chamois non rayé. **IMM. :** comme l'adulte, mais sourcil chamois et bande chamois traversant la poitrine. Garde son plumage imm. tout l'hiver.

Alimentation : se nourrit surtout au sol de graines de mauvaises herbes, d'insectes et de quelques fleurs.

Nidification : nid en forme de coupe, fait d'herbes et de tiges de mauvaises herbes, garni d'herbes plus fines et de poils, sur le sol ou dans un arbuste jusqu'à une hauteur de 1,50 m. Oeufs : 3 à 5, bleu-vert à taches foncées; I : 11 à 14 jours; E : 7 à 9 jours, nidicole; C : 1 ou 2.

Autres comportements : les mâles revendiquent un territoire d'un peu moins d'un demi-hectare en chantant sur un perchoir bien en vue. Étend son aire de distribution vers l'est.

Habitat : passe l'été dans les endroits dégagés avec des broussailles, souvent près de l'eau. En hiver, également dans les champs envahis par les mauvaises herbes.

Voix : chant relativement lent, de 2 à 5 bourdonnements.

Protection :
BBS: E ↓ C ↓ CBC: ⇓

Bruant des champs

Spizella pusilla

Field Sparrow

Identification : 14 cm. **poitrine chamois pâle à gris clair; bec rose vif; couronne rousse; cercle oculaire blanc très visible;** face grisâtre, bandeau roux et, sur l'oreille, tache rousse de taille variable.

Alimentation : se nourrit au sol, surtout d'insectes en été et de graines de mauvaises herbes le reste de l'année. Fréquente parfois les mangeoires où l'on a répandu des graines sur le sol.

Nidification : nid en forme de coupe, fait d'herbes, sur le sol ou jusqu'à une hauteur de 1,50 m dans un arbrisseau ou un petit arbre. Oeufs : 3 ou 4, bleu pâle à taches foncées; I : 10 ou 11 jours; E : 8 jours, nidicole; C : 1 à 3.

Autres comportements : chaque mâle produit un chant distinct qui ne varie pas. Dans un champ où il y a plusieurs mâles, on peut donc reconnaître les individus et observer comment ils délimitent leurs territoires en émettant leur chant à partir de plusieurs perchoirs bien en vue. Les territoires sont d'environ 10 000 à 30 000 m^2. Dès que les femelles arrivent, on remarque que les mâles chantent soudain beaucoup moins. Observer la femelle qui construit son nid. Il est fréquent que les nids soient détruits par des tempêtes ou des prédateurs mais dans ce cas, généralement, les oiseaux nichent de nouveau dans le même secteur.

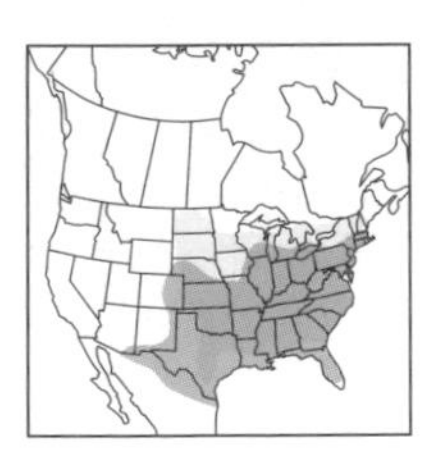

Habitat : endroits dégagés avec des arbustes et de petits arbres dispersés.

Voix : chant, suite de sifflements descendants qui s'accélèrent peu à peu comme une balle qui rebondit; appels, un *tchip* et un trille.

Protection :
BBS: E ⇓ C ⇓ CBC: ⇓

Bruant vespéral

Pooecetes gramineus Vesper Sparrow

Identification : 15 cm. **Poitrine finement rayée en général sans point central; cercle oculaire blanc; à l'épaule, petite tache marron** pas toujours visible; queue de longueur moyenne, échancrée. **AU VOL : remarquer les rectrices externes blanches.**

Alimentation : se nourrit au sol d'insectes, de graines de mauvaises herbes et de céréales.

Nidification : nid en forme de coupe, fait d'herbes et de radicelles, au sol dans une légère dépression. Oeufs : 3 à 5, crème à blanc-verdâtre à taches plus foncées; I : 11 à 13 jours; E : 7 à 12 jours, nidicole; C : 2.

Autres comportements : le mâle chante à partir des perchoirs les plus élevés de son territoire (piquets de clôture, arbustes ou branches d'arbres); chante souvent au crépuscule. Pendant la parade nuptiale, le mâle chante parfois en volant au-dessus de son territoire, qui mesure de 5 000 m^2 à 10 000 m^2. On le voit souvent prendre des bains de poussière.

Habitat : champs secs à végétation clairsemée, occasionnellement sur les rivages herbeux, dans les armoises, les clairières des forêts et les champs.

Voix : chant, 2 paires de sifflements liés, la deuxième paire étant plus aiguë, puis trilles.

Protection :
BBS: E ⇓ C ↑ CBC: ↓

Bruant à joues marron

Chondestes grammacus — Lark Sparrow

Identification : 16 cm. Se reconnaît facilement au **motif brun-roux très voyant formé par les rayures de la calotte et la tache sur la joue; poitrine gris clair avec un point central. AU VOL : remarquer la longue queue arrondie à coins blancs. JUV. :** garde parfois son plumage juvénile une partie de l'automne. Les motifs de la face et de la queue ressemblent à ceux de l'adulte, mais la poitrine et la calotte sont rayées.

Alimentation : mange au sol, surtout des graines de mauvaises herbes et quelques insectes. On l'observe parfois qui se nourrit en petites troupes en été et en grandes troupes en hiver.

Nidification : nid en forme de coupe, fait d'herbes, garni d'herbes plus fines et de radicelles, habituellement au sol. Oeufs : 4 ou 5, blancs à taches foncées; I : 11 ou 12 jours; E : 9 ou 10 jours, nidicole; C : 1.

Autres comportements : les mâles défendent les abords immédiats du nid mais quittent leur territoire pour aller se nourrir avec d'autres B. à joues marron. Pendant la parade nuptiale, le mâle se pavane près de la femelle en agitant ses ailes à demi-ouvertes et en pointant le bec vers le haut. Peut chanter au sol, sur un perchoir ou en vol. Chante aussi la nuit.

Habitat : forêts ouvertes, terres agricoles, bords des routes, quartiers résidentiels dégagés.

Voix : chant compliqué comportant des trilles, des notes claires et des bourdonnements; appel, un *tsip* sec, parfois émis en série.

Protection :
BBS: E ⇓ C ⇓ CBC: ⇓

Bruant à gorge noire

Amphispiza bilineata — Black-throated Sparrow

Adulte

Immature

Identification : 13 cm. **Gorge et poitrine noires; tache noire sur l'oreille et calotte noire; sourcil et bande submoustachiale blanc vif. AU VOL : remarquer la queue noire à rectrices externes blanches. IMM. :** comme l'adulte, mais gorge et menton blancs; haut de la poitrine finement rayé de noir. Garde son plumage imm. 1 an.

Alimentation : se nourrit surtout au sol d'insectes, de graines de diverses herbes et un peu des parties vertes des plantes.

Nidification : nid lâche en forme de coupe, fait d'herbes et de tiges de mauvaises herbes, garni de poils, à une hauteur de 30 cm à 90 cm dans un arbuste ou un cactus. Oeufs : 3 ou 4, blanc bleuté pâle; I : ?; E : ?, nidicole; C : ?

Autres comportements : les mâles défendent leur territoire contre les B. de Bell et les autres B. à gorge noire. Après la nidification et pendant tout l'hiver, les B. à gorge noire s'observent en petites troupes de 5 à 20 individus qui se nourrissent parfois en compagnie d'autres espèces de bruants (B. de Brewer, B. familier, B. de Bell et B. à couronne blanche).

Habitat : régions arides et semi-arides avec des armoises, des cactus, des *Larrea* ou des mesquites.

Voix : chant variable, mais souvent quelques sifflements clairs suivis de trilles.

Protection :
BBS: E C ⇓ CBC: ↓

Bruant noir et blanc

Calamospiza melanocorys Lark Bunting

Mâle, été

Mâle, hiver

Femelle

Identification : 18 cm. ÉTÉ - MÂLE : **entièrement noir sauf la grande tache blanche sur l'aile;** bec conique gris-bleu. FEMELLE : **poitrine rayée de brun; bec conique gris-bleu; longue tache blanche sur l'aile brune.** En hiver, plumage semblable. HIVER - MÂLE : **ressemble à la femelle en été, mais menton noir et ailes noires à tache blanche.** AU VOL : **grandes taches blanches très visibles sur les ailes.**

Alimentation : se nourrit au sol de graines et d'insectes.

Nidification : nid lâche en forme de coupe, fait d'herbes et de tiges de mauvaises herbes, garni de duvet, au sol près d'une touffe d'herbe. Oeufs : 3 à 6, vert bleuté pâle à taches foncées; I : 12 jours; E : 8 ou 9 jours, nidicole; C : 1 ou 2.

Autres comportements : pendant la parade aérienne qu'il exécute au-dessus de son territoire, le mâle chante et s'élève à une hauteur de 6 à 12 m, décrit des cercles et redescend lentement. Les territoires sont petits et on peut observer de nombreux mâles qui effectuent leur parade aérienne simultanément assez près les uns des autres. Pendant la migration, ces oiseaux forment de grandes troupes qui atteignent leur aire d'hivernage à la fin de l'été. Au nord et à l'est, l'aire de distribution de cette espèce a diminué suite à la disparition de la prairie qui constitue son habitat.

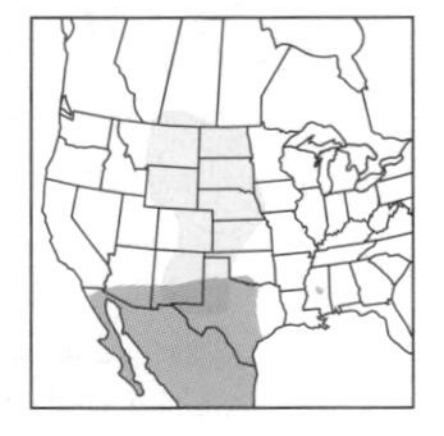

Habitat : prairies, zones de végétation clairsemée avec quelques arbustes, pâturages, champs labourés.

Voix : chant, mélange de trilles et de sifflements; appel, un *touhîî* sifflé.

Protection :
BBS: E C ↓ CBC: ⇓

Bruant des prés

Passerculus sandwichensis Savannah Sparrow

Bruant «d'Ipswich»

Identification : 14 cm. **Poitrine rayée; sourcil jaunâtre variable; fine rayure centrale blanche sur la calotte brune; courte queue échancrée.** Sur la poitrine, les rayures forment parois un point central. ➤Variations régionales. *P. s. princeps* (Bruant «d'Ipswich»), du Nord-Est, est l'un des plus pâles.

Alimentation : se nourrit au sol, surtout de graines mais aussi d'insectes, d'araignées et d'escargots en été. Saute parfois en arrière pour chercher à manger parmi les débris qui jonchent le sol.

Nidification : petit nid en forme de coupe, fait d'herbes et de mousse, garni de poils et d'herbes plus fines, au sol. Oeufs : 4 ou 5, vert bleuté ou blancs à taches foncées; I : 12 jours; E : 14 jours, nidicole; C : 1 ou 2.

Autres comportements : les mâles peuvent avoir plusieurs femelles. Celles-ci pondent aussi parfois leurs oeufs dans les nids d'autres couples. Pour échapper au danger, ce bruant court sur le sol comme un petit mulot; lorsqu'il vole, reste près du sommet des herbes.

Habitat : divers milieux humides à herbes hautes : prairies, plages, rives de lacs et de rivières; en hiver, habitats variés.

Voix : chant, plusieurs notes courtes suivies de 2 trilles aigus, bourdonnants et rapides, le second plus grave que le premier (*tic tic tic trîîî trûûû*).

Protection :
BBS: E ↓ C ↓ CBC: ↓

Bruant sauterelle

Ammodramus savannarum Grasshopper Sparrow

Identification : 13 cm. **Poitrine et flancs chamois clair; calotte brune avec une fine rayure centrale blanchâtre; cercle oculaire blanchâtre; habituellement, tache jaune orangé devant d'oeil.** Variations régionales; sous-espèce la plus foncée en Floride.

Alimentation : mange beaucoup d'insectes, dont des sauterelles. Consomme également des graines d'herbes diverses.

Nidification : nid en forme de coupe, légèrement recouvert, fait d'herbes, garni de poils, au sol au pied d'une touffe d'herbe. Oeufs : 4 ou 5, blanc crème à mouchetures noires; I : 11 ou 12 jours; E : 9 jours, nidicole; C : 2.

Autres comportements : chercher le mâle qui chante au sommet des herbes ou sur un piquet de clôture. Il peut chanter le jour ou la nuit et la femelle lui répond souvent par un trille. Pendant la parade, le mâle poursuit occasionnellement la femelle. Pour nicher, plusieurs couples forment parfois une colonie dispersée.

Habitat : prairies, champs secs envahis par les herbes, anciens pâturages, champs de foin.

Voix : chant, bourdonnement très aigu précédé d'une ou plusieurs notes d'introduction (*tîk ti zzzzzzzzz*).

Protection :
BBS: E ⇓ C ⇓ CBC: ↓
Sous-espèce de Floride (*A. s. floridanus*) menacée d'extinction.

Bruant de Henslow

Ammodramus henslowii Henslow's Sparrow

Identification : 13 cm. **Tête et cou vert olive; ailes brun-roussâtre; collier de fines rayures sur le haut de la poitrine; larges rayures foncées sur le dos.** Tête plate, gros bec et queue courte typiques du genre. Discret, souvent plus facile à localiser par le chant.

Alimentation : se nourrit au sol d'insectes, surtout de petits grillons, aussi de graines de diverses herbes.

Nidification : nid en forme de coupe, garni d'herbes plus fines et de poils, au sol, dans une légère dépression près d'une touffe d'herbe. Oeufs : 3 à 5, crème ou vert clair à taches foncées; I : 11 jours; E : 9 ou 10 jours, nidicole; C : 1 ou 2.

Autres comportements : pour défendre son territoire de 5 000 à 10 000 m^2 le mâle chante sur un perchoir bien en vue. Les couples ont tendance à nicher près les uns des autres dans des colonies éparses.

Habitat : prairies et champs détrempés avec quelques arbustes.

Voix : chant, un *tsiluk* ou *tsitsiluk*.

Protection :
BBS: E ⇓ C ↑ CBC: ↓

Bruant de Le Conte

Ammodramus leconteii — Le Conte's Sparrow

Identification : 13 cm. **Calotte foncée à rayure centrale blanche; nuque grise à rayures brun-roussâtre; haut de la poitrine et flancs chamois; rayure foncées, surtout sur les côtés de la poitrine et les flancs; face, orange à orange-chamois entourant une tache grise sur l'oreille.** Tête plate et queue courte typiques du genre. Les fines rayures présentes sur le haut de la poitrine chez les juvéniles persistent parfois pendant une partie de l'hiver chez les adultes.

Alimentation : se nourrit au sol de graines d'herbes diverses ainsi que d'insectes.

Nidification : nid en forme de coupe, fait d'herbes, au sol ou juste au-dessus. Oeufs : 3 à 5, gris clair à taches plus foncées; I : 12 ou 13 jours; E : 8 à 10 jours, nidicole; C : 2.

Autres comportements : peut chanter le jour ou la nuit. Souvent, pour échapper au danger, court parmi les herbes au lieu de les survoler.

Habitat : marais, prairies humides et champs envahis par les mauvaises herbes.

Voix : chant, bourdonnement aigu accentué au début et à la fin (*tiké tzzzzz tzik*).

Protection :
BBS: E ↑ C ↓ CBC: ↑

Bruant à queue aiguë

Ammodramus caudacutus Salt Marsh Sharp-tailed Sparrow

Bruant de Nelson

Ammodramus nelsonii Nelson's Sharp-tailed Sparrow

Bruant à queue aiguë

Bruant de Nelson

Identification : 13 cm. Les 2 espèces : **dos foncé à rayures blanches; poitrine et flancs chamois, flancs rayés; calotte foncée à bande centrale grise s'élargissant pour former une nuque grise non rayée;** ventre blanc. Tête plate et queue courte typiques du genre. B. À QUEUE AIGUË : **face orange foncé entourant une tache gris foncé sur l'oreille; rayures nettes sur les flancs et la poitrine qui est moins vivement colorée que la face;** menton habituellement blanc. B. DE NELSON : **face chamois vif entourant une tache gris clair diffuse sur l'oreille; rayures floues sur les flancs, poitrine peu ou pas rayée;** menton habituellement chamois clair. Sous-espèce de l'est du Québec et des maritimes (*A. n. subvirgatus*), face et flancs chamois terne, rayures grisâtres sur le dos.

Alimentation : se nourrissent au sol de graines d'herbes diverses ainsi que d'insectes.

Nidification : les 2 espèces, nid tissé lâche fait d'herbes, au sol ou dans les herbes denses. Oeufs : 3 à 7, vert clair à taches foncées; I : 11 jours; E : 10 jours, nidicole; C : 1 ou 2.

Autres comportements : les populations sont menacées par l'assèchement des marais et l'épandage d'insecticides visant à éliminer les moustiques.

à q. aiguë

de Nelson

Habitat : marais d'eau douce et salée, prairies humides, rivages de lacs.

Voix : les 2, chant, trille faible et grinçant précédé d'une note d'introduction douce (*kat tsîîîîî*).

Protection :
B. à queue aiguë :
BBS: E ↓ C
B. de Nelson :
BBS: E C ↑

Bruant maritime

Ammodramus maritimus Seaside Sparrow

Identification : 15 cm. **Bruant grisâtre très foncé; tête gris foncé, trait jaune au-dessus de l'oeil et devant celui-ci; gorge blanche; rayures grises floues sur toute la poitrine.** Bec relativement long.

Alimentation : se nourrit au sol de petits crabes et autres animaux des bords de mer ainsi que d'insectes. Marche même parfois dans l'eau peu profonde.

Nidification : nid en forme de coupe, fait d'herbes, au sol. Oeufs : 3 à 5, blancs à taches foncées; I : 12 ou 13 jours; E : 8 ou 9 jours, nidicole; C : 1 ou 2.

Autres comportements : au début du printemps, chercher le mâle qui chante du haut des herbes ou au vol à une hauteur d'environ 6 m pour revendiquer son territoire. Les mâles reviennent sur le même territoire chaque année et les territoires de plusieurs couples peuvent être regroupés, formant une petite colonie. Les marais côtiers où vit cette espèce constituent un habitat restreint qui est menacé par la construction.

Habitat : marais côtiers.

Voix : chant, plusieurs courtes notes d'introduction douces suivies d'un bourdonnement fort (*kit-ti zîîîîî*); ressemble au chant du Carouge à épaulettes.

Protection :
BBS: E ⇑ C ⇑ CBC: ↑
La sous-espèce de Floride, *A. m. mirabilis*, est menacée d'extinction.

Bruant fauve

Passerella iliaca

Fox Sparrow

Identification : 18 cm. **Gros bruant; tête et dos gris rayés de roux; dessous blanchâtre à grosses rayures brunes ou rousses, point irrégulier au milieu de la poitrine; croupion et queue brun-roussâtre.**

Alimentation : se nourrit au sol de graines, fruits et insectes. Saute souvent en avant et en arrière en ratissant les débris qui sont sur le sol pour trouver la nourriture qui est dessous. Fréquente parfois les mangeoires où des graines ont été répandues au sol.

Nidification : nid en forme de coupe, fait de lichens et de feuilles, garni de poils, de fourrure et de radicelles, au sol sous un petit arbre ou un arbuste. Oeufs : 4 à 6, vert bleuté clair à taches plus foncées; I : 11 à 14 jours; E : 7 à 12 jours, nidicole; C : 1 ou 2.

Autres comportements : les mâles peuvent avoir de 1 à 3 différents chants, ceux-ci étant propres à chaque individu. Les mâles qui ont plusieurs versions les chantent généralement toutes avant de répéter la première.

Habitat : forêts de feuillus ou de conifères, endroits buissonneux, lisières de forêts

Voix : chant, courte suite de sifflements clairs et mélodieux, plus musicaux que chez la plupart des autres bruants.

Protection :
BBS: E ⥣ C CBC: ↓

Bruant chanteur

Melospiza melodia

Song Sparrow

Identification : 15 cm. **Poitrine blanchâtre rayée de brun avec un point central foncé; calotte brun-roussâtre à bande centrale grise; sourcil gris; gorge blanche bordée de marques brunes épaisses partant de la naissance du bec; longue queue arrondie.** ➤Variations régionales, les sous-espèces les plus pâles se trouvant dans le Sud-Ouest et les plus foncées sur la côte ouest.

Alimentation : se nourrit au sol de graines, d'insectes et de quelques fruits. Fréquente parfois les mangeoires où des graines ont été répandues au sol.

Nidification : nid en forme de coupe, fait d'herbes et occasionnellement de feuilles, au sol, dans un arbuste ou dans les mauvaises herbes, à une hauteur de 30 cm à 1,20 m. Oeufs : 3 à 5, blanc-verdâtre à taches foncées; I : 12 ou 13 jours; E : 10 jours, nidicole; C : 2 ou 3.

Autres comportements : les mâles revendiquent un territoire de 2500 à 7500 m^2 en chantant sur des perchoirs bien en vue. Lorsque la femelle arrive sur le territoire, le mâle la poursuit et chante moins. Plus tard, pendant la parade nuptiale, le mâle pique en direction de la femelle qui fait entendre un trille.

Habitat : buissons denses bordant des endroits dégagés comme des champs, pelouses ou ruisseaux.

Voix : chant, quelques notes répétées suivies d'un gazouillis riche et varié; appels, un *tsip* et un *tchimp*.

Protection :
BBS: E ↓ C ↑ CBC: ↓

Bruant de Lincoln

Melospiza lincolnii — Lincoln's Sparrow

Identification : 14 cm. **Haut de la poitrine et flancs teintés de chamois et rayés de noir; ventre blanc uni; calotte brun-roussâtre à fine bande centrale grise;** large sourcil gris; lignes chamois partant de la racine du bec; cercle oculaire chamois distinct.

Alimentation : pour se nourrir, il gratte le sol avec les deux pattes tout en reculant pour chercher des graines et des insectes.

Nidification : nid en forme de coupe, fait d'herbes, garni de poils ou de plumes, au sol, au pied d'une touffe d'herbe ou d'un arbuste. Oeufs : 4 ou 5, vert pâle à taches plus foncées; I : 11 ou 12 jours; E : 9 à 12 jours, nidicole; C : 1 ou 2.

Autres comportements : le mâle chante sur des perchoirs et défend un territoire de 5 000 à 10 000 m^2. La femelle émet parfois un *dzîîdzîîdzîî*, ce qui encourage le mâle à piquer en sa direction et peut mener à l'accouplement. Les mâles effectuent parfois au-dessus de leur territoire une parade aérienne pendant laquelle ils chantent. Généralement discret, surtout sur les sites d'hivernage.

Habitat : l'été, tourbières et prairies humides; l'hiver, champs envahis par les mauvaises herbes et lisières buissonneuses.

Voix : chant, mélange de trilles mélodieux et de notes bourdonnantes; rappelle le chant du Troglodyte familier; appels, un *tchop* et un *zîîî*.

Protection :
BBS: E ↑ C ⇈ CBC: ↓

Bruant des marais

Melospiza georgiana Swamp Sparrow

Hiver

Été

Immature

Identification : 14 cm. **Été : ailes d'un brun-roussâtre riche, sans barres alaires; couronne brun-roussâtre,** parfois avec de fines rayures noires et une fine bande centrale plus claire; **gorge et ventre blancs; poitrine grise**, parfois avec des rayures indistinctes; flancs chamois, nuque et sourcil gris. **Hiver :** comme en été, mais **calotte grossièrement rayée de brun et de noir, avec une rayure centrale grise; flancs chamois brunâtres plus foncés. Imm. :** comme l'adulte en hiver, mais nuque et sourcil chamois (et non gris) et rayures indistinctes sur la poitrine. Garde son plumage imm. jusqu'au printemps.

Alimentation : se nourrit au sol, souvent dans l'eau peu profonde, d'insectes et de graines d'herbes diverses.

Nidification : nid volumineux en forme de coupe, fait d'herbes, dans les quenouilles ou les buissons jusqu'à une hauteur de 60 cm. Oeufs : 4 ou 5, vert pâle à taches foncées; I : 12 à 15 jours; E : 10 à 13 jours, nidicole; C : 1 ou 2.

Autres comportements : les B. des marais mâles peuvent chanter aussi bien la nuit que le jour. De plus, après être restés silencieux pendant quelques semaines à la fin de l'été, ils chantent de nouveau en automne.

Habitat : passe l'été dans les marais d'eau douce, les marécages et les tourbières; passe l'hiver dans les champs détrempés à herbe haute.

Voix : chant, trille mélodieux lent sur le même ton; appel, un *tchip* sec.

Protection :
BBS: E ↑ C ↑ CBC: ↑

Bruant à gorge blanche

Zonotrichia albicollis 

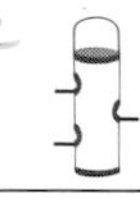

White-throated Sparrow

Forme à sourcils blancs

Forme à sourcils chamois

Identification : 17 cm. **Couronne foncée à bande centrale chamois ou blanche; sourcil blanc ou chamois avec une tache jaune à l'avant; gorge blanche; poitrine grise avec quelques rayures peu marquées.** Il existe deux formes de cette espèce (à sourcils blancs et à sourcils chamois). Chez les femelles, le motif de la tête est parfois moins net, le jaune devant l'oeil plus terne, la gorge plus grise et les rayures de la poitrine plus prononcées. **IMM. :** sur le terrain, impossible à distinguer de la femelle adulte. Garde son plumage imm. tout l'hiver.

Alimentation : se nourrit au sol de graines de mauvaises herbes, de céréales, de fruits et d'insectes. Aux mangeoires, recherche le maïs concassé ainsi que les graines de tournesol et le millet, sur des plateaux ou répandus sur le sol.

Nidification : nid en forme de coupe, fait d'herbes, garni de poils et de radicelles, au sol sous un petit arbre ou un arbuste. Oeufs : 4 à 6, vert bleuté clair à taches foncées; I : 11 à 14 jours; E : 7 à 12 jours, nidicole; C : 1 ou 2.

Autres comportements : dans le couple nicheur, on trouve habituellement un oiseau de chaque forme, c'est-à-dire soit une femelle à sourcils chamois et un mâle à sourcils blancs, soit l'inverse.

Habitat : forêts de conifères et mixtes, endroits buissonneux.

Voix : chant, 2 longs sifflements suivis de 3 ou 4 notes plus aiguës et tremblotantes (*«où es-tu Frédéric, Frédéric, Frédéric?»*); appels, dans une troupe, *tsît*; cri d'alarme, *pink*.

Protection :
BBS: E $\downarrow$ C $\Downarrow$ CBC: $\downarrow$

Bruant à couronne blanche

Zonotrichia leucophrys — White-crowned Sparrow

Z. l. gambelli adulte

Z. l. leucophrys adulte

Immature

Identification : 18 cm. **Sur la tête, rayures noires et blanches très nettes; pas de point jaune devant l'oeil;** bec orange-rose; face et nuque grises; poitrine gris clair, gorge blanchâtre. **Imm. :** le motif de la tête ressemble à celui de l'adulte, mais les raies sont brun-roussâtre et grises et non noires et blanches. Garde son plumage imm. tout l'hiver. ➤Plusieurs sous-espèces : *Z. l. gambelli*, poitrine grise et lores blanchâtres; *Z. l. leucophrys*, lores noirs.

Alimentation : se nourrit au sol, saute en arrière tout en remuant les feuilles mortes avec les deux pattes pour chercher des graines et des insectes. Occasionnellement, attrape les insectes en plein vol. Fréquente les mangeoires où des graines ont été répandues au sol.

Nidification : nid volumineux fait d'herbes, de brindilles et de tiges, garni d'herbes plus fines, de poils et de plumes, au sol ou dans un petit arbre ou arbuste. Oeufs : 3 à 5, vert ou bleu pâle à mouchetures plus foncées; I : 11 à 15 jours; E : 10 jours, nidicole; C : 1 à 4.

Autres comportements : en hiver, s'observe souvent en troupes de 10 à 20 individus qui restent dans le même secteur pendant plusieurs semaines. Niche souvent dans les secteurs résidentiels. A étendu son aire de distribution hivernale à la région nord-est depuis 1950 environ.

Habitat : varié, prairies humides, lisières buissonneuses, boisés, jardins, parcs.

Voix : le chant varie selon les régions. Souvent, sifflements et trille; appels, entre autres, un *pink* sec.

Protection :
BBS: E ⇓ C ↓ CBC: ↓

Bruant à face noire

Zonotrichia querula

Harris' Sparrow

Hiver

Été

Immature

Identification : 19 cm. Le plus gros bruant de nos régions. **ÉTÉ : noir sur la couronne, autour du bec, sur le menton et la gorge; face grise; bec orange rosé; ventre blanc et flancs rayés. HIVER :** comme en été, mais **mouchetures pâles dans le noir de la tête; face brun clair. IMM. :** ressemble à l'adulte en hiver, mais peu ou pas de noir sur la face; mouchetures noires sur la calotte qui est brune; blanc dominant sur le menton et la gorge. Garde son plumage imm. tout l'hiver.

Alimentation : se nourrit au sol surtout de graines d'herbes diverses, de céréales et de petits fruits. Mange également quelques insectes. Aux mangeoires, consomme les graines répandues au sol ou sur un plateau.

Nidification : nid en forme de coupe, fait de mousses, d'herbes et de tiges, garni d'herbes plus fines, dans une dépression du sol. Oeufs : 3 à 5, blanchâtres à taches plus foncées; I : 13 jours; E : ?, nidicole; C : 1.

Autres comportements : niche loin au nord et s'observe surtout en hiver dans les états du centre-sud des États-Unis.

Habitat : passe l'été dans les forêts conifériennes de transition avec la toundra; passe l'hiver dans les lisières de forêts et les taillis de broussailles.

Voix : chant, 3 ou 4 sifflements tremblotants commençant sur une note, puis changeant de ton.

Protection :
CBC: ⇓

Junco ardoisé

Junco hyemalis — Dark-eyed Junco

Race «ardoisée»

Race «à flancs rosés»

Race «à tête noire»

Race «à tête grise»

Identification : 15 cm. En tous plumages : **bec pâle; oeil foncé; ventre blanchâtre; queue foncée à rectrices externes blanches très visibles.** ➤Variations régionales. Race «ardoisée» de l'Est, teinte unie, gris foncé (mâle) ou gris-brunâtre (femelle). Race «à tête noire» de l'Ouest, capuchon noir (mâle) ou gris (femelle), dos brun. Race «à flancs rosés» de l'Ouest, tête grise et flancs rosâtres. Race «à tête grise» du sud des Rocheuses et du Sud-Ouest, gris clair, dos brun-roussâtre. Race «à ailes blanches» des états du centre-nord des États-Unis, beaucoup de blanc sur la queue et habituellement barres alaires blanches.

Alimentation : surtout au sol, mange des graines d'herbes diverses. Aux mangeoires, graines répandues au sol ou sur un plateau.

Nidification : nid en forme de coupe, fait d'herbes, de mousse et d'aiguilles de pin, garni de radicelles, dans une dépression du sol près de plantes hautes. Oeufs : 3 à 6, gris ou bleuâtre pâle à éclaboussures foncées; I : 12 ou 13 jours; E : 9 à 13 jours, nidicole; C : 1 ou 2.

Autres comportements : chaque hiver, les troupes fréquentent les mêmes régions. Elles comportent toujours les mêmes individus et sont hiérarchisées. Les disputes aux mangeoires sont une manifestation des relations hiérarchiques.

Habitat : l'été, forêts, lisières, tourbières et montagnes au-dessus de la ligne des arbres; l'hiver, lisières et broussailles.

Voix : chant, trille court ou suite de trilles sur un ou plusieurs tons; appels, entre autres, ***tsip***, ***zîît*** et ***kiou kiou***.

Protection :
BBS: E ↓ C ⇈ CBC: ↓

Bruant de McCown

(Bruant à collier gris)

Calcarius mccownii

McCown's Longspur

Mâle, été

Femelle, été

Identification : 15 cm. En tous plumages, remarquer **le T formé par les rectrices centrales foncées et la bande foncée du bout de la queue; à l'épaule, tache brun-roussâtre, parfois cachée; gros bec.** L'extrémité des ailes repliées dépasse la mi-longueur de la queue. ÉTÉ - MÂLE : **tête grise; calotte et moustache noires; bavette noire sur le haut de la poitrine.** FEMELLE : **brunâtre, rayures foncées sur la calotte et le dos; parfois, ébauche de bavette noire.** HIVER - MÂLE : **comme la femelle en été, mais plus de noir sur la bavette.** FEMELLE : **comme en été, mais poitrine et ventre pâles.**

Alimentation : se nourrit au sol de graines et d'insectes.

Nidification : nid fait d'herbes, garni d'herbes plus fines, dans une dépression peu profonde, au sol près d'une touffe d'herbe ou une petite plante. Oeufs : 3 à 6, rose pâle ou vert pâle à mouchetures plus foncées; I : 12 jours; E : 12 jours, nidicole; C : 1 ou 2.

Autres comportements : sur son territoire, le mâle exécute une parade aérienne pendant laquelle il chante; il s'élève jusqu'à une hauteur de 10 m et redescend en planant avec les ailes et la queue étalées et les pattes pendantes. En migration et en hiver en grandes troupes.

Habitat : passe l'été dans les plaines à herbe courte; passe l'hiver dans les champs labourés et les lits de lacs asséchés.

Voix : chant, suite de courts gazouillis mélodieux; appel, un *tsîlup tsîlup.*

Protection :
BBS: E C ⇑ CBC: ⇑

Bruant lapon

Calcarius lapponicus Lapland Longspur

Mâle, été

Femelle, été

Femelle, hiver

Identification : 15 cm. Dans nos régions, l'espèce du genre *Calcarius* la plus répandue en hiver. Rectrices externes partiellement blanches; cependant, **en tous plumages, la queue paraît surtout noire, même en vol. ÉTÉ - MÂLE : calotte, face, gorge et bavette noires; nuque brun-roussâtre; bec jaune. FEMELLE : brunâtre; rayures foncées sur la calotte et le dos; collier pâle, rayé et marron; sur l'oreille, tache brune à bordure foncée vers l'arrière; mouchetures noires à l'emplacement de la bavette. HIVER - MÂLE :** comme la femelle en été. **FEMELLE :** comme en été, mais sans le collier marron et le dessin foncé de la bavette; parfois beaucoup de roux sur les ailes.

Alimentation : se nourrit au sol de graines, d'insectes et d'araignées.

Nidification : nid en forme de coupe, fait d'herbes, garni d'herbes plus fines, de poils et de plumes, dans une dépression peu profonde creusée dans le sol par l'oiseau. Oeufs : 3 à 7, vert pâle à chamois, taches foncées; I : 12 ou 13 jours; E : 10 à 12 jours, nidicole; C : 1.

Autres comportements : au-dessus de son territoire, le mâle exécute une parade pendant laquelle il chante.

Habitat : l'été, zones humides et herbeuses de la toundra; l'hiver, zones dégagées et herbeuses, champs labourés, aéroports et parfois plages.

Voix : chant, pendant la parade aérienne, gazouillis riche; appels, *tîkirik tîkirik* sec et *tiou* riche.

Protection :
CBC: ⇑

Bruant de Smith

Calcarius pictus — Smith's Longspur

Mâle, été

Hiver

Identification : 15 cm. **En tous plumages, rectrices externes blanches et pas de bande à l'extrémité de la queue. ÉTÉ - MÂLE : «casque» blanc et noir; gorge, nuque et poitrine orange-chamois. FEMELLE : brunâtre; rayures foncées sur la calotte et le dos; petite tache blanche à l'épaule, parfois cachée. HIVER :** les 2 sexes comme la femelle en été.

Alimentation : se nourrit au sol de graines, d'insectes et d'araignées.

Nidification : nid en forme de coupe, fait d'herbes, garni d'herbes plus fines, de poils et de plumes, dans une dépression peu profonde creusée par l'oiseau dans le sol. Oeufs : 4 à 6, grisâtres à mouchetures foncées; I : 11 ou 12 jours; E : ?, nidicole; C : 1.

Autres comportements : passe souvent l'hiver dans les secteurs bien dégagés à herbe courte comme sur les aéroports et dans les pâturages. Se laisse bien approcher avant de s'envoler. Reste habituellement à l'écart des autres bruants du genre *Calcarius*.

Habitat : passe l'été dans la toundra herbeuse, passe l'hiver dans les endroits dégagés à herbe courte.

Voix : chant, suite de gazouillis finissant par un *ouîî tchou*; appel, sorte de déclic.

Protection :
CBC: ↑

Bruant à ventre noir

Calcarius ornatus — Chestnut-collared Longspur

Mâle, été

Femelle

Identification : 14 cm. **En tous plumages, remarquer le triangle noir sur la queue, qui est surtout blanche.** ÉTÉ - MÂLE : **calotte noire; face et gorge chamois; collier marron; poitrine et haut du ventre noirs.** FEMELLE : **rayée de brun; le meilleur caractère distinctif est le triangle noir sur la queue.** HIVER - MÂLE : **les bordures chamois des plumes rendent les motifs du plumage d'été indistincts, mais on peut encore voir la gorge chamois ainsi que l'ébauche de ventre noir et de calotte marron.** FEMELLE : comme en été.

Alimentation : se nourrit au sol de graines et de quelques insectes.

Nidification : nid en forme de coupe, fait d'herbes, garni d'herbes plus fines, de poils et de plumes, dans une dépression peu profonde creusée par l'oiseau dans le sol. Oeufs : 3 à 6, crème à taches foncées; I : 11 à 13 jours; E : 10 à 12 jours, nidicole; C : 2.

Autres comportements : au-dessus de son territoire, le mâle exécute une parade aérienne pendant laquelle il chante; redescend en planant tout en étalant les ailes et la queue pour montrer le blanc.

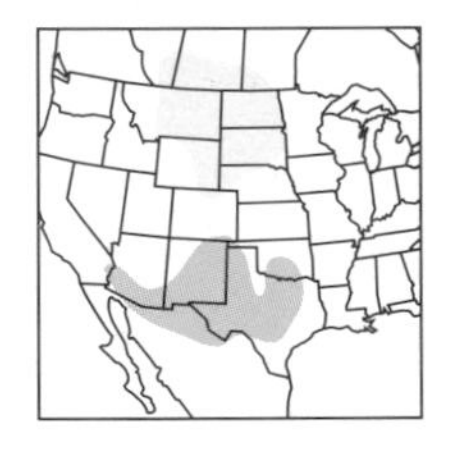

Habitat : prairies à herbe courte et champs cultivés.

Voix : chant, gazouillis mélodieux; appel, *tilip tilip*.

Protection :
BBS: E C ↓ CBC: ⇑

Bruant des neiges

Plectrophenax nivalis

Snow Bunting

Femelle, été

Mâle, été

Mâle, hiver

Identification : 18 cm. **ÉTÉ - MÂLE : taches blanches très voyantes sur la tête et le corps; du noir sur le dos, les ailes et la queue; bec noir.** **FEMELLE :** mêmes motifs que le mâle, mais moins prononcés. **Tête blanc-grisâtre; les parties foncées du dos, des ailes et de la queue sont gris-brunâtre. HIVER : calotte noire (mâle) ou chamois (femelle); dos rayé de chamois et de noir; tache chamois sur l'oreille; ventre blanc; teinte chamois sur les flancs et la poitrine; bec jaune orangé. AU VOL : remarquer les longues ailes blanches à extrémité noire.**

Alimentation : se nourrit au sol de graines, de bourgeons foliaires et d'insectes.

Nidification : nid fait de mousse, d'herbe et de terre, au sol dans un endroit rocailleux. Oeufs : 3 à 9, gris ou bleu tirant sur le crème; I : 10 à 16 jours; E : 10 à 17 jours, nidicole; C : 1 ou 2.

Autres comportements : en hiver, on l'observe parfois qui prend des bains de neige. Pour rester au chaud, peut s'ensevelir dans la neige. Pendant tout l'hiver, reste en grandes troupes qui se reposent au sol ou perchées sur les fils téléphoniques.

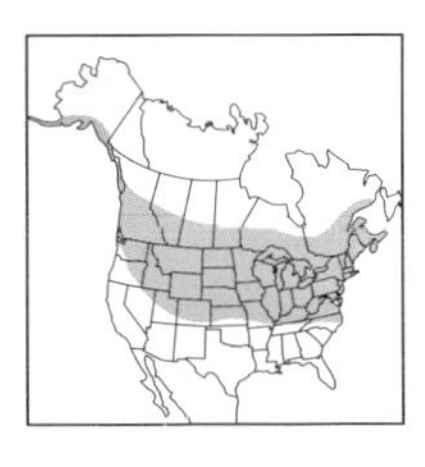

Habitat : passe l'été dans la toundra arctique et sur les rives rocailleuses; passe l'hiver dans les champs ouverts, au bord des routes et sur les plages.

Voix : chant, gazouillis mélodieux; appels, un *tiou* court et sifflé et des notes douces et bourdonnantes.

Protection :
CBC: ⇓

Goglu des prés
Dolichonyx oryzivorus

(Goglu)
Bobolink

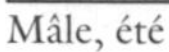
Mâle, été

Femelle, été

Hiver

Identification : 18 cm. ÉTÉ - MÂLE : **tête et corps noirs, nuque chamois-jaunâtre très visible.** Au vol, remarquer le croupion blanc. FEMELLE : **chamois, rayures brunes sur le dos et les flancs; rayures foncées sur la calotte; ligne noire derrière l'oeil.** HIVER : les 2 sexes comme la femelle en été, mais plus chamois. En tous plumages, remarquer le bout des rectrices qui est très pointu.

Alimentation : se nourrit au sol d'insectes et de graines d'herbes diverses. Dans le Sud, s'attaque également aux récoltes de riz.

Nidification : nid fait d'herbes grossières et de carex, garni de matériaux plus fins, au sol. Oeufs : 4 à 6, cannelle à éclaboussures brunes; I : 12 jours; E : 10 à 14 jours, nidicole; C : 1.

Autres comportements : l'habitat de nidification (champs de foin) est en diminution suite à l'étalement urbain, au reboisement et à la disparition des fermes laitières. Les études montrent que le fauchage précoce du foin avant l'envol des jeunes peut tuer plus de 80 % de ceux-ci. Lorsque ces champs se trouvent sur des terres protégées, les commissions de protection de l'environnement peuvent émettre des directives pour retarder la récolte du foin jusqu'à ce que les jeunes goglus aient quitté le nid. Dans la région nord, ces mêmes études recommandaient de ne faucher qu'après le 20 juillet ou même au mois d'août.

Habitat : champs de foin et prairies.

Voix : chant, un long gargouillis émis par le mâle en vol; appel, *pink*.

Protection :
BBS: E ↓ C ⇓ CBC: ↓
Les populations ont diminué suite à la disparition des prairies où l'espèce niche et à cause de la chasse menée au siècle dernier pour protéger les récoltes de riz.

Carouge à épaulettes

Agelaius phoeniceus

Red-winged Blackbird

Mâle

Femelle

Identification : 22 cm. **MÂLE : entièrement noir à épaulette rouge bordée de jaune.** Au centre de la Californie, les mâles n'ont pas de jaune à l'épaule et on les nomme parfois «bicolores». **FEMELLE : dessus brun et fortes rayures brunes dessous; bec pointu; sourcil chamois à blanchâtre. IMM - MÂLE :** ressemble à la femelle adulte, mais plus foncé et épaulette orangée bordée de blanc. **FEMELLE :** comme la femelle adulte. Garde son plumage imm. 1 an.

Alimentation : mange des insectes et des graines de mauvaises herbes. Fréquente les mangeoires seul ou en grandes troupes à la recherche de maïs concassé et de mélanges de graines.

Nidification : nid de roseaux et d'herbes, garni de matériaux plus fins, dans les roseaux et les herbes ou les buissons, à une hauteur de 90 cm à 2,50 m. Oeufs : 3 à 5, bleu-verdâtre pâle à taches foncées; I : 11 jours; E : 11 jours, nidicole; C : 2 ou 3.

Autres comportements : les mâles établissent un territoire de 600 à 1 200 m^2; pour le défendre, ils chantent sur des perchoirs en étalant les ailes pour montrer leurs épaulettes rouges. Ils peuvent aussi cacher la tache rouge, ne laissant voir que la bordure jaune. Les mâles sont polygynes et ont en moyenne 3 partenaires par saison de nidification. En hiver, forme d'immenses dortoirs communautaires.

Habitat : marais et prairies.

Voix : chant, un *konk-la-rîîîîî* sonore; appels, un *tchac* et un *tsîîr*; aussi, émis seulement par la femelle, *tch tch tch tchîî tchîî tchîî.*

Protection :
BBS: E ↓ C ↓ CBC: ↑

Sturnelle des prés

Sturnella magna — Eastern Meadowlark

Sturnelle de l'Ouest

Sturnella neglecta — Western Meadowlark

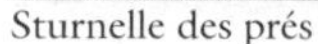

Sturnelle des prés

Sturnelle de l'Ouest

Identification : 23 cm. Les 2 : **dessus brunâtre, dessous jaune, V noir sur la poitrine. Meilleur caractère distinctif : voir la voix.** AU VOL : voir les **rectrices externes blanches et les petits battements d'ailes rapides suivis de courts planés.** La plupart du temps impossibles à distinguer sur le terrain sauf par le chant et l'aire de distribution. Le jaune de la gorge s'étend légèrement sur la joue chez la S. de l'Ouest et non chez la S. des prés; hybrides dans le Middle West.

Alimentation : les 2, se nourrissent au sol d'insectes, de céréales et de graines de mauvaises herbes.

Nidification : les 2, nid d'herbes grossières, recouvert d'un dôme et garni d'herbes plus fines, au sol dans une dépression naturelle ou creusée par l'oiseau lui-même. Oeufs : 3 à 7, blancs à taches foncées; I : 13 à 15 jours; E : 11 ou 12 jours, nidicoles; C : 1 ou 2.

Autres comportements : hybridation occasionnelle là où les aires de distribution se rejoignent. En hiver, forment parfois des troupes de 100 individus ou plus qui se nourrissent et se reposent ensemble. S. de l'Ouest étend son aire de distribution dans le Nord-Est. S. des prés en déclin parce que les prairies où elle niche deviennent des banlieues. Nombreux nids détruits lorsque les champs sont fauchés.

S. des prés — S. de l'Ouest

Habitat : prés, prairies.

Voix : S. d. p., chant, de 2 à 8 sifflements aigus (*tî ou ti tî yu*); appel, *dzîrit*. S. de l'O., chant, courte strophe de notes flûtées plus graves; appel, un *tchop* bas.

Protection :
S. des prés :
BBS: E ⇓ C ↓ CBC: ⇓
S. de l'Ouest :
BBS: E ⇓ C ↓ CBC: ⇓

Carouge à tête jaune

Xanthocephalus xanthocephalus — Yellow-headed Blackbird

Mâle

Femelle

Identification : 24 cm. MÂLE : **capuchon jaune vif; corps noir;** sur l'aile, tache blanche visible sur l'oiseau posé et en vol. FEMELLE : **entièrement brun-gris sauf le menton et la poitrine qui sont jaunes;** rayures blanches sur le haut du ventre. IMM - MÂLE : comme la femelle adulte, sauf les caractères suivants : poitrine plus jaune orangé, pas de rayures blanches sur le ventre et, en vol, fines taches blanches visibles sur le dessus de l'aile. FEMELLE : comme la femelle adulte. Garde son plumage imm. 1 an.

Alimentation : au sol, mange des insectes et des graines d'herbes diverses. Pour se nourrir, fréquente les champs, les terres agricoles, les prés, les ranches et les fermes.

Nidification : nid fait d'herbes et de roseaux détrempés, garni de matériaux plus doux, dans la végétation jusqu'à 2,10 m au-dessus de l'eau. Oeufs : 3 à 5, gris-verdâtre pâle à taches foncées; I : 11 à 13 jours; E : 9 à 12 jours, nidicole; C : 2.

Autres comportements : en automne et en hiver, rejoint d'autres carouges ainsi que des quiscales, Étourneaux sansonnets et Vachers à tête brune pour former de grandes troupes mixtes qui se reposent dans les marais.

Habitat : passe l'été dans les marais; passe l'hiver dans les champs de céréales.

Voix : chant, courtes notes étranglées entrecoupées d'un long bourdonnement; appel, un *crôc* grave.

Protection :
BBS: E ↑ C ↑ CBC: ⇓

Quiscale rouilleux

Euphagus carolinus Rusty Blackbird

Mâle, été

Femelle, été

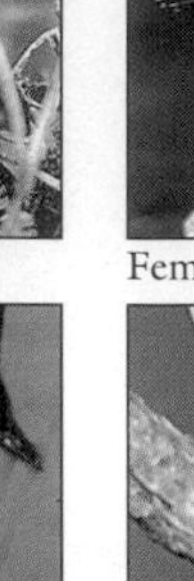

Mâle, hiver

Femelle, hiver

Identification : 23 cm. **ÉTÉ - MÂLE : semble entièrement noir terne; oeil jaune pâle; queue légèrement plus courte et bec légèrement plus long que le Q. de Brewer mâle, qui lui ressemble. FEMELLE : plumage grisâtre foncé à noir; oeil jaune pâle; rémiges parfois liserées de brun. HIVER - MÂLE : comme en été, mais plumes de la tête, du dos et des ailes liserées de brun rouille; croupion noir. FEMELLE : dessous chamois; sourcil chamois; dos rouille; croupion gris.** Au premier automne, les oiseaux des 2 sexes ont tendance à avoir une teinte rouille ou chamois plus prononcée que les années suivantes. Le plumage d'été résulte de l'usure des pointes plus claires des plumes.

Alimentation : se nourrit au sol et dans l'eau très peu profonde, mange des insectes, des crustacés, des poissons, des céréales et des graines de mauvaises herbes.

Nidification : nid fait d'herbe, de mousse et de boue, garni de matériaux plus fins, dans un arbuste ou un arbre, de 60 cm à 6 m au-dessus du sol. Oeufs : 4 ou 5, verdâtre pâle à taches foncées; I : 14 jours; E : 11 à 14 jours, nidicole; C : ?

Autres comportements : en hiver, forme des troupes immenses avec d'autres quiscales, des carouges et des Étourneaux sansonnets.

Habitat : passe l'été dans les tourbières à épinettes et les forêts humides; passe l'hiver dans les bois et les champs, près de l'eau.

Voix : chant, un *tchouk-louîîîîî* grinçant; appel, *tchec.*

Protection :
BBS: E ⇓ C CBC: ⇓

Quiscale de Brewer

Quiscalus cyanocephalus — Brewer's Blackbird

Mâle

Femelle

Identification : 23 cm. Mâle : **noir, lustre violet sur la tête et verdâtre sur le corps; oeil jaune pâle; queue légèrement plus longue et bec légèrement plus court que chez le Q. rouilleux mâle, qui lui ressemble.** En automne, parfois, plumes du corps légèrement liserées de gris-brunâtre. Femelle : **brun-gris; oeil foncé.**

Alimentation : se nourrit au sol de céréales, de graines de mauvaises herbes, de fruits et d'insectes.

Nidification : nid fait de brindilles, d'herbes et d'une matrice de boue ou de bouse de vache, garni de matériaux plus fins, au sol ou juste au-dessus dans la végétation. Oeufs : 3 à 7, gris pâle à taches foncées; I : 12 à 14 jours; E : 13 ou 14 jours, nidicole; C : 1 ou 2.

Autres comportements : en automne et en hiver, forme des troupes immenses, souvent en compagnie d'autres quiscales, de carouges, d'étourneaux et de Vachers à tête brune. Pendant la journée, ces troupes se nourrissent dans les terres agricoles. Les dortoirs communautaires situés dans les marais peuvent regrouper des dizaines de millions d'individus.

Habitat : prairies humides, rivières, rives de ruisseaux bordées de buissons denses, endroits cultivés, parcs, oasis, zones urbaines et bords de routes.

Voix : chant, un *criscouîî* grinçant; appel, *tchec.*

Protection :
BBS: E ↑ C ↑ CBC: ↓

Quiscale à longue queue

Quiscalus mexicanus

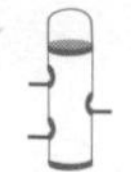

(Grand Quiscale)
Great-tailed Grackle

Mâle

Femelle

Identification : 48 cm. MÂLE : **gros oiseau tout noir à lustre violet sur le dos et sur la tête qui est plate; longue queue à côtés relevés; oeil jaune vif.** FEMELLE : **dessous brun chamois; dessus plus foncé à léger reflet verdâtre; oeil jaune;** longueur, 5 à 10 cm de moins que le mâle. IMM. - MÂLE : pas de reflets comme chez l'adulte; queue plate non relevée; oeil foncé devenant jaune au printemps. FEMELLE : plus pâle que l'adulte; parfois face plus contrastée, sourcil clair et bandeau foncé, oeil foncé devenant jaune au printemps. Garde son plumage imm. 1 an. ➤Dans le sud de la Californie, et l'ouest de l'Arizona, individus beaucoup plus petits; chez la femelle, poitrine très pâle.

Alimentation : mange des insectes, céréales, fruits, crustacés, poissons et oeufs d'autres oiseaux. Fréquente les mangeoires où il recherche les graines et les céréales.

Nidification : nid fait d'herbes, de roseaux et de boue ou de bouse de vache, garni de matériaux plus fins, dans une plante du marais ou un arbre. Oeufs : 3 ou 4, vert-bleuâtre à taches foncées; I : 13 ou 14 jours; E : 20 à 23 jours, nidicole; C : 1 ou 2.

Autres comportements : niche dans des colonies regroupant parfois des milliers d'individus. En hiver, forme d'immenses dortoirs.

Habitat : paysages dégagés avec quelques arbres, parcs, ranches et zones urbaines.

Voix : chant, suite remarquable de sifflements, de chuintements et de grincements.

Protection :
BBS: E C ⇑

Quiscale des marais

Quiscalus major

Boat-tailed Grackle

Mâle, yeux jaunes

Mâle, yeux foncés

Femelle, yeux foncés

Identification : 41 cm. **MÂLE : gros oiseau tout noir; lustre vert-bleuâtre sur le dos et sur la tête qui est ronde; longue queue à côtés relevés. FEMELLE : dessous brun-chamois; dessus plus foncé sans reflets;** longueur, 5 à 7 cm de moins que le mâle. **IMM. - MÂLE :** pas de reflets comme chez l'adulte; queue plate, oeil foncé. **FEMELLE :** plus pâle que l'adulte, oeil foncé. Garde son plumage imm. 1 an. **➤Couleur de l'oeil de l'adulte variable : jaune vif sur la côte atlantique; foncé en Floride et vers l'ouest sur la côte du golfe du Mexique** (où l'aire de distribution recouvre celle du Q. à longue queue qui a l'oeil jaune et la tête plus plate); **brun à bord jaune dans la région centrale de la côte du golfe du Mexique.**

Alimentation : mange des insectes, céréales, crustacés, poissons et jeunes oiseaux au nid. Ramasse des insectes sur le dos des bovins. Dérobe parfois des poissons aux hérons et aux Ibis falcinelles. Fréquente les mangeoires.

Nidification : nid fait d'herbe et de boue ou de bouse de vache, garni de matériaux plus fins, dans un arbuste ou un arbre à une hauteur de 90 cm à 3,50 m. Oeufs : 3 à 5, gris-bleu pâle à taches fondées; I : 13 à 15 jours; E : 20 à 23 jours, nidicole; C : 2 ou 3.

Autres comportements : aire de distribution en expansion vers l'ouest et le nord.

Habitat : marais d'eau salée, parcs, lacs.

Voix : chant, suite de notes aiguës dissonantes (*djîîb djîîb djîîb djîîb*); appels, un *tchoc* et divers grincements.

Protection :
BBS: E ↑ C ⇑

Quiscale bronzé 

Quiscalus quiscula 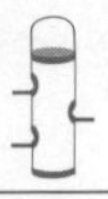 Common Grackle

Mâle violet

Mâle bronzé

Identification : 30 cm. MÂLE : **tête, dos et ventre noirs, irisés; bords de la queue relevés surtout pendant la saison de nidification; oeil jaune.** Les reflets du corps sont violets chez les oiseaux du Sud-Est jusqu'au sud de la Nouvelle-Angleterre et couleur bronze dans les autres régions. Queue plus courte et bec plus petit que chez les Q. des marais et à longue queue qui lui ressemblent. FEMELLE : **ressemble au mâle, mais queue plate et plus courte et plumage moins irisé.**

Alimentation : se nourrit surtout au sol d'insectes, de graines de mauvaises herbes, de céréales, de petits poissons, de petites écrevisses, de rongeurs et d'oiseaux. Fréquente les mangeoires où il consomme des graines et du maïs concassé.

Nidification : nid fait d'herbes, de brindilles, de roseaux et de boue, garni de matériaux plus fins, dans un arbuste ou un arbre, de 90 cm à 9 m au-dessus du sol ou de l'eau. Oeufs : 4 à 7, brun-verdâtre pâle à taches foncées; I : 13 ou 14 jours; E : 12 à 16 jours, nidicole; C : 1.

Autres comportements : pendant la parade nuptiale, le mâle vole avec la queue en V. En hiver, forme d'immenses dortoirs, souvent en compagnie de Carouges à épaulettes et de vachers; ces dortoirs regroupent parfois des dizaines de millions d'oiseaux et peuvent représenter une nuisance près des zones urbaines. Les grandes troupes nuisent parfois aux récoltes de céréales.

Habitat : endroits dégagés avec quelques arbres, parcs urbains, arrière-cours, terres agricoles.

Voix : chant, courte suite de sons dissonants se terminant par un grincement (*goloulîîk*); appel, un *tchac* et un *tchââr*.

Protection :
BBS: E ↓ C ↓ CBC: ↑

Vacher bronzé

Molothrus aeneus — Bronzed Cowbird

Mâle

Femelle, sous-espèce du Texas

Identification : 20 cm. MÂLE : **tout noir, reflets bleuâtres sur les ailes et la queue; long bec conique; front plat; oeil rouge.** FEMELLE : **bec, profil et couleur des yeux semblables; sous-espèce du Sud-Ouest entièrement brun-grisâtre; au Texas, entièrement noir terne.**

Alimentation : se nourrit surtout au sol d'insectes, de céréales et de graines de mauvaises herbes. S'observe également sur le dos des bovins où il attrape les tiques et autres parasites.

Nidification : pas de nid. Oeufs : habituellement 1 par nid de l'espèce-hôte, bleu-verdâtre pâle; I : 10 à 13 jours; E : 11 jours, nidicole; C : ?

Autres comportements : la femelle pond généralement un oeuf par nid dans des nids d'une autre espèce, souvent un oriole. Elle enlève habituellement l'un des oeufs de l'hôte et le remplace par le sien. L'oeuf du vacher éclôt un jour avant les autres; le jeune vacher est plus gros que les jeunes de l'espèce parasitée, il reçoit plus de nourriture qu'eux et les élimine parfois tout simplement du fait de sa taille. Dans la plupart des cas, certains jeunes du nid parasité parviennent au stade où ils quittent le nid, mais l'action des vachers réduit leur nombre. En présence de cette forme de parasitisme, certains oiseaux enlèvent ou détruisent les oeufs de vacher, abandonnent leur nid ou en construisent un autre par-dessus pour pondre à nouveau.

Habitat : pelouses des villes, champs cultivés, parcs, forêts ouvertes.

Voix : chant, suite de grincements; appel, un *tchoc* grave.

Protection :
BBS: E C ⇑ CBC: ⇑

Vacher à tête brune

Molothrus ater

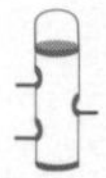

Brown-headed Cowbird

Mâle

Femelle

Identification : 18 cm. **MÂLE : tête brun foncé; corps noir luisant;** bec conique gris foncé. **FEMELLE : entièrement brun-grisâtre, très peu de motifs visibles; bec conique gris foncé;** rayures peu marquées sur la poitrine.

Alimentation : se nourrit au sol de céréales, de graines de diverses herbes et d'insectes. Fréquente les mangeoires.

Nidification : ne fait pas de nid. Oeufs : habituellement 1 par nid de l'espèce-hôte, blanc à taches foncées; I : 10 à 13 jours; E : 9 à 11 jours, nidicole; C : ?

Autres comportements : pour plus de renseignements, voir le V. bronzé. Bien que 97 % des oeufs et des poussins de vacher n'arrivent jamais à l'âge adulte, en moyenne, chaque couple de vachers est remplacé par 1,2 couples, ce qui permet à l'espèce d'augmenter en nombre. Le parasitisme par les vachers a pour effet de faire diminuer le succès de reproduction de nombreuses autres espèces au point de représenter une grave menace pour la survie de certaines d'entre elles (Paruline de Kirtland, Paruline à dos noir, Viréo à tête noire et sous-espèce californienne du Viréo de Bell). On connaît 144 espèces qui sont parasitées avec succès par le V. à tête brune. La fragmentation des forêts due à l'étalement des banlieues lui permet d'entrer en contact avec de nombreuses espèces forestières.

Habitat : pâturages, lisières de forêts, pelouses des villes, clairières.

Voix : chant, un *glouglou tsîî* liquide; appels, un *psîîsîî* et un *djjdjjdjj*.

Protection :
BBS: E ⇓ C ↓ CBC: ⇓

Oriole des vergers

Icterus spurius

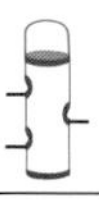

Orchard Oriole

Mâle

Femelle

Mâle immature, 1er printemps

Identification : 18 cm. **MÂLE : ailes, queue et capuchon noirs; ventre et croupion brun-roussâtre. FEMELLE : dessus vert olive; dessous jaune; 2 fines barres alaires blanches. IMM - MÂLE :** en automne, ressemble à la femelle adulte. Le printemps et l'été suivants, comme la femelle adulte mais gorge et haut de la poitrine noirs, parfois avec quelques plumes brun-roussâtre. **FEMELLE :** comme la femelle adulte. Garde son plumage imm. 1 an.

Alimentation : se nourrit dans les arbres et les arbustes, d'insectes, de fruits et de fleurs d'arbres. Fréquente parfois les mangeoires à colibris.

Nidification : nid peu profond en forme de sac, fait de brins d'herbe tissés, garni de matériaux plus fins, suspendu à la fourche d'une branche d'arbre à une hauteur de 1,80 m à 6 m. Oeufs, 3 à 7, bleu-grisâtre pâle à taches foncées; I : 12 à 14 jours; E : 11 à 14 jours, nidicole; C : 1.

Autres comportements : nid isolé ou colonies éparses. Les mâles chantent dans les arbres. Souvent caché dans le feuillage mais habituellement peu craintif. Les adultes et les jeunes demeurent ensemble jusqu'au moment de la migration vers le sud. Souvent parasité par le vacher.

Habitat : vergers, forêts ouvertes, arbres dans les petites villes, milieux humides, parcs, bosquets près des ruisseaux.

Voix : chant, suite rapide de sifflements; appel, *tchec* court.

Protection :
BBS: E ↓ C ⇓ CBC: →
Déclin dû à la disparition des forêts tropicales dans l'aire d'hivernage.

Oriole masqué
Icterus cucullatus

Hooded Oriole

Oriole maculé
Icterus pectoralis

Spot-breasted Oriole

Oriole masqué, mâle

Oriole masqué mâle imm., 1er printemps

Oriole masqué, femelle

Oriole maculé

Identification : O. masqué 18cm, O. maculé 22 cm. O. MASQUÉ - **MÂLE : corps orange à jaune** (selon la sous-espèce); **face et gorge noires; long bec fin, légèrement courbé vers le bas. FEMELLE : dessous jaune-verdâtre uni; long bec fin légèrement courbé vers le bas. IMM. - MÂLE :** en automne, comme la femelle adulte; printemps et été suivants, comme le mâle adulte mais ailes brun-gris. **FEMELLE :** comme la femelle adulte. O. MACULÉ : **gorge noire, taches sur la poitrine; sur l'épaule, tache orange. IMM. :** aussi une tache orange à l'épaule, mais n'a pas de gorge noire; les taches sur la poitrine peuvent être absentes.

Alimentation : les 2 se nourrissent dans le feuillage d'insectes, de baies et du nectar des fleurs. On peut les attirer avec du sucre dissous dans de l'eau.

Nidification : les 2, nid tissé fait d'herbes et de fibres végétales, garni de matériaux plus fins, suspendu à une branche. O. masqué - Oeufs : 3 à 5, pâles, tachetés; I : 12 à 14 jours; E : 14 jours, nidicole; C : 2 ou 3. O. maculé - Oeufs : 3 à 5, bleu pâle, tachetés; I : ?; E : ?, nidicole; C : 2.

Autres comportements : l'O. maculé a été introduit du Mexique en Floride, où il est maintenant résident.

O. masqué O. maculé

Habitat : O. masqué, zones urbaines et rurales à palmiers. O. maculé, parcs.

Voix : O. masqué, chant, suite de sifflements variés; appel, *ouîît*. O. maculé, chant, sifflements sonores; appel, *tchec*.

Protection :
O. masqué :
BBS: E C ⇑ CBC: ↓
O. maculé :
TENDANCE INCONNUE.

Oriole à gros bec

Icterus gularis

Altamira Oriole

Oriole d'Audubon

Icterus graduacauda

(Oriole à dos jaune)

Audubon's Oriole

Oriole à gros bec

Oriole d'Audubon

Identification : O. à gros bec 25 cm, O. d'Audubon 24 cm. Les 2 espèces limitées au sud du Texas. O. À GROS BEC : **tête orange; face et gorge noires; à l'épaule, tache orange; bec relativement court à racine épaisse. IMM :** entièrement orange-jaunâtre; face et gorge noires; tache jaune à l'épaule; bec relativement court à racine épaisse. Garde son plumage imm. 1 an. O. D'AUDUBON : **capuchon noir; dos et ventre jaune-verdâtre. IMM :** ressemble à l'adulte mais sans noir sur la tête, ailes brunes. Garde son plumage imm. 1 an.

Alimentation : l'O. à gros bec se nourrit dans les arbres et les arbustes; l'O. d'Audubon, plus près du sol. Les 2 mangent des insectes et des baies.

Nidification : les 2, nid d'herbes grossières et de fibres végétales, garni de matériaux plus fins. O. à gros bec - Nid pouvant atteindre une longueur de 60 cm, suspendu à l'extrémité des branches, de 9 à 24 m au-dessus du sol. Oeufs : 3 ou 4, blancs à taches foncées; I : ?; E : ?, nidicole; C : 2. O. d'Audubon - Nid suspendu dans un mesquite ou un buisson, de 1,80 m à 4 m au-dessus du sol. Oeufs : 3 à 5, bleu pâle ou blanc-gris à taches foncées; I : ?; E : ?, nidicole; C : ?

Autres comportements : lLe comportement des deux espèces demande à être étudié

à gros bec

d'Audubon

Habitat : les 2, forêts subtropicales ouvertes, buissons, saules près des ruisseaux.

Voix : O. à g. b., chant, suite de sifflements mêlés à des notes graves; appel, *rik* grave. O. d'A., quelques notes mélodieuses graves.

Protection :
O à gros bec :
BBS: E C ⇓
O. d'Audubon :
BBS: E C ⇑

Oriole de Baltimore
Icterus galbula
Oriole de Bullock
Icterus bullockii

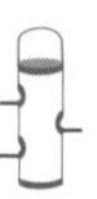

(Oriole du Nord)
Baltimore Oriole

(Oriole du Nord)
Bullock's Oriole

Oriole de Baltimore, mâle

Oriole de Baltimore, femelle

Oriole de Bullock, mâle

Oriole de Bullock, femelle

Identification : 21 cm. L'O. de Baltimore vit surtout dans l'Est, l'O. de Bullock surtout dans l'Ouest. O. DE BALTIMORE - **MÂLE : capuchon et dos noirs; corps orange. FEMELLE : croupion jaune-olive; dessous jaune orangé; tête et dos marbrés de noir; éclaboussures noires variables sur la gorge. IMM :** femelle comme l'adulte. Mâle comme la femelle adulte, mais pointes des petites couvertures orange. O. DE BULLOCK - **MÂLE : face orange; bandeau noir; sur l'aile, grosse tache blanche. FEMELLE : tête et poitrine jaunâtres; ventre blanchâtre. IMM :** femelle comme l'adulte. En automne, mâle jaunâtre à gorge et bandeau noirs; au printemps, mâle comme le mâle adulte, mais sans tache blanche sur l'aile.

Alimentation : mangent des insectes, des fruits et le nectar des fleurs. Fréquentent les mangeoires où ils recherchent les quartiers d'orange et l'eau sucrée.

Nidification : les 2 espèces, nid fait de fibres végétales, suspendu à une branche à une hauteur de 1,80 m à 18 m. Oeufs : 4 à 6, blanc-bleuâtre pâle à taches foncées; I : 12 à 14 jours; E : 12 à 14 jours, nidicoles; C : 1.

Autres comportements : chez les 2 espèces, le mâle et la femelle chantent.

de Baltimore

de Bullock

Habitat : arbres feuillus près des endroits dégagés (parcs, jardins, bords des routes).

Voix : chant, 4 à 8 sifflements de tonalité moyenne; appels, 2 notes (*tîîtou*) et un jacassement rapide (*djjdjjdjjdjjdjj*).

Protection :
O. de Baltimore :
BBS: E ↓ C ↓
O. de Bullock :
BBS: E C ↓

Durbec des sapins

Pinicola enucleator

Dur-bec des pins

Pine Grosbeak

Mâle

Femelle

Identification : 23 cm. **MÂLE : tête, poitrine et dos rouge rosé; ventre gris; ailes noires avec deux barres alaires; bec court et épais, noir.** FEMELLE : ressemble au mâle, mais les parties colorées sont jaune-olive et restreintes à la tête et au croupion. IMM - MÂLE : comme la femelle adulte mais tête et croupion orangés. FEMELLE : ressemble à la femelle adulte. Garde son plumage imm. 1 an.

Alimentation : au sol et dans le feuillage, se nourrit de graines, noix, bourgeons et fruits de nombreux arbres (pommetiers, érables, frênes et pins). Mange également des insectes. Aux mangeoires, recherche les graines de tournesol.

Nidification : nid fait de mousse, brindilles, racines, lichens et herbes, garni de radicelles, de fourrure et de lichens, dans un arbuste ou un arbre, de 60 cm à 9 m au-dessus du sol. Oeufs : 2 à 6, vert-bleu à taches foncées; I : 13 à 15 jours; E : 13 à 20 jours, nidicole; C : 1.

Autres comportements : invasions; certains hivers, de grands nombres d'individus s'aventurent au sud de leur aire de distribution normale, en particulier lorsque les populations sont nombreuses et que la nourriture est rare dans le Nord. S'associe parfois avec des troupes de Jaseurs boréaux.

Habitat : passe l'été dans les forêts conifériennes et les forêts de montagne; passe l'hiver près des arbres producteurs de fruits et de graines.

Voix : chant, un gazouillis mélodieux; appel, 3 notes sifflées, la 2e étant la plus aiguë (*dudîdu*).

Protection :
BBS: E ↓ C CBC: ↑

Roselin pourpré

Carpodacus purpureus

Purple Finch

Mâle

Femelle

Identification : 15 cm. MÂLE : **dessus, poitrine et flancs rouge framboise (plus prononcé en été); tête rouge uni; peu ou pas de rayures brunes sur la poitrine et les flancs.** FEMELLE : motif net sur la face, **large sourcil blanc, bandeau brun et joue blanche; dessous, larges rayures floues brunes, sous-caudales non rayées.** IMM. : mâle et femelle comme la femelle adulte. Le mâle chante et niche parfois avec ce plumage. Garde son plumage imm. 1 an. Appel en vol distinctif, voir la voix.

Alimentation : au sol et dans le feuillage, se nourrit de graines et de bourgeons d'arbres et de mauvaises herbes, de baies et d'insectes. Fréquente les mangeoires où il recherche le tournesol et le millet.

Nidification : nid fait de brindilles, d'herbes, de radicelles, de mousse, de morceaux de mue de serpent et de ficelle, garni de crin de cheval, de mousse et de radicelles, sur la branche d'un arbre à une hauteur de 1,50 m à 18 m. Oeufs : 3 à 6, bleu-vert clair à taches foncées; I : 13 jours; E : 14 jours, nidicole; C : 1 ou 2.

Autres comportements : invasions certains hivers.

Habitat : forêts mixtes ou de conifères, bas de flancs de montagne, terrains de banlieue.

Voix : chant, gazouillis mélodieux prolongé; appel en vol, un *pik* court.

Protection :
BBS: E ↓ C ⇓ CBC: ↑

Roselin familier

Carpodacus mexicanus

House Finch

Mâle

Mâle, forme jaune

Femelle

Identification : 14 cm. **MÂLE : tête et haut de la poitrine rouges; larges rayures brunes sur le bas de la poitrine et les flancs.** Dans certaines régions, le rouge est remplacé par du jaune ou de l'orange. **FEMELLE : tête uniformément rayée de brun; larges rayures brunes sur la poitrine et le ventre;** sous-caudales blanches habituellement non rayées. Son bec beaucoup plus court permet de la distinguer du Roselin de Cassin, qui est beaucoup plus grand.

Alimentation : au sol et dans les arbres, mange des graines de mauvaises herbes, fleurs d'arbres, fruits et bourgeons. Accapare parfois les mangeoires où il recherche le tournesol.

Nidification : nid de brindilles, d'herbes, de feuilles et de débris, dans des cavités artificielles et naturelles comme des plantations dissimulant des fondations, des vignes, des jardinières suspendues et parfois des nichoirs. Oeufs : 2 à 6, blanc-bleuâtre, mouchetés; I : 12 à 16 jours; E : 11 à 19 jours, nidicole; C : 1 à 3.

Autres comportements : en hiver, forme des troupes. Originaire de l'ouest du continent. Dans l'Est, a été introduit dans la région de New York en 1940; des oiseleurs sur le point d'être arrêtés pour vente illégale de R. familiers comme «pinsons d'Hollywood» ont relâché ceux-ci. Depuis, l'espèce s'est répandue dans une grande partie de l'Est et est encore en expansion.

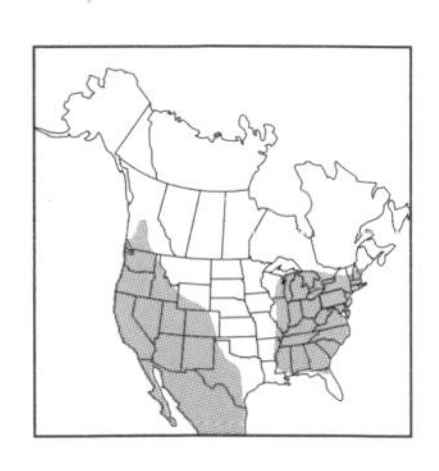

Habitat : zones urbaines, banlieues, parcs, canyons, zones broussailleuses semi-arides.

Voix : chant, gazouillis mélodieux se terminant souvent par un *djîîr* enroué et descendant. La femelle et le mâle chantent.

Protection :
BBS: E ⇑ C ⇑ CBC: ↑

Bec-croisé des sapins

Loxia curvirostra

(Bec-croisé rouge)

Red Crossbill

Bec-croisé bifascié

Loxia leucoptera

(Bec-croisé à ailes blanches)

White-winged Crossbill

Bec-croisé des sapins, mâle

Bec-croisé bifascié, mâle

Bec-croisé des sapins, femelle

Bec-croisé bifascié, femelle

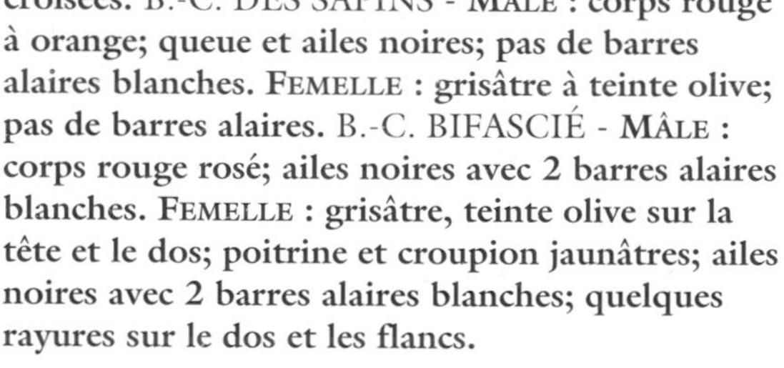

Identification : 15 cm. Les 2, **long bec à pointes croisées.** B.-C. DES SAPINS - **MÂLE : corps rouge à orange; queue et ailes noires; pas de barres alaires blanches. FEMELLE : grisâtre à teinte olive; pas de barres alaires.** B.-C. BIFASCIÉ - **MÂLE : corps rouge rosé; ailes noires avec 2 barres alaires blanches. FEMELLE : grisâtre, teinte olive sur la tête et le dos; poitrine et croupion jaunâtres; ailes noires avec 2 barres alaires blanches; quelques rayures sur le dos et les flancs.**

Alimentation : les 2 espèces écartent les écailles des cônes de résineux avec leur bec et retirent la graine avec leur langue. Mangent aussi d'autres graines, des insectes et le sel qu'on répand sur les routes; souvent tués par des véhicules. S'observent parfois aux mangeoires.

Nidification : les 2, nid de brindilles, radicelles, herbes, mousse, écorce et lichens, sur une branche d'arbre à une hauteur de 1,80 m à 12 m (B.-c. des s.) ou de 0,90 m à 21 m (B.-c. b.). Oeufs : 2 à 5, blanc-verdâtre ou blanc-bleuâtre à taches foncées. B.-c. des sapins - I : 12 à 18 jours; E : 15 à 20 jours, nidicole; C : 1 ou 2. B.-c. bifascié - I : 12 à 14 jours; E : ?, nidicole; C : ?

Autres comportements : invasions; certains hivers, déplacements importants hors de l'aire de distribution normale.

des sapins

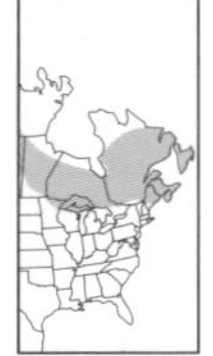

bifascié

Habitat : forêts de conifères. B.-c. des sapins, préfère les pins. B.-c. bifascié, épinettes et pins.

Voix : chant, gazouillis rapide. B.-c. des sapins, appel en vol, *djip djip djip*. B.-c. bifascié, appel en vol, *tchif tchif*.

Protection :
B.-c. des sapins :
BBS: E ⇑ C ↑ CBC: ↑
B.-c. bifascié :
BBS: E ⇓ C ⇑ CBC: ↓

Sizerin flammé

Carduelis flammea

Common Redpoll

Sizerin blanchâtre

Carduelis hornemanni

Hoary Redpoll

Sizerin flammé, mâle

Sizerin blanchâtre

Sizerin flammé, femelle

Sizerin blanchâtre

Identification : 14 cm. Les 2 espèces se reconnaissent à leur **front blanc et leur menton noir.** S. FLAMMÉ - **MÂLE : rayures brunes sur les flancs et sur le croupion pâle; en hiver, le rose est restreint au centre de la poitrine; il s'étend à la poitrine et aux joues en été. FEMELLE : pas de rouge sur la poitrine, mais rayures brunes sur les côtés du haut de la poitrine.** S. BLANCHÂTRE - **MÂLE : entièrement blanchâtre; dessous, nuque et croupion peu ou pas rayés; rose de la poitrine absent ou peu marqué. FEMELLE : ressemble au mâle, mais pas de teinte rosée sur la poitrine.** ➤Au sud de la frontière canadienne, la très grande majorité des sizerins qu'on observe sont des S. flammés.

Alimentation : les 2 mangent des graines et des bourgeons d'arbres et d'herbes diverses ainsi que des insectes. Fréquentent les mangeoires où ils recherchent les graines de tournesol et de chardon.

Nidification : les 2, nid de brindilles et d'herbes, dans un buisson ou au sol. S. flammé - Oeufs : 4 à 7, bleu ou vert pâle à taches foncées; I : 10 ou 11 jours; E : 12 jours, nidicole; C : 1 ou 2. S. blanchâtre - Oeufs : 3 à 7, bleu ou vert pâle à taches foncées; I : 11 jours; E : 9 à 14 jours, nidicole; C : 1.

Autres comportements : pour les 2 espèces, invasions.

flammé

blanchâtre

Habitat : passent l'été dans la toundra; passent l'hiver dans les endroits buissonneux.

Voix : les 2, chant, mélange de trilles et de bourdonnements; appels, un *tchit tchit* et un *souyîît* montant.

Protection :
S. flammé :
BBS: E ⇓ C CBC: ↓
S. blanchâtre :
CBC: ↓

Tarin des pins

Carduelis pinus

(Chardonneret des pins)

Pine Siskin

Identification : 13 cm. **Dessus brun, dessous clair; entièrement rayé de brun; long bec pointu; du jaune sur les ailes et à la naissance de la queue,** pas toujours visible au premier abord sur l'oiseau posé. **AU VOL :** bande jaune le long de l'aile.

Alimentation : au sol et dans le feuillage, se nourrit de graines de conifères et de mauvaises herbes, d'insectes, de boutons de fleurs et de nectar. Parfois très nombreux aux mangeoires où il recherche les graines de tournesol et de chardon.

Nidification : nid fait d'herbes, de brindilles, de radicelles, de lambeaux d'écorce et de lichens, garni de plumes, de fourrure et de radicelles, sur une branche d'arbre, de 90 cm à 15 m au-dessus du sol. Oeufs : 1 à 5, bleu-vert clair à taches foncées; I : 13 jours; E : 14 ou 15 jours, nidicole; C : 1 ou 2.

Autres comportements : invasions. Certaines années, s'observe en grand nombre. Souvent en compagnie de Chardonnerets jaunes. Son cri, un *zrruîîîî* bourdonnant, est un bon indice de sa présence.

Habitat : forêts de conifères ou mixtes, taillis d'arbustes, cours de banlieues.

Voix : chant, mélange de trilles et de gazouillis rapides; appels, un *suîîît* et un *zrruîîî* bourdonnant et montant.

Protection :
BBS: E ↑ C ↓ CBC: ⇑

Chardonneret mineur

Carduelis psaltria

Lesser Goldfinch

Mâle (partie ouest de la distribution)

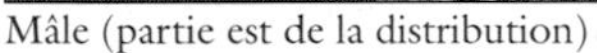

Mâle (partie est de la distribution)

Femelle

Identification : 11 m. MÂLE : il existe 2 formes. Dans la moitié ouest de l'aire de distribution, **calotte noire, dos vert, ventre jaune et tache blanche sur l'aile.** Dans la moitié est, **dessus noir, dessous jaune, tache blanchâtre sur l'aile. FEMELLE : dessus verdâtre; dessous jaune; sous-caudales jaunes; ailes noires avec une tache blanche visible en vol. IMM. :** femelle comme la femelle adulte. Mâle, mélange de vert et de noir sur la calotte. Garde son plumage imm. 1 an.

Alimentation : mange une grande variété de graines d'arbres et d'herbes diverses, également des boutons de fleurs et des baies. Fréquente les mangeoires où il recherche les graines de tournesol et de chardon.

Nidification : nid fait d'écorce, de mousse et de tiges, garni de plumes, de coton et de duvet végétal, dans un arbuste ou un arbre à une hauteur de 60 cm à 9 m. Oeufs : 3 à 6, bleu clair ou blanc-bleu; I : 12 jours; E : ?, nidicole; C : ?

Autres comportements : en hiver, forme des troupes d'importance variable, souvent en compagnie d'autres espèces de chardonnerets, de Tarins des pins et de Dickcissels. Aime les habitats où il y a un bon approvisionnement en eau.

Habitat : lisières de forêts, bord des routes, jardins, parcs.

Voix : chant, suite rapide de strophes répétées tirées du chant d'autres espèces; appel, *tîyî.*

Protection :
BBS: E C ⇓ CBC: ↓

Chardonneret jaune 

Carduelis tristis

American Goldfinch

Femelle, été

Mâle, été

Hiver

Identification : 13 cm. **ÉTÉ - MÂLE : corps jaune; calotte, queue et ailes noires. FEMELLE : vert-jaunâtre, queue et ailes noires. HIVER - MÂLE : brun-jaunâtre, teinte jaune sur la face et le menton; ailes noires à barres alaires blanches. FEMELLE : brun-grisâtre avec peu de jaune; ailes brun foncé à barres alaires blanches.**

Alimentation : au sol, sur les tiges d'herbes et dans le feuillage, se nourrit de graines, d'insectes et de baies. Aux mangeoires, recherche les graines de tournesol décortiquées et le chardon.

Nidification : nid fait de fils provenant des mauvaises herbes et des vignes, de filaments duveteux de graines dispersées par le vent comme celles des chardons, retenu par des filaments produits par les chenilles, dans un arbuste ou un arbre, de 1,20 m à 6 m au-dessus du sol. Oeufs : 3 à 7, bleu foncé; I : 12 à 14 jours; E : 11 à 15 jours, nidicole; C : 1 à 2.

Autres comportements : pendant la nidification, le mâle exécute un vol qui est une exagération de son vol ondulé normal et émet son appel (*cutîtetiou*), souvent tout en faisant le tour de son territoire. C'est la femelle qui construit le nid; elle en commence parfois un deuxième lorsque les jeunes de la première couvée ont quitté le nid et sont nourris par le mâle. En hiver, s'observe en troupes se déplaçant en quête de nourriture.

Habitat : endroits ouverts avec quelques arbustes ou arbres, fermes, cours des banlieues, jardins.

Voix : 2 chants, un long ressemblant à celui d'un canari et un court gazouillis énergique; appels, un *souiyîît*, un *bîîbîî* et, en vol, un *cutîtetiou*.

Protection :
BBS: E ↓ C ↓ CBC: ↑

Gros-bec errant

Coccothraustes vespertinus

Evening Grosbeak

Mâle, hiver

Femelle, hiver

Identification : 20 cm. MÂLE : **corps jaune; tête plus foncée, sourcil jaune vif; ailes noir et blanc.** Bec jaune en hiver, vert pâle pendant l'été. FEMELLE : **entièrement gris-brunâtre, nuque jaune; ailes noir et blanc.** Bec comme chez le mâle.

Alimentation : se nourrit surtout de graines d'arbres comme l'Érable à Giguère, l'Érable à sucre, les pins et le Tulipier d'Amérique. Mange également des fruits, des bourgeons, des noix, des insectes, la sève des arbres et le sel qu'on répand sur les routes. Aux mangeoires, préfère les graines de tournesol.

Nidification : nid fait de lichens, de brindilles, de racines et de mousses, garni de radicelles et de matériaux plus fins, à l'extrémité d'une branche d'arbre, de 6 m à 30 m au-dessus du sol. Oeufs : 2 à 5, bleus ou vert-bleuâtre à taches foncées; I : 11 à 14 jours; E : 13 ou 14 jours, nidicole; C :2.

Autres comportements : l'aire de nidification s'est agrandie. Produit des invasions, s'observe en grand nombre certaines années. Il est alors commun aux mangeoires et les troupes dévorent de grandes quantités de graines de tournesol. Au printemps, le bec passe du jaune au vert clair et la parade nuptiale commence. Essayez de voir le mâle offrir des graines de tournesol à la femelle.

Habitat : l'été, forêts mixtes et conifériennes du Nord; l'hiver, endroits dégagés avec des arbres et des arbustes, cours des banlieues.

Voix : chant, gazouillis haché; appel, un *pîîurr* sonore qui, lorsqu'il est émis par une troupe, rappelle le son des cloches d'un traîneau.

Protection :
BBS: E ↓ C CBC: ⇑

Moineau domestique

Passer domesticus — House Sparrow

Mâle, été

Femelle

Mâle, automne

Identification : 15 cm. **MÂLE : bavette noire; couronne et joues noires; dos et nuque brun vif. En automne, après la mue, les pointes grises des plumes cachent partiellement la bavette noire. FEMELLE : poitrine brun-grisâtre; calotte brune; sourcil chamois.**

Alimentation : au sol et dans le feuillage, se nourrit d'insectes, d'araignées, de petits fruits, de graines de mauvaises herbes, de céréales échappées et de miettes. Fréquente les mangeoires.

Nidification : nid fait de paille, de mauvaises herbes et de débris d'herbe, garni de plumes et de poils, dans une cavité ou une anfractuosité naturelle ou artificielle comme dans un nichoir, sous un avant-toit, dans les enseignes ou les recoins des édifices commerciaux. Oeufs : 3 à 7, blancs, vert clair ou bleu clair à taches foncées; I : 10 à 14 jours; E : 14 à 17 jours, nidicole; C : 2 ou 3.

Autres comportements : en automne et en hiver, les individus se reposent en groupe pendant la nuit ainsi qu'en pleine journée; ils se rassemblent alors et gazouillent bruyamment pendant un certain temps, parfois jusqu'à une heure. Introduit d'Angleterre en Amérique du Nord au milieu du XIXe siècle. Compétiteur agressif qui occupe les cavités dans lesquelles certaines espèces indigènes pourraient nicher. Pour s'approprier un nichoir ou une cavité, détruit les oeufs et tue les adultes ainsi que les oisillons des autres espèces.

Habitat : zones urbaines, parcs, terres agricoles dégagées.

Voix : *tchilup, tchilip tchilup* répétitif; appel, *tchilup.*

Protection :
BBS: E ⇓ C ↓ CBC: ↓

Moineau friquet

Passer montanus

Eurasian Tree Sparrow

Identification : 14 cm. **Calotte brune; petite bavette noire; joue blanche à tache noire au milieu.**

Alimentation : mange des céréales, des graines de mauvaises herbes et des insectes. Fréquente les mangeoires.

Nidification : nid fait d'herbes, de paille, de plumes, de foin et de tiges de mauvaises herbes, garni de plumes, dans une cavité naturelle ou artificielle, parfois dans un nichoir. Oeufs : 2 à 8, blancs ou gris clair à taches foncées; I : 12 à 14 jours; E : 12 à 14 jours, nidicole; C : 2 ou 3.

Autres comportements : espèce de l'Ancien Monde introduite à Saint Louis, Missouri, en 1870 et 1879. Vit dans les banlieues, les parcs et les terres agricoles de la région ainsi que dans les zones adjacentes de l'ouest de l'Illinois. Forme souvent des troupes de 25 à 100 individus, parfois en compagnie de M. domestiques. Plus discret que celui-ci; généralement, lorsque le M. domestique est présent, le M. friquet s'observe davantage dans les arbres et moins souvent au voisinage des édifices.

Habitat : fermes et zones urbaines.

Voix : chant, un *tchilup tchilip tchilup* aigu et répétitif; appel, *tchîlîp*.

Protection :
BBS: E ⇑ C CBC: ⇑

Glossaire

Aigrettes - Plumes allongées situées de chaque côté du sommet de la tête et qui peuvent être dressées ou abaissées.

Aire de nidification - Région géographique où une espèce niche régulièrement.

Anneau oculaire - Zone claire entourant l'oeil.

Appel - Courte vocalisation instinctive.

Bandeau - Rayure située sur la tête, allant de la racine du bec à l'oeil et se prolongeant derrière celui-ci.

Barre alaire - Trait clair continu à l'extrémité des couvertures alaires.

Bord d'attaque - Bordure avant; terme souvent employé pour décrire le plumage des ailes.

Bord de fuite - Bordure arrière; terme souvent utilisé pour décrire le plumage des ailes.

Buses - Rapaces diurnes, en particulier du genre Buteo, avec de longues ailes larges et une queue courte; se nourrissent surtout de rongeurs.

Calotte - Zone où les plumes sont foncées, sur le sommet de la tête.

Capuchon - Motif du plumage de certains oiseaux dont la tête est entièrement foncée et contraste avec les plumes plus claires du reste du corps.

Caroncules - Zones charnues et bosselées sur la face d'un oiseau; souvent pendantes, comme chez le Dindon sauvage.

Caroncules oculaires - Zones charnues de couleur voyante, au-dessus de l'oeil; communes surtout chez les tétras, qui s'en servent pendant leur parade nuptiale.

Ceinture - Bande de plumes foncées qui traverse la poitrine d'un oiseau.

Chant - Vocalisation prolongée et complexe qui est partiellement apprise.

Chevrons - Petites taches en V sur les parties inférieures de certains oiseaux.

Cire - Partie charnue surélevée, à la racine de la mandibule supérieure, chez les buses, aigles, faucons et espèces apparentées.

Cloaque - Ouverture anale et du système reproducteur.

Collier - Zone de plumes foncées qui entoure du cou.

Colonial - Se dit de certaines espèces chez lesquelles un grand nombre de couples nichent très près les uns des autres.

Couvée - Ensemble complet d'oeufs devant produire une nichée.

Couvertures - Petites plumes qui recouvrent la racine des plumes plus grandes, sur les ailes et la queue.

Couvertures sous-alaires - Plumes couvrant le dessous de l'aile.

Couvertures sous-caudales - Petites plumes qui couvrent le dessous de la racine de la queue.

Couvertures sus-caudales - Petites plumes qui couvrent le dessus de la racine de la queue.

Croissant oculaire - Croissant clair situé au-dessus ou au-dessous de l'oeil ou les deux.

Croupion - Dessus de la racine de la queue.

Dessous - Partie du corps située plus bas que les ailes, incluant le ventre, la poitrine et la gorge.

Dessus - Partie du corps située plus haut que les ailes, incluant le dos, la nuque et le dessus de la tête.

Disque facial - Ensemble des plumes disposées radialement autour des yeux, particulièrement chez les hiboux et les chouettes.

Distribution hivernale - Région géographique où se trouve un oiseau pendant l'hiver.

Éperviers - Rapaces diurnes du genre Accipiter ayant généralement des ailes courtes et une longue queue; capturent d'autres oiseaux en vol.

Favoris - Marques foncées verticales situées derrière l'oeil, surtout chez les faucons.

Fenêtre - Zone claire et translucide d'une aile, souvent à la base des primaires.

Flanc - Côté du ventre, juste au-dessous des ailes.

Forme - Variation de couleur qu'on observe régulièrement chez une espèce et qui n'est propre ni à un sexe, ni à un âge, ni à un plumage saisonnier.

Gorgerette - Chez les colibris, partie de la gorge qui est souvent irisée chez les mâles.

Huppe - Sur le sommet de la tête, plumes légèrement plus longues que les autres formant une pointe lorsqu'elles sont dressées.

Hybride - Résultat du croisement de deux espèces différentes.

Immature - Jeune oiseau entre les stades de juvénile et d'adulte.

Introduit - Se dit d'une espèce qui a été amenée par les humains dans une région qui n'est pas dans son aire de distribution normale.

Invasion - Augmentation rapide de la population d'une espèce.

Juvénile - Jeune oiseau en plumage juvénile.

Lore ou lorum - Région située entre l'oeil et la racine du bec.

Lunettes - Anneau oculaire et lore clairs qui font que l'oiseau semble porter des lunettes.

Mandibule - Moitié supérieure ou inférieure du bec.

Miroir - Chez les canards, zone colorée de la partie proximale de l'aile.

Miroir - Chez les mouettes et goélands, terme désignant les petites taches blanches à l'extrémité des ailes.

Moustaches - Traits foncés de chaque côté de la racine du bec et qui suivent les côtés de la gorge.

Mue - Chute complète ou partielle des plumes.

Nichée - Tous les poussins nés d'une même couvée.

Nidicole - Type de développement au cours duquel les oisillons naissent sans plumes et ont besoin, pendant les premières semaines de leur vie, de la nourriture et de la chaleur fournie par leurs parents.

Nidifuge - Type de développement des oisillons qui, dès l'éclosion, portent des plumes et savent se déplacer et se nourrir seuls.

Nuque - Partie arrière de la tête et du cou.

Partie proximale de l'aile - Partie de l'aile la plus rapprochée du corps.

Plumage - Ensemble des plumes d'un oiseau à un moment donné.

Plumage d'éclipse - Plumage transitoire des canards mâles en dehors de la nidification, ressemblant à celui de la femelle; apparaît habituellement au milieu de l'été.

Plumage d'hiver - Plumage qui est porté pendant les mois d'hiver.

Plumage juvénile - Premier plumage d'un jeune oiseau après la chute de son duvet.

Poignet - Endroit de la première courbure de l'aile.

Polyandre - Qui s'apparie et s'accouple avec plusieurs mâles.

Polygyne - Qui s'apparie et s'accouple avec plusieurs femelles.

Primaires - Les rémiges les plus longues, situées sur la partie distale de l'aile.

Rayure alaire - Raie orientée dans le sens de la longueur, sur le dessus de l'aile.

Rémiges - Les plus grandes plumes des ailes; appelées primaires et secondaires.

Sac aérien - Sac membraneux qui part des poumons et qui, chez les tétras, est souvent gonflé au cours de la parade nuptiale.

Secondaires - Rémiges situées sur la partie proximale de l'aile et qui ont à peu près la moitié de la longueur des primaires.

Sourcil - Rayure au-dessus de l'oeil.

Tache auriculaire - Plumes foncées situées juste derrière l'oeil et en dessous de celui-ci, dans la région de l'oreille.

Territoire - Zone défendue par un oiseau.

Crédits photographiques

Les lettres suivant imédiatement le numéro de page font référence à la position de la photographie dans la page (H = haut; B = bas; G = gauche; C = centre; D = droite). Le second numéro entre parenthèse indique que la photographie apparaît également dans une page d'«Introduction» ou dans les «planches d'identification rapide des oiseaux les plus communs» . Par exemple, 261G (xxiv) identifie la photographie du Pic mineur mâle, que l'on retrouve à la page 261 et à la page xxiv.

Steve Bentsen : 6, 55D, 118D, 139BD, 161G, 178D, 206G, 207BD, 215, 224 (xxiv), 227, 229D, 232D, 245HD, 253, 254D, 255, 257D, 260G, 260D, 280, 281, 314D, 321, 382, 394G, 396HG, 396HD, 398D, 399G, 399HD, 399BD, 407D, 415G, 415D, 418H, 437D (xxi), 442D, 449D, 457G.

Rick et Nora Bowers : 291, 309G, 310D, 346, 347B, 398G, 428BG, 439G, 439D, 443D (xxii).

Lysle R. Brinker : 216H, 219B, 374BD, 392BD, 435BD, 455HG, 455BG, 455HD, 455BD.

Kathleen et Lindsey Brown : 86B, 111D, 264G (xxiv), 314G (xxiii), 317 (xxiii), 318G (xxiii), 318D, 334G, 334D, 349G (xxii), 349D (xxii), 393G (xix), 393D (xix), 409 (405), 417G, 424BD (xx) (405), 427D (xx), 458HD (xviii), 458G (xviii).

Bill Burt : 133, 134.

William S. Clark : 104BG, 111BG, 118HG (93), 119HG.

Cornell Laboratory of Ornithology : L. Page Brown — 107D; Linda Drake — 352BD; Bill Dyer — 354BD, 369; Lang Elliott — 308; Mike Hopiak — 249G; O. S. Pettingill — 199HG (192); Mary Tremaine — 128H; Fred K. Truslow — 273G; Lawrence Wales — 135B.

Rob Curtis : 228G, 228D, 275D, 277G, 277D, 278, 286, 287, 292, 311H, 315, 322, 327, 331H, 331B, 335, 338, 352H, 354BG, 363H, 371BD, 373G (351), 381B, 384, 385G, 389H, 392G, 406, 423, 424HD, 426HD, 426BD, 429BD, 432BD.

Dave Czaplak : 210BG.

Mike Danzenbaker : 3B, 8B, 10H, 10B, 12G, 12HD, 12BD, 16, 17, 45D, 49G, 54, 57H, 64B, 68H, 68B, 71H, 74H, 74B, 81H, 83B, 89HG, 89BG, 129, 137, 146BG (145), 155 (145), 157D, 166D, 171H, 188G, 188D, 189D, 198HG (192), 201HD, 202BG, 202BD, 204HG, 208HD, 208G, 211HD, 212HG, 212BG, 217HG, 245G, 249D, 273D, 275G (266), 276, 282, 285, 288D, 304, 309D, 311B, 312B (xxiii), 323, 332H, 347HD, 348D, 368H, 371G (351), 390, 396BD, 402, 414, 417HD, 418B, 420G, 420D, 421G, 425, 433B, 434B, 435HD, 436BD, 448HD, 457BD, 459H (xviii).

Larry R. Ditto : 45G, 59H, 61B, 73B, 123G, 130, 143, 223B, 235, 243, 244D, 319, 345, 394D, 416BG, 440BG, 440BD.

Steven D. Faccio : 326 (xx), 336B.

Kenneth W. Fink : 39, 53B, 61H, 69B, 76BD, 78D, 86B, 140B, 171BG, 185BG, 194BG, 195HD, 196H, 199BD, 202HG, 204BG, 213HD, 225, 242, 303G, 432HD, 440HG, 441G, 445G, 450BG, 451G, 451D.

Sam Fried : 189G, 193HD, 196BG, 200H, 201HG, 203HD, 204BD, 205D, 211HG, 214BD, 232G, 237, 263D, 268, 279 (267), 307G, 307D, 310G, 431B, 433H, 438D, 443HG.

Gary K. Froehlich : 25HG, 25D, 27G, 28G, 28D, 66H, 66B, 83H, 99G (90), 100HD (92), 160G, 160BD, 183, 193HG (192), 231, 283, 442G.

W. Edward Harper : 124D, 128B, 197HD.

James R. Hill, III : 305G, 305D, 306D.

Joseph R. Jehl, Jr. : 186BD, 187BD, 194BD.

Kevin T. Karlson : 4H, 9H, 77BG, 77H, 79H, 126H, 126BG, 126BD, 169BG (144), 174H, 174B, 178G, 179G, 186H, 187H, 251G (xix), 357B, 361BD, 363B (351), 372D.

Peter LaTourrette : 195BG.

Harold et Kathy Lindstrom : 366D.

Stephen G. Maka : 41G, 94G (92), 172BG (144), 262G, 262D, 341 (xxiv).

Maslowski Photograph : 29G, 52, 53H, 116D, 131, 184, 186BG, 187BG, 213G, 236G, 240, 254G, 256, 271, 284 (267), 293, 295, 296, 320, 324 (xx), 328, 329, 330, 337, 339, 356B, 358B (350), 359B, 377, 389B, 400H, 426G, 427G (xx) (405), 432G, 435G, 460BD (404).

Arthur Morris/*Birds as Art* : 11H, 11B, 24G, 26G, 27D, 29D, 32, 33D, 38D, 38BG, 40H, 40B, 41D, 42G, 44G, 44D, 46, 47H, 51, 60B, 62, 64H, 65B, 72H, 72B, 73H, 75H, 84H, 84B, 85H, 135H, 138H, 141, 146BD, 147D, 148, 151G, 152, 154, 156H, 156B, 157G, 158D, 163 (145), 164, 165H, 165BD, 168H, 168B, 170H, 170BG (144), 170BD, 172H, 172BD, 173H, 173BG,

175B, 177BG (144), 177HD, 177BD, 181HG, 181HD, 181BD, 182G, 182HD (145), 182BD, 185BD, 193BD, 194HD, 195BD, 197BD, 199BG (192), 200BG, 201BG, 201BD, 206BD, 209H, 210BD, 213BD, 217HD, 270 (266), 299 (xxiii), 332B, 347HG, 355, 358H (350), 359H, 361H, 364H, 364BD, 366G, 370G, 371HD, 375H, 385BD, 391HD, 395G, 410G (xx) (405), 416H, 422, 443BG (xxii).

Blair Nikula : 22D, 23H, 23B, 173BD, 209BD, 211BG, 211BD, 212HD, 218D, 348G.

Rod Norden : 20.

Wayne R. Petersen : 15, 19, 26D, 417BD, 431H.

B. "Moose" Peterson : 88B.

Photo/Nats : Don Johnston — 124G; Barbara Magnuson — 76H; Stephen Maka —203BG; John F. O'Connor — 60H.

B. J. Rose : 198BD, 448BD.

Ray Schwartz : 119D, 119BG.

Leroy Simon : 35D, 138B.

Arnold Small : 4B, 77BD, 78G, 79BD, 80B, 81B, 82B, 87H, 87B, 88H, 181BG, 185H, 195HG, 217BD, 222, 269.

Brian E. Small : 85B, 160HD (145), 174BD, 214HD, 229D, 230, 248, 250, 252D, 272, 288HG, 289, 294, 297, 300, 302H (xxiii), 316G, 336H, 340 (xix), 343, 354H, 357H, 360H, 360BG, 361BG, 362H, 362B, 367, 370HG, 373HD, 373BD, 376H (351), 376B (351), 380, 385HD, 386H (350), 386BG (350), 387H, 387B, 388H, 388B, 395BD, 397G, 397BD, 400BD, 407G, 410HD, 410BD, 411, 413, 421D, 428H, 440HD, 446G (xxi), 457HD.

Hugh P. Smith, Jr. : 24D, 70, 101D, 102D, 139HD, 198BG (192), 245BD, 252G, 259D, 316D, 325, 342 (xxiv), 430BD, 441D, 448HG, 448BG, 450BD, 453HG (xix), 453HD, 456 (xx), 458BD (xviii), 460G (xx).

Barbara Spencer : 13.

Lillian et Don Stokes : 7D, 25BG, 33G, 34, 36, 38HG, 42D, 43G, 43D, 47B, 55G, 56, 58, 94D, 139G, 140H, 142, 149D, 161D, 167B, 175H, 261G, 261HD, 261BD (xxiv), 306G (xxiv), 453B (xix) (404).

John G. Tveten : 21B, 31, 37, 121, 123D, 149G, 151D, 162, 166G, 193BG (192), 198HD, 199HD, 202HD, 204HD, 207H, 214G, 221D, 437G (xxi), 444H (xxii).

Richard R. Veit : 14, 69H, 200BD, 203BD.

Tom Vezo : 35G, 57B, 59B, 71B, 76BG, 79BG, 80H, 82H, 103BG, 125H, 125B, 146HD, 147G, 150H (144), 167H (144), 169H, 169BD, 176, 179D, 196BD, 207BG, 210HD, 247B, 257G, 259G, 274 (267), 360BD, 370BG, 381H, 386BD.

VIREO : S. Bahrt — 313; Rick et Nora Bowers — 132, 247H; John Cancalosi — 153, 223H; A. et S. Carey — 122, 234; R. J. Chandler — 180D, 333G, 333D; H. Clarke — 356H; A. Cruickshank, 100BD; H. Cruickshank — 194HG, 205G, 206HD, 220, 416BD, 434H, 445D; Rob Curtis — 238, 303D, 401, 408; T. Davis — 150B; J. Dunning — 159; Sam Fried — 165BG, 268; W. Greene — 67, 127, 236D, 251D, 265G, 312H (xxiii), 459B (xviii); V. Hasselblad — 461; B. Henry — 444B, 454HG, 454BG, 454HD, 454BD; D. R. Herr — 103D; J. Hoffman — 290; M. P. Kahl — 209BG; Kevin T. Karlson — 3H, 5B, 9B; S. J. Lang — 5H, 136, 258D, 436G, 436HD, 568G (xxi); G. Lasley — 365; J. Maron — 180G; Arthur Morris/*Birds as Art* — 7G, 50, 75B, 89D, 146HG, 197BG, 203HG (192), 210HG, 212BD, 288BG, 298G, 302B, 368B, 391G, 424G, 428BD, 438G, 449G; O. S. Pettingill, Jr. — 452G (xix); R. L. Pitman — 18, 21H, 22G; D. Roby et K. Brink — 216B; F. K. Schleicher — 158G (145), 352BG, 430HG (xxiii) (405); B. Schorre — 344, 353, 364BG, 372G, 374HD, 374G, 375B (351), 378, 383, 391BD, 392HD, 395HD, 396BG, 397HD, 400BG, 447G, 447HD, 447BD, 450HG (xviii), 450HD (xviii); Johann Schumacher — 63, 264BD, 446D (xxi); T. J. Ulrich — 218G, 219H, 226, 258G (xxiv), 301, 429G, 430BG, 430HD, 452D (xix); R. Villani — 177HG, 263G, 460HD (xx) (404); A. Walther — 197HG; Doug Wechsler — 30D, 65H, 221G (xxiv), 246, 298D, 379; Brian K. Wheeler — 98BG, 100G, 102BG, 105HD, 106G (91), 110BD, 112D, 116BG (93), 120G, 120D; J. R. Woodward — 8H, 568D (xxi); D. et M. Zimmerman — 264HD, 429HD.

Brian K. Wheeler : 48G (91), 48D, 49D (91), 95 (93), 96G (93), 96D, 97G, 97D, 98HG (93), 98D, 99C, 99D, 101HG (92), 101BG, 102HG (92), 103HG (92), 104HG, 104D, 105G, 105BD, 106C, 106D, 107G (91), 107C, 108G, 108D, 109G, 109C, 109D, 110G, 110HD, 111HG (91), 112G, 113D, 113HG (91), 113BG, 114G (90), 114HD, 114BD, 115G, 115D, 116HG, 117G (93), 117D, 118BG, 120G, 120D.

Art Wolfe : 217BG, 233, 239, 241, 244G.

Index

Index des groupes d'espèces par onglets de couleur